韓國政治

통치구조 · 정당 · 선거

[제3판]

진영재

法 文 社

이 책을 한국 국민에게 바칩니다.

제3판을 출간하며

저자의 졸저를 읽어주신 독자분들 덕택에, 또다시 3판을 발행하게 되었고, 이에 깊은 감사를 드립니다. 3판에서는 그간 제도를 중심으로 변화된 내용들과 새로이 발생한 사건들을 종합하여 본문의 문구들이 갖는 통시적 의미를 생각하면서 표현들을 보완하였습니다.
저자로서의 가장 큰 보람은 많은 독자분들께서 책을 읽고서 다양한 의견을 주실 때입니다. 필자가 한국정치과정의 내용과 의미를 통시적으로 분석하고 정리한 작업이 보다 많은 사람들과 수준 있는 정치적 대화로 연결된 것에 큰 보람을 느끼게 됩니다. 한국정치는 이제 공공성을 실현하는 과정에서 선진화된 정책과 품격 있는 정치의 실현으로 나가야만 합니다. 의견을 주셨던 많은 분들에게 감사드립니다.

출간과정에서 자료 정리를 도와준 박상현 박사과정생, 김베드로 석사과정생에게 고마움을 전합니다. 최종 출간과정에서 수고해 주신 법문사 관계자 여러 선생님에게 감사드립니다. 마지막으로 이 자리를 빌려서 인생의 동반자 손은정에게 "항상 고맙다"는 말을 전합니다.

2024년 7월
연희관 206호에서
진 영 재 씀

한국정치 제2판을 출간하며

2015년에 법문사에서 간행한 졸고『한국정치』1판이 2016년도 대한민국학술원 선정 우수학술도서로 선정되어 영광으로 생각합니다.

2016년 말에서 2017년도 초반까지 한국정치과정은 대통령탄핵과 '촛불집회'와 '맞불집회'로 최고조의 역동성을 표출하며 전 세계의 이목을 집중시켰습니다. 대통령탄핵에서 대통령조기선거로 이르는 과정을 하나의 정치발전경로라고 볼 때, 이는 의회민주주의만으로 설명할 수 없으며, 참여민주주의라는 속성이 함께 논의되어야만 할 것입니다. 어느 누구도 시대의 흐름을 거역할 수 없습니다. 이것은 저와 윤성이 교수가 2013년 한국정치를 기획하던 당시에 '의회민주주의'와 '참여민주주의'라는 부분을 동시에 이해할 수 있도록 두 권의 단행본으로 별도 구성하되 유기적으로 연관되어 읽히는 것이 필요하다는 문제의식이 제법 긴요했음을 반증하는 것이라고 생각합니다.

앞으로 선진민주주의 국가들의 정치발전을 논함에 있어서 '의회민주주의'만을 통해서 할 수 없으며, SNS 뉴미디어 시대에 두드러지는 '참여민주주의'의 속성이 동시에 논의될 수밖에 없습니다. 독자분들께서 두 권의 책을 읽어보시면 두 권에 나타난 '의회민주주의'와 '참여민주주의'의 논조가 역사적 사실과 분석 내지 과거로부터 현재의 흐름에 이르기까지 유기적으로 연관되어 있음을 느끼실 수 있을 것입니다.

한국정치발전을 위해선 올바른 민주시민의식을 지닌 국민 개개인이 기반이 됩니다. 올바른 민주시민의식을 지닌 자는 공동체에 대한 공공의식을 지니고 사회적 책임에 대한 인식을 갖는 사람들입니다. 이제 훌륭한

지도자가 되기 위해선 훌륭한 시민이 되어야 합니다. 더불어 살며, 함께 고민하고, 화합하고, 타협할 줄 알아야 합니다. 과거로부터 교훈을 얻어 현재를 꾸려가며 미래를 대비해야 합니다. 겸허히 배우는 자세를 잃지 않고 한국정치 2권의 단행본을 지속적으로 보완해 나가겠습니다.

2017년 12월 26일

진 영 재 씀

제2판 머리말

졸고인 『한국정치』 1판이 대한민국학술원 우수학술서로 선정된 것을 영예로 생각합니다. 1판을 구입하신 모든 독자분들에게 감사드리며, 더 좋은 저서로 계속 발전시켜 나가겠습니다.

2판이 발행되는 2017년 말 2018년 초 한국정치과정에는 '개헌논의'가 한창입니다. 한국정치과정에 나타난 역사적 사실들에 익숙하고 그러한 지식을 누적시킨 후에 '개헌논의'는 제대로 이루어질 수 있습니다. 정치가 발전하는 것은 과거, 현재, 미래가 인과관계로 얽혀서 발전하는 것입니다. 정치현상을 이해하는 핵심은 정치체제, 정치제도, 정치문화에 나타나는 특수성이나 보편성을 현 시대의 흐름 속에서 파악하고 이해해 나가는 것입니다. 발전이란 자신의 자존감으로부터 비롯된다고 믿습니다. 그리고 그러한 자존감은 역사에 대한 올바르고 긍정적인 인식을 기반으로 하여, 더불어 타인들과 함께할 수 있는 '공공성' 속에서 빛나게 됩니다. 특수성을 강조하면서 인류보편가치에 어긋나서도 안 되며, 보편성과 평균값을 강조하면서 개성이나 특수성이 말살되지 말아야 합니다. 그래서 발전이란 항상 고민과 노력이 수반되는 쉽지 않은 과정입니다.

2판이 발간되는 번거로운 과정에서 수고해 준 연세대학교 대학원 정치학과 양규식 석사, 최은재 석사과정생에게 고마움을 전합니다. 법문사 편집부의 김진영 씨, 디자인팀의 손현오 과장님에게도 감사를 드립니다.

2017년 12월 26일

연희관 206호에서

진 영 재 씀

한국정치를 출간하며

많은 지식인들이 한국사회를 보면서 '한국시민교육'의 중요성을 절감하고 있습니다. 민주시민이란 궁극적으로 "사회에 대한 애정을 바탕으로 '공공성'에 대한 개념을 갖고 있는 자"라고 생각합니다. 한국사회에서 민주시민이 되기 위해선, 다시 말해 한국사회에 대한 애정을 갖기 위해선, 한국정치과정에 대한 역사 지식이 있어야 합니다. 우리 정치과정에서 어떤 일들이 일어났으며, 어떤 과정을 거쳐서, 어떤 결과를 만들었는지에 대한 지식이 있어야 사회에 대한 애정도 공공성에 대한 올바른 개념도 갖추게 될 것입니다. 한국정치과정 100년에 대한 지식의 습득은 한국사회 구성원들 모두에게 요구되는 소양이라고 생각합니다. '한국시민교육'에 대한 하나의 방편으로 한국정치 단행본을 기획하여 2년 반의 시간을 보내고 졸고를 완성하게 되었습니다.

한국정치는 두 권으로 한 세트가 구성되어 있습니다. 한 권은 진영재의 저서로 '통치구조 · 정당 · 선거'를 다루고 있으며, 또 다른 한 권은 윤성이의 저서로 '민주주의 · 시민사회 · 뉴미디어'를 다루고 있습니다. 시기적으로 전권은 1897년 대한제국 이후 현재까지의 헌법, 행정부, 의회, 정당, 선거의 분야를 다루고 있습니다. 후권은 1987년 민주화시기 이후 현재까지의 한국의 시민사회, 사회균열, 미디어정치, on-line정치를 다루고 있습니다.

해당 한국정치 단행본은 전문적 내용에 보다 많은 일반 독자들도 쉽게 접근할 수 있도록 경어체 문장을 통해서 풀어쓰고자 하였습니다. 추상성이 높은 정치이론도 독자들이 평이하게 이해할 수 있도록 노력하였습니다. 역사적 주요 사건들과 이에 연관된 세부 사안들을 구체적으로 설명하는 과정에서도 간결성이나 명료성을 잃지 않으려고 주의를 기울였습니다. "정교함의 절정은 단순이고, 정교함의 부족은 꾸밈이다." 필자들이 추구한 간결성은 허세적 꾸밈을 피하고 필자들이 갖고 있는 가능한 지식 범위하에서 최대한의 객관성을 추구하려는 의도에서 비롯된 것이기에, 극단적이고 선명한 것을 지향한다는 의미가 아닐뿐더러 다양한 해석의 가능성을 차단하는 것과도 무관한 것입니다.

본 단행본을 접한 독자들이 한국정치에 관한 지식을 늘리고, 흥미를 느끼는 계기가 되기를 기대합니다. 나아가 본 단행본이 궁극적으로 '한국 시민교육'에 긍정적으로 기여할 수 있다면 더 바랄 것이 없습니다. 저자들이 최선을 다하였으나 항상 부족하기에 강호제현의 편달을 바랄 뿐입니다. 해당 단행본을 완성하는 과정에서 최종 원고작업과 사진작업을 마무리하는 과정에서 고생한 박상현, 양규식 조교의 노고에 감사의 말을 전합니다. 원고를 읽어준 이지문 박사, 최선 박사, 정진웅 박사, 성치훈 박사과정생에게 감사의 말을 전합니다. 최종 편집작업을 도와준 법문사 편집부 김진영 씨에게 감사드립니다. 출간과정에서 수고하신 장지훈 부장, 손현오 과장에게도 감사드립니다.

2015. 7. 7.
한국정치 출간에 즈음하여
진 영 재 씀

머 리 말

저자는 한국사회의 특질을 '역동성'이라고 생각합니다. 한국은 100년 전 나라를 빼앗기는 가운데도 '임시정부'를 수립하여 국가의 대계를 이어 왔고, 해방이후에는 국가건설과 경제발전에 매진하였습니다. 그리고 이제, 한국은 경제규모로도 세계 10위 전후의 국가로 거듭났습니다. 한국의 많은 시민들이 갖고 있는 높은 수준의 정치혐오감에도 불구하고, 한국은 이코노미스트(the Economists)지의 정치발전 순위에서도 세계 20위권의 국가입니다. 만약 이 중에서 인구 소국들을 제외하고 인구 5천만명 이상의 국가들을 비교하면 세계 10위권 정도에 해당합니다. 짧은 시기에 경제발전과 정치발전을 이룩한 한국은 대단한 국가라고 자평해 보는데, 이는 우리사회 역동성이 갖는 긍정적인 부분입니다.

그러나 우리사회의 역동성은 사회 구성원들로 하여금 피로감을 갖게 하고, 성마르게 하며, 갈등과 반목, 경쟁과 허식이라는 부정적 측면을 동시에 표출하고 있음이 주지의 사실입니다. 한국내부에서 한국사회나 한국정치에 대한 평가는 권위있는 외부기관의 평가와 사뭇 다릅니다. 많은 한국사람들은 한국의 정치는 다른 영역에 비교하여 '삼류'라고 생각합니다. 더 심각한 것은 그로 인해서 미래 한국의 국운을 걱정하고 있다는 것입니다. 현재 한국사회의 혼란은 정치사에 대한 무지에서 출발합니다. 사회구성원들의 건강한 '시민의식'은 그 국가 역사와 정치제도에 대한 기본을 이해하는 것에서 출발합니다.

시민들 개개인 모두는 '공공선'에 대한 의지와 이를 통해서 구현되는 사회통합에 대해서 더 책임감을 공유하며 희망찬 미래 한국을 향해 나아가야 합니다. 사실, 1897년 대한제국 성립이후, 그리고 1945년 해방이후 현재까지의 기간은 100년에 해당하는 기간이어서 짧은 시기가 아닐런지도 모릅니다. 로마가 '도시국가'에서 출발하여 '지중해 광역국가'를 형성하는 데 800년이 걸렸다고 했지만, 그때와 지금은 다릅니다. 한국의 국가발전이 하루 아침에 이루어진 것은 아니기에 우리가 지난 100년 동안 어떤 형식과 내용의 정치과정을 통해서 지금에 이르렀는지를 알아야만 합니다. 지금 한국사회의 모습은 과거의 누적된 반영이며, 한국사회를 개선하려는 노력도 우리의 과거 정치과정을 모르는 경우 개선에 대한 현실성도 적실성도 담보할 수 없습니다. 지키려는 전통은 없이 현재를 부정하는 개혁과 혁신만이 유일한 방향이라고 인식한다면, 그 사회는 자책성이 강조되는 피곤한 사회입니다. 건전한 시민의식의 배양을 위해선 '온고이지신'이 답이라고 생각합니다.

학부시절에 많은 가르침을 주신 모든 은사님들, 특히 한국정치관련 과목을 담당하셨던 윤형섭, 한흥수, 신명순 선생님께 감사드립니다. 각종 세미나에서 발표와 토론을 통해서 가르침을 주었던 한국정치학회의 모든 선배, 동료, 후배 분들께 감사드립니다. 정치학을 공부함에 있어서 연구주체의 정체성의 중요성을 반복적으로 일깨워주신 데이비드 이스턴(David Easton) 교수님께 감사드립니다. 얼마 전에 고인이 되셨는데 은사님의 명복을 빌며, 해당 한국정치 단행본으로 은사님의 요구에 감히 답변드리고자 합니다. 학문적으로 부족한 저를 너그러이 격려해 주셨던 웨인 샌홀츠(Wayne Sandholtz) 교수님께 감사드립니다. 졸고에 대한 많은 분들의 지도편달을 부탁드립니다.

2015. 7. 1.

연희관 206호에서

진 영 재 씀

■ 차 례

제1장 통치구조 1

제1장
통치구조

| 개요 |

민주주의는 '입헌민주주의'와 '의회민주주의'라는 두 개의 축으로 이해될 수 있습니다. 정치과정을 이해하는 가장 근본적인 방법은 통치구조를 이해하는 것입니다. 통치구조는 헌법을 통해서 규정되며, '입헌민주주의'는 기본적으로 헌법 규정을 통해서 이해됩니다. 헌법은 국민의 기본권에 대한 규정을 기본으로 하여, 통치기구가 국민들로부터 어떻게 권력을 수권하는지에 대한 내용, 통치권력 소유 기관들(행정부-입법부-사법부) 사이의 권한 여부를 기록하고 있기 때문입니다. 본 장에서는 1897년 '대한제국'이후 임시정부하의 5차개헌, 제1공화국이후 현재까지 9차개헌 과정을 통해서 나타난 한국의 통치구조를 살펴봅니다.

소수 권력자의 '인치'(人治)를 벗어나 다수를 위한 '법치'(法治)로 기능할 때 '민주주의'(民主主義, democracy)가 실현됩니다. '법치'는 제도와 법규에 의존하기에 예측가능성이 높지만, '인치'는 변덕스러운 인간의 성향에 의존하기에 예측가능성이 낮습니다. 민주적 정치과정을 규정하는 가장 근본이 되는 법칙은 '헌법'(憲法, constitution)입니다. '헌법'이란 국민의 기본적 권리와 의무를 포함하여 국가통치체계에 관한 근본 원칙과 의미를 규정한 근본법을 말하는데, 정치학도들은 이를 '통치구조'(governmental structure), '권력구조'(power structure), '정부형태'(governmental type)라는 용어 속에서 이해합니다.

헌법 제헌국회는 1948년 7월 12일 날 헌법을 제정했습니다. 그리고 1948년 7월 17일 오전 10시 이승만 초대의장이 대한민국 헌법 공포를 서명함에 따라 헌법은 효력을 발휘하기 시작했습니다. 즉 1948년 7월 17일 오전 10시 이후부터 대한민국 민주공화국이 성립된 것입니다.

국가운영과 통치는 법을 만드는 기관(입법부)과 그 법을 집행하는 기관(행정부 또는 집행부)으로 기능이 분화되어 있습니다. 이런 측면에서 '통치구조'라고 합니다. 정치과정의 핵심은 입법부-행정부간의 권력관계로 단순화됩니다. 이런 측면에선 '권력구조'라고도 합니다. 입법부는 '의회'(議會)인데 의회는 국민들의 대표자로 구성됩니다. 국민은 '선거'(選擧)를 통해서 '정당'(政黨)을 선택하거나 정당이 공천한 후보자들을 선택하여 의회로 보냅니다. 행정부는 국민이 선택하기도 하고, 의회에서 구성하기도 합니다. 어떤 '정부형태'를 선택하느냐에 따라서 의회와 행정부가 별도의 임기를 갖고 독립하기도 하고, 의회와 행정부가 서로 불신임하고 해산할 수도 있습니다. 이런 측면에서 '정부형태'라고도 합니다.

본 단행본에서 한국정치과정을 서술함에 있어 기준이 되는 논점은 "한국 민주주의의 구현"입니다. 민주주의는 두 가지 방식으로 구현됩니다. 하나는 ㉠ '입헌민주주의'(立憲民主主義, constitutional democracy)이며, 또 다른 하나는 ㉡ '대의민주주의'(代議民主主義, representative democracy)입니다. 대의민주주의는 국민의 대표자들로 선출되어 구성된 '의회'라는 기구의 형식을 통해서 이루어지는 것이 대세적인 형식이기에 '의회민주주의'(議會民主主義)라고도 합니다. 이 두 가지는 각각의 이념을 효과적으로 구현함에 있어서 서로 연관되어 있습니다.

'입헌정치'는 "억제되고 집중되지 않은 권력"(restrained and divided power)에 의한 정치를 의미하는데, '전제정치'(專制政治)의 반대어로 이해하면 편리할 것입니다. 전제적 국가권력에 효과적인 제한을 두기 위해서 필요한 것이 '입헌제도'라는 것입니다. 국가권력이 하나로 독점되는 것을 피하기 위해서 가장 효과적이고 직접적인 수단은 국가 권력을 분립하는 소위 '권력분립'(權力分立)입니다. 한(또는 소수) 사람이나 하나의 (또는 소수의) 기관이 권력을 독점하는 것을 피하는 것이지요. 그렇지만 권력분립 그 자체가 민주주의의 목적은 아닙니다. 궁극적인 목적은 '인권보장'이며 따라서 권력분립은 인권보장을 가장 효과적으로 이루기 위한 수단이 되는 것입니다.[1] 입헌주의의 기원을 1789년의 '인권선언 제16조'에서 "개인 권리의 보장이 없고, 권력의 분립이 없는 나라는 헌법을 갖지 못한 상태이다"라는 언급에서 찾게 되는 이유입니다. 현대 민주주의는 입헌민주주의 형식을 근간으로 합니다.

현대 민주주의는 '대의민주주의'를 근간으로 합니다. 민주주의를 실질적으로 구현하기 위해서 '입헌제도' 속에 '권력분립'과 함께 '대의제도'를

1) 이런 의미에서 '입헌주의'를 '자유주의'(liberalism)의 일종이라고 구분하기도 합니다. 자유주의란 집단이나 국가권력으로부터 개인 인권의 보호를 지고지순의 가치로 여기는 주의입니다.

포함시키고 있습니다. 국민들 모두가 정치에 참여한다는 것의 의미가 현실적으로 국민들이 그들을 대변할 수 있는 대표자들을 선출한다는 의미이기 때문입니다. 집단 구성원의 숫자가 월등히 많은 경우 시공간의 제약 때문에 대표자를 뽑아서 정치를 구현할 수밖에 없으며, 사회의 구성원들이 그들의 대표자들을 선출하여 선출된 대표자들이 모인 곳이 '의회'입니다. 의회(즉 입법부)가 직접 행정부를 구성하기도 하고, 아니면 국민들이 입법부와 별도로 행정부를 직접 선출할 수도 있습니다. 전자가 '의원내각제'이고 후자가 '대통령제'입니다.[2] 복잡한 정치과정 속에서 발생하는 다양한 권력 현상들을 단순화시켜 나가면 결국 '대통령제' '의원내각제' '이원집정부제' 등 정부형태에 따른 속성으로 귀결될 수 있습니다.

정치과정에 나타난 많은 현상들을 당시 정부형태와 연관 지어 설명한다면 그 현상들을 일반화하여 설명할 수 있습니다. 한국의 통치형태가 어떤 내용이며, 또 어떻게 변화해 왔는지를 살펴보는 것이 한국정치과정을 이해하는데 기초가 되는 이유입니다. 정부형태는 다양한 형태들이 존재함에도 불구하고 '의원내각제'(parliamentarism), '대통령제'(presidentialism), '이원집정부제'(semi-presidentialism)의 세 가지로 대별됩니다. 이들 정부형태는 각각 영국의 역사, 미국의 역사, 프랑스의 정치과정이 제도적 원형(prototype)으로 존재하며, 이를 바탕으로 '이념형'(ideal type)이 파생됩니다.

정부형태 분류에서 대통령제나 의원내각제의 이념형을 보면, 의원내각

2) 다양한 정부형태에도 불구하고 정부형태는 의원내각제와 대통령제라는 두 가지 이념형으로 대비됩니다. 의원내각제는 입법부에서 행징부를 선출하기에, 행정부는 입법부의 신임, 불신임, 탄핵 등에 종속됩니다. 대통령제는 입법부와 행정부의 선출기반을 분리하기에 행정부가 입법부의 신임, 불신임에 종속되지 않지만, 탄핵 규정은 존재합니다. '불신임'(nonconfidence)은 행정부 내각집단에 대한 정치적 책임을 묻는 것이고, '탄핵'(impeachment)은 고위직 공무원의 비리를 대상으로 합니다.

제 하에서는 내각의 수반은 입법부에서 선임한 '총리'(prime minister 또는 수상)이며,[3] 대통령제하에서 내각의 수반은 국민이 선출한 '대통령'(president)입니다. 그런데, 현실세계에서 각 국가들의 다양한 정부형태들을 보면 이념형과는 차이가 있습니다. 의원내각제에도 대통령이 존재할 수 있고, 대통령제에도 총리가 존재할 수 있다는 의미입니다. 그렇다면, 대통령과 총리가 동시에 존재하는 경우 어떻게 정부형태를 구분해야 할까요? 순수 대통령제와 순수 의원내각제가 존재한다기 보다는 혼합형들이 오히려 많은데, 몇 가지 원칙을 중심으로 판단하게 됩니다.

① 첫 번째 기준은 입법부와 행정부 구성방식의 문제입니다. 행정부의 수반을 국민이 직접 구성하는가(직선 또는 미국처럼 직선제적 간접선거를 모두 포함하여), 아니면 입법부의 다수당이 중심이 되어 행정부를 구성하는가가 대통령제와 의원내각제를 구분하는 기준이 됩니다. 영국은 의원내각제의 역사적 원형 국가이며, 미국은 대통령제의 역사적 원형국가입니다.

② 두 번째 기준은 행정부 내에서 대통령과 총리의 권력 역학관계입니다. 혹자는 대통령제에서는 총리를 두지 않거나, 의원내각제에서는 대통령을 두지 않는다고 하지만, 이것은 정확한 분류 기준이 되지 않습니다. 대통령과 총리가 동시에 존재하는 경우에, 입법부에서 독립된 대통령이 행정부의 수반인지, 입법부에 종속하는 총리가 행정부의 수반인지가 분류하는데 핵심이 됩니다. 누가 행정부의 수반인지는 누가 국무회의(또는 내각회의, 각료회의, 국무원 등)의 의장이 되는가를 보면 판단이 됩니다. 현행 한국의 제6공화국 헌법은 대통령이 총리를 임명하며, 국무회의에서 대통령이 의장이 되며 총리는 대통령을 보좌한다고 헌법에 규정되어 있습니다. 그러

3) 입법부 선거 결과 다수당이 확정되는 순간 그 다수당의 대표자가 차기 행정부의 수반인 총리(수상)가 되는 것입니다. 공식적 총리 임명절차에는 여러 가지 형식이 있을 수 있지만, 입법부에서 다수당의 대표자만을 총리로 지명할 수 있기에 어떤 다양한 형식을 취하더라도 그 결과는 마찬가지입니다.

니까 제6공화국 헌법의 권력구조 형태는 대통령제를 기반으로 하는 형태라고 할 수 있습니다. 또한, 대통령이 국무총리를 임명하고 해임하는 권한을 지니고 있다면 이것 역시 중요한 기준이 됩니다.[4] 반면에, 행정부 내에서 대통령과 총리가 양립할 수도 있습니다. 이런 경우엔 '이원집정부제'로 분류할 수 있을 것입니다. 총리가 행정부 내에서 어떤 실권을 갖고 있는가가 중요한 것입니다. 궁극적으로 행정부의 최고 권력자가 대통령과 총리 양자 중에서 누구인지를 보아야 합니다. 총리를 단순히 장관들 중의 한 명이라고 말할 수도 있습니다. 총리가 존재하더라도 대통령을 보좌하는 직책에 불과하다면 이것은 대통령제 입니다. 총리가 단순히 대통령을 보좌하는 것이 아니고 행정부 수반의 위치에 있다면 이것은 단순히 대통령제로 분류될 수 없습니다.

㉠ 국가원수 직책의 대통령이 존재하더라도 그리고 대통령이 총리를 임명하더라도, 대통령 자신이 입법부에서 선출되고, 입법부 다수당의 대표자를 총리로 임명할 수밖에 없는 형식적인 것이라면(즉, 총리가 입법부의 신임과 불신임의 대상이 된다면) 이것은 '의원내각제'에 기반한 정부 형태이지 대통령제가 아닙니다. 독일은 그 대표적인 예입니다.

㉡ 반면에, 대통령이 국민직선으로 선출되고(즉, 행정부가 입법부에 종속되지 않고), 대통령이 총리를 임명하는데, 헌법에 대통령이 임명한 총리와 장관들(또는 각료들, 국무의원들)이 입법부의 신임과 불신임의 대상이 되는(즉, 행정부가 입법부에 종속되는) 경우가 있습니다. 이런 경우엔

---

4) 각료 임명에 있어서 입법부의 '사전(事前)동의권', '사후(事後)승인권', '해임건의권'과 같은 문제는 이차적인 권력행위입니다. 임명권이나 지명권과 비교해 볼 때, 동의권, 승인권, 건의권 등은 모두 직접적이고 일차적인 권력행위가 아니며, 이미 대통령이 지명했던 사람, 임명했던 사람들에 대해서만 행사하는 간접적이고 이차적 권력행위라는 것입니다. 원초적으로 임명하고 해임하는 소위 일차 권력행위를 갖고 있는 사람을 권력 실권자 또는 권력 실세라고 본다는 의미입니다.

입법부에 종속되지 않는 행정부의 수반(대통령)과 입법부에 종속되는 총리가 존재하게 되며 '이원집정부제'로 분류됩니다. 프랑스가 그 대표적인 예입니다.

현대사회의 대부분의 국가들은 민주주의를 구현하기 위한 형식과 내용으로 입헌민주제와 의회민주제를 취하고 있습니다. 민주주의 실현에 근간이 되는 권력분립의 정신과 규칙들의 대강을 규정해 놓은 '헌법'을 통해서 인권과 민주적 절차를 보장하되, 집단 구성원이 큰 경우 시공간의 제약 때문에 대표자를 뽑아서 정치를 구현하게 됩니다. 한국정치에 대한 논의는 한국정치과정에 나타난 입헌민주제와 의회민주제와 연관된 사건들을 살펴보면서 해당 시기부터 시작하는 것이 바람직할 것입니다. 한국정치에 나타난 입헌제의 기원과 의회제의 기원은 그 시기가 다릅니다. 입헌민주제는 그 기원을 1897년 이후 '대한제국'(大韓帝國)의 탄생과 '관민공동회' 및 '만민공동회' 개최 사건에까지 거슬러 올릴 수 있으며, 의회민주제의 기원은 1948년 8월 15일 '대한민국'(大韓民國) 제1공화국(Republic of Korea) 성립이후로 할 수 있습니다.

대한민국은 헌법에 명시된 바와 같이 "자유민주주의 공화국"입니다. 이때 자유, 민주, 공화라는 개념을 상대적으로 개념화하자면, '자유주의'는 개인의 인권보장을 기반으로 하여 개체성을 중시하는 것입니다. '민주주의'는 평등한 개체들이 권력의 주체로서 '자기 지배성', '자기 결정성'이 중시됩니다. '공화주의'는 '공공선'(또는 공익)을 위한 정치운영의 방식으로 영역들 간의 타협이 필요합니다. 이들 세 가지 개념들은 상호 보완되기도 하지만, 상충되기도 합니다.

'정치학'은 사회 구성원들이 '민주주의'에 대한 올바른 이해를 바탕으로 건전한 시민의식을 지닌 주체들이 더불어 살아 갈 수 있도록 연구하는 사회과학의 한 학문 분야입니다. 이러한 바탕위에서 '한국정치론'은 통치구조

(행정부-의회) 및 정당정치 및 선거정치를 통해 정치과정 상에 나타난 민주주의 발전의 역사와 교훈을 다루게 됩니다. 해당 단행본은 '입헌'이나 '의회'라는 두 가지 개념과 연관되어 한국정치과정을 설명하고자 하기에, 그 시기를 1897년 '대한제국'의 시기부터 다루고자 합니다. 다음과 같은 시기 구분이 가능할 것입니다.

① 대한제국(1897. 10. 12 - 1910. 8. 29),
② 대한민국임시정부(1919. 4. 11 - 1945. 8. 15),
③ 대한민국공화국(1948. 8. 15 - 현재)

③을 이해하기 위해선 ①과 ②의 시기에 있었던 정치과정상의 주요 사건들을 복합적으로 이해할 필요가 있습니다. 한국정치에서 국민이 주인으로서 대표자들을 선출해서 기능하는 의회민주주의의 시초는 1948년 제1공화국으로 구분하는 것이 분명하지만, 입헌민주주의의 시초는 1897년 고종황제의 '대한제국' 선포시기까지 거슬러 올릴 수 있습니다. 고종황제는 '조선'(朝鮮)이란 국호를 '대한제국'으로 개명합니다.[5] 고종황제의 '대한제국'은 단순히 군주제가 아니고 입헌군주제로서의 분류가 가능합니다. 이 당시 민권사상을 토

고종 (1852–1919)

5) 황제즉위와 함께 과거 '조선'이란 국호대신에 새로운 국호가 필요하였습니다. 고종은 대신들과 새로운 국호를 논의하면서 "우리나라는 진한, 변한, 마한 등 원래의 삼한을 아우른 것이니 '큰 한(韓)'으로 '대한(大韓)'이란 이름이 적합하다"고 하였습니다.

대로 입헌군주제로의 개혁안이 포함된 '헌의6조'(獻議六條)가 선언되었으며, 이를 결의했던 집회인 '만민공동회'(萬民共同會)는 '직접 민주주의'의 중요성을 강조하는 '참여민주주의'(參與民主主義, participatory democracy)의 한국적 맹아(萌芽)라고 볼 수 있을 것입니다. 일본의 조선에 대한 주권침탈이 있었던 1919년 이후에도 한반도 이외의 지역에는 다양한 '임시정부'(臨時政府) 조직들이 발호하면서도 압도적인 판세는 '입헌주의'에 입각한 '대한민국임시정부'에 있었음이 인정됩니다.[6] 한반도가 일본의 침략 하에 있었던 시절의 중국내 프랑스 조계지(租界地)에 있었던 '대한민국임시정부'는 근대적 의미에서의 정부형태가 아니며, 이를 다루는 것은 오히려 무리가 있을 것이라고 주장할 수도 있습니다. 어떤 나라도 마찬가지입니다. 처음부터 완성된 형태로 제도를 운영한 나라는 없습니다. 그것이 제도이건 운영이건 시초적인 형태가 있고 성숙된 형태가 존재합니다. '대한민국임시정부'에서의 정부형태 변천사를 보면 5번의 헌법개헌과정 속에서 입헌민주주의의 형식을 취하고 있습니다. 1948년 제1공화국 헌법 전문에 대한민국임시정부의 법통을 이어받는다고 하고 있으며, 현행 제6공화국의 헌법 전문에도 여전히 대한민국임시정부의 법통을 이어받는다고 선언하고 있습니다. 대한민국 1공화국이 성립한 이후 70년이 지난 지금도 반복되고 있는 권력구조 개편 논의에 교훈을 줄 수 있으며 반추해야만 합니다.

결론적으로, 단순히 의회민주주의라는 개념을 중심으로 한국정치를 논

6) '임시정부'(provisional government; government de facto)는 '망명정부'(government in exile)와는 개념상 차이가 있습니다. 전자는 정부가 설립될 당시의 헌법이 정한 절차에 따라서 성립하지 않은 정부를 말합니다. 후자는 헌법적 정통성을 지닌 정부가 전쟁이나 타국에 병합된 상황 속에서 외국으로 망명하여 원상회복을 시도하는 정부를 말합니다. 정부의 탄생시점이 차이의 기준이 되고 있음을 알 수 있습니다.

한다면 1948년 7월 17일 대한민국 제1공화국 탄생 이후에서부터 다룰 수도 있지만, '입헌민주주의'를 또 다른 축으로 한국정치를 논한다면 1897년부터 1947까지의 시기를 제외할 수 없습니다.

1. 입헌민주주의의 기원

1) 대한제국

한국정치를 이야기함에 있어서 '대한제국'의 시기부터 다룬다면, 대한제국 선포시기에 근·현대적 의미에서의 민주주의와 연계될 그 무엇인가가 시대적 배경과 정치과정에 존재해야 할 것입니다. 봉건적 폐습(封建的弊習)을 보다 민주적으로 개혁한다거나 하는 것은 하나의 예가 될 것입니다. 이렇게 본다면, 1894년의 '갑오경장'(甲午更張 또는 '갑오개혁')을 그 시초로 삼을 수도 있지만, 갑오경장은 '동학혁명'을 계기로 일본의 군사적 진출과 함께 일본의 조선 정계 장악과 강압에 의한 성격이 강합니다. 갑오경장은 실질적으로 동학 농민혁명을 이용하여 한반도에서 영향력을 늘려가던 일본이 내정 개혁을 단행한 사건이었습니다. 고부군수 조병갑의 봉건적 학정(虐政)을 엄단하고자 했던 동학농민혁명이 백성들 자체의 역량부족으로 실패하자 이를 빌미로 일본은 한반도에서 내정개혁(內政改革)을 단행함으로써 자신의 조선에 대한 영향력을 늘리고자 했던 것입니다. 갑오경장의 내용은 자주적인 정치개혁이라기보다는 일본의 내정간섭의 결과의 복합물이었습니다.7)

7) 1894년 갑오경장은 개국기원(開國紀元)을 사용하였으며, 과거제도를 폐지하고, 지방관에게서 사법권과 군사권을 박탈하고 재정에 관한 일체의 사무를 탁지부(度支部)를 통해 일원화함으로써 중앙집권적 성격을 강화하였습니다. 특히, 신분제도(身分制度)가 철폐되어 한국 최초의 근대적 개혁의 성격을 지니고 있습니다. 1895년 1월 7일 공포된 '홍범14조'(洪範14條)로 개혁이 실질화되는데, 홍범14조를 최초의 헌법적 성

대한제국의 성립은 1897년이며, '입헌·의회 민주주의'를 시도했던 독립협회의 '헌의6조' 주창 1년 전에 있었습니다. 대한제국이 성립하기 직전인 1896년 조선왕조는 고종의 '아관파천'(俄館播遷)으로 나라가 어수선하였습니다. '아관파천'이란 당시 '을미사변'과 '의병들의 궐기'로 나라가 어수선한 틈을 타서 러시아가 고종을 궁궐에서 탈출시켜 러시아 공사관에 머물게 한 사건입니다. 러시아는 윤용선을 총리로 하고 이범진, 이완용 등의 친러내각을 구성하는데 영향력을 행사합니다. 그 이전에 있었던 친일내각의 김홍집, 어윤중 등은 군중에게 살해되고, 유길준은 일본으로 망명합니다.

1897년에 고종은 국내외의 여론을 좇아 러시아 공사관에서 경운궁으로 다시 돌아옵니다. 고종은 '조선'이란 국호는 '대한제국'으로, 연호는 '광무'라고 고치고 '황제'를 칭하며, 대한제국이 자주 독립국임을 만천하에 공포합니다.[8] 고종의 대한제국 황제 즉위식은 원구단(圜丘壇)을 만들어 이루어졌으며, 이곳에서 천지신(天地神)에게 제사하였는데, 이는 대한제국

원구단 원구단(우)과 황궁우(좌)는 당시 고종이 황제로서 제천 의례를 행하던 곳입니다. 대한민국 사적 157호로 지정된 원구단 터에는 현재 조선호텔이 위치하고 있습니다.

격으로 해석하기도 합니다. 홍범14조는 일본에 망명하고 돌아온 박영효를 내각에 발탁하여 김홍집·박영효 연립내각 하에서 이루어졌는데, 실질적으로 일본이 당시 조선에서 보다 강력한 내정 간섭을 위해 오오토리(大鳥圭介)의 후임인 이노우에(井上馨) 공사와 그가 추천한 인사들에 의해서 진행된 개혁이었습니다. 홍범14조에서는 갑오개혁시 중앙행정조직인 의정부 8아문을 내각 7부로 개정하고, 사법권은 행정기구에서 분리시켰으며, 경무청을 두어 경찰권을 일원화하였습니다. 물론 단선적인 해석을 허용할 만큼 현실은 간단치 않습니다. 독립협회를 주도한 사상가들이었던 서재필, 유길준 등도 갑오경장을 담당한 개화파 인사이기 때문에 갑오경장이 우리의 개혁 노력과 무관하다는 단선적 해석을 할 수 없음도 동시에 유의해야 할 것입니다.

8) 참고로, 연호 사용 순서는 갑오경장시의 개국기원(1894), 건양(建陽, 1896), 광무(光武, 1897), 융희(隆熙, 1907)입니다.

이 황제국임을 만천하에 공포하기 위함이었습니다.[9] 그러나 이런 것은 형식적인 것이어서 '이국편민'(利國便民)의 실질적 방책은 아닙니다. 고종황제는 최고위 행정 관리들(의정부 참정 박정양, 중추원 의장 한규설, 법부대신 서정순, 농상공부대신 김명규 등)에게 백성들의 소리를 직접 듣고 그 내용을 아뢰라고 명령합니다.

박정양 (1841-1905)

당시 독립협회가 주관하여 종로에서 열리는 '만민공동회'란 것이 있었는데, 백성들은 누구나 참여하여 자유롭게 자신의 의견을 개진하는 토론의 장으로 활용되고 있었습니다. 1898년 10월 29일에 박정양을 비롯한 정부 대신들은 종로에서 열리는 '만민공동회'에 참석하여 '관'(官)과 '민'(民)의 열린 토론을 하게 됩니다.[10] 일종의 '관민공동회'가 된 셈입니다. 당일 '관민공동회'의 결과 '헌의6조'를 결의하고 이를 황제에게 건의하기로 하였습니다. 그 내용을 보면, "① 외국인에게 의지하지 말며 전제황권을 견고히 할 것. ② 외국과의 이권 계약과 조약을 대신이 단독으로 처리하지 말고 대신과 중추원 의장이 합동 날인할 것. ③ 국가 재정의 수지를 공정히 하고, 예산을 국민에게 공포할 것. ④ 중대 범죄의 공판, 언론, 집회의 자유를 보장할 것. ⑤ 칙임관을 임명할 때에는 정부에 그 뜻을 물어 중의에 좇을 것. ⑥ 갑오개혁 때 제정된 장정(章程)을 실시할 것"입니다.

---

9) 위치는 서울시청 맞은편에 있는 웨스틴조선호텔 자리입니다.

10) 독립협회는 1896년 원래 '독립문건립추진위원회'로 출발하였는데, 이완용을 비롯하여 소위 '정동구락부' 모임의 친미, 친러 성향의 관료들이 주류였습니다. 서재필이 합류하여 독립신문의 발간을 통한 계몽운동을 하던 중 1897년 중반에 반러성향을 띠게 되면서 이완용 등이 협회를 떠납니다. 1898년 3월부터는 '만민공동회'를 개최하여 러시아 침략이나 대정부 정책 등에 대해서 비판합니다.

관민공동회 1898년 10월 29일에 열린 관민공동회

특히 ⑥번 조항을 보면, 갑오개혁에서 제정된 장정의 실시를 요구하고 있는데, 그 장정에는 외국의 '하원'(House of the Commons)과 일맥상통하는 '민회'(民會)의 설치와 연관할 수 있는 조항이 있습니다.[11] 여기서 '하원'을 모방하였다는 것은 즉, 보통의 서민들로 이루어진 집단이면서 선출직이기에 그 민주적 의미가 부여됩니다. 다음 날 고종황제는 명을 내려서 새로운 '중추원' 관제를 발표합니다. '의정부'는 행정부(집행부) 격이고, '중추원'은 입법부에 상응하는 것입니다. 말하자면, 대한제국 최초로 의회 설립안이 만들어진 것입니다. 그 내용은 "중추원 의관 50명 중 반수는 국

---

11) 갑오개혁으로 김홍집을 혁신내각의 수반으로 하면서, 계획중추기관(計劃中樞機關)인 '군국기무처'(軍國機務處)가 설립되고(1894. 7. 27), 관제개혁 및 사회, 경제적 개혁을 시도했습니다. 총 23개 조항중에서 23번째 조항의 내용은 "정치에 대한 건의를 자유롭게 하는 것"인데, 당시의 상황에서 이러한 조항은 '민회' 설치라는 의도와 일맥상통하는 것이란 적극적 해석이 가능할 것입니다. '민회'라는 표현은 '하원'과는 또 다른 어의(語義, semantic) 상의 차이가 있습니다. '하원'(下院)이란 용어는 House of Commons의 번역인데, House of Lords를 '상원'(上院)으로 대비하여 번역한 용어입니다. 현대 사회에서 '상'과 '하'란 번역 용어는 위와 아래를 말하기에 어의상 불편할 수 있습니다. 원어를 보면, 보통사람들의 집단, 지주들(재산가들)의 집단임을 알 수 있으며, 일반적으로 하원은 선출직으로 대변되고, (지금은 아니지만) 상원은 세습직의 전통을 지니고 있습니다.

가에 공로가 있는 자로 천거하고, 반수는 독립협회에서 27세 이상의 백성으로 정치, 법률, 학식에 통달한 자들 중에서 투표 선거를 하여 천거한다"는 것입니다. 이에 독립협회는 11월 5일 독립관에서 선거를 준비하였으나, 조병세, 조병식, 박제순, 민영기 등의 수구파들은 만민공동회가 입헌군주제가 아닌 '공화제'로 가려고 한다는 익명서를 돌려, 관민공동회에 참여했던 박정양과 대신들은 해임되고, 만민공동회는 해산되고, 독립협회는 불법화됩니다. 최초의 의회 설립운동이 있었으나 결과적으론 무산된 것입니다. 아쉬운 것은 독립협회의 주장을 수렴하여 민의가 수렴되는 기관으로서 '중추원'을 구성하였지만, 실제적인 입법기관이라기보다 황제의 자문기관 성격이 강하게 내포되어 있습니다.[12)]

정리하자면, '헌의6조'는 현대 민주주의의 형식적 기반인 '입헌·의회민주주의'를 제창하였다는 것입니다. 입헌·의회민주주의란 일종의 '왕조'(王朝, dynasty)와 대비되는 개념으로 헌법을 제정하고, 국민의 대표자들로 구성된 대의기관인 의회를 두고서 정치를 함을 의미합니다. 왕조에서는 행정부(집행부, the executive)와 입법부(the legislative)가 일치하지만, 입헌민주주의에서는 행정부와 입법부가 분리되어 견제와 균형의 기능을 수행하게 됩니다. 법을 만드는 집단과 집행하는 집단을 분리한다는 것입니다. 두 집단이 일치하는 경우 전제정치(專制政治)의 가능성이 훨씬 더 클 것입니다. '헌의6조'에서 3번째 조항인 예산을 국민에게 공포할 것을 주창한 것은 현대 민주주의에서 입법부 권한의 핵심이라 할 수 있는 '예산권'과도 연관성이 있고, 4번째 조항에서는 사법부 독립의 단초로 해석

12) 일본은 조선에 대한 강점을 시작한 1910년 이후 '중추원'을 조선총독부 하에 최고의 자문기관 명칭으로 사용합니다. 조선총독부 휘하의 중추원은 독립협회가 만민공동회를 통해서 주창했던 중추원과 이름만 같을 뿐입니다. 일본의 한국 식민통치에 한국인들의 민의를 반영한다는 것을 위장한 것입니다. 행정편제상 조선총독부 중추원 의장은 정무총감으로서 총독 다음의 제2인자적 위치였습니다.

독립문 독립문(좌)과 독립관(우)의 모습입니다.

될 수 있는 조항도 있음을 알 수 있습니다.[13]

독립협회는 자강혁신 및 자주독립과 함께 특히 '민권신장'(民權伸張)을 주창하였습니다. 독립협회 내에는 몇 가지 사상적 조류가 있었지만, 중요한 것은 사상적 조류 논쟁을 떠나서 직접적인 시민정치운동을 전개하여 여론(輿論, public opinion)을 형성해 나가는 사회적 파급효과가 있었다는 점입니다.[14] 1896년 4월 이후에 독립협회 사상가들은 대중홍보물로써 비공식적이지만 일간지인 '독립신문'을 간행하며 보다 많은 시민들을 계몽해 나갔습니다.[15] 독립신문은 오히려 공식적인 반월간지인 '대조선독립협회회보'보다 더 큰 대중 계몽 영향력을 지니고 있었습니다. 독립협회는 매주 일요일에는 중화사상(中華思想)의 형식인 영은문(迎恩門)과 모화관(慕華館)을 헐거나 개수하여 만든 '독립문'과 '독립관'에서 '토론회'를 개최하여 사회시민운동을 전파해 나갔습니다. 국민 주권론, 국가 주권론, 언론, 출판,

---

13) 예산권 및 재판권에 관한 언급은 소위 '제2차 김홍집내각'(김홍집과 박영효의 연립내각)시 홍범14조에서 9조와 13조에 그 포괄조항이 각각 나타납니다.

14) 남궁억, 정교 등은 유학적 전통을 기반으로 국내개혁을 주창하였고, 서재필, 윤치호 등은 서구 시민 민주주의 사상의 수용 노력을 주창하였으며, 이상재 등은 이 두 가지 조류를 합치하려는 노력을 하였습니다.

15) 독립협회에서 서구시민사상 주창자들이 대변지로서 '독립신문'을 발간하였다면, 유교에 기반한 자강파는 그들의 대변지로써 '황성신문'(皇城新聞)을 발간하였습니다.

집회, 결사의 자유, 개인의 재산 및 생명의 자유, 신분으로부터의 평등권 등으로부터 출발하여, 궁극적으로 현대 민주주의의 근간인 '국민참정권'(國民參政權)이 주창되었습니다. 구체적인 정책 대안으로서 갑오개혁 시에 정부 자문기구였던 '중추원'(中樞院)을 개편하여 의회의 형식과 어느 정도 근접한 대표자들의 집합소인 '민회'(民會)의 설치를 주창합니다.

1898년 12월 말에 고종은 만민공동회를 해산시키고 독립협회를 불법단체화 하게 됩니다. 만민공동회의 헌의6조에 대한 정부의 대답은 '대한국국제'(大韓國國制; 또는 '대한제국9개조')의 발표로 귀결됩니다.[16] 1899년 대한제국에선 한국이 근대국가로 출발하는 계기를 마련하기 위한 최초의 헌법이라고 할 수 있는 '대한국국제'를 발표합니다. 이는 소위 '광무개혁'의 주요 내용인데, 그 내용은 황제가 입법, 사법, 행정, 군사에 관한 일체의 권한을 갖는 전제정치를 강화하기 위한 것이었습니다. 대한국국제의 궁극적 목적은 왕권의 강화와 통치권의 집중을 위한 것이었습니다. 대한국국제는 독립협회의 활동이 공화제를 추진하고 있다는 생각에서 그 반작용

官報

宮廷錄事

議政府總務局官報課

대한국국제 관보 형식으로 발표된 대한국국제

으로 만들어진 입헌군주제로 주권재민이나 행정과 입법의 분리라는 민주성과는 반대의 방향이었습니다. 황제의 권한강화를 통한 근대화 국가 추진이란 '광무개혁'도 '러 · 일전쟁'(1904)에서 일본의 승리(1905)이후 일본의 한반도 침략이 노골화되면서 중단됩니다.

대한제국으로부터 한국의 현대 민주주의를 논하기 위한 작용(헌의6조)과 반작용(대한국국제)등을 찾아볼 수 있음에도 불구하고 당시 한반도는 열강의 세력 각축장이었으며, 실질적 자주 독립국의 기능을 제대로 발휘하지 못하고 있었습니다.

2) 1919년 이후의 임시정부들

다양한 의견이 있을 수 있지만, 우리나라 최초의 '입헌민주주의' 정부 형태의 뿌리는 중국 상하이(上海)의 프랑스 조계에서 1919년 4월 17일 선포된 '대한민국임시정부'(大韓民國臨時政府)로 거슬러 올라갈 수 있을 것입니다. '임시정부'란 국내적 차원에선 국내 헌법이 정한 적법한 절차에 따라서 성립하지 않은 정부로서 소위 '정당성'(legitimacy)이 없는 정부를 말합니다. 국제적 차원에선 국제법상의 주체로서 국제사회의 승인을 받지 못한 정부를 말합니다. 정부란 결국 국내적, 국제적 두 차원의 문제가 충족되었을 때 가능한 것이라는 논리 속에서 보자면, 일본의 조선 침략이후 한반도에서의 일본정부의 지위는 국내적 차원에서 '정당성'이 결여되었기에 한반도에서의 일본정부(1919-1945) 역시 36년만 지속된 일종의 '가(假)정부'인 셈입니다.

정부의 개념을 더 적극적으로 해석할 필요가 있습니다. 대한민국임시헌법은 당시 입헌민주주의나 의회민주주의를 표방한 국가헌법이 없던 상

16) '홍범14조'와 '대한국국제'의 내용에 대한 자세한 논의는 '3장: 이슈중심으로 비교관점에서 본 한국정치의 "왕조, 의회정치, 의원내각제'를 참조할 수 있습니다.

태에서 만들어진 최초 헌법이기에 '국내 헌법이 정한 절차를 따른다'는 측면에서 정당성에 문제가 없다는 해석이 가능합니다. 대한민국임시정부는 국가업무를 수행하기 위해 필요한 일종의 지방행정조직인 '연통제'(聯通制)를 통해서 국내 전국의 도·군·면에 독판·군감의 행정조직을 두어 한국민들을 하나로 엮었으며, 외교총장으로 김규식을 임명하여 국제외교활동 속에서 한국이 고립되지 않도록 하였습니다. 사료편찬회를 두어 역사를 관리하고 있었으며, 독립신문을 발간하고 있었습니다. 1941년엔 광복군을 대일전에 참가시켜 임시정부의 이름으로 대일선전포고를 합니다.

독자들은 '대한민국임시정부' 시절에 무려 5번의 헌법 개정이 있었다고 하면 의아하게 생각할 것입니다. 한국정치과정의 특색 중 하나는 빈번한 제도 개정입니다. 반복적인 제도 개정은 예측가능성을 떨어뜨려서 민주주의에 부정적 의미도 있고, 변화하는 세상에 맞추어 기존 오류를 고치기 위해서 끊임없이 노력한다는 점에서 긍정적인 의미도 있습니다. 21세기에 들어선 현재에도 내외적으로 불합리한 상황을 극복하기 위해 대통령제, 의원내각제, 이원집정부제 등의 정부형태를 놓고서 개헌을 요구하는 논의들이 그치지 않고 있으며, 상황은 다르지만 임시정부 하에서도 그러했습니다.

여러 종류의 임시정부들은 두 가지 사건을 계기로 태동됩니다. 하나는 내치(內治)와 연관된 것인데, 1910년 8월 '한일합병'이후 일본의 조선에 대한 경찰권 획득으로 국내정치는 완전히 일본에 장악되어 이를 극복할 정부가 필요했습니다.[17] 또 다른 하나는 외치(外治)적 필요성과 연관된

---

17) '한일합방'은 정확한 용어가 아닙니다. '합방'(合邦)이란 두 나라가 "자발성을 가지고 동등한 조건으로" 합치는 것을 말합니다. 과거에 오스트리아-헝가리 제국은 일정 수준에서 동등하게 두 나라가 합방한 것입니다. 그래서 국명도 두 나라의 이름을 병기하였습니다. 만약 한일합방이라면 한국과 일본이 일정 수준에서 동등한 조건으로 자발적 성격이 강한 통합했다는 의미로 해석될 수 있습니다. 차후에 오스트리아와 헝가리는 다시 갈라섭니다. 이에 반해서 '합병'(合倂 또는 '병합')은 한 나라가 다른 나라를 "강제로 불평등하게" 합치는 것을 말합니다.

것인데, 파리강화회의 이후 국제사회에서 조선의 입장을 설명할 외교기관의 설치가 필요했습니다. 지금부터, 노령정부, 한성정부, 상해임시정부를 차례대로 살펴보고자 합니다.[18]

(1) 블라디보스토크의 '노령(露領)정부'(또는 대한국민의회, 1919. 2. 25)

러시아 연해주 지역에는 1910년대에 이미 50만 명에 가까운 한인 동포들이 이주하여 생활하고 있었습니다. 한인들의 독립운동 조직이었던 '대한교육청년회', '성명회'(聲鳴會), '공진회'(共進會), '권업회'(勸業會), '한족회' 등이 1917년 5월에 블라디보스톡에 모여 '전로한족중앙총회'(全露韓族中央總會)를 결성합니다.[19] 한족중앙총회가 1919년 2월 25일에 이후에 한국민의 자주적 정부를 목표로 '대한국민의회'(大韓國民議會)로 개편한 것이 '노령임시정부'의 시초입니다. 개편된 대한국민의회는 1919년 3월 17일에 입법부의 자격으로서 의장 문창범, 부의장 김철훈을 선출하고 상임의원 30명, 통상의원 40명을 구성합니다. 1919년 3월 21일에는 행정부 조직으로 대통령 손병희, 부통령 박영효, 국무총리 이승만, 탁지총장 윤현진, 군무총장 이동휘, 내무총장 안창호, 산업총장 남형우, 참모총장 유동

---

18) 이 밖에도 한반도 지역 내에서 건립된 '대한민간정부'(1919, 4, 1: 서울, 천도교 중심의 조직), '조선민국임시정부'(1919. 4. 9. 서울), '신한민국정부'(1919. 4. 17. 평안도)가 있습니다. 한반도 밖의 지역에선 만주의 '고려공화국', '간도임시정부'가 있습니다. '조선민국임시정부'나 '신한민국정부'는 각각 조선민국임시정부창립장정(1919. 4. 10), 신한민국정부선언서(1919. 4. 10)등의 안(案)을 마련하는데 그치고 실제로 정부조직 설립까지는 연결되지 못했습니다. 이러한 안은 일본 경찰이 빼라나 독립단체 압수 수색 문서에서 발견된 것입니다.

19) 1911년 조직된 '권업회'의 경우, 조직 내부의 이상설, 이동휘, 이종호, 정재관 등이 주도하여 시베리아와 만주 등에 퍼져 있었던 독립운동 세력들을 모아 1914년에 연해주의 블라디보스톡에서 독립전쟁을 구현할 '대한광복군정부'를 건립합니다. 이상설을 대통령으로 이동휘를 부통령으로 하는 일종의 독립군 망명 정부의 형식을 취했으며 독립군의 중심기지로서 역할을 합니다.

설, 강화대사 김규식을 추대하여 '노령정부'의 형식이 완성됩니다. 노령정부는 '5개조항' 결의문을 발표합니다.

제1조: 민족자결주의에 의한 자주독립을 주장함.
제2조: 한일합병조약을 부인하며 일본의 통치철폐를 주장함.
제3조: 파리평화회의에 대표를 파견하여 자주국임과 정부건설 승인을 요구하며, 국제연맹의 참가를 주장함.
제4조: 독립운동의 실정을 세계에 알리고 우리의 주권을 주장함.
제5조: 이상의 목적이 공정한 판결을 받지 못하면 대일본 선전포고를 주장함.

5개 조항은 국체, 정체, 국민의 권리와 의무 등에 대해서 규정한 헌법이라기보다는 일종의 조직 행동 강령입니다. 노령정부는 나름대로 입법부와 행정부가 분리 구성되었으며, 대통령과 부통령이 존재했던 형식적 측면에서 대통령제로 분류할 수 있을 것입니다. 이렇게 조직된 임시정부가 한반도내의 우리 민족이나 러시아 영토 내의 교포사회를 실질적으로 다스렸다고 하기는 어렵지만 한국민족이 자주국임을 결의하고 선포하는데 노령정부 설립의 의미가 있습니다. 후에 노령정부는 상해임시정부와 부분적으로 통합하며 흡수됩니다.[20)]

---

20) 대한국민의회 연관자 중에서 이동휘는 상해임시정부의 '군무계장'(軍務總長)으로 취임합니다. 이동휘가 대한국민의회 의원들의 4/5정도가 상해임시정부의 입법부 격인 '임시의정원'으로 들어가기로 했다고 발표하면서 1919년 8월 30일에 대한국민의회 해산을 결의합니다. 하지만, 대한국민의회의 의장이었던 문창범은 통합과정에 문제가 있다고 보며 상해임시정부 교통총장으로의 취임을 거부하고 다시 블라디보스톡으로 귀환하여 1920년 2월 15일에는 대한국민의회의 재창설을 선언합니다.

(2) '한성(漢城)정부'(1919. 4. 2)

1919년 4월 2일 인천 만국공원에서 '한성정부'가 선포됩니다. 1919년 3월 초에 이규갑, 이교헌, 윤이병, 윤용주 등이 모여서 임시정부 수립을 모의하고, 후에 안상덕, 박용희, 장붕, 김규, 이종욱 등이 합류하면서 4월 2일 인천 만국공원에서 13도(道) 대표의 형식으로 모여 임시정부 수립을 선언합니다. 이후 4월 23일에는 서울 시내 서린동 봉춘관과 종로 시위대를 중심으로 시내 여러 군데에서 국민대회 취지서와 함께 '약법'(約法)에 관한 인쇄물들을 뿌리며 임시정부 수립을 선포합니다. 한성정부 약법의 내용을 보면,

제1조: 국체(國體)는 민주제를 채용함.
제2조: 정체(政體)는 대의제(代議制)를 채용함.
제3조: 국시(國是)는 국민의 자유와 권리를 존중하고 세계평화의 행운을 증진케 함.
제4조: 임시정부는 일체의 내정과 일체의 외정의 권한이 있음.
제5조: 조선국민은 납세와 병역의 의무가 있음.
제6조: 본 약법은 정식국회를 소집하여 헌법을 반포할 때까지 적용함.

한성정부는 '집정관 총재'에 이승만, '국무총리 총재'에 이동휘를 정하고, 각료 조직은 8부 1국으로 구성됩니다: 외무부 총장(박용만), 내무부 총장(이동녕), 군무부 총장(노백린), 재무부 총장(이시영), 법무부 총장(신규식), 학무부 총장(김규식), 교통부 총장(문창범), 노동국 총판(안창호) 참모부 총장(유동설).[21]

집정관(執政官)이란 로마시대 행정 및 군사의 장이었던 콘술(consul)

을 번역한 용어인데, '통령'(統領)으로 번역되기도 합니다. 집정관은 일인의 권한이 강한 것으로 '일인 지도체제'적 성격이 강하며, 대통령제에 비견될 수 있습니다. 반면에 내각의 총수로서 국무총리는 내각 구성원들과 함께 '집단지도체제'적인 성격이 강하며, 의원내각제에 비견될 수 있습니다. 명칭만으로 보자면, 한성정부의 형태에서 집정관 총재와 국무총리 총재가 동시에 존재한다는 것은 행정부 중심의 대통령제로서 일인지도체제에 무게가 실린 권력구조인지 입법부 중심의 의원내각제로서 집단지도체제에 무게가 실린 권력구조인지 불분명한 상태라는 것입니다. 그렇다면, '이원집정부제'를 떠올릴 수도 있습니다. 형식 차원에서, 약법 선포문이 작성될 때 직위의 서명 순서는 중요할 수 있는데, 집정관 총재 이승만이 가장 먼저 나오고, 그 다음에 국무총리 총재 이동휘로 되어 있습니다. 이로서 집정관제에 더 무게가 실리는 것으로 추측해 봅니다.

후에 '상해대한민국임시정부'가 건립되는 과정은 한성정부의 정통성을 인정하는 연장선상에서 진행됩니다. 상해임시정부나 한성정부나 모두 1919년 3·1운동을 계기로 3월 중순경부터 4월 중순까지 한 달 동안에 서로 다른 지역에서 동시에 진행된 정부수립 활동입니다. 한성정부에서 집정관 총재였던 이승만은 상해임시정부 수립시 초대 국무총리가 됩니다. 한성정부는 제6조에 규정대로 대한민국 임시의정원의 임시헌법 반포와 함께 상해 대한민국임시정부에 흡수됩니다.

대한민국임시정부(1919-1945)가 처음 수립된 곳이 상해(上海, 상하이)여서 '상해임시정부'라고도 부릅니다. 상해 지역에서의 임시정부활동은 1919년부터 1932년까지입니다. 상하이 지역으로부터 수차례에 걸쳐 청사를 옮깁니다. 윤봉길 의거로 인해 일본의 탄압이 본격화되자 1932년 이후

21) '군무부'와 함께 '참모부'를 설치하여 독립운동을 위한 무장투쟁 기능을 강조했습니다.

임시의정원 대한민국 임시의정원 제6회 기념사진으로 '大韓民國元年九月十七日' 이라는 날짜 표기가 주목됩니다. 첫 번째 줄 정중앙에 도산 안창호, 두 번째 줄 맨 오른쪽에 백범 김구가 보입니다.

1940년까지 자싱(嘉興), 항저우(杭州), 쑤저우(蘇州), 전장(鎭江), 난징(南京), 창사(長沙), 광저우(廣州), 류저우(柳州), 구인린(桂林), 치장(綦江) 등 무려 10곳을 전전하니 '이동임시정부'라고 해야 할 정도입니다. 1940년에야 충칭(重慶)에 정착하니 '중경임시정부'라고 부르는 시절입니다. ㉠'상해임시정부시절'(1919-1932), ㉡'이동임시정부시절'(1932-1940), ㉢중경임시정부시절(1940-1945)로 분류가 가능할 것입니다.

(3) 상해 '대한민국임시정부'(1919. 4. 11)

보다 체계화된 입헌을 통해서 정부형태를 조직한 곳은 상해의 프랑스 조계지에서 결성된 '대한민국임시정부'라고 할 수 있습니다. 대한제국은 1910년 8월 22일에 조인되고 29일에 공포된 '한일합병조약'에 의해서 일

이승만 임시대통령/국무총리 1920년 12월 28일 상해교민단이 베푼 환영회에 참석한 '임시대통령' 이승만(중앙). 왼쪽 끝으로부터 손정도, 이동령, 이시영, 이동휘, 이승만, 안창호, 박은식, 신규식, 장붕

본에 국권을 뺏깁니다. 1919년 3·1운동을 계기로 1919년 4월 10일에 각 도(道)를 대표한 대의원(代議員) 29명의 지사들이 회합하여 '임시의정원'(臨時議政院)을 구성합니다. 대한민국임시정부는 '임시의정원'의 형태로 시작한 것입니다.[22]

당시 독립지사들은 자유롭게 활동할 수 있는 상해 프랑스 조계로 모여들었습니다. 국내, 일본, 미국, 시베리아, 만주, 서울 등에서 지사들이 모여들며 프랑스 조계 내의 보창로(寶昌路) 329호에 임시독립사무소를 설치합니다. 이들은 서울의 독립단 본부, 미국의 이승만, 파리의 김규식과 연락

22) '임시의정원'이나 '대한민국임시정부'란 이름이 부여된 과정은 다음과 같습니다. 상해의 프랑스 조계지에서 1910년 4월 10일과 11일 양일에 거친 1차 회의에 29인 중에 27인이 참석하였습니다. 조직의 이름을 조소앙의 동의와 신석우의 재청으로 '임시의정원'으로 결정합니다. 국호는 신석우의 동의와 이영조의 재청으로 '대한민국'이라고 결정합니다.

하며 상해를 중심으로 임시정부의 수립의 기운이 발산됩니다. 당시 서울의 독립단본부의 헌법안은 이동녕을 집정관으로 하는 '집정관제'였습니다. 지사들은 임시의정원을 구성하고 1919년 4월 10일과 11일 양일간의 제1차 임시의정원 회의가 열립니다.[23] 양일간의 임시의정원 회의에서 임시정부의 권력구조는 '집정관제도'를 안(案)으로 하였으나 결국 '국무총리제'로 변경되어 결정됩니다. 이렇게 본다면, 초대 임시정부의 헌법은 일인지도체제적인 성격이 강한 집정부제 권력구조를 안으로 했으나, 논의 과정에서 집단지도체제적인 성격이 강한 국무총리제로 변경되었다고 볼 수 있습니다.

정부기구는 국무총리를 수반으로 6부 총장 및 차장을 투표로 선거하여 상해 대한민국임시정부가 출범하게 됩니다. 대한민국 최초의 헌법 격인 임시헌장은 임시의정원의 의결로 임시의정원 의장 이동녕, 임시정부 국무총리 이승만, 내무총장 안창호, 외무총장 김규식, 법무총장 이시영, 재무총장 최재형, 군무총장 이동휘, 교통총장 문창범의 공동명의로 선포됩니다.[24] 국호(國號)는 '대한민국'으로 하고, 대한민국임시정부의 이름으로서 '전문 10조'의 '대한민국임시헌장'을 선포합니다. 이어 1919년 4월 25일에는 정부 기관들로 6부와 이를 총괄하는 국무원의 구체적인 역할과 권한의 범위를 규정한 '대한민국임시정부장정'을 선포합니다.

이후 27년 동안(1919년 4월 - 1945년 11월)의 대한민국임시정부시절에서 5번의 헌법 개정이 있었습니다. 상해 임시정부 당시 헌법개정 절차는

---

23) 의원 29명의 명단은 다음과 같습니다: 김대지, 김동삼, 김철, 남형우, 백남칠, 선우혁, 손정도, 신석우, 신완호, 신익희, 신철, 여운형, 여운홍, 이광, 이광수, 이동녕, 이시영, 이영근, 이회영, 조동우, 조동진, 조성환, 조소앙, 조완구, 진희창, 최근우, 한진교, 현미, 현창운.

24) 투표가 필요한 경우, 무기명(無記名) '단기식'(單記式; Single Non-Transferable Vote) 투표를 기본으로 채택하여, 의장 및 부의장 선출, 관제의 결정, 국무원 인선이 이루어 졌습니다.

대한민국 임시정부 수립 첫돌 1월 1일, 임시정부 요인 58명이 상하이에서 태극기를 배경으로 찍은 사진. 둘째 줄 왼쪽에서 7번째가 이승만, 첫째 줄 왼쪽에서 3번째가 김구, 이승만 오른쪽으로 4번째가 안창호.

지금처럼 국민들의 동의를 바탕으로 한 것도 아니었고, 나라를 뺏긴 상황에서 임시정부의 헌법이 국민의 생활에 침투된 것도 아니었습니다. 그럼에도 개정과정에서 광복운동중의 광복운동자 전인민이 한국국민들을 대표한다고 명시하여(1925년 4월 7일 2차개정 임시헌법 제3조) 현실성을 기하고 있습니다. 일본의 강점 하에 있었을 당시에도 한국민의 이름으로 '만민공동회' 및 독립협회의 '헌의6조'에서 발현된 '입헌주의'의 형식을 지켜나가고 있었습니다. 나라를 뺏긴 상황에서 내외적으로 불리한 상황을 극복하기 위해 헌법을 끊임없이 개정해 나가는 추진력은 세계 정치사 속에서도 전무후무한 것으로 이 역시 한국정치의 특성입니다. 1919년 4월 11일 공포된 '임시헌장' 이후 5차에 이르는 헌법의 변천개정과 그 주요 내용들을 하나씩 살펴봅시다.

① 대한민국임시헌장(1919. 4. 11)

상해임시정부의 첫 번째 헌법은 '임시헌장'(1919. 4. 11)'입니다. 모두 10개 조항에 불과하지만 사실상 민주공화제의 출발점입니다. 임시의정원의 의결로 선포된 임시헌장의 주요 내용을 보면, "대한민국은 민주공화제로 한다"(제1조)는 것입니다. 특히 "대한민국은 임시정부가 임시의정원의 결의에 의하여 이를 통치한다"(제2조)고 규정하여 입법부 격인 임시의정원과 집행부 격인 임시정부를 분리시키면서, 임시의정원이 최고의 의결기구임을 분명히 하고 있습니다. 문구의 의미상, 소위 영국식 의원내각제의 가장 큰 특색인 의회의 대행정부 우월주의적 내용인 '의회주권론'(parliamentary sovereignty)을 반영하고 있다는 것입니다.

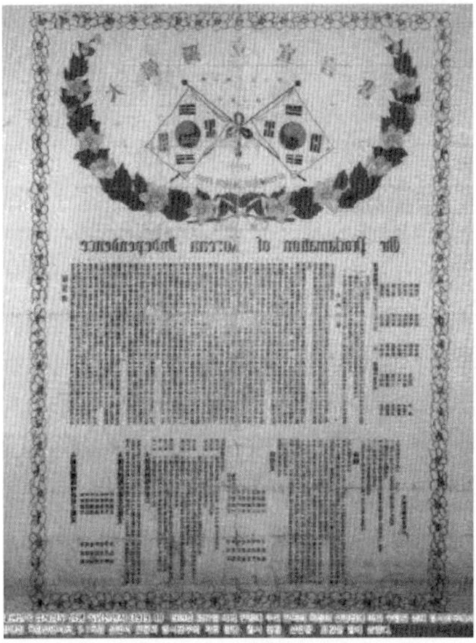

대한민국 임시헌장(大韓民國 臨時憲章)은 1919년 4월 11일 공포된 대한민국 임시 정부의 첫 헌법입니다.

일인지도체제적 성격이 강한 대통령제와 비교하여 볼 때, 의원내각제의 특색은 집단지도체제라는 점입니다. 임시의정원의 의결이란 그 자체가 집단지도체제를 의미하는 것이며, 그 의결에 따라야 하는 '국무원'(國務院) 내에서도 법률의 공포와 명령에 대하여 국무총리와 각부총장이 연서(聯署)하도록 하여(대한민국임시정부장정 제1장 제7조) 집단지도체제의 성격을 보이고 있습니다.[25]

---

25) 대한민국임시정부장정의 제1장 제1절은 "국무원(國務院)은 국무원(國務員)으로 조직

1919년 4월 11일 임시헌장의 권력구조는 '의원내각제'이지만 당시 규정에서 사용한 용어를 그대로 사용하자면 '국무총리제'라고 할 수도 있습니다.[26] 임시정부 초대 국무총리는 이승만이었습니다. 임시헌장도 입법부 의장격인 이동녕과 함께 행정부 내각 7인(총리 1인 총장 6인)의 이름으로 공동 선포됩니다. "구황실을 우대한다"는 조항(제8조)도 마찬가지입니다. 만약 이 조항이 현재까지 그대로 지켜졌다면 한국의 권력구조는 '의원내각제'적 성격으로 제정되었을 가능성도 있습니다. 황실이 존재하는 곳에선 '의원내각제'가 '대통령제'보다 제도적으로 친화력이 있는 정부형태이기 때문입니다. 국가의 수반격인 황실은 군림하되 통치하지 않으며, 실제 정치과정에서의 통치행위는 총리가 하게 됩니다. 황실과 함께 대통령이 존재한다면 국가 원수의 지위가 양립한다는 느낌을 주게 됩니다.

이승만
(1875–1965)

임시헌장에는 행정부의 수반인 국무총리가 입법부인 의정원의 신임, 불신임, 나아가 탄핵과 심판을 받는다는 구체적인 규정은 없습니다. 국무총리와 내각의 임기가 규정되지 않은 것으로 미루어 추측해 본다면, 임시의정원은 그럴 필요가 있을 때에는 '의정원의 결의'(2조)로써 언제든지 총리와 내각을 불신임할 수 있는 것으로 해석이 가능합니다. "임시정부는 임시의정원의 결의에 의하여 통치한다"라는 포괄적인 규정으로 의정원의 '의

함"이라고 되어 있습니다. 앞의 '국무원'은 기관을 말하는 것이고, 뒤의 '국무원'은 각부의 총장 개인들을 말하는 것입니다.

26) 총리의 직위는 ㉠ 내각 구성원들과 동등한 위치에서 대표자에 머무는 것인지(a first among equals), ㉡ 내각 구성원들 사이의 권력 서열이 존재하면서 대표자인지(a first among unequals), ㉢ 내각의 구성원들 사이에서도 권력서열이 존재하는 위에 군림하는 최고 권력자인지(a first above unequals)에 따라서 총리의 직위는 다양해집니다. ㉢의 경우 총리는 각료들에 대한 임명권과 면직권을 갖고 있습니다.

회통치권'적인 권력구조의 성격을 규정한 것으로 해석할 수 있습니다. 당시 헌법제정을 모의하였던 사람들이 대통령제를 기획하였다면 '대통령', '집정관', '통령'이란 용어로 행정부 수반의 명칭을 정했을 것입니다.[27] 한성정부에서 '집정관'(또는 '통령')에 해당하는 용어를 이미 사용한 바 있었기 때문입니다. 결론적으로, 조선왕조가 무너지고 임시정부의 초대 헌장에 나타난 정부형태는 '의원내각제' 정부형태로 해석이 가능할 것입니다.

임시헌장에는 그 밖에 언론・저작・출판・집회・결사・주소이전・소유의 자유(제4조), 대한민국의 공민 자격이 있는 자의 선거 및 피선거권(제5조), 교육・납세・병역의 의무(제6조) 등이 명시되어 있습니다. 당시 상황을 볼 때, 우선 임시정부를 출범시켜야 하기에 임시헌장이 10개 조항으로 단순화될 수밖에 없었을 것입니다.

② 1차 개정: 대한민국임시헌법(1919. 9. 11)

1919년 4월 11일 선언적 의미의 단순한 '임시헌장'이 공표된 이후 구체적인 조항들로 근・현대적 민주주의의 내용을 보다 구체화하여 담아내

27) 다양한 해석의 여지가 있습니다. 두 가지 논점으로 정리됩니다. ㉠ 당시에 권력구조 입안에 참여한 사람들이 의원내각제를 이상적인 제도로 의도했다기보다는 당시의 시대상황상 1919년 4월의 임시약헌 형식의 권력구조를 채택했을 수도 있습니다. 다시 말해서, 현재 시점에서 해석할 때, 1919년 4월 약헌이 의원내각제의 이념형에 유사한 것이란 해석이 가능하다는 것이지 당시 제도를 만든 사람들의 의도는 다를 수 있다는 것입니다. ㉡ 대한민국을 대표하는 소수의 대표자들이 모인 기관(즉, 입법부격인 임시의정원)을 단순히 입법부가 아닌 행정부의 수반을 선임하는 간접선거인단으로 해석할 수도 있습니다. 의원내각제에서도 입법부 선거결과 다수당을 차지한 정당의 지도자는 입법부내에서 별도의 선출과정 없이 당연히 행정부의 수반이 됩니다. 그런데 1919년 4월의 임시약헌은 행정부의 수반을 별도로 선임하도록 합니다. 입법부에서 행정부의 수반을 결정한다고 해도 경우의 수가 다르다는 해석입니다. 당시의 시대상황상 선거결과로 다수 의석 정당의 대표자가 존재하는 것은 아닙니다. 임시의정원이 입법부이면서도 행정부의 수반을 선출하는 간접선거인단으로 해석되는 경우엔 대통령제의 형식에서 벗어난다고 할 수 없습니다. 대통령제의 전형인 미국 대통령제는 연방제 국가에서 각 주 대표자들이 모인 대통령선거인단에서 대통령을 선출하기에 직접선출이 아닌 간접선출 방식입니다.

는 격식을 지닌 '임시헌법(1919. 9. 11)'으로의 개헌은 필수불가결한 것이었습니다. 1919년 9월의 임시정부란 기관의 권위 차원에서, '한성정부'와 '상해임시정부'가 통합한 것이니만치 통합 헌법으로의 개정이 필요했습니다. 한성정부에서 행정부의 수반인 '집정관총재'는 이승만이었습니다. 1919년 4월 11일 상해임시정부의 약헌에서 행정부의 수반인 '국무총리'는 이승만이었습니다. 통합정부의 통합헌법인 1919년 9월 11일 대한민국임시헌법에서도 행정부의 수반인 '대통령'은 이승만이었습니다.

국내외 많은 세력들을 포괄하여 실질적인 유일의 임시정부로서의 정당성을 갖게 되는 통합헌법에서는 의정원에서 대통령을 선출하는데 선거결과 만장일치(가16표, 기권1표)로 이승만이 '(임시)대통령'에 선출됩니다.[28] 국무총리에는 이동휘가 임명되었습니다.

1919년 9월 11일 선포된 '임시헌법'은 임시정부 1차 개정 헌법이 되며 전문 및 8장(총령, 인민의 권리와 의무, 임시대통령, 임시의정원, 국무원, 법원, 재정, 보칙) 58조로 구성되었습니다. 가장 눈에 띄는 것은 '입헌민주주의'의 근간인 '권력분립'의 실현을 위해 입법, 행정, 사법의 '삼권분립'(三權分立)을 규정하고 있다는 것입니다. "입법권은 의정원이 행정권은 국무원이 사법권은 법원이 행사함"이라고 규정하고 있습니다(제5조).

임시정부 건립을 위해, 상해 프랑스 조계지역을 중심으로 국내, 중국, 만주, 시베리아 등에 산재해 있는 다양한 독립운동 세력들의 통합이 현실화되기 시작합니다. 노령, 만주, 국내에서 조직된 다양한 정부조직들의 통합하려는 노력을 하면서, 차후, 각지의 대표들과 협의하여 13도 대표가 창설한 '한성정부'의 정통성을 인정하고 계승하면서 정부의 공식명칭을 '대한

28) 1919년 9월 11일 대한민국임시헌법 조항들에는 '대통령'이라는 용어를 사용하지 않고 모두 '임시대통령'(제3장 제11조-제17조)이라는 용어를 사용합니다. 의정원도 마찬가지로 '임시의정원'으로 지칭하고 있습니다(제4장 제18조-제34조).

민국임시정부'로 정했습니다. 9월의 임시정부는 4월의 임시정부보다 더 많은 세력들을 통합하여 발전된 임시정부라는 의미입니다. 대한민국임시정부는 9월 11일 새로운 헌법을 다시 한 번 공포하게 됩니다. 4월의 임시헌장이 간단히 장의 구분없이 단순히 10조로 이루어진 것과 비교하여 9월의 임시헌법은 8장 58조로 완전한 격식과 내용을 갖추게 됩니다.

정부형태는 임시대통령(제3장), 임시의정원(제4장), 법원(제6장)을 분리하며 '삼권분립'(三權分立)을 표방하고 있습니다. 1919년 4월의 임시헌장이 상대적으로 의원내각제적인 권력구조였다면, 불과 수 개월 후인 9월에 있었던 1차헌법개정의 내용은 실질적으로 대통령제적인 권력구조의 성격을 지니고 있었습니다. 대통령제의 성격이 명시화된 조항은 "대한민국의 주권행사는 헌법범위 내에서 임시대통령에게 전임(全任)한다"(제6조)라고 표현하고 있어 문구의 성격상 대통령이 최고의 기구라는 형식을 취하고 있습니다.

행정부는 대통령과 그를 보좌하는 기구인 '국무원'(國務院)으로 구성됩니다(제37조). "국무총리와 각부의 총장은 임시대통령을 보좌한다"(제37조)고 하여 대통령제의 특성인 일인지배체제의 성격을 분명히 나타내고 있습니다. 인사의 측면에서도, 대통령은 '국무원'(國務員: 국무총리와 각 부 장관들)을 임시의정원의 1차 재의(再議)를 통해서 면직할 수 있었습니다(제41조).[29] 또한 대통령은 의회소집권(제15조 7항), 계엄선고권(제15조 6항), 국군통수권(제15조2항)을 갖고 있었습니다.

행정부 내부에서 임시대통령은 국무총리와 각 부의 총장으로 구성된 소위 내각 격의 '국무원'(國務院)의 동의를 거쳐서 임시의정원에 법률안을

29) 용어상 주의를 요합니다. 한글은 같지만 한자는 다릅니다. '국무원'(國務院)은 기관을 말하는 것이고 '국무원'(國務員)은 국무원(國務院)의 기관의 구성원들인 국무총리와 각 부 총장들(즉, 장관들)을 말합니다.

제출하도록 되어 있어(제15조 9항) 대통령 일인의 주도와 함께 의원내각제의 특색인 내각의 집단지도체제적인 성격이 동시에 나타나고 있습니다. 국무원은 대통령이 법률안을 제출하거나, 법률을 공포하거나, 혹은 명령을 발포할 때에 항상 국무원이 부서(副署)하도록 규정하고 있습니다(제39조).[30] 그 밖에도, '국무위원들의 의정원출석발언권'을 규정하여(제40조), 그럴 의도가 있다면, 국무원은 입법부에 대해서 정치적 선제권을 적극적으로 행사할 수도 있습니다. 마지막으로 지적되어야 할 것은, 대통령의 법률안 거부권입니다(제26조, 제27조). 임시의정원은 일체의 법률을 의결할 권한이 있지만, 대통령이 그러한 법률의 집행이 불가(不可)함을 이유로 재의를 의정원에 요구할 때(즉, 법률안 거부권을 행사할 때), 출석의원 3/4 이상의 결의로 재의(再議)해야만 법률을 재집행할 수 있게 됩니다.

대한민국 임시정부의 제1차 개정헌법을 현대적 의미의 대통령제라고 하기 보다는 혼합형으로 볼 수도 있는 이유는 임시대통령을 입법부 격인 임시의정원에서 선출하기 때문입니다. 대통령의 선출기반이 임시의정원이어서 행정부 수반인 대통령이 태생적으로 입법부에 종속되기 때문입니다. 정부형태 분류 이론에 따르면, 국민이 입법부와 행정부를 따로 선출하면 대통령제입니다(two agents of electorates). 국민은 입법부만을 선출하며, 입법부가 알아서 행정부를 선출하는 경우엔 의원내각제입니다(one agent of electorate). 임시의정원은 기명단기식(記名單記式) 투표에 의해서 투표총수의 2/3 이상을 얻은 자를 임시대통령으로 선출하도록 되어 있습니다(제12조). 선출형식에서 보자면, 행정부인 대통령과 국무원을 입법부인 임시의정원에서 선출하기에 의원내각제의 성격이 있는 것입니다.

---

30) 부서(副署)하는 행위는 대통령이 서명한 문서에 국무총리와 국무총장들이 서명하는 사후행위(事後行爲)로서 부서를 필수로 하여야만 문서형식이 이루어진다고 규정되는 경우, 부서하는 행위는 일종의 '거부권'으로 작용할 수도 있습니다.

"일체의 법률안을 의결하는 임시의정원"(제21조 1항)의 피선거권은 대한민국 인민으로 중등(中等)이상의 교육을 마친 자로 만 33세 이상인 자로 규정합니다(제20조). 의원들은 경기도, 충청도, 경상도, 전라도, 함경도, 평안도, 중국령 지역교민, 러시아령 지역교민에서 각각 6명씩 선출하고, 강원도, 황해도, 미국령 지역 교민에서 각각 3인씩 선출하여 구성하는 방식이어서(제20조), 인구가 많은 지역과 적은 지역으로 양분하여 대강의 인구비례를 적용하는 방식을 취하고 있습니다. 임시의정원의 의장 및 부의장은 의원의 호선(互選)에 의해 단기식(單記式) 투표로 의원총수의 1/2을 얻은자로 정합니다(제28조).

국가권력을 전임한 대통령제이면서도 선출기반이 입법부에 있었다는 측면에서 선출 형식은 의원내각제적 성격을 지닌 혼합형 권력구조였습니다. 대통령은 자신의 선출기반인 의정원에 태생적으로 종속될 수 있습니다. 상대적으로 대통령의 선출기반이 의회로부터 분리되어 국민에게 있는 경우 대통령은 의회로부터 독립성이 클 수밖에 없습니다. 당시엔 행정부의 수반인 대통령을 선출하기 위해서 모든 국민이 선거를 할 수 있는 상황이 아닙니다. 의정원도 마찬가지입니다. 임시헌법에서도 '임시대통령', '임시의정원'이라고 명칭하고 있습니다.

대통령의 위법과 범죄에 대해서 탄핵할 수 있다는 조항(제21조 14항) 역시 임시의정원의 대통령에 대한 견제기능을 보여주는 중요 조항입니다. 1925년 3월 13일 탄핵안이 상정되고, 1925년 3월 23일 임시의정원은 이승만 대통령 탄핵안을 가결합니다.

1920년 당시 중국에서는 국민당과 공산당이 대립하고 있었습니다. 상해임시정부 내부에서는 민족주의자인 이승만 대통령과 공산주의자인 이동휘 국무총리가 대립하고 있었습니다. 이동휘는 이승만과의 상의 없이 소련에 대한독립운동 원조를 부탁하거나 상해에서 공산당 운동을 병행하였다가 이승만에게 문책당합니다. 이것은 국무총리가 대통령의 보좌역이라는 임시헌법의 규정을 어긴 것입니다. 이동휘는 이승만이 윌슨대통령에게 한국을 국제연맹이 위임통치해 줄 것을 청원하였다고 이승만 사퇴운동을 전개합니다. 특히 이승만은 미국에 '구미위원부'를 설치하여 임시대통령직을 수행하면서 1919년 9월 11일 임시헌법이후 상해에서는 6개월 남짓의 기간(1920년 12월 - 1921년 5월)밖에 머물지 않았습니다. 이 동안에 행정 결제권에 관한 논쟁이 발생하였는데, 국무총리제 정부형태에 있어서도, 이동휘는 집단지도체제적 성격의 '국무위원제'로 변경을 주장했으며, 안창호와 이승만은 일인지도체제적 성격의 '대통령제'로 변경을 주장합니다. 이동휘는 1921년 1월 24일에 정국쇄신안을 이유로 사퇴합니다. 현행 헌법을 유지한 상태에서 내실을 기하면서 실력양성의 중요성을 주창하던 안창호도 1921년 5월 17일 정부에서 물러납니다. 평소 외교를 강조하던 이승만은 1921년 5월 20일 태평양회의 참석을 위해 상해를 다시 떠납니다.

이동휘
(1873–1935)

안창호
(1878–1938)

이러한 내분의 조짐과 대조적으로 1923년 1월 3일 상해의 프랑스 조계지에선 사상 최대규모의 '범독립운동자회담'이 있어서 상대적으로 임시정부의의 위상이 크게 흔들리고 있었습니다. 결국 난국타개책으로 1923년 2월 15일 제11차 임시의정원 회의에서 대국쇄신안(大局刷新案)의 일환으로 대통령 탄핵안이 제출됩니다. 1925년 3월 23일에는 임시의정원이 심판위원회에 회부되어 면직을 판결한 보고서를 채택하여 대통령 탄핵안

박은식
(1859-1925)

김구
(1876-1949)

이 가결됩니다. 탄핵 사유는 ① 대통령을 선출한 헌법과 의정원을 부인(국제연맹에 위임통치를 제안한 점; 구미위원부를 조직한 점), ② 상해에 부임치 않아 성실한 심력으로 의무 불이행(임시헌법 제14조 불이행), ③ 임시대통령의 법률공포 및 명령선포시 부서조항 불이행(임시헌법 제11조 및 제39조 불이행)이었습니다. 후임 임시대통령에는 박은식이 선출되었습니다.

1923년 3월 9일 제37차 임시의정원 회의에서 "국민대표회는 임시정부의 헌법, 조직, 정책 일체를 실제활동에 적합하도록 개조할 것"이라는 헌법개정 안건이 본회의에 상정되어 있었습니다. 이 때, 상해에 근거지를 둔 요원들과 안창호는 임시정부의 개조를 주장했고(개조파), 노령 및 북경에 근거지를 둔 요원들과 이동휘는 임시정부를 새로이 창조할 것을 주장합니다(창조파). 반면에 김구와 이시영은 현재 임시정부 헌법의 유지를 주장합니다(현상유지파).

1919년 9월의 임시헌법에선 대통령과 국무총리의 정해진 임기가 없었습니다. 이론적으로 대통령제에는 행정부의 수반인 대통령에게 정해진 임기가 반드시 존재합니다.[31] 그렇기 때문에 1919년 9월의 임시헌법은 대통령제이면서도 대통령의 정해진 임기가 없는 상태에서 언제든지 의정원의 탄핵이나 불신임에 종속되기에 기능적으로 의원내각제적 요소가 존재

31) 의원내각제에서도 총리의 임기를 정해 놓는 것이 일반이지만, 이론적으론 그렇게 해야만 할 필연적 이유는 없습니다. 언제든지 불신임할 수 있기 때문입니다.

한 것입니다. 당시 대통령과 국무총리 사이의 정치적 갈등의 배경은 이념 노선의 차이로 설명됩니다. 대통령 탄핵안을 추진할 당시 최창식, 조상섭, 여운형, 이유필 등이 적극적 세력이었는데, 이들 중 최창식은 임시의정원 의장을 맡고 있었으며 이르쿠츠크 공산당의 일원이었습니다. 이제 일본으로부터 한국의 독립을 위한 임시정부의 투쟁은 임시정부 내부에서 발생한 진영 간 대립을 해결하여 민족대단결과 통합을 위한 투쟁을 실현할 수 있는 정부형태의 개헌으로 나가게 됩니다.

③ 2차 개헌: 임시헌법(1925. 4. 7)

2차 개헌에 의한 1925년 임시헌법은 총 6장(대한민국, 임시정부[32], 임시의정원, 광복운동자, 회계, 보칙) 35조로 구성되어 있습니다. 1925년 임시헌법 조항에서의 용어를 그대로 사용하자면 '국무령제'(國務領制)인데, 국무령은 임시의정원에 책임을 지는 제도입니다. 행정부가 입법부에 대해서 정치적 책임을 지는 제도가 의원내각제이며, 대통령제에서는 행정부는 입법부에 대해서 정치적 책임을 지지 않습니다. 따라서, 1925년 헌법은 의원내각제로 개헌된 것입니다. 그렇다면 국무총리제라고 하지 않고, 구태여 명칭을 바꾸어 국무령제라고 한 이유가 있는지 궁금합니다.

1919년 9월의 임시헌법 체계는 행정부 이원화 체계로서 대통령과 국무총리 사이의 갈등으로 분란이 났습니다. 결국 1925년 임시헌법에선 이를 극복하기 위해서 행정부를 일원화하기 위해 대통령과 국무총리란 용어를 합한 '국무령'(國務領)이란 용어가 탄생된 것으로 추측해 봅니다. 1919

---

32) '정부'라는 용어가 'government'인지 아니면 'the administrative(=the executive)'인지 용어상 혼란이 있을 수 있으니 주의가 필요합니다. 여기서의 '임시정부'는 '임시행정부'로 표기하는 것이 더 정확할 것입니다. 임시정부란 {임시의정원(입법부)+국무원(행정부)}로서 입법부와 행정부를 모두 포괄한 의미가 더 정확한 것이기 때문입니다. 우리말에서 보통 '정부'란 '행정부'의 준말이지만 영어에서는 정부(government)는 행정부(the executive)와 입법부(the legislative)를 통합한 말입니다. 임시헌법에서는 '임시행정부'를 그냥 '임시정부'라고 지칭하고 있습니다.

년 헌법은 행정부를 이원화하여 대통령과 그의 보좌기구인 국무원(국무총리 및 국무총장들)으로 구성하였습니다. 대통령 주도체제이나 집단 합의적 성격도 배제할 수 없는 혼합적 성격이 있었습니다. 그런데, 1925년 헌법은 의원내각제의 두드러진 특성 중의 하나인 행정부를 단순화하여 국무원(國務院; 제16조)이 행하는 '국무회의'(國務會議; 제4조)라고 명합니다. 국무회의는 국무령과 국무원(國務員, 즉, 각부총장들)으로 구성되는데(제4조, 제6조), 국무령은 임시의정원의 결의를 집행하며 임시의정원에 책임을 진다(제5조)고 규정하여(즉, 행정부가 의회에 대해서 책임을 진다고 하여) 의원내각제적 정부형태를 취하고 있습니다.

1925년의 임시헌법 조항들을 살펴보면, 국무원이 국무회의의 일원으로서 일체의 국무를 의정(議定)한다(제6조)고 하여 집단지도체제의 성격을 분명히 합니다. 동시에, 국무회의를 대표하여 '국무령'이 그 결정을 집행케 하고 임시의정원에 대하여 책임을 진다(제5조)고 하여 행정부가 입법부에 대하여 책임을 질 경우 국무원들 전체 책임이라기보다는 국무원들의 대표자인 국무령 일인이 책임을 진다는 형식을 취한 것입니다. 다시 말해서, 결정은 국무원들이 함께 하되, 책임은 국무원의 수장인 국무령 개인이 진다는 것입니다. 이전 임시헌법에서 행정부라는 기관에 대통령이 존재하면서 그 카운터파트(counterpart)로서 국무총리가 동시에 존재하던 것과는 달리, 이제 국무령만이 존재하는 것입니다. 결론적으로, 국무령제도는 임시정부 내에서의 내분을 막기 위해 고안된 권력구조인 것입니다.

1925년의 임시헌법이 집단지도체제적 의원내각제의 스테레오타입과 유사하면서도 그런식으로 당시의 국무령제를 단순화할 경우 뭔가 미진한 느낌이 듭니다. 현대적 의미에서 의원내각제의 스테레오타입은 행정부 내각이 입법부에 책임진다거나, 내각의 집단지도체제적 성향이 강하다거나 하는 것들입니다. 1925년의 임시헌법 국무령제도는 대통령과 국무총리의 분란을 막고 국무령으로 합해서 일인지배체제를 강화하되, 국무령은 자기 마음대로 할 것이 아니라 자신이 대표자인 국무회의의 국무원들과 함께 의정을 결정하여야 하며, 그러한 결정이 임시정부의 존재 목적에 맞지 않을 경우, 국무령이 임시의정원에 책임을 진다는 것입니다. 역설적으로 국무령의 화합과 통합의 리더십이 매우 중요한 체계이며, 앞서 국무총리와 함께하는 대통령제 보다 더 국무령의 일인의 지도력 성패가 분명히 드러나게 되는 제도입니다. 권한의 범위도 법원을 포괄하는 행정-사법 일원화의 수장이었습니다. 앞서 1919년 9월의 임시헌법은 '3권분립' 체계였습니다. 그런데, 1925년의 임시헌법은 국무령이 행정과 사법을 통판(統辦: 통합하여 다스림)하기에(제4조) '2권분립' 체계를 선택하고 있습니다.

1925년 당시에 국무령제도에선 국무령 일인의 책임 소재가 더 명백해지는 상황으로 갔기에 내각에 대한 국무령의 권력서열과 책임이 두드러진 의원내각제입니다. 국무령이 국무원들의 대표로서 임시의정원에 책임을 진다고 하였는데, 국무령을 포함하여 국무원들 모두는 임시의정원에서 개별적으로 결정하는 체계를 택하고 있습니다. 국무령은 임시의정원의 선거를 통해서 결정합니다(제13조). 임시의정원의 국무령 선거 정족수는 의정원 총수의 2/3이상이며, 2회 투표에도 해당 정족수를 충족하지 못하면 3회 투표에서는 다수득표자로 국무령을 정하게 됩니다. 선출된 국무령은 국무원(國務院)을 구성하기 위해서 국무원(國務員)들을 임시의정원에 추천하며 임시의정원이 선임(選任)하게 됩니다(제16조). 그러니까, 국무령을 포함해서 국무원들 모두를 개인별로 임시의정원이 선출하여 임명하는 방식인 것입니다. 임시의정원의 국무원들에 대한 불신임권의 행사도 마찬가지로 개인 차원에서 할 수 있습니다. 의정원은 국무령 및 국무원의 위법 및 범법 행위에 대해서 '심판처리'한다고 규정하여 내각 집단 차원이 아닌 내각 내의 구성원 개인 차원에서 불신임권을 부여하고 있습니다(제26조 4

항)[33] 그렇지만, 국무원들의 면직은 국무회의에서 스스로 하게 되어 있어서(제17조) 여전히 국무령의 지도력이 중요한 상황입니다. 앞서 1919년 9월의 임시헌법 체계에서 대통령과 국무총리는 정해진 임기를 갖고 있지 않았습니다. 임기의 문제도 내부 분란에 원인이 될 수 있습니다. 1925년 개정 임시헌법에서는 국무령의 임기를 3년으로 규정하고 있습니다(제14조).

앞서 1919년 9월의 임시헌법 시절인 1923년 2월 15일에 임시정부 내에서는 '대국쇄신안'(大局刷新安)이 발의되면서 법제를 시의와 민족에 맞게 개정할 것이 논의된 적이 있습니다. 1920년을 전후해서 국민대회와 같은 곳에서 헌법을 개정한다고 할 때, 국민대회를 구성하는 방식을 놓고서 진영 간에(즉, 민족진영과 공산진영) 분란이 난 바 있습니다. 따라서 1925년 헌법이 특히 신경써야 할 난감한 주제가 바로 대표자 구성 문제입니다. 주권이 없는 상황에서 대한민국의 전인민(全人民)을 대표하는 자들을 '광복운동자'로 정하고(제3조) 이들이 국가기관 구성에 관여하게 함으로써 헌법 기관들의 정당성을 확보하였습니다.

독자들은 1919년 임시헌법에서 임시의정원의 구성절차에서 의문을 가졌을 것입니다. 어떤 지역에서는 6인씩, 어떤 지역에서는 3인씩 선출한다고 하였는데, 과연 지역별로 선거인단이 제대로 구성되어 의정원 의원들을 선출할 수 있을 것인가하는 의문입니다. 다시 말해 나라를 뺏긴 상황에서 대표자를 뽑는 선출과정이 제대로 진행될 수 있을 것인가의 문제입니다. 현실적으로 헌법에 규정된 임시의정원에 참여하는 사람들은 결국 독립운동가들 중에서 선출되어 구성될 수밖에 없을 것입니다. 따라서 1925년 헌

33) 내각에 대해서 집단 불신임이 아닌 개인 불신임권을 규정한 것 역시 당시 상황 속에서 내각 유지에 불안정성과 혼란을 극복하기 위한 규정일 것입니다. 활동할 수 있는 인물들이 제한되어 있기 때문에 내각 내의 개인 한 사람의 문제에 대해서도 내각 전체가 책임을 지는 집단불신임제의 경우 다시 새로운 내각을 구성하는데 어려움이 있을 것입니다.

법에선 “광복운동자(光復運動者)가 대한민국의 전인민(全人民)을 대표한다”고 규정한 후에 광복운동자들이 모여서 의정원의 구성원들을 선출한다면 이는 기관 정당성에 문제가 없을 것입니다. ‘광복운동자’도 “재정을 부담하고 법령을 준수하며 징발에 응하여 병역에 복무하는 자”(제27조)로 하여 추상성을 배제합니다. 임시의정원은 ‘지방의회’에서 선출한다고 규정하였는데(제19조), 현실적으로 지방의회가 성립되지 않은 경우에는 지방의회가 성립되기까지 해당 지방에 있는 ‘광복운동단체’가 지방의회를 대신하게 하여(제19조), 의정원 구성의 상황적 한계를 극복하고 있습니다. 당시 상황에서 지방의회를 현실적으로 규정하는 최선의 방법은 광복운동자들 중심의 한인 거류민단(居留民團) 사회를 기점으로 하는 것입니다. 종합적으로 광복운동자는 지방의회를 조직하고, 임시의정원을 선거하며, 임시의정원뿐만이 아니라 임시정부에 청원할 수 있는 권리를 지니고 있습니다(제28조).

이상룡
(1858–1932)

1925년 임시헌법은 7월 7일에 효력을 발생합니다. 초대 국무령으로 서간도 한족회계 출신이며 서로군정서(西路軍政署)의 독판(督辦; 우두머리) 이상룡이 선출됩니다. 10월 10일부터 10월 12일 사이에 국무령 이상룡에 의해서 임시의정원에 추천된 명단을 보면, 소위 참의부(이유필), 정의부(이석, 오동진, 김동삼), 신민부(김좌진, 현천묵, 조성환) 사람들이 대거 추천되어 1925년 이후에 만주나 연해주 지방을 중심으로 다양하게 존재하던 ‘군정부’(軍政府) 요원들이 중심이 되고 있음을 알 수 있습니다.[34] 이것은 앞서서 1925년의

홍진
(1877–1946)

개정헌법이 임시정부 밖의 다양한 단체들을 포괄하려는 움직임과 특히 광복활동을 하는 독립군 조직들을 임시정부와 통합하려는 노력의 일환입니다.

그러나 이상룡 초대 국무령의 내각 구성은 실패하고 임시정부를 떠납니다(1926. 2. 18). 제2대 국무령으로 정의부의 양기탁이 선출되지만 그는 자퇴합니다. 다시, 제3대 국무령으로 안창호를 선출했지만 사양합니다. 결국 제4대 국무령으로 홍진이 선출되고 국무원 인선 작업이 끝나면서 1926년 8월 18일에 1925년 헌법이 기능하기 시작합니다.[35] 일년이 넘게 공백상태가 생긴 것입니다. 앞서 언급했듯이 1925년 임시헌법 개정의 가장 근본적인 목적은 내부적으로 내분을 극복하며, 외부에 우후죽순처럼 발생하는 유사 정부기관들을 포함하여 임시정부를 유일의 통합 임시정부 기관으로 만들려는 것이었습니다. 군정부에서 다수의 인사가 들어왔음을 알 수 있는데, 이것은 결국 독립운동의 무력투쟁 상황을 강조한 것으로 해석할 수 있을 것입니다. 그런데도 결국 국무원 인선 작업에 난항을 겪으면서 1년 넘게 '1925년 헌법'이 표류하였으니 국가기관인 임시정부는 외부의 주요 단체들을 포괄할 수 없어 기관의 권위는 이미 추락한 것입니다. 홍진 국무령과 국무원들은 외부단체로부터의 재정지원을 비롯하여 총체적인 곤란 속에 머무르게 됩니다.

이에 임시정부의 2대 국무령 홍진은 '3대 강령'을 발표하여 또다시 난국을 타개하고자 합니다. 그 내용을 보면 ① 비타협적 자주독립운동을 진작(振作)한다. ② 전민족대당체(全民族大黨體)를 건립한다. ③ 피압박민족들과 대연맹을 체결하여 우의국교(友誼國交)를 증진한다는 것입니다. 여기서 ②번 항목이 권력구조 논의에서 각별한 의미를 지니는데, 결국 다

34) 당시 다양한 '군정부' 조직의 전체적인 내용과 상황에 대해서는 제3장에서 '프랑스와 한국의 정치과정 비교: 임시정부와 이원집정부제' 부분을 참조하시면 됩니다.

35) 국무원들은 홍진(외무총장 겸직) 및 조소앙, 김응섭, 이유필, 최창호, 조상섭 등입니다.

양한 세력들이 당과 단체를 만들어 한민족의 세력이 분산되는 것을 막기 위해서 민족유일당운동(民族唯一黨運動)을 전개하여, 그 유일당 아래에서 한민족이 모두 통합되는 임시정부를 구성하겠다는 것입니다. 홍진 국무령과 국무원들은 총사직하면서 1926년 12월 10일 제15회 의정원 회의에서 보다 강력한 인물을 선출하게 되는데, 제5대 국무령으로 김구를 선출하게 됩니다. 당시 김구는 상해에서 가장 강력한 민족주의 노선을 주창하고 있었으며, 독립 무장투쟁 세력과 연계하여 임시정부를 이끌 최적의 인물로 평가됩니다. 1926년 12월 14일 김구는 국무령에 취임합니다. 그리고 국무령 김구와 함께 제2차 국무원이 출범합니다.[36)]

김구 국무령은 이미 1년 반 이상을 표류한 현행 헌법체계는 궁극적으로 내각을 조직하기가 어렵다는 것이 임시정부의 가장 큰 제도적 문제점이라고 보았습니다. 만약 임시정부가 내각을 구성하지 못한다면 이것은 임시정부의 정당성 문제와 직결되는 중차대한 사안입니다. 따라서 국무령과 국무원들 모두를 의정원에서 인선하면서도, 국무령 한 사람에게 모든 책임을 지우는 국무령제를 폐지하고 '국무위원제'로의 전환을 고려합니다. 이렇게 집단지도체제적인 성격을 강조하는 것은 보다 더 근본적으로 '민족유일당운동'의 정신을 구현하려면 결국 다양한 독립운동 집단들을 포괄할 수 있는 집단지도체제가 유리하다고 판단한 것입니다. 결국 3차 개헌으로 1927년 3월 5일에 '임시약헌'(約憲)이 제정됩니다.

④ 3차 개헌: 대한민국임시약헌(1927. 3. 5)

1927년 3월 5일에 제정된 '임시약헌'은 앞서 1925년의 임시헌법처럼 의원내각제적인 성격이 유지된 권력구조였는데, 대한민국임시정부의 헌법 중에서 가장 두드러진 차별성을 지녔던 헌법이었습니다. 두 가지로 정리되

---

36) 당시 선임된 국무원들은 윤기섭, 이규홍, 김철, 오영선, 김갑 등입니다.

는데, 하나는 소위 통합된 단일 정당으로서 전민족대당체(全民族大黨體) 성격의 민족유일당(民族唯一黨)이 국가 운영의 통수권을 지닌 '이당치국'(以黨治國)의 정신이 도입된 헌법이었습니다. 또 다른 하나는 국무회의에서 수장인 국무령과 국무원을 구분하지 않고 모두 '국무위원'(國務委員)이란 명칭으로 통일한 것입니다.

서로 대등한 관계인 임기 3년의 국무위원들의 집합체인 '국무회의'(國務會議)가 그 결정을 집행하게 하고 임시의정원에 대하여 책임지게 한다고 규정하여(제29조) 의원내각제를 유지하고 있습니다.[37] 1927년 임시약헌은, 1925년 임시헌법처럼 일인책임제도가 아니라, 집단책임제도를 선택하고 있는 것입니다. 집단책임제도는 국무회의 의결 정족수를 통해서도 나타납니다. 국무회의의 의결은 총의원과반수의 찬동으로 한다고 규정하여(제37조), 서로 대등한 관계에서 과반수 결정을 통한 집단책임제도를 유도하고 있습니다.

1927년 약헌을 보면 "대한민국의 최고 권력은 임시의정원에 있다. 단, 광복운동자가 대단결한 정당이 완성될 때는 최고 권력은 그 당에 있는 것으로 한다"(제2조)고 규정하고 있습니다. '이당치국'이란 어떤 특정한 '민족유일정당'이 국가의 최고권력을 지닌 기구로서 군림하면서 국가를 통치하는 것을 말합니다. 입법부, 행정부로의 권력분립 개념보다, 정당이 입법과 행정기능을 통합적으로 수행하는 '당대회'(黨大會)가 최고의 권력기구이니 권력통합의 개념이 강조되는 정부형태입니다. 따라서 입법부와 행정부로 기능분화된 별도의 기관이 존재하더라도, 한 개의 정당이 입법부와 행정부의 상위 기관으로서 정책을 결정하고 동시에 집행한다는 의미에서

37) '국무원'(國務院)이란 명칭도 사용하지 않습니다. 1925년 임시헌법까지는 국무원(國務員)들이 모인 국무원(國務院)은 기관 명칭이고 '국무회의'는 국무원(國務院)들이 하는 회의 명칭이었는데, 1927년 헌법에서는 기관과 회의 명칭이 모두 '국무회의'로 통합된 것이라 볼 수 있습니다.

입법부-행정부 일치체계라고 할 수 있습니다. 정당의 대표자인 주석은 입법과 행정 기능에서 최고의 정점에 서게 되는 명실상부한 일인지도체제의 지위를 갖게됩니다. 반면에 권력분립 하의 대통령은 형식적으로 '국가원수'임에도 실질적으론 행정부의 수반이며 입법부의 수반은 아닙니다. 대통령제하에서 입법부를 장악한 정당(즉, 입법부에서 다수 의석을 차지한 정당)과 행정부를 장악한 정당(대통령 직위를 차지한 정당)이 다른 경우엔 대통령의 '국가원수' 직위는 상대적으로 제한될 것입니다.

당시 임시정부 주변에는 이념적으로 나뉜 여러 정당들이 난립하고 있었습니다. 대한민국임시정부는 일본에 대한 투쟁에서 가장 큰 적은 내부분열이라고 보면서 '민족유일당촉성운동'을 하고 있었으며, 만약 민족대단결을 완성한 단일정당이 성립된다면 그 정당에 모든 권력을 집중시킨다고 헌법에 규정한 것입니다. 민주적 정치체계(political system)란, 서로 다른 이념과 주장을 지닌 다수의 정당들이 사회체계(social system) 내에서 정해진 규칙 속에서 자유롭게 경쟁하는 체계를 말합니다. 의원내각제나 대통령제는 기능 분화된 입법부와 행정부 사이의 권한 문제 여부에 중심으로 두고 분류한 것인데, 적어도 '양당체계'(兩黨體系, two-party system)이거나 '다당체계'(多黨體系, multi-party system)임을 전제로 정당들 사이에서 경쟁과 타협을 바탕으로 작동하는 권력구조입니다. 반면에 '이당치국'의 정부형태는 말 그대로 단일정당체계(單一政黨體系, one-party system) 하에서 이루어지는 것입니다.

1927년 4월 11일의 임시약헌으로부터 다음 개헌이 발생한 1940년 10월 9일까지의 당시의 상황을 보면 다양한 세력들이 좌·우합작운동을 벌이게 됩니다. 임시정부가 있었던 상해에서 1927년 11월에 유일독립당조직촉성연합회의가 개최되면서 다양한 세력들을 결집시키려고 한 바 있습니다. 주요 정당 세력들은 '한국독립당'(이동녕, 안창호, 김구, 조소앙; 1929.

3. 1),[38] '한국국민당'(김구, 이동녕, 이시영; 1935년 11월),[39] '조선혁명당'(최동오, 유동열; 1929년 12월),[40] '조선민족혁명당'(또는 한국민족혁명당: 김원봉; 1935. 7. 5)[41]이라고 할 수 있습니다. 앞의 세 정당은 차후에

---

38) '한국독립당'에 대한 기록들이 일치하지 않습니다. 호춘혜(胡春惠)의 기록(1978: 193)에는 1929. 3. 1을 창당일로 기록하고 있고, 일제고등법원자료와 대한민국임시정부자료집은 1930. 1. 25을 결당일로 기록하고 있습니다. 추측컨데, 조직을 모의한 창당일시와 결당식을 한 일시가 구분된 것이 아닌가도 추측해 보지만 창당과 결당이 같은 것인지 다른 것인지도 분명하지 않습니다. 조직이 시발된 시기에 주요 참여인사들을 보면, 백범일지(이동녕, 안창호, 김구, 조완구, 이유필, 차이석, 김붕준, 송병조), 호춘혜의 기록(이동녕, 이시영, 김구, 조소앙, 조완구, 이유필, 최석순, 김철, 김간, 옥성빈)으로 차이가 있습니다. 한국독립당은 1932년 4월 29일 윤봉길 의거로 안창호가 투옥된 이후 여러 세력들이 이탈하면서 와해됩니다. 1935년 9월에 조소앙, 박세창 세력이 복귀하면서 1차 재건기를 거치고, 1940년 5월 8일에 한국국민당과 조선혁명당이 재합류하면서 실세를 완전히 회복합니다.

39) 1932년 4월 29일 윤봉길 의거로 안창호가 투옥된 이후 '한국독립당'이 와해되자 조소앙이 당내 인사들을 이끌고 일차로 좌익계열인 '한국대일전선통일동맹'에 합류하고, 이차로 '조선민족혁명당'에 참여합니다. 이런 상황 속에서 김구 일파도 '한국국민당'을 조직합니다. 김구는 그의 일지에서 임시정부를 옹호하는 단체의 필요성에서 한국국민당을 조직하였다고 기록하고 있습니다. 1940년 5월 8일에 '한국독립당'으로 다시 합당합니다.

40) '조선혁명당'은 1929년 12월에 만주의 '국민부'가 민족유일당조직동맹을 개편함에 따라 창립한 조직입니다. 이때 중심인물은 최동오, 유동열, 현익철이었습니다. 사회주의계(최동오)와 민족주의계(현익철)가 조합되어 있었는데, 민족주의계가 주도권을 잡게 됩니다. 이후 한국대일전선통일동맹을 거쳐서 조선민족혁명당에 참여했다가 조선민족혁명당내의 좌익계열인 김원봉 등의 전횡에 불만을 품고 나와서 다시 '조선혁명당'을 재건합니다(1937년 4월: 지청천, 최동오, 유동열, 이광제, 양기탁, 현익철). 현실에선 한국국민당의 도움에 의해 존속하고 있었습니다. 1940년 5월 8일에 '한국독립당'으로 합당합니다.

41) 다양한 세력들을 결집한 '한국대일전선통일동맹'(1932. 11. 10)내에서 '의열단'(김원봉) 세력을 중심으로 새로운 정당의 조직의 필요성이 강변되면서 '한국민족혁명당'(1935. 7. 5: 김원봉, 지청천, 신익희, 최동오, 유동열)이 결성됩니다. 1935년 9월에 한국민족혁명당에서 조소앙, 박세창 세력이 탈당하여 '한국독립당'을 재건하자 다시 당대표대회를 통하여 '조선민족혁명당'으로 당명을 바꿉니다(1937년 1월). 그런데, 당내는 김원봉계열과 지청천계열로 양분되며, 지청천 계열이 또다시 조선민족혁명당에서 이탈하여 '조선혁명당'을 창당합니다(1937년 4월). 조선민족혁명당의 총서기 김원봉은 '민주주의민족전선'에서 여운형, 박헌영 등과 공동의장으로 활동하였으며, 남북협상 참여 중 월북하여 노동상, 최고인민회의 상임위 부위원장을 역임하다 1958년 9월에 숙청됩니다. 조선민족혁명당의 주석 김규식은 해방 후 중도노선으로 단정수립에 반대하며 남북협상에 참여하였고 한국전쟁 때 납북되어 사망합니다.

한국독립당으로 통합되었다고 할 수 있으며, 중도 좌파였던 조선민족혁명당은 그대로 유지되어 '양대정당'의 정당체계로 정비되었기에 유일정당이 형성되지는 못했습니다. 국내에선 '신간회'(新幹會, 이상재: 1927. 2. 15)가 나름대로 유일정당 운동조직을 진행시키고 있던 상황이었지만 몇 년 후엔 그 명맥이 그쳐 한민족 대동단결의 유일정당으로서의 실마리를 제공하는데 실패합니다.[42)]

이상재
(1850–1927)

결론적으로, 민족유일당 운동이 대한민국임시정부를 중심으로 발전되지 못했으며, 민족대당체 자체를 주관하려는 단체들이 다양하게 발생하였지만, 서로간의 통합은 성취되지 못했습니다. 민족대단결에 의한 단일정당이 형성되지 않았으므로 '이당치국'의 정부형태는 실현되지 않았습니다.

1927년 임시약헌 제2조의 내용을 보면 "대한민국은 최고권력이 임시의정원에 있음. 광복운동자의 대단결인 당(黨)이 완성된 때에는 국가의 최

---

42) 1927년 당시의 상황을 보면, 중국에선 쑨원(孫文)을 중심으로 국민당과 공산당이 제휴하여(국공합작) 일본 제국주의에 효율적으로 대항하고 있었습니다. 국내에선 1927년 2월 15일 서울 기독청년회관에서 기독교계, 천도교계, 불교계, 조선공산당계, 조선일보계 등이 합세하여 신간회(新幹會)가 창립됩니다(회장 이상재, 부회장 홍명희, 간사 안재홍). 여기에는 신채호, 조만식, 한용운 등이 참석합니다. 신간회 출범이후 전국 각지에서 지회가 설립되면서 150개 정도의 지회와 4만명의 회원의 조직으로 확대됩니다. 좌우합작에 의한 이념파벌 해소를 주창하며 민족주의세력과 사회주의세력을 묶어냈지만, 발기단계에서 신간회는 민족주의 세력 중에서 민족적 중심단결을 강조하는 우익(소위 '민족개량운동세력들' 및 동아일보계)과는 거리를 두고 형성되고 있었습니다. 신간회는 민족주의 세력 중에서 일부 우익세력들을 성공적으로 통합하지 못했으며, 일부 사회주의 세력들에겐 민족해방과정에서의 '쁘띠부르주아적인 정당'에 불과한 것으로 간주되며 배척당합니다. 다양한 이념세력들을 아우르려고 했을 때, 애매한 정체성으로 공격받는 것은 흔히 있는 일입니다. 모든 세력들을 통합하는 성공적 좌우합작이란 것이 현실적으로 얼마나 어려운 것인가를 보여줍니다. 1930년경부터 민족주의 세력의 이미지는 더욱 더 '우익'으로 고착되며, 사회주의 운동은 노동운동, 민중 등의 '좌익'으로 스테레오타입화하게 됩니다. 최근 한국사회에서 극한 이념대립을 극복하고 사회통합을 위해서 신간회의 정신과 운동을 기억할 필요가 있습니다.

고권력이 이 당에 있음"이라고 규정하고 있습니다. 규정에 따르면, 국가의 최고 권력기구는 임시의정원입니다. 임시의정원의 구성과 권한을 살펴볼 필요가 있습니다.

1925년 임시헌법에서 임시의정원 구성은 '지방의회' 또는 '광복운동자 단체'에서 선발하였습니다(제19조). 1927년 임시약헌에서는 1919년 9월의 임시헌법처럼 대한민국 인민이 '직접선거'하게끔 하되, 현실을 고려하여 광복운동자들이 인민들을 대신할 수 있도록 하였습니다(제5조). 1927년 임시약헌에 나타난 임시의정원은 지역별로 인구 배분을 통해서 위원들의 숫자를 결정하였습니다. 경기, 충청, 경상, 전라, 함경, 평안 각 도와 중국령 교민, 러시아교민에서 각 6인씩 구성하고, 강원, 황해 각도와 미국교민에게는 각 3인씩으로 구성하였습니다(제6조). 선거권은 18세로 하고, 피선거권은 23세로 하였습니다(제7조). 이를 바탕으로 대한민국 인민이 직접선거한 위원들로 임시의정원을 조직하는데, 현실을 고려하여, 각 내지(內地)에서 선거할 수 없을 경우엔 각 해당선거구의 원적(原籍)을 고려하여 임시정부 소재지에 주거하는 광복운동자들이 선거권을 대행할 수 있게 하였습니다(제5조).

1927년 임시약헌에서 국가 최고권력기관인 임시의정원의 의장과 부의장은 총의원 과반수의 출석과 출석의원 2/3의 찬동으로 하되, 1회 투표에서 정족수가 만족되지 못하면, 2회 투표에선 다수 득표로 정한다고 하였습니다(제14조). 이전 임시헌법들과 달리 1927년의 임시약헌에선 임시의정원 내부에 '상임위원회'(常任委員會, standing committee)를 설치하여 운영에 현실성을 기했습니다. 당시 의정활동에 참여할 수 있는 인원들이 제약되는 현실 속에서 임시의정원 내에 7인으로 구성된 상임위원회를 설정하여 임시의정원 개원중(開院中)에 그 직권을 행사한다고 규정하였습니다(제15조). 상임위원회의 권한 규정을 보면 회계 검사, 예산 지출 동의,

국무위원 사직 수리, 광복운동 방략, 광복운동총력량의 집합방법, 외교에 관한 사항 등에 관한 권한 행사(제16조)는 임시의정원 폐회 시에도 상시로 일어나는 일들이며 이를 처리하기 위함이기도 합니다. 최고권력기구임에도 상시 개회가 아니어서[매년 10월 첫 번째 화요일에 개회하며 그 개회기일은 스스로 정하며, 총의원 1/3이상 또는 '상임위원회'의 요구로 임시의회를 소집한다(제9조)], 그 권한 행사가 제한될 수 있었기 때문입니다.

1927년 임시약헌의 규정을 보면, 권력구조는 국무회의란 국무위원들의 집합체가 국가최고 권력기관인 임시의정원에 집단적으로 책임지는 제도입니다(제28조 및 제29조). 그 이전의 1925년 임시헌법 규정에 따르면 권력구조는 국무령이 국무회의의 대표자로서 임시의정원에 개인적으로 책임지는 제도였습니다. 그래서 1927 임시약헌을 국무회의제도라고 했지만, 더 구체적으로 살펴보면 '호선(互選, mutual vote) 주석제'라고도 할 수 있습니다(제36조). 일반적으로, 호선방식이란 서로 일면식이 있는 소집단에서 채택하는 선거로서 자기들 구성원들 상호간에 특정인을 선출하는 방식을 말합니다. 당시 인력 부족 속에서 실제로 임명되는 국무위원들은 10명 미만인 소집단입니다. 이런 경우에, 호선제는 방식에 따라서 크게 두 가지로 대별됩니다. 첫째, 소집단에서 구성원들끼리 한 자리에 모여서 선출하고 싶은 사람의 이름을 거명하는 것입니다. 한 사람이 강력하게 거명되어 논의가 끝날 수도 있고, 몇 사람이 거명되면 토론을 반복하면서 주석을 선출하게 됩니다. 둘째, 구성원들끼리 특정 직위를 순서대로(예를 들면, 나이 순서대로)로 하는 것입니다.[43]

순수하게 제도적인 측면만을 전제로 하여, 당시 유일정당을 실현하지

43) '윤번제'(輪番制: rotation system)란 어떤 순서에 대한 기준을 정해놓고서 순서대로 돌아가면서 직위를 맡는 제도입니다. 일반적으로, 이론적 분류에선 윤번제 방식을 호선제도에 포함시키지 않고 별도의 제도로 구분하기도 합니다.

못한 상태에서의 '국무회의제도' 및 '호선 주석제도'를 조합하여 이해해 봅시다. 1927년의 임시약헌에서도 국무령에 해당하는 직위가 있었는데, 그것이 '주석'(主席)이란 직위이며, 주석은 국무회의에서 국무위원들의 호선으로 결정됩니다(제36조). 국무령은 임시의정원에서 선거를 통해서 결정하였는데, 주석은 입법부인 임시의정원에서의 무기명 투표에 의한 선거가 아닌 행정부인 국무회의 내에서 국무위원(5인 이상 11인 이하로 구성됨: 제28조)끼리의 호선에 의해서 정합니다(제36조). 호선 방식을 전제로 하여, 순수하게 제도공학적인 측면의 논의만 하자면, 대개 눈치껏 알아서 평소 집단 내 영향력이 큰 인물을 지목하고 선출하게 됩니다. 따라서 국무회의는 주석에 선출되는 자에 의한 1인의 지도력이 더 강화되는 성향을 배제할 수 없습니다.

주석이라는 직위가 호선의 결과이더라도 윤번제(輪番制)로 돌아가면서 주석을 정하는 것인지, 아니면, 호선으로 한번 주석을 정하면 임시약헌에 규정된 국무위원의 임기처럼 3년을 그대로 할 것인지는 명확한 규정이 나와 있지 않습니다. 그러면, 1927년의 임시약헌 체제의 '호선 주석제'는 실제로 어떻게 운영되었을까요? 당시 국무령이었던 김구는 『백범일지』에서 국무령제를 국무위원제로 개헌한 것에 대해서 술회하고 있습니다. 백범일지의 '민족에 내놓은 몸' 부분에서 "독재적인 국무령제를 고쳐서 평등인 위원제로 하고 나 자신도 국무위원의 하나로 일하고 있다"라고 술회합니다. 백범일지의 '3·1운동의 상해' 부분에선 "주석은 다만 회의의 주석이 될 뿐이며, 모든 국무위원들은 권리에나 책임에나 평등이었다. 주석은 의원들이 번차례로 돌아가면서 할 수 있는 것이어서 매우 편리하며 모든 분리를 일소할 수 있었다"고 술회합니다. 주석을 '윤번제'로 돌아가면서 맡았으며 모든 분리를 일소할 수 있었다고 한 것은 호선제도가 최상으로 순수하게 운영된 것입니다.[44] 1927년 임시약헌의 주석제가 윤번제로 기능할 경우 약한 주석제로 기능할 개연성을 지니고 있었던 셈입니다. 현실에서, 1927년의 주석제가 약한 주석제로 기능했건 아니었던 간에, 분명한 것은 3차 개헌을 거치면서 대한민국임시정부 체제가 결국 '주석제도'로 나아가는 시발점이 된다는 것입니다. 1927년 이후 해외파인 이승만의 영향력보다 중국에 머물면서 실제 투쟁을 이끌었던 김구 주석체제로의 개편이 나타난 것입니다. 1927년의 임시약헌 체제는 제28조와 제29조를 참조하여 '국무회의제'라고 칭하면서도 동시에 제36조를 참조하여 '호선 주석제'라고 함께 규정하는 것이 적합해 보입니다.

이봉창
(1901–1932)

윤봉길
(1908–1932)

3차 개헌의 거시적 목적은 '민족유일당'의 추구와 이를 통한 '이당치국'의 권력구조를 실현하는 것이었습니다. 정당이나 세력들 간에 부분적인 통합이 있었지만, 거대 민족유일당 운동은 실패로 돌아갔습니다. 1927년 임시정부의 민족유일당을 통한 이당치국으로의 권력구조 개정이 현실화되지 않는 한 오히려 임시정부의 발목을 묶게 된 셈입니다. 1931년 일본은 만주사변으로 만주에 세력을 확장했습니다. 이런 상황에서 임시정부가 다시 활력을 찾고 기관의 권위를 인정받게 된 계기는 이봉창 의사, 윤봉길 의사의 거사를 통해 중

44) 일반적인 제도공학 차원에서 볼 때는, 입법부인 임시의정원이 최고 기관으로서의 역할을 지속적으로 유지하여도(제2조), 주석체제를 도입하는 경우엔 행정부내의 단일지도체제적인 성향이 강하게 나타나는 권력구조입니다. 나아가 주석체제를 도입하는 경우엔 입법부와 행정부가 모두 주석의 정치권력 아래 존재할 수도 있습니다. 일단, 의정원에서 정치적으로 역량이 있으니 국무위원으로 선출되었을 것이며, 국무위원들 사이에서 그 권력이 막강하니 주석으로 추대될 것입니다. 의정원에서 국무위원을 선출할 때부터 이미 주석직을 맡을 사람이 누구인지 그 분위기나 방향이 정해질 수 있습니다.

국의 국민당으로부터 지원받게 되면서부터였습니다. 독립운동에 많은 에너지를 소비할 수밖에 없으며 국내에서 활동할 수 없는 임시정부가 갖는 근본적인 한계입니다. 임시정부는 '군활동'의 중요성을 더욱 강조하면서 4차 개헌 직전에 '광복군'을 정비하게 되어 1940년 9월 17일 '한국광복군총사령부'를 설치하게 됩니다.

임시정부에서 3차 개헌의 동기는 1926년 9월 27일 홍진 국무령이 선언한 정부시정방침 '3대강령' 속에 나타난 자주독립운동 진작과 민족대당체결성이란 두 가지였습니다. 임시정부 산하에 광복군을 두게 되어 군사체계를 가시화하면서 일본에 대한 강력한 전쟁 수행을 위해서라도 15년 가까이 이어온 집단지도체제를 일인지도체제로 바꿔야 될 필요성이 생긴 것입니다. 주석제의 극단적 형태인 순번제의 '호선 주석제'를 채택한 이유는 단적으로 일인지도체제가 아닌 집단지도체제를 통해 화합을 강조하기 위한 것이었습니다. 동시에 민족유일당 추진 운동도 불완전한 수준이긴 하지만 현실적 수준에서 마무리가 됩니다.[45]

1940년을 전후하여 민족유일당 운동도 사실상 마무리되고, 연합국들이 참전하고 활약하면서 대한민국의 일본에 대한 항전태세를 정비하는 시대상황과 맞물려서, 임시정부 요원들은 그러한 집단지도체제의 한계를 인지했었을 것으로 추측해 봅니다. 1927년의 임시약헌에서 '국무위원제'와 함

---

45) 김구는 「백범일지」의 '기적장강만리풍'(奇蹟長江萬里風) 부분에서 유일당운동 과정을 술회하고 있습니다. 정리하자면, 가장 먼저 '7당통합체'(한국국민당, 한국독립당, 조선혁명당, 이상 민족운동 진영; 조선민족혁명당, 조선민족해방동맹, 조선민족전위동맹, 조선혁명자연맹, 이상 공산운동 진영)가 추진되면서 성사단계였는데, 민족운동세력 중심으로 간다고 불만하던 해방동맹과 전위동맹이 탈퇴하면서 '5당통합체'가 성사됩니다. 하지만, 곧이어서 공산주의 운동에 집착하는 민족혁명당 당원들을 이유로 김약산이 탈퇴하여, 민족운동세력들의 '3당통합체'가 되었는데 이에 미주와 하와이 지부들이 합세하며 결국 '5당통합체'라고 할 수 있다고 김구는 술회하고 있습니다. 이렇게 해서 만들어진 통합단체가 '한국독립당'입니다 [위원장 (김구); 위원(홍진, 조소앙, 조시원, 이청천, 김학규, 유동열, 안훈, 송병조, 조완구, 엄항섭, 김붕준, 양묵, 조성환, 차이석, 이복원); 감찰위원장(이동녕); 감찰위원(이시영, 공진원, 김의환)].

께 소개된 '호선 주석제'는 1940년 9월에 임시정부가 중경(重慶)으로 옮긴 직후 4차 개헌을 통해서 이제 한걸음 더 일인지도체제에 가까운 '주석제'로 변경됩니다.

⑤ 4차 개헌: 임시약헌(1940. 10. 9)

1927년 개헌 이후 대한민국임시정부가 1932년부터 무려 8년간 10곳을 옮겨 다니던 이동 시기에는 개헌이 없었습니다. 많은 곳을 전전하다가 1940년에 중경에 근거지를 정하게 되면서 두 번의 개헌이 있게 됩니다. 첫 번째 개헌은 1940년 10월 9일 제정된 '임시약헌'으로 4차 개헌에 해당됩니다. 두 번째 개헌은 1944년 4월 22일에 제정된 '임시헌장'으로 5차 개헌에 해당됩니다.

4차 개헌에 해당하는 1940년의 '임시약헌'을 살펴보면, "'국무위원회'(國務委員會)의 주석 및 각 해당부장(즉, 국무위원)은 임시의정원의 결정에 따라서 주관사무를 집행하고, 또한 책임을 지는"(제34조) 의원내각제가 그대로 유지됩니다.[46] 임시의정원의 구성 방식은 이전 헌법과 마찬가지로 지역별로 인구할당을 했으며, 대한민국 인민의 직선제 선출로 하고, 해당 선거구에서의 선거가 불가능할 때는 원적을 지닌 광복운동자가 이를 대행하게 하였습니다(제4조). 그 이전의 헌법과 다른 점은 임시의정원의 총 인원수를 57인이라고 규정한 차이점이 발견됩니다(제5조).

주석체제도 그대로 유지되지만, 앞서 1927년 임시헌법에서처럼 국무회의에서 주석을 호선하는 것이 아니고, 임시의정원이 총 의원의 과반수 이상의 출석과 출석의원의 2/3이상의 찬성으로 주석 및 국무위원(6인 이상 10인 이내: 제23조)을 선거하는 체제로 돌아갑니다(제10조). 따라서 1940년의 임시약헌은 '선출 주석제'를 채택한 '국무위원회제도'로 칭할 수 있습

46) 1940년의 개헌에서는 '국무회의'란 명칭 대신에 '국무위원회'(제24조)라는 명칭을 사용합니다.

니다. 참고로 직전의 1927년 임시약헌은 '호선 주석제'를 채택한 '국무회의제도'였습니다.

행정부의 수반을 행정부 내부에서 결정하느냐, 입법부에서 결정하느냐는 권력구조상 두 가지의 중요한 의미를 내포합니다. 하나는, 제도공학적인 형식차원의 문제로, 일종의 임시의정원의 국무위원들에 대한 권한을 1927년의 임시헌법보다 강화한 체제로 인지할 수 있습니다. 입법부인 임시의정원이 직접 선거로 행정부의 수반을 직접 선출한다는 것으로 주석의 통치 정당성이 임시의정원으로부터 발생하는 권력구조인 것입니다. 입법부인 임시의정원이 권력구조의 중심에 서는 의원내각제적 제도입니다. 또 다른 하나의 의미는 권력구조 및 권력역학 차원의 문제로, 주석은 국무위원회 내부에서 국무의원들에 대해서 더욱 강력한 리더십을 발휘할 수 있다는 것입니다. 지엽적인 문제를 떠나서, '선출직 주석'과 '윤번제 주석' 중에서 누가 더 강력한 리더십을 갖게 되는지는 자명한 일입니다. 민주사회에서 '선출직'은 '임명직' 및 '호선직'과는 전혀 다른 차원의 강력한 권력을 지니게 됩니다.

4차 개헌에서는 '대단결된 하나의 당'이 완성된 때에는 그 당에 국가의 최고권력이 있다는 조항을 삭제합니다. 민족유일당 운동은 그 성취가 어려운 것이기도 하지만, 그러한 노력이 있었고 결과물로 '한국독립당'이 산출되었습니다. 다양한 의견이 있겠지만, 완전한 실패도 아니고, 그렇다고 성공은 더욱 아니니, 불완전한 결과물 정도로 해석하는 것이 좋을 듯합니다. 이제 15년 동안의 리더십을 통해서, 그리고 민족유일당 운동의 결과물인 한국독립당의 위원장인 김구는 1940년 개헌 체제에서 다시 한 번 주석직을 수행하게 되고 임시정부는 김구 주석체제로 그 기반이 견고해 집니다. 입법부 중심의 의원내각제적 정부형태에도 불구하고, 1940년의 임시약헌 체제에서는 주석 및 국무위원회의 행정부 권한과 관련하여 몇 가지 특징이 발견됩니다.

첫째, 국무위원회의 직권을 규정하는 곳에서 가장 먼저 "광복운동독립방략과 건국방안을 의결한다"(제26조 1항)고 하여 대한민국 건국에 관련된 권한을 행사한다는 것입니다. 당시 국제정세로 볼 때, 이제 일본의 패망이 가시화되기 시작하면서 임시정부의 가장 큰 권한은 건국방안일 수 있다는 것입니다. 그 방안을 국무위원회가 의결할 수 있다는 것이니, 가장 큰 권한은 국무위원회가 그리고 주석이 갖고 있는 것이라 해석할 수 있습니다. 예를 들면, 1941년 11월 25일 제정된 '대한민국건국강령'은 대한민국임시정부(또는 임시의정원 의장)의 이름으로 공포되는 것이 아니며, 국무위원회의 이름으로 공포됩니다[주석(김구); 국무위원(이시영, 조성환, 조완구, 조소앙, 박찬익, 차이석)].

둘째, 주석 및 국무위원들이 임시의정원에서 선출되며 또한 임시의정원에 책임지는 소위 임시의정원 중심의 의원내각제 체제라고 했는데, 이와 균형을 맞추어서 주석과 국무위원들이 임시의정원의 각 위원회에 출석하여 발언할 수 있는 권한을 규정합니다(제29조). 요즘 말하는 국무위원들의 국회출석 발언권에 해당하는 것인데, 행정부의 구성원들이 입법부가 결의한 것을 꼭두각시처럼 집행하는 것이 아니고, 집행과정에서 생기는 문제나 집행의 곤란함 등을 입법부에 출석하여 적극적으로 입법부에 개진하고 해명할 수 있는 권한을 말합니다. 주석과 국무위원들의 임시의정원 출석 발언권은 적극적으로 활용되는 경우에 임시의정원의 입법부와 행정부가 일정 수준 균형을 유지하는 기능을 할 수 있습니다.

셋째, 임시의정원 내 상임위원회 조항이 폐지된 것입니다. 이전의 1927년 임시약헌에서는 임시의정원 내에 상임위원회를 두고서 임시의정원의 폐회(閉會)기간에 일어나는 일에 대해서도 임시의정원이 상시적으로 대비할 수 있도록 했지만, 1940년 임시약헌에서는 상임위원회 조항이 삭제되었습니다. 이것은 결국 개회기간과 폐회기간이 없는 국무위원회가 상임위원회라는 의미입니다. 1940년 임시약헌은 임시정부가 수행하는 중요한 업무들의 대강을 국무위원회의 직권 10개 항목(제26조)과 주석의 직권 10개 항목(제27조)을 통해서 규정하였는데, 이러한 직권들에 대해서 그들 자체 내에서 상시적으로(심지어는 임시의정원의 간섭없이) 처리할 수 있는 것입니다.

임시정부가 당시 중국 국민당 장개석 정부와 논의하던 임시정부의 국제 승인문제 관련 안건을 임시의정원에 보고하던 와중인 1941년 12월 8일에 태평양전쟁이 발생합니다. 1941년 12월 9일에 임시정부는 대일선전포고를 합니다. 1942년 10월 25일에 개원된 제34회 임시의정원회의에서 당내 세력 분포를 보면, 과거 한국독립당 인맥의 주도 분위기에서 조선민족혁명당과의 양대 세력화 성향을 보입니다. 1943년 10월 1일 김구 주석의 시정방침을 보면 "각 당파의 의견을 받아들여서 합작을 기한다", "재정권을 통일하여 분배의 균형을 취한다"는 항목이 있습니다. 이런 상황은, 이제부터 임시정부내에서 국정운영의 원할을 위해 중요한 문제는 임시의정원과 국무위원회 사이에서 발생하기 보다는, 각 정치세력들이나 당파들 사이에 발생할 수 있음을 시사합니다. 이런 상황은 임시정부가 대일선전포고를 한 상황에서 다시 한 번 개헌 논의를 진행시키는 계기가 됩니다.

⑥ 5차 개헌: 임시헌장(1944. 4. 22)

1944년 4월 22일에 제정된 임시헌장은 5번째 개헌의 결과물이며 대한민국임시정부 하에서의 마지막 개헌에 해당합니다. 1944년 5차 개헌은 조선민족혁명당(이후 '민혁당') 계열의 지분확보를 위해 개헌이 필요하다는 문제 제기에서 비롯됩니다. 앞서 지적했듯이, 당시 임시정부의 헌법체계는 임시의정원이 중심이 된 의원내각제적 권력구조를 골간으로 하고 있었습니다. 임시의정원에서 선출된 주석과 국무위원들은 자신들의 선출기반인 임시의정원에 대해서 책임을 지는 제도입니다. 정파간에 지분확보 경쟁이 벌어졌을 때, 가장 원초적인 것은 바로 그 선출기반에서 어떤 지분을 확보하느냐는 것입니다.

당시 임시약헌(즉, 1940년의 임시약헌)에 따르면 "국내 각급선거구에서 선거실시가 불가능할 때에는 임시정부의 소재지에 교거(僑居)하고 각 당해당선거구에 원적(原籍)을 가진 '광복운동자'가 각 당해선거구인의 선거권을 대행한다"(제4조) 였습니다. 이러한 조항을 계속 유지하는 경우엔 민혁당의 입장에선 자신들의 세력 약화로 간주하게 됩니다. 따라서 민혁당파는 1942년 말에 제34차 임시의정원 회의와 제35차 임시의정원 회의를 통해서 임시정부의 소재지 교민들로 한정된 대행투표를 각 독립운동지의 광복운동자들에게 넓힐 것과 파벌안배문제를 제기합니다. 기득권이 강했던 한독당은 현상 유지를 원했습니다. 당시 선거는 임시정부 소재지인 중경(重慶, 충칭)의 교민들이 원적지에 의거해 투표를 하였는데 중경은 사실상 한독당의 기반지입니다. 임시정부의 최종 5차 개헌은 의회 내에서 두 개의 정파간 지분 경쟁에서 비롯된 것입니다.

1944년 4월 22일의 5차 개헌 내용을 보면 그러나 실제 임시의정원 의원 배분이나 임시정부 소재지의 교민의 대행투표제는 그대로 유지됩니다. 정파간 권력 경쟁에서 한독당의 뜻이 강하게 관철된 것입니다. 임시의정원 선거권자로서 '광복운동자'의 내용을 더 엄격하게 한정하고 있습니다. "광복운동자는 조국광복을 유일한 직업으로 인하고 간단없이 노력하거나, 또는 간접이라도 광복사업에 정력 혹은 물력의 실천공헌이 있는 자로 함. 단, 광복운동에 위해를 가하는 행위가 있을 시에는 광복운동자의 자격을 상실함"(제8조)이라고 규정하고 있습니다.

1944년 임시약헌에서 몇 가지 변화 사항들이 인지됩니다. 이전의 임시헌법들에서는 의원내각제적 요소를 나타내는 가장 명시적인 표현은 (행정부가 입법부에) '책임진다'라는 용어였습니다. 이런 규정을 기본으로 하여 입법부의 행정부에 대한 탄핵, 심판, 처벌, 면직 등의 용어를 동시에 사용하였다고 볼 수 있습니다. 1944년 임시헌장은 입법부의 행정부에 대한 '불신임'(不信任, nonconfidence)이란 용어를 사용하면서 헌법의 의원내각제적 성격을 단순명료화 합니다. 의원내각제의 경우, 행정부가 입법부에 대해서 책임을 지는 형태는 '불신임안'으로 대표되는데, 대한민국임시정부의 마지막 헌법인 임시헌장에서는 '불신임안'이란 용어를 명시적으로 사용하고 있습니다.[47] 임시의정원이 주석, 부주석, 국무위원들 개인에 대해서 신임할 수 없다고 인정하는 경우 탄핵안 혹은 불신임안을 제출하여, 탄핵안이 통과되면 면직(免職)하고, 불신임안이 통과되면 해당 위원이 스스로 사직(辭職)한다(제18조)고 규정하고 있습니다. '불신임안'이란 용어는 정치과정에서 행정부가 입법부에 대해서 지는 책임을 포괄하는 것으로 범죄행위가 아니고 정치적 책임 사안이기 때문에 해당자의 사직 행위로 해결됩니다.

헌법의 의원내각제적 성격이 '불신임안'의 규정으로 명료화되었음에도 대통령제가 지닌 '1인 지도체제'의 성격이 배제되지 않는 측면도 있습니다. 국무위원회에 열석(列席)하여 주석을 보좌하는 '부주석'(副主席)제를 도입하고, 주석의 유고(有故)시에는 그 직권을 대행케 하여 주석직의 위치를 더욱 견고히 하였습니다(제33조). 내각 내에 부주석의 지위를 두는 경우엔 상대적으로 주석의 지위가 더 두드러지게 될 수밖에 없습니다. 원형 대통령제인 미국 대통령제의 경우 부통령(副統領, vice-president)을 두고 있습니다. 의원내각제의 형태를 유지하면서 '부주석'을 두게 되는 경우

47) 사용된 용어를 비교해 보면, 임시헌장(1919. 4. 11, 없음); 1차 개헌(1919. 9. 11, 탄핵, 제21조 14항); 2차 개헌(1925. 4. 7: 심판, 처벌, 제26조 4항); 3차 개헌(1927. 3. 5: 심판 또는 면직, 제19조); 4차 개헌(1940. 10. 9: 심판 또는 면직, 제14조)

는 대통령제만큼 일반적이라고 할 수 없습니다. 의원내각제는 대통령제에 비하여 집단지도체제적인 성격이 상대적으로 강하기 때문에 구태여 부주석의 지위를 도입할 필요는 없다는 것입니다. 그럼에도 불구하고, 부주석이 존재한다는 것은, 그렇지 않은 경우와 비교하여 주석의 존재감을 크게 하거나 주석의 위상을 상대적으로 높게 하는 효과가 존재합니다.[48]

의원내각제의 성향(즉, 의회주권적 성향)이 강했다는 판단을 하려면 아무래도 사법권에 대한 연결된 어떤 상당한 권한(예를 들면, 법관 임명권, 위헌 판결권 등)이 임시의정원과 연결되어 있어야 할 것입니다. 그런데, 대한민국의 사법권은 중앙심판원, 지방심판소, 특수심판위원회에서 집행한다(제45조)고 규정하여 사법권 독립에 대한 배려를 하고 있는데, 중앙심판위원장은 임시의정원이 아닌 국무위원회에서 선임한다(제53조)고 규정하여 행정부의 사법부에 대한 기능적 권력이 인정됩니다. 국무위원회에서 가장 입김이 센 사람은 물론 주석 지위에 있는 사람일 것입니다. 따라서, 임시헌법의 마지막 형태인 1944년의 주석제는 의원내각제적 성향을 지녔으면서도 행정부 주도적 성격과 행정부내에서 주석의 1인 지도체제적 성격이 강한 권력구조의 특성을 보여주고 있습니다.

이제, 1919년 4월 임시헌장이후 1945년 11월까지 모두 5차례에 걸친 임시정부 헌법의 특성을 전체적으로 정리해 봅시다. 먼저, 대한민국임시정부의 가장 초반에 마련된 1919년 4월의 임시헌장은 집단지도체제적 성격에 가까운 형식의 '국무총리제' 정부형태를 취했습니다. 황실의 존재를 존중한 상태에서 임시의정원이 '의회통치권'을 지닌 권력의 최고기관으로 의

48) 현재 한국의 헌법개정 논의에서 '부통령제'의 도입을 주장하는 사람들도 있습니다. 그 주요 이유는 대체로 대통령과 부통령 후보자의 지역 교차 출신자 확보로 지역주의를 극복한다거나, 대통령의 과중한 업무를 분권화하여 극복할 수 있다는 것입니다. 반대로, 총리가 존재하는 경우, 부통령을 동시에 둘 필요가 없다고 주장하는 사람들도 있습니다. 미국의 경우엔, 부통령이 있으며, 총리가 없습니다.

원내각제로 분류가 가능합니다.

1919년 9월의 1차 개정에선 '대통령제'의 형태로 개정되었습니다. '임시대통령'은 대한민국의 주권행사를 전임하며, 법률안 거부권, 의회소집권, 계엄선고권, 국군통수권을 지닌다고 규정하고 있습니다. 국무원은 의결기구가 아닌 대통령의 보좌기구였습니다. 당시의 시대 상황에서 행정부의 수반인 대통령을 입법부격인 임시의정원에서 선출했다는 점에선 대통령제의 일반적 스테레오타입과는 구분됩니다.

1925년 4월의 2차 개정에선 1919년 4월의 헌법과 비교하여 일인지도체제적 성격에 가까운 '국무령제' 정부형태를 채택하고 있습니다. 임시의정원에 대해서 국무령 일인이 책임을 지는 의원내각제로 분류가 가능합니다. 백범일지에서 김구 국무령은 당시 일인책임제도의 부담을 덜기 위해서(궁극적으로 정치집단의 화합을 위해서) 집단지도체제인 국무회의제도로 개정할 필요성을 술회하고 있습니다.

1927년 3차 개정은 '이당치국'(以黨治國)의 정부형태를 가정한 상태에서 '주석제' 정부형태를 취하고 있습니다. 해당 주석제는 단순히 윤번제인 '호선 주석제'로서 국무령제와 비교하여 상대적으로 '국무회의' 중심의 집단지도체제적 성향이 강조된 체제라고 김구 주석은 술회하고 있습니다. 그 어떤 임시헌법 보다도 집단지도체제란 관점에서 의원내각제의 스테레오타입적 모습이 상대적으로 강했습니다.

1940년 4차 개정에선 임시의정원에서 선출하는 '선출 주석제'로 변경됩니다. 그러면서 주석의 일인의 권한이 강화되고, 당시 제2차 세계대전 말기의 상황에서 행정부의 '국무위원회'의 위상이 임시의정원과 비교하여 상대적으로 강화된 개헌이었습니다. 단적으로, 1941년의 건국강령을 임시의정원의 허락없이 국무위원회 단독의 이름으로 처리하기도 합니다.

마지막으로 1944년 5차 개정에선 부주석직을 신설한 '주석제'로 변경됩니다. 의원내각제의 틀 속에서 행정부의 권한이 유지되면서도 입법부의 행정부 '불신임권'을 규정하였기에 이전 헌법보다는 행정부와 입법부가 균형을 이루는 권력구조로 해석될 수 있습니다. 주석의 직위와 함께 부주석 직위도 새로이 도입합니다. 1945년 11월 대한민국 임시정부는 드디어 서울로 환국(還國)하게 됩니다.

1945년 11월 3일 임시정부 요인들이 중경 임정청사 앞에서 마지막 기념촬영을 했습니다.

개헌 차수	일시	정부 형태	권력구조의 내용	개헌 사유
임시 헌장	1919. 4. 11	국무 총리제	• 임시의정원 중심의 '의회통치제'적 성격의 의원내각제	
1차 개헌	1919. 9. 11	대통령제	• 국무원(국무총리와 각 부 총장들)은 대통령을 보좌 • 행정부 수반인 대통령의 정해진 임기가 없어서 혼합형적 성격의 대통령제	• 서울의 한성정부와 상해의 임시정부를 통합하기 위함.

2차 개헌	1925. 4. 7	국무령제	• 입법부격인 임시의정원의 권한이 강하며 국무령의 의정원 해산권은 없는 입법부의 권한이 강한 의원내각제 • 국무령 개인의 지도력과 공과가 부각되며 의정원에 대해서 국무령 개인이 책임지는 일인지도체제적 의원내각제	• 행정부 이원체제 (대통령과 국무총리)에서 비롯된 임시정부 내분 극복
3차 개헌	1927. 4. 11	국무회의제 (호선 주석제)	• 임시의정원이 최고의 권력기관이며, 민족유일당이 형성된다면 국가의 최고권력은 유일당에 주어짐. • 5인이상 11인 이하의 국무위원들로 구성되는 국무회의가 임시의정원에 대해서 집단적으로 책임을 지게되는 집단지도체제적 의원내각제 • 국무위원중에서 호선되는 주석제도 (제1기 주석제도)	• 자주독립운동의 진작 • 전민족대당 체건립 (민족유일 당운동)
4차 개헌	1940. 10. 9	국무위원회제 (선출 주석제)	• 행정부인 '국무위원회'가 입법부인 '임시의정원'보다 강한 정치력을 발휘한 권력구조로 행정부의 권한이 강한 의원내각제 • 임시의정원에서 선출된 주석제도로 주석 1인의 리더십이 이전보다 더 강조됨. (제2기 주석제도)	• 유일당운동의 결말 • 대일항전의 전시체제 형성 • 임시정부의 국제 승인문제
5차 개헌	1944. 4. 22	의원내각제 (주석 · 부주석제)	• 이전과 비교하여 입법부와 행정부가 일정수준 균형을 이루는 의원내각제 (불신임권이란 용어 사용) • 의원내각제임에도 국무위원회에서 심판위원장과 심판위원 선임 • 주석과 함께 부주석을 두는 제도 (제3기 주석제도)	• 한독당과 민혁당의 계파 지분문제

3) 과도기의 입법부와 헌법(1945. 8. 15 – 1948. 7. 17)

일본의 패망과 항복이 임박한 분위기 속에서 국제사회는 카이로회담(1943년 11월), 얄타회담(1945년 2월), 포츠담회의(1945년 7월) 등을 진행하고 있었지만 한반도 문제에 대한 청사진은 부재했습니다. 소련은 일본의 항복 불과 1주일 전인 1945년 8월 8일에 대일 선전포고를 하고 참전하여 만주지역에 군사행동을 개시하였습니다. 소련군은 8월 21일 함흥과 원산에 선발대가 들어오고 24일에는 평양에 입성하며 북한에 주둔하게 됩니다. 반면에 미군은 1945년 9월 6일에 남한지역에 들어와 9월 19일에 '재조선미육군사령부군정청'을 설치하고 미군정을 시작하며 남한에 주둔하게 됩니다.

루스벨트
(1882–1945)

처칠
(1874–1965)

1945년 11월에 충칭에서 서울로 임시정부가 환국(還國)하였지만, 대한민국은 일본이 항복한 1945년 8월 15일 이후에 이미 승전국인 미국과 소련의 관할하에 있었습니다. 임시정부 주석인 김구는 국제적 승인을 받지 못해 1945년 11월 귀국하면서 임시정부 주석으로 환국하지 못하고 개인 자격으로 환국했습니다. 이미 1943년 말에는 일본의 패색이 짙어지고 있었습니다. 1943년 11월 27일 루즈벨트, 처칠, 장제스(蔣介石) 3인은 '카이로(Cairo) 회담'을 통해 한국의 독립을 약속한 바 있었으나 장제스의 중국에서 패퇴로 약속의 현실성은 무효화되는 분위기였습니다.[49] 이제 대한민국은 국제적 승인을 받는 공식 정부를 출범시키기 전까지 행정부는 없고 입법부만 있는 형

---

49) 카이로 회담에 미국이나 영국과 달리 같은 동양국가의 지도자로서 장제스는 약소국인 한국의 입장을 강력히 대변하였습니다. 카이로 선언의 내용은 다음과 같습니다. ① 연합국은 영토 확장의 야심은 없다. ② 일본은 침략전쟁에서 얻은 모든 영토를 포기할 것. ③ 미・영・중 3국은 한국의 노예상태에 유의하여 적당한 방법으로 독립을 줄 것이다. ④ 일본의 무조건 항복을 요구한다.

장제스
(1887–1975)

맥아더
(1880–1964)

태의 정부 조직이 존재하게 됩니다. 행정권은 한반도에서 승전국인 미국과 소련 연합군이 갖고 있기 때문입니다.

해방정국에서의 남한의 행정부는 미국 군사정부였습니다. 미국의 맥아더(Douglas McArthur) 장군은 1945년 9월 7일 '포고 제1호'를 통해서 남한에 '군정'(軍政, military control)을 실시하겠다고 공포합니다. 미군정은 모든 공기관의 설치를 관할합니다. 입법부격으로 1946년 2월 14일에는 임명직 입법부인 '대한국민대표민주의원'을 두게 됩니다. 1946년 12월 12일에는 선출직 입법부인 '남조선과도입법의원'을 구성합니다. 남조선과도입법의회는 과도정부의 헌법인 '조선임시약헌'을 제정하기도 합니다. 이런 과정들을 좀 더 자세히 살펴보도록 하겠습니다.

제2차 세계대전에서 미·소연합국이 승전국이고 일본이 패전국인 상황에서 한반도는 승전국인 미·소연합국의 전리품이었습니다. 한반도는 미국의 남한과 소련의 북한으로 분리되었습니다. 역사의 아이러니는 패전국 일본이 미국과 소련에 의해서 양분되어 분할점령되지 않고, 한국이 양분되어 분할점령 되었다는 것입니다. 소련은 일본이 패망하기 직전에 연합군에 가담한 바 있습니다. 역사에 가정은 금물이라고는 하나, 소련이 참전하기 전에 일본이 미국에게 더 일찍 항복하였거나, 아니면 일본이 일찍 항복하지 않고 소련 참전 후에도 일정 기간 버티면서 소련이 일본 본토에 들어가게 되었다면 동북아에는 분단되지 않은 한반도의 모습이 있었을런지도 모릅니다.

미군정청 1945년 9월9일 조선총독부 모습.
왼쪽은 일장기가 내려가는 장면이고 오른쪽은 같은 자리에 성조기가 올라가는 장면입니다.

모스크바 3상회의
(왼쪽부터) 영국의 어니스트 베빈(Ernest Bevin), 소련의 뱌체슬라프 몰로토프(Vyacheslav Molotov), 미국의 제임스 번즈(James F. Byrnes)가 1945년 12월 16일부터 26일까지 만나서 제2차 세계대전의 종전으로 파생된 많은 문제들을 결합한 선언을 발표하였습니다.

남한에 들어선 미군정청은 한국 대중들의 관심을 얻기 위해 소작료를 수확의 1/3로 하였으며, 일본재산(敵産)의 매매 금지, 38° 선 이남 광산의 접수 등의 정책을 시행하였지만, 한국민들은 시큰둥하였습니다. 현실적으로 세계 열강들의 지위를 인정할 수밖에 없다고 해도, 미군정은 우리 정부가 아니며, 한반도의 주인은 한국민입니다. 한국민들과 한국 정계의 주요 관심은 한국의 명실상부한 주권 독립이었습니다.

'모스크바 3상회의'는 한반도를 미·소가 분할 점령하게 되자 한반도 문제처리를 위해 열린 회의입니다. 이미 국제사회에서 한반도 문제의 처리는 카이로회담-얄타회담-포츠담회담을 통해서 다루어졌지만 마지막의 포츠담회담에서도 카이로회담을 재확인하는 수준에 그치고 있었습니다. 그래서 다시 모스크바 3상회의가 열리게 된 것입니다. 1945년 12월 27일 모스크바에 번즈 국무상, 베빈 외상, 몰로토프 외상이 회의를 거쳐 다음과 같은 내용을 채택하였습니다. ㉠ 한국을 독립국가로 재건하기 위해 임시적 정부를 수립한다. ㉡ 임시적 정부 수립을 돕기 위해서 '미·소공동위원회'를 설치한다. ㉢ 미국, 소련, 영국, 중국 4개국은 최고 5년 기한의 '신탁통치'(信託統治, trusteeship)를 공동관리한다.[50]

모스크바 3상회의에서 신탁통치안이 채택되기까지의 과정을 보면, 1942년 루스벨트 대통령이 전 세계의 식민지를 경험한 국가들에게 적용하기 위해 구상한 정책입니다. 한반도 신탁통치의 경우 1943년 워싱턴 회담에서 루스벨트는 영국 수상 이든과 논의했습니다. 1943년 11월 테헤란 회담에서 루스벨트와 스탈린이 구두로 합의했으며, 1945년 2월 얄타회담이후 신탁통치안을 구체화하려고 시도했습니다. 1945년 12월에 모스크바 3상회의가 열리고 미국이 제시한 탁치안에 소련이 수정안을 내면서 한반도 '신탁통치안'이 채택된 것입니다. 열강의 신탁통치안에 대해서 국내 정치인들의 입장은 다양했습니다.[51] 정치인들의 입장은 다양했지만, 경쟁 구도는 결국 양자구도로서, 한반도는 '반탁'(反託: 김구와 임시정부계 등)과 '찬탁'(贊託: 조선공산당과 인민공화국 등)으로 나뉘어 우익과 좌익이 대립하게 됩니다.[52]

---

50) 한반도 신탁통치 방안은 모스크바 3상회의에서 갑자기 결정되었다기보다, 카이로회담, 테헤란 회담, 얄타회담에서 이미 구상되고 제안되어 오고 있었습니다.

51) 당시 주요 정치인들의 입장은 다음과 같이 정리될 것입니다. 이승만(소극적 반탁노선), 김구(일관된 반탁노선), 여운형('제3의 길' 노선에서 찬탁으로 선회), 김규식(우익진영과 함께 하다가 중간노선), 송진우(미국우선권 전제로 탁치 찬성), 박헌영(반탁에서 찬탁으로 선회), 한민당(반탁노선), 인민당(중간노선).

52) 이 때, 김구는 "상해 임시정부 중심의 과도정권 수립"을 천명하게 되며, 좌·우익 합

와중에 모스크바 3상회의의 채택 사안들을 실천하기 위해 열린 '미 · 소공동위원회'가 결렬되자, 결국 미군정은 남한에 과도정부 설립을 추진합니다.[53] 상해 대한민국 임시정부는 1919년 4월 11일 첫 번째 임시헌장을 공포하면서 "임시정부는 국토회복 후 만 1년 내에는 국회를 소집한다"(제10조)고 헌법에 선언한 바 있습니다. 이러한 초심은 비상국민회의란 형식을 통해서 지켜졌지만, 혼란스러운 것이었습니다. 미군정기 하에서 한국민의 입법부 형식에 준하는 것은 두 가지로 정리할 수 있는데, 하나는 대한민국임시정부가 주도한 1946년 2월의 '비상국민회의'라는 것이고, 또 다른 하나는 미군정청이 주도한 1946년 12월의 '남조선과도입법의원'이란 것입니다. 남조선과도입법의원은 '조선임시약헌'(1947. 8. 6)을 제정하기도 합니다. 하나씩 살펴보도록 하겠습니다.

미-소 공동위원회
1946년 3월 20일부터 1947년 10월 21일까지 한반도의 임시정부 수립을 지원하기 위해 미국과 소련이 개최한 회의입니다.

비상국민회의

대한민국임시정부의 김구 주석의 구상은, '임시정부 14개 당면정책'에 나타나 있듯이, ㉠ 임시정부를 중심으로 국내외 다양한 각계각층의 대표들

작의 '비상정치회의' 소집을 주창하며, 이에 대해서 좌익세력은 '통일위원회' 설치를 제안합니다. 결국 합작이 결렬되자 좌익은 1946년 2월 15일에 '민주주의민족전선'을 결성합니다.

53) 미 · 소공동위원회는 모스크바 3상회의의 결정 내용을 추진하기 위해 협의할 정당 및 사회단체를 구성하는 절차를 진행하나, 미국이 추천한 20개 조직에서 17개가 우익 정당 및 사회단체라는 이유로 소련이 합의를 거부합니다.

조소앙
(1887–1958)

을 '비상정치회의'라는 명목으로 소집하여 여기서 일차로 과도정권을 수립하고, ㉡ 국민대표대회를 소집하면서 헌법을 제정하며, ㉢ 제정된 헌법에 따라서 정식 정부를 수립한다는 것이었습니다.

1946년 2월 1과 2일 양일간 이승만, 김구, 김규식, 안재홍, 이시영 등 과거 임시정부 세력들이 중심이 되어 서울 명동 천주교회당에서 '비상국민회의'(非常國民會議)를 조직하며(의장 홍진, 부의장 최동오) 헌법 및 선거법을 제정할 것을 결의하고 38°선의 즉시철폐를 가결합니다.[54] 비상국민회의는 상임위원단 및 정무위원단을 선출하면서 조직을 정비하였습니다.[55] 그런데 이런 와중에 비상국민회의의 핵심 세력이라고 할 수 있는 28명의 정무위원은 미군정청에 의해서 2월 14일에 '대한국민대표민주의원'(大韓國民代表民主議院: 의장 이승만, 부의장 김구 · 김규식)의 명칭으로 재창설되었으니 이제 비상국민회의는 기구로서의 자율성이 약화됩니다. 비상국민회의가 의도했던 자주적인 범국민적 과도정부 설립을 향한 초심(初心)은 희석될 수밖에 없었습니다. 1946년 2월 14

54) 이 때 제정할 헌법은 '대한민국임시헌법'을 기초하여 수정 후 제정할 것을 결의합니다. 이렇게 본다면, '대한민국임시정부'(1919-1945)의 '대한민국임시헌법'은 계속 그 생명력을 이어나간다는 것을 알 수 있습니다. 뒤에서 살펴보겠지만, 1공화국 헌법(1948-1960) 역시 대한민국임시헌법의 내용들을 기초로 발전되고 있음을 알 수 있습니다. 현행 제6공화국 헌법도 전문(前文)에서 대한민국임시정부의 법통(法統)을 이어받고 있음을 규정하고 있습니다.

55) 상임위원은 안재홍(정무위원장), 조완구(재정위원장), 조소앙(외교위원장), 김성수(산업경제위원장), 유동열(국방위원장), 김병로(법제위원장), 백관수(교통위원장), 김관식(문교위원장), 이운(예산위원장), 유림(노동위원장), 이학송(후생위원장), 엄항섭(선정위원장), 조경한(청원징계위원장) 입니다. 정무위원은 이승만(의장), 김구 · 김규식(부의장), 원세훈, 김도연, 백관수, 김준연, 백남훈, 권동진, 오세창, 김여식, 최익환, 조완구, 조소앙, 김붕준, 안재홍, 박용희, 이의식, 여운형, 황진남, 백상규, 김선, 장면, 김창숙, 김법린, 함태영, 정인보, 황현숙 입니다.

일 2차 대의원대회 이후 의장 조소앙, 부의장 유림을 선출하고 명칭도 '국민회의'로 변경하였습니다.[56] 1947년 5월 29일에는 명칭을 다시 한 번 '대한국민회'로 변경합니다. 짧은 기간 동안 기관 명칭이 몇 번 바뀌는 것은 조직활동에 무엇인가 문제가 있음을 보여주는 것입니다. 1948년 5월 31일 제헌국회가 설립될 때까지 존속하였지만 비상국민회의의 자주적 과도정부 수립은 관철되지 못했습니다.

한반도에서 미군정청을 상대로 강력한 목소리를 낼 수 있는 한민족의 통합된 과도정부가 형성되지 못한 것은 좌익과 우익의 이념대립이 격심하여 정부를 탄생시키기 위한 세력이 하나로 결집되지 못하고 있었기 때문입니다.[57] 비상국민회의는 좌・우익 세력들의 합작을 시도하면서 명실상부한 범국민적 과도정부를 조직하고자 합니다. 그러한 노력에도 좌익은 이미 1946년 1월 19일에 발기되어 있었던 '민주주의민족전선'이라는 이름의 단체를 2월 15일에 (또는 19일이라고도 함) 결성하여 또다시 대립합니다.[58] 의장단은 여운형, 허헌, 박헌영, 김원봉, 백남운, 부의장단에 백용희, 홍남표, 이여성, 김성숙, 장건상, 윤기섭, 성주식, 정노식, 유영준, 한빈을 선출하고 중앙위원 305명, 대의원 482명으로 구성합니다. 과도정부를 구현해 나가는 과정에서 비상국민회의와 민주주의민족전선은 각각 자신이 과도 임시국회의 역할을 주장한 것입니다. 결국 전자는 '열강의 조선에 대

---

56) 1946년 3월 18일 '임시정책 대강 27개조'가 발표되었는데, 계획경제에 입각한 균등사회건설을 표방하고 있습니다.

57) 임시정부는 대외교섭위원으로 임시정부 국무위원이기도 한 김약산(일명 김원봉), 김성숙, 조소앙, 조완구, 장건상 5인을 선정하여 좌・우익 각 정당 및 각계각층의 대표들을 소집하기 위한 교섭을 전개합니다.

58) 이들이 출범 당시 내세웠던 주요 내용은 ㉠모스크바 3상회의 결정 지지, ㉡미소공동위원회의 지지 및 비상국민회의에 반대, ㉢친일파 처단, ㉣토지문제해결, ㉤8시간 노동제 실시 등입니다. 민주주의민족전선은 좌익의 연합체이나 실질적 배후 단체는 '조선공산당'입니다. '조선정판사 위폐사건'을 계기로 남조선노동당의 주요 간부들이 해체되어 북한으로 넘어가거나 지하 활동으로 전환하면서 해당 단체는 사실상 해체됩니다.

한 신탁통치 반대'를 주창하고, 후자는 '신탁통치 찬성'을 주창하며 격렬하게 대립합니다.

민주주의민족전선은 미군정에 당시 결렬된 미소공동위원회를 재개토록 촉구하였으며, 좌우합작운동도 궁극적으로 미군정이 배후에서 조정한다고 인식하고 있었습니다. 미소공동위원회의 파국이후의 처리 방안에 대해서도 입장이 갈렸습니다. UN은 UN한국임시위원단 감시 하에 남북한총선거를 주장했고, 민주주의민족전선은 미소의 철수 후에 남북한 동시 총선거를 주장하였습니다. 좌익은 '신탁통치찬성, 남북통일정부수립'을 주장하였는데, 우익은 정치지도자 계열에 따라 입장에 차이가 있었습니다. 이승만 계열은 '신탁통치반대, 남한단독정부수립'을, 김구 계열은 '신탁통치반대, 남북통일정부수립'을 주장했습니다. 여기에 상대적으로 중도지향 세력들은 '신탁통치 일단 보류, 좌우합작에 의한 통일 임시정부 우선 수립'을 주장했습니다. 여운형을 중심으로 한 세력들은 열강들의 신탁통치를 적절히 이용하는 것이 현실적으로 한국의 통일된 독립국가 건설에 유리하지 않았겠느냐는 생각이었습니다.

한국민들은 나라를 빼앗겨 36년간 타국의 지배를 받았습니다. 신탁통치란 결국 한국민들이 또다시 다른 나라의 통치를 일정 기간 받아야 한다는 것입니다. 이런 신탁통치의 논리를 김구는 받아들일 수 없었습니다. 열강의 신탁통치가 일정 기간 동안이라고 하여도 지켜진다는 보장은 없으며, 최악의 경우 열강에 의한 또 다른 분할을 가져올 수도 있다는 것입니다. 신탁통치는 독립의 경험이 없는 나라들이 할 일이며, 한국은 독립국이었기에 다시 잃어버린 나라를 되찾았으면 된 것이지, 또다시 외국의 신탁통치를 받으며 국가독립을 연습하라는 논리는 어불성설이라는 것입니다.[59] 반

59) 라우터백(Richard E. Lauterbach)의 저서 「한국미군정사」에는 당시 미군정의 교육 고문이었던 언더우드(Horace Underwood) 박사가 스노우(Edgar Snow)에게 전한

면에 국제질서에 어긋날 수 없으니만치 신탁통치기간을 거치는 것이 오히려 순리라고 주장하는 목소리도 있었습니다. 신탁통치냐 아니냐를 벗어나 좌우합작이 먼저라는 목소리도 있었습니다.

분명한 것은, 여러 주장들이 난립한 가운데 국제질서는 승전국들의 논리를 벗어나기 어려웠습니다. 미국과 소련은 이념적으로 대립하고 있었습니다. "격동과 혼란의 시기에는 '사회주의'가 '자본주의'보다 힘이 세다"라는 말이 있습니다. 한반도에서 이념적 대립이 격화되었던 그 시기에 전승국 미국과 소련은 한반도에서 자신의 이념과 유사한 국가가 성립되는 것을 원했습니다. 모든 상황들을 종합해서, 격동과 혼란의 시기에 미국은 "조선에서의 사태를 좀 더 적극적으로 관리하지 않으면 자신들에게 불리한 상황이 전개될 수 있다"라는 생각을 했었고, 소련은 "사태를 어느 정도 방치해도 자신들에게 유리한 정국이 될 것이다"라고 생각하는 듯한 분위기가 연출되고 있었습니다. 이미 승전국인 미국은 패전국인 일본을 소련과 나누어 갖지 않고 혼자서 관리하고 있었습니다. 한반도에서 남한만이라도 확실히 나누어 갖는 것이 유리할 것이라는 생각을 했을런지도 모릅니다.[60] 반면에, 소련은 불과 일본패망 일주일 전에 선전포고를 하면서 승전국이 되어 한반도에서 권리를 주장하고 있었으니 불행도 이런 불행이 있을까 싶습니다.

정치과정에서 어떤 하나의 움직임이 생기면 그에 반대되는 또 다른 하나의 움직임이 나타나고 있음을 알 수 있습니다. 물리학에서 '작용과 반작

내용이 기록되어 있습니다. "한국인은 우리나라(미국)과 마찬가지로 자기를 자기 자신에 맞추어 통치할 능력이 있다. 그들은(한국인들은) 일본에 정복당하기 전 수세기의 독립과 주권을 가졌고, 그 역사는 중국만치 길며 일본보다 훨씬 오래다. 물론 그들 앞에 곤란은 있을 것이다. 그러나 그들이(한국인들이) 정직한 또는 유능한 정부를 가지지 못할 것이라는 이유는 없다".

60) 강대국의 세력들이 특정 약소국을 지배하는 논리를 단순화하여 표현하자면 다음의 3가지 중의 하나일 것입니다: ㉠ 나 혼자서 모두 갖는다, ㉡ 상대방과 나누어서 갖는다, ㉢ 아무도 갖지 않는다(즉, 내가 갖지 못하면 너도 갖지 못한다).

박헌영
(1900-1955)

김규식
(1881-1950)

여운형
(1886-1947)

용의 법칙'은 정치학에서도 예외가 아니라는 생각을 해 봅니다. 경로 발전에서 '정(正)-반(反)-합(合)'이란 개념을 설파했던 헤겔(Hegel)의 주장처럼, 왜 정-반에서 그치고 합으로 완성되지 못했는지 아쉬움이 큽니다. 나름대로 '합'이라고 할 수도 있는 움직임이 있었지만, 이를 지혜롭게 만족스러운 결과물로 완성해 내지 못했습니다. 앞서 지적한 대로, 1946년 5월 당시의 상황은 이승만 계의 남한 단독정부 수립 주창, 김구 계의 반탁통일운동, 박헌영 등 좌익세력의 미·소공동위원회 재개촉진, 김규식 및 여운형 계의 좌우합작운동 등으로 나뉘어 혼란스러웠습니다.

미군정은 처음에는 이들 세력들 중에서 중도세력을 지원하였습니다. 미군정의 지원으로 1946년 5월 25일부터 회합을 반복하면서 7월 10일 구성된 조직이 '좌우합작위원회'입니다. 1946년 7월 19일에 좌우합작위원회는 우측대표(주석 김규식, 대표 원세훈·안재홍·김붕준·최동오)와 좌측대표(주석 여운형, 대표 허헌·정노식·이강국·성주식)를 결정합니다. 합작과정에서 우익의 '합작 5원칙'과 좌익의 '합작 8원칙'이 대립하면서 우여 곡절 끝에 1946년 10월 4일 '합작 7원칙'을 만들어냅니다.[61] 우익의 한민당은 '합작

61) 좌익과 우익이 강조하는 정국 운영의 방안은 괴리가 컸습니다. 당시 우익의 입장의 주요 내용을 정리하면 다음과 같습니다. ① 신탁문제는 임시정부를 수립한 이후에 임시정부가 미·소공동위원회와 자주적으로 해결한다. ② 정치, 경제, 교육의 모든 제도 법령은 균등사회 건설을 목표로 하여 국민대표회의에서 의정(議定)한다. ③ 친일파 민족반역자를 징치하되 임시정부수립 이후 즉시 특별법정을 구성하여 처리한다 등입

7원칙' 중에서 세 번째 조항의 일부 내용이었던 토지무상분배라는 정책을 받아들일 수 없었습니다. 좌익 역시 같은 조항의 내용이 단순히 토지무상분배가 아닌, 몰수, 유조건(有條件) 몰수, 체감매상(遞減賣上) 등으로 경우의 수를 나누어 토지를 무상 분여한다는 것, 첫 번째 조항에 나타났듯이 좌익 주도의 임시정부 수립이 아닌 좌우합작의 민주주의 임시정부를 수립한다는 것 등을 절충주의로 폄하하면서 내부 비판에 휩싸입니다. 좌파와 우파 모두 '합작 7원칙'을 받아들이지 않는 것입니다. 함께 뭉쳐서 국제상황에 대처해도 어려운 상황에 내분이라니 그 결과는 명약관화한 것입니다.

이러한 내부적 요인과 더불어 외부요인으로서 더 구조적인 문제가 있었습니다. '좌우합작위원회'라는 기관 자체가 미군정이 지원하여 시작된 것이지, 좌익과 우익이 스스로 정부수립에 대한 합의를 이루기 위해서 출범

니다. 이에 대해서 좌익의 입장의 주요 내용을 정리하면 다음과 같습니다. ① 무상몰수, 무상분여를 통한 토지개혁, 중요산업 국유화, 민주주의적 노동법령 및 정치적 자유를 위시한 민주주의 기본 과업 완수에 매진한다. ② 친일파, 민족반역자, 친'파쇼'반동거두를 완전히 배제하고, 테러를 철저히 박멸하여, 검거 투옥된 민주주의 애국지사의 즉시 석방을 실현하여 민주주의적 정치운동을 활발히 한다 등입니다. 좌우합작 7원칙을 만들어내는데 가장 큰 역할을 한 인물은 여운형입니다. 좌우합작 원칙을 만들기 위해, 8월 26일 김봉준, 최동오, 안재홍, 여운형, 장건상, 박건웅, 이지탁, 강순 등 좌우의 8인 회의가 있었고, 9월 9일에는 여운형, 장건상, 박건웅, 여운홍, 김찬, 강순, 이지탁 등의 회의가 있었고, 10월 1일 여운형은 북한을 방문하여 일주일간 머문 후에 돌아옵니다. 그 결과 10월 4일에 여운형이 주도적 역할을 하면서 '합작 7원칙'을 만들어 냅니다. ① 조선의 민주독립을 결정한 삼상회의 결정에 의하여 남북을 통한 좌우합작으로 민주주의 임시정부를 수립할 것. ② 미·소공동위원회 속개를 요청하는 공동성명을 발할 것. ③ 토지개혁에 있어서 몰수, 유조건몰수, 체감매상 등으로 토지를 농민에게 무상으로 분여하며, 시가지의 기지 및 대건물을 적정 처리하며, 중요산업을 국유화하며, 사회노동법령 및 정치적 자유를 기본으로 지방자치제의 확립을 속히 처리하며, 통화 및 민생문제 등을 급속히 처리하며, 민주주의 건국과업 완수에 매진할 것. ④ 친일파 민족반역자를 처리할 조례를 본 합작위원회에서 입법기구에 제안하여 입법기구로 하여금 심의 결정하여 실시하게 할 것. ⑤ 남북을 통하여 현 정권하에 검거된 정치운동자들의 석방에 노력하고, 아울러 남북좌우의 테러적 행동을 일체 즉시로 제지하도록 노력할 것. ⑥ 입법기구에 있어서는 일체 그 기능과 구성방법 운영을 본 합작위원회에서 작성하여 적극적으로 실행을 기도할 것. ⑦ 전국적으로 언론, 집회, 결사, 출판, 교통, 투표 등 자유가 절대 보장되도록 노력할 것.

된 기구가 아닙니다. 미군정은 상대적으로 온건한 '중도좌파'세력을 '좌파' 세력으로부터 분리시키려는 목적 하에 '좌우합작운동'을 지원한 전략적 측면이 있었습니다. 미군정은 '합작 7원칙' 중에서 여섯번째 항목의 내용인 '입법기관'의 기능, 구성방법, 운영을 합작위원회에서 작성하여 실행한다는 것을 받아들여 그에 관한 법령을 발표합니다. 그것이 바로 1946년 10월 12일 발포된 「'조선과도입법의원'의 창설에 관한 법령」입니다. 따라서 '남조선과도입법의원'이 좌우합작의 결과물인 '합작 7원칙'에 근거하는 정당성을 지닌 입법기구라는 해석이 가능합니다.

남조선과도입법의원

러치
(1894–1947)

하지 사령관
(1893–1963)

비상국민회의를 중심으로 한 과도정부 수립 추진 노력이 약화된 것은 비상국민회의의 정무위원들이 미군정청이 출범시킨 대한국민대표민주의원으로 동시에 참여하게 되며 기관의 힘이 빠졌기 때문입니다. 미군정은 1946년 8월 24일에 '남조선과도입법의원'(南朝鮮過渡立法議院)의 설립을 발표합니다.[62] 남조선과도입법의원은 모두 90명인데, 미군정장관이 임명하는 45명의 관선의원(官選議員)과 45명의 민선의원(民選議員)으로 구성됩니다. 과반수가 미군정장관의 임명직이니 미군정의 입김 하에 입법부를 구성하는 것인데, 그래도 반에 해당하는 의원들을 선거를 통해서 구성했다는 것은 고무적인 일입니다. 과도입법위원은

62) 군정장관인 러치(A.L. Lerche)가 미군사령관인 하지(J.R. Hodge)에게 창설 건의한 날짜는 1946년 6월 9일, 그리고 창설 허가를 득한 날자는 7월 9일로 기록되어 있습니다.

1946년 10월 21일부터 31일까지 민선위원에 대한 간접선거와 관선위원에 대한 임명을 거쳤으나, 서울과 강원도에서의 부정선거 시비로 무효와 재선거를 거치면서 개원이 1946년 12월 12일로 늦춰집니다.63)

송진우
(1890–1945)

1946년 12월 12일에 개원한 남조선과도입법의원(의장은 김규식, 부의장은 최동오 · 윤기섭)에서 민선의원들의 다수는 독립촉성국민회파(이승만계)와 한민당계(송진우, 김성수)였습니다. 관선의원들은 김규식, 여운형 계열의 중도 및 중도좌파 인사들이 대거 진출하였습니다. 과도입법위원들의 분포는 우파, 중도파, 중도좌파가 혼재된 것으로 한반도에서의 차후의 정치적 혼란과 분단을 극복하기 어려웠음을 예견하고 있는 듯합니다. 의원들은 차후 남한만의 총선거 실시라는 UN의 결정을 이승만의 독립촉성회와 김성수의 한민당은 받아들였지만, 김구의 한독당과 김규식의 중도합작파 들은 반대하였습니다.

미군정은 남조선과도입법의원을 설치한 후에 두 번에 걸쳐서 조직의 형태에 변화를 줍니다. 먼저, 1947년 2월 5일에는 군정장관 아래에 '민정장관'이란 직을 만들어 안재홍을 임명합니다. 그리고 1947년 6월에는 군정부의 명칭 자체를 '남조선과도정부'로 바꿉니다. 민정장관은 미군정장관

63) 선출직 민선위원의 경우 각 도와 서울특별시에서 인구 각 55만명당 1명을 선출하고, 인구 55만명에 미달하는 경우엔 각 행정단위 당 1명을 선출합니다. 선거절차는 각 리(里) · 정(町)은 대표를 2명씩 선거하고, 리 · 정 대표들이 모여서 소속 면(面) · 읍(邑) 및 구(區) 대표들을 2명씩 선거하고, 다시 면 · 읍 및 구 대표들이 모여서 소속 군(郡) 및 부(府)의 대표들을 선출하면, 이들 군 · 부의 대표들이 각 소속 도 인구할당에 의해서 도 대표를 선출하게 됩니다. 이렇게 되면 유권자 개인의 입장에서 볼 때, 직접선거가 되지 않고, 결국 간접선거의 효과가 커지는데, 이를 '상계제(上階制) 간접선거'라고도 합니다. 상계제 간접선거 형식은 인지도를 지닌 명망가가 최종 선정될 가능성이 높습니다. 문제는 보통선거를 표방한 해당 선거의 유권자 자격조건에 대한 명확한 규정이 미비하여 부정선거 시비로 이어졌다는 점입니다.

김성수
(1891–1955)

안재홍
(1891–1965)

의 '거부권' 아래에 존재하기에 한계가 있었습니다. 앞서 언급한 대로, 입법부격인 남조선과도입법의원들의 절반은 미군정장관이 임명한 사람들이었습니다. 미군정하에서의 민정장관과 과도입법의원이란 체계는 미국의 이익과 결부되어 설립된 것이며, 궁극적으로 미국의 지지세력 확장이란 그림 속에서 기능할 수밖에 없는 한계가 있었습니다. 이미 미군정은 '법령 제55호 정당에 관한 규칙'(1946. 2. 23)을 통해서 정당 및 사회단체들을 등록하도록 했기 때문에 미군정에 비협조적이거나 적대적인 정당활동이나 사회단체활동은 제약된 상황 하에 있었습니다.

남조선과도입법의원은 입법활동을 통해서 많은 법률을 제정하지만 이들 중 미성년자 노동보호법을 포함한 12건만 군정장관의 재가로 공포 실시됩니다. 시국상 무겁고 중요한 주제인 '조선임시약헌'(朝鮮臨時約憲), '부일협력자 · 민족반역자 · 전범 · 간상배등에대한특별법률조례', '사찰재산임시보호법' 등에 대해서는 미군정청이 인준보류를 통고합니다. 그러니까, 남조선과도입법의원은 명칭과 달리 실질적 입법부가 아니며 최종 입법결정 권한은 미군정청의 미군정장관이 갖고 있었습니다. 남조선과도입법의원에서 아무리 법률을 제정해도 미군정장관이 재가하지 않고 공포하지 않으면 그만인 것입니다. 미군정청은 남조선과도입법의원을 설치한 후 이와 대비되는 행정부격으로 한국인 민정장관을 임명하지만, 한국인 민정장관이 필요한 입법의결을 건의하면, 미군정청이 이를 인준하는 형식을 유지했기에 민정장관의 존재는 상징적인 것이었습니다.

과도입법의원은 군정청의 법령아래 창설된 것이고 모든 입법권은 군정청이 주도하고 있었는데, 과도입법의원은 당시 남한의 가장 중요한 경제적 과제였던 '토지개혁법안'을 보류시키기도 합니다. 결국 과도입법의원의 무기력함은 미군정 치하란 구조적인 상황의 문제도 있었지만, 과도입법의원은 토지개혁법안을 처리하지 못하고 보류하기로 결의한 것을 볼 때, 과도입법의원 자체의 내부 분란의 문제때문이기도 하였습니다. 해방 정국 당시 남한에서 가장 중요한 경제적 과제는 토지개혁의 문제였습니다. 미군정은 '법령 제9호'(1945. 10. 5)로서 소작료의 최고한도인 3·1제를 시행하였습니다. 1946년 2월에는 미군정청 산하에 '토지개혁법안기초위원회'를 두었으나 업무에 소극적이었습니다. 1946년 3월 5일에 북조선임시인민위원회가 무상몰수, 무상분배를 시작하여 한 달 만에 토지개혁을 완수합니다. 미군정청은 '조·미(朝·美)토지개혁연락위원회'를 두고서 토지개혁문제를 적극적으로 다루게 됩니다. 과도입법의원 내에서는 '산업노동의원회'가 다루었으니 남한의 토지개혁법안을 다루는 기관은 모두 3개 기관이었던 셈입니다. 과도입법의원 산업노동위원회는 '유상매상· 유상분배'라는 원칙을 초안으로 하여 본회의에 상정하였으나(1947. 12. 22), 과도입법의원이 토지개혁법안을 처리할 권한이 있는지에 대한 논란으로 돌아가는 답답한 상황이 발생하고(1948. 1. 16), 일체의 미결안 건들과 함께 토지개혁법안은 결국 보류되는 것으로 결의됩니다(1948. 4. 19). 당시 토지개혁에 대한 정파들의 입장은 모두 달랐는데, 우파인 '임정수립대책위원회'(유상매상·유상분배), 좌익의 '민주주의민족전선'(무상몰수·무상분배), 중도의 '시국대책협의회'(유상몰수·무상분배)로 나뉘어서 분열하였습니다.[64] 결국 과

64) 여기서 '시국대책협의회'는 앞서 언급한 '좌·우합작 7원칙'이 매듭된 뒤에 김규식, 여운형, 안재홍 등을 중심으로 1946년 10월에 시작되어 1947년 7월 3일에 결성된 좌·우합작 성격의 단체입니다. 거의 1년 가까운 시기에 걸쳐 결성된 것은 좌우합작의 어려움을 반영하고 있습니다.

도입법의원의 산업노동위원회가 '유상매상 · 유상분배'라는 안을 본회의에 상정하였다는 것은 당시 '한민당'의 토지정책을 반영하는 것이었습니다.

미군정하에서 헌법은 '태평양미국육군총사령부포고문'이었습니다.[65] 남조선과도입법의원에서 1947년 8월 6일에 헌법에 해당하는 '조선임시약헌'(朝鮮臨時約憲)이 의결된 것을 한국민들은 기억할 필요가 있습니다. 비록 미군정장관의 인준보류로 공포되지 못했지만, 큰 그림에서 볼 때, 한국정치과정을 보면 위정자들이 어떤 고난의 시기에도 한국의 헌법을 제정하여 정부의 격식과 수준을 유지하려고 노력하였음을 인지할 필요가 있습니다. '조선임시약헌'을 살펴보겠습니다.

조선임시약헌(1947. 8. 6)

비록 미군정청에서 공포하지 않았지만, 남조선과도입법의원에 의해 제정된 '조선임시약헌'의 내용을 보면 차후 1948년 대한민국 제1공화국 헌법의 원조 격으로 그 거시적 권력구조의 형태와 내용이 상당히 일치합니다. 조선은 민주공화체이며(제1조) 조선의 주권은 국민전체에 속한다(제2조)고 규정하고 있습니다. 입법의원은 국권의 최고이며 '유일한' 입법기관으로서(제12조), 의원의 임기는 3년으로 하도록 되어 있습니다(제11조), 중요한 것은 행정부의 수반인 4년 임기의 '정부주석'(政府主席)과 '부주석'(副主席)은 국민이 선거한다(제19조 1항)고 하여 입법부 선거와 행정부 선거를 분리함으로써 '대통령제'의 형식을 취하고 있다는 것입니다. 여기엔 단서조항이 있는데, "국민선거가 있을 때까지 최초의 정부주석과 부주석은 입법

65) 미국의 육군총사령부가 남한에 대한 점령통치를 시작하면서 발령한 것으로 미군정하에 헌법에 상응하는 것이었습니다. '한국민에게 고함'(To the People of Korea)이라는 제목 하에 모두 4호까지 발령되었습니다. 제1호 군정실시에 관한 건(1945. 9. 7), 제2호 범죄 및 법규위반 처벌에 관한 건(1945. 9. 7), 제3호 통화(通貨)에 관한 건(1945. 9. 7), 제4호 제3호 수정건(1946. 7. 1)이었습니다.

의원에서 선출한다"고 하였습니다(19조 2항). 국민선거를 짧은 기간에 반복하기 위해선(입법부 선거, 행정부 선거) 국가경비는 물론 국가행정체계가 정비되고 난 후에 가능한 것입니다. 주석제(또는 대통령제)를 취하더라도, 최초의 행정부 수반 선거만큼은 입법부에서 주석을 선출하는 형식을 취한 듯합니다. 종합적으로, 주석제란 명칭을 취한 것은 우연이 아니고 대한민국임시정부의 마지막 임시헌법(1944. 4. 22)

朝鮮臨時約憲全文

조선임시약헌 (1947)

의 권력구조 명칭을 그대로 승계하고 있음을 알 수 있습니다. 하지만, 1944년 임시헌법에서의 주석제는 의원내각제적 성향으로 분류되는 것이었던 반면에, 1947년 임시약헌에서의 주석제는 대통령제적 성향으로 분류되는 것이었습니다.

정부주석은 국가를 대표하고 행정권을 통할하며(22조), 법률안을 제출할 수 있고(22조 1항), 국군통수권을 갖고 있습니다(22조 5항). 국무회의는 10인내지 15인의 국무위원으로 구성하는데(제26조), 주석은 국무위원중에서 행정 각부의 장을 국무총장의 추천에 의하여 임명하고(제27조), 입법의원의 추인을 받아야 합니다(제26조). 주석이 행정부를 통할함에도 불구하고, 행정부 최고 정책결정회의인 국무회의의 의장은 주석이 임명한 국무총장이 맡게 됩니다(제28조). 이원집정부제적 성격이 나타나는 부분입니다. 입법의원은 행정부인 주석, 부주석, 국무위원들에 대한 불신임권은 없으며, 탄핵은 가능합니다(제12조). 의원내각제는 아니었습니다. 1948년 제헌 헌법이 대통령제를 채택한 것도 1947년 조선임시약헌의 연장선상에서 이해해 볼 수 있습니다.[66]

1년이 조금 넘는 기간 동안 있었던 과도입법의원의 이상적 목표는 좌·우합작운동을 통한 한반도에서의 단독정부 수립이라고 정리할 수 있을 것입니다. 이러한 이상은 실패로 끝나고 남한만의 단독정부가 수립됩니다. 미국의 정책이 남한단독정부 수립으로 정해지고 이를 실행하기 위한 프로그램이 남한 내에서 진행되어 좌우합작운동의 기치가 실효성을 잃으면서 과도입법의원은 1948년 5월에 해산됩니다. 1947년 11월 UN 감시 하에 선거가능 지역에서의 총선거안을 통과시키고, UN 한국위원회 설치가 가결되고, 1948년 1월에 8개국 UN 한국임시위원단이 서울에 도착하여 사무를 시작하고, 1948년 5월 10일 '5·10선거'가 실시되어 198명의 '제헌의회'(制憲議會)가 설립되면서 남한만의 단독정부가 수립됩니다.

2. 의회 민주주의와 제1공화국의 성립

1948년 5월 10일 제헌국회를 위한 의원선거가 있었는데, 이는 한국 역사상 최초의 총선거(總選擧)였습니다.[67] 모두 198명의 제헌의원을 선

66) 1947년 조선임시약헌 제정의 경험을 반추해 본다면, 1948년 제1공화국 헌법이 제정되던 당시에 정치인들의 다수에겐 대통령제 선호의 분위기가 존재했을 가능성이 큽니다. 1948년 제헌헌법에는 불과 1년 전에 제정된 조선임시약헌이 주석제(즉, 대통령제)를 채택했었던 분위기가 단절되지 않고 그대로 전달되고 있을 가능성이 크다고 보기 때문입니다. 이렇게 본다면, 오히려 의원내각제 주창자들은 소위 헌법학자 및 소수 정치인들에게 국한되었을 가능성도 있습니다. 1948년 제헌헌법에서 대통령제가 채택된 이유를 단순히 이승만 개인의 대통령제에 대한 고집으로만 한정할 수 없으며, 조선임시약헌제정의 경험과 기억이 함께 영향을 미쳤을 가능성을 배제할 수 없습니다.

출하였는데, 무소속이 가장 많은 85명이고, 독립촉성회 55명, 한민당 29명, 대동청년단 12명 등이었습니다.

제헌국회는 1948년 5월 21일에 처음 열렸는데 의장에 이승만, 부의장에 신익희, 김동원을 선출하였습니다. 제헌국회의 역할은 대한민국의 초대 헌법을 제정하는 것이었는데, 논의를 거쳐 정부형태를 결정하고 7월 17일에 헌법을 공포하였습니다. 3권분립을 구현하면서 대통령에 이승만, 부통령에 이시영, 국회의장에 신익희, 대법원장에 김병로가 선출되었습니다.

1948년 8월 15일엔 대한민국 정부수립을 국내외에 공포하여 명실상부한 자주독립국가가 되었습니다.[68] 대한민국 최초의 공화헌정체제는 바로

제헌의회 개원식 (1948)

---

67) 총선거란 여러 지역을 한 번에 모두어서 치루는 전체선거라는 의미입니다. 외국의 경우 'general election'에 해당합니다. 현행 한국의 국회의원 선거의 경우 253명의 지역구 국회의원 전체 인원을 한날한시에 모두어서 뽑습니다. 따라서 국회의원 선거를 '국회의원 총선거' 또는 '총선'(總選)이라고 합니다. 대조적으로 대통령 선거는 '대선'(大選)이라고 합니다.

68) 국제적 승인은 1948년 12월 12일 제3차 UN총회에서 받았습니다. 그렇다면 우리의

정부수립 (1948)

1948년 8월 15일에 설립된 제1공화국입니다. 대한민국의 권력구조는 모두 대통령과 국무총리가 동시에 존재하는 권력구조를 취했습니다. 제2공화국만 의원내각제로 분류되고, 나머지 제1, 제3, 제4, 제5, 제6공화국들은 모두 '대통령제'로 분류됩니다. 대통령제였던 경우에도 순수 대통령제는 아

'건국일'(建國日)은 1948년 8월 15일입니까? 임시정부가 건국된 1919년은 어떻게 해야 할까요? 일군의 사람들은 "한국의 진정한 독립은 1948년 8월 15일이다. 따라서 건국절을 만들어 이를 기념해야 한다"고 주장합니다. 대조적으로 또 다른 일군의 사람들은 "1948년 8월 15일은 정부수립일이며, 건국일이 아니다."라고 주장합니다. 현행 한국의 6공화국 헌법체계 하에서는 헌법 전문(前文)에 "대한민국은 1919년 수립된 임시정부를 계승하고 있다"라고 명시하고 있는데, 이것 역시 해석이 두 가지로 가능하다는 것입니다. 하나는 1919년 임시정부를 계승하여, 1948년에 건국했다는 해석이고, 또 다른 하나는 1919년 임시정부 수립이 실질적으로 건국일이 되며 임시정부의 건국을 현 공화국이 계승했다는 해석입니다. 근본적으로 한국의 나이를 계산함에 있어선 '개천절'(開天節)이 존재하여 서기(西紀)연원에 B.C. 2333을 더한 것이 단기(檀紀)연원입니다. 그렇다면, 개천절 10월 3일은 어떤 것일까요? 개국은 건국과 다른 것일까요? 단선적인 대답이 어려울 것입니다.

니어서 '혼합형 대통령제'란 명칭이 더 정확한 표현일 것입니다.

5.10 선거 (1948)

본 장의 머릿 부분에서 민주주의가 입헌민주주의와 의회민주주의라는 두 개의 형식을 골간으로 한다고 하였는데, '의회민주주의'라는 형식과 내용에 대해서 좀 더 구체적으로 살펴보고자 합니다. 임시정부하에서도 임시헌법을 통해서 입법부를 두고 있었지만, 이를 사실상 '의회'라고 하기에는 상당한 거리가 있습니다. 보편적 기준에서 의회란 "국민이 정기적으로 선출하는 대의원들(the representatives)이 모여서 이룬 집단"을 말하는데, 1919년부터 1948년까지는 국민들이 선출한 대의원들이 의회를 구성하지 않았기 때문입니다. 한국정치과정에서 국민이 선거를 통해서 대의원들을 선출하여 '국회'를 구성한 것은 1948년 '5 · 10선거' 이후입니다. 한국정치과정에서 '의회민주주의'는 1948년을 시초로 보고, '입헌민주주의'는 임시헌법을 만든 1919년으로 할 때 두 시점의 시차가 존재합니다.

'의회민주주의'란 '의회정치'를 통해서 구현되는데 의회정치란 국민이 선거를 통해서 선출한 대표자들이 한 장소에 모여서 입법 활동을 포함한 국가의 최고의사결정기구 역할과 운용을 하여 나가는 원리와 관습을 총체화한 정치과정을 말합니다. 이렇게 본다면 의회정치란 제도 및 사상에서 의회가 국정의 최고기관이라는 사상과 이를 뒷받침하는 제도가 있어야 하는데, "그렇다면, 대통령제는 의회정치가 아닌가?"하는 반문이 존재할 수 있습니다. 대통령제를 채택한다고 하여도 국가운영을 위한 입법권은 의회에 있는 한 국가의사를 결정하는 최종의 권한이 실질적으로 의회에 있기 때문에 폭넓은 의미에서 의회정치 형식을 유지하고 있는 것입니다. 그렇기 때문에, 의회의 의원들은 행동의 자유와 신분의 보장이 헌법에 확보되어 있어 의원들 개개인이 헌법기관이 됩니다.[69]

의회는 '양원제도'(bi-cameralism)와 '단원제도'(uni-cameralism)가 있습니다. 단원제도란 민선에 의해서 하나의 의회가 구성되어 그 하나의 기관이 국가의결사항에 대해 효력을 갖는 제도를 말합니다.[70] 이에 반해서 양원제도란 상호 독립하는 두 개의 회의체가 개별로 회의를 수행하며 쌍방의 의결이 상호 일치해야 의회의 결정으로 성립되는 제도를 말합니다. 단원제와 양원제라는 구분은 근대적인 의회제도가 발달함에 따라서 자연발생적으로 구분된 것입니다. 원래 군주체제 하에서는 계급이나 신분별로 '등족회의'(等族會義) 체제가 있었으며, 따라서 '삼원제'(三院制) '사원제'(四院制)와 같은 형태를 띠고 있었습니다. 영국에서 군주의 권한은 '귀족원'[House of Lords; 또는 '상원'(上院)]에 의해서 견제되었지만, 점차로 평민들의 정치적 권한이 강화되면서 의회의 실권이 '귀족원'에서 '평민원'[House of Commons: 또는 '하원'(下院)]로 이동하면서 상원과 하원이 존재하는 이른바 양원제로 귀결되는 형태를 띠게 된 것입니다.[71] 단원제도란 1789년 프랑스 대혁명을 통해서 정착됩니다. 당시 프랑스는 혁명정신에 의거하여 양원제나 삼원제를 선택하는 것이 과거의 귀족계급을 인정하거나 아니면 새로운 귀족계급을 형성하게 될 우려가 있었으므로 일반시민들에게 기반을 둔 단원제를 채택합니다.[72]

---

69) 의원들 개인은 지역구별로 선출되어도, 단순히 지역구 선거인들의 대표자가 아니라 국민의 대표자입니다.

70) 등족회의체는 군주에 대해서 견제기구가 되거나 자문기구가 되는 등의 역할을 하였습니다.

71) 평민원은 '서민원', '제1원', '대의원', '중의원'(衆議員) 등으로도 불리우며, 가장 많이 쓰는 표현은 '하원'입니다. 귀족원은 '원로원', '제2원', '참의원'(參議員) 등으로도 불리우며, 가장 많이 쓰는 표현은 '상원'입니다.

72) 양원제와 단원제를 논하면서 양원제는 마치 합의구조인 것처럼 언급하거나 영국과 미국이 양원제를 채택하기에 선진제도인 것처럼 언급하는 것은 역사적 경험과 어긋

이론적으로 의회의 권한은 ① 최고정치기관으로서의 권한, ② 입법에 관한 권한, 그리고 ③ 재정에 관한 권한으로 크게 삼분됩니다. 물론 국가마다 정부형태에 따라서 의회의 권한에는 차이가 있습니다. 대분된 세 가지 권한을 중심으로 세분화된 의회의 권한들을 체계화하면 다음의 표와 같이 정리됩니다.

<table>
<tr><th>권한</th><th>세부 내용</th><th>비고</th></tr>
<tr><td rowspan="5">국가최고기관으로서 권한</td><td>ⓐ 내각선임권</td><td rowspan="5">의원내각제하에선 ⓐ, ⓑ, ⓒ, ⓓ, ⓔ가 모두 적용되지만, 대통령제 하에선 권력구조의 특성상 ⓒ, ⓓ, ⓔ만 적용됨.</td></tr>
<tr><td>ⓑ 내각불신임권</td></tr>
<tr><td>ⓒ 질문권</td></tr>
<tr><td>ⓓ 국정감사 및 조사권</td></tr>
<tr><td>ⓔ 고위공무원 탄핵소추권</td></tr>
<tr><td rowspan="4">입법에 관한 권한</td><td>ⓐ 법률안 제출권</td><td rowspan="4">ⓐ에 관한 권한은 행정부도 소유할 수 있으나, ⓑ는 의회권한으로 제한됨(행정부 내부의 행정법령을 의결하는 것은 별개의 문제임).</td></tr>
<tr><td>ⓑ 법률안 심의 및 의결권(위원회제도)</td></tr>
<tr><td>ⓒ 조약에 관한 권한</td></tr>
<tr><td>ⓓ 헌법의 제정 및 개정권</td></tr>
<tr><td rowspan="3">재정에 관한 권한</td><td>ⓐ 예산안 편성권</td><td rowspan="3">'예산권'이 제대로 기능하기 위해선 '결산권'이 중요한데, ⓒ에 관한 권한이 결산권의 핵심임.</td></tr>
<tr><td>ⓑ 예산안 심사 및 의결에 관한 권한</td></tr>
<tr><td>ⓒ 예산집행에 관한 회계감사 권한</td></tr>
</table>

상위의 표에 대해서 간단히 설명하고자 합니다. 의회정치를 수행한다는 것은 의회가 국가최고기관이 된다는 것입니다. 의회라는 기관의 형식과

납니다. 양원제는 정당이 발전하기 이전 사회에서 계급(또는 계층)사회의 잔유물일 뿐입니다. 양원제는 단순히 과거 신분사회에서 계급대표성을 완전히 없애기 어려웠기 때문에 남아있는 잔존물이며, 단원제에 대한 대안적 제도가 아닙니다. 연방제 국가에서 양원제는 나름의 의미를 지닐 수도 있습니다. 통일한국의 의회제도를 양원제로 하자는 의견도 있는데, 양원제란 연방제적성격을 유지하는 사회에서 더 유용한 제도입니다. 양원제를 채택한다면, 통일한국이 연방제 국가라는 분위기를 형성할 수도 있어 논의가 필요할 것입니다. 결론적으로, 양원제를 받아들이는 경우 연방제적인 전통을 만드는 것이 되니 제도 도입시에 충분한 논의가 필요할 것입니다.

내용의 역사적 시초는 영국정치사에 비롯되었기에 설명의 편의상 재정에 관한 권한, 입법에 관한 권한, 국가최고기관으로서의 권한 순서로 설명해 보고자 합니다.

① 의회는 입법부라는 또 다른 명칭 때문에 법을 만드는 기능이 대표적인 것으로 알고 있지만, 역사적 증거에 따르면, 의회의 기능은 재정에 관한 권한으로부터 출발했습니다. 역사적으로 영국에서 의회라는 형태가 구성되어 최초로 갖게 된 권한은 '조세에 관한 권한'이며, 그 중에서도 '조세동의권'(租稅同意權)이었습니다. 군주 개인의 수입과 국가수입을 구분하지 않았으며, 또한 군주의 필요에 따라서 봉건제후들에게서 수시로 세금을 걷어들이는 상황에, 봉건제후의 동의를 얻어서만이 징세할 수 있다는 사상과 그러한 사상이 명문화된 것이 존(John)왕 시절에 성립된 '대헌장'(Magna Carta, 1215)입니다. 이후 성직자 및 봉건제후뿐만이 아니라, 21개 지역에서 기사와 시민대표자들까지 참여한 모임이 한 곳에 소집되며 대헌장의 조세징수 원칙을 일반인에게 확장적용시키게 된 것이 '전형의회'(model of parliament, 1295)입니다.[73] 이후, 예산에 관한 의회의 권한은 사후권한으로서의 동의권(승인권)을 넘어서서 사전적 권한인 '세출예산에 대한 의결권(예산권)'으로 발전합니다. 현대사회에선 예산권은 예산편성에 관한 권한, 예산확정에 관한 권한, 예산집행에 관한 권한으로 대별됩니다.

㉠ 예산편성에 관한 권한 : 국가를 운영하기 위해 지출되어야 하는 비용을 어떤 항목들에 대해서 어느 규모로 정할지에 대한 권한입니다. 예산권을 입법부가 갖고 있는 경우, 예산편성권도 입법부가 소유해야하지만, 급증하는 경제규모와 복잡다기한 국가살림살이를 하기 위해서 예산편성은

73) '모범의회'라는 명칭으로 번역되기도 합니다.

경제 전문성이 요구되기에, 현대사회에선 의원내각제나 대통령제 모두 행정부가 예산편성에 대한 선제권을 갖고 있습니다.[74] 예산편성에 관한 권한을 행정부가 갖고 있는 상태에서는 입법부나 의원들 개개인이 국가예산에 관해서 행정부를 견제할 수 있는 일정 수준이상의 지식을 갖추는 것이 필요합니다. 한국의 경우 입법부내에 '예산정책처'를 두어서 의원들의 행정부의 예산편성에 관한 지식을 보조하고 있습니다. 국민의 혈세 사용을 관리·감독하는 권한은 의회의 가장 중요한 권한일 것입니다.

㉡ 예산안 심사 및 의결권: 예산편성권은 행정부가 전담하여 발의하더라도 결정권은 입법부의 몫입니다. 입법부의 예산안 의결권은 단순히 행정부가 발의한 예산편성에 관한 원안을 통과시킬 것인지 아닌지를 결정하는 과정이 아니며, 행정부가 발의한 예산편성안을 수정보완할 수 있습니다. 한국의 경우 예를 들면, 국회에 '예산결산특별위원회'를 구성하며 그 산하에 다시 '계수조정소위원회'를 두어 행정부의 예산안에 대해서 심의, 수정, 보완을 거쳐 국가예산을 의결하게 됩니다.[75] 계수조정위원회가 계수를 조정한다는 의미는 행정부 각 부처별로 제안된 예산안에 대해서 그 액을 삭감하거나 증액하여 총예산액내에서 조정하는 것을 의미합니다.

㉢ 예산집행에 관한 회계감사 권한: 의회에서 의결된 최종 국가예산이 제대로 쓰였는지를 감사할 수 있는 권한을 의미합니다. 예산을 할당받은 해당부처에서 예산이 원래의 의도대로 제대로 쓰이고 있는지를 정확

74) 대통령제의 역사적 원형 국가인 미국에선 1921년 하딩(W. G. Harding) 대통령 이후에 예산안의 작성과 제출에 관한 권한이 전적으로 행정부(또는 대통령)로 이전됩니다. 상대적으로 입법부-행정부 융합적 정부형태인 의원내각제하에선 의회의 다수세력(또는 다수연합)이 행정부를 구성하게 됨으로 행정부가 예산편성권을 독점한다고 하여도 형식적으로 여전히 입법부가 예산편성권을 행정부에 위임한 것이란 인상이 남아있습니다.

75) 예산결산위원회를 '특별위원회'에서 '상임위원회'로 형식과 기능을 변경시키자는 주장도 있습니다.

하고 면밀하게 감사할 수 있어야만 다음 번의 부처별 예산집행도 적확하게 이루어질 것입니다. 일반적으로 의회의 행정부에 대한 회계감사는 정기적으로 시간을 정해놓고 행하는 기간에 감사가 이루어질 수도 있고, 어떤 특정상황이 발생했을 때에 대해서 조사가 이루어질 수도 있습니다.[76] 감사를 제대로 하려면 회계 및 경제관련 전문인력 다수가 필요합니다. 현재 감사기능은 주로 행정부내의 '감사원'이 수행하고 있습니다. 입법부의 실질적이고 효율적인 예산권의 행사를 위해선 입법부내의 기관인 '예산정책처'가 예산에 관한 전문성과 함께 결산에 관한 전문성을 배가시킬 필요가 있을 것입니다.

② 이론적으로 입법에 관한 권한은 의회의 독자적 권한입니다. 현실적으로 입법에 관한 권한은 법률의 종류와 내용에 따라서 행정부가 상당 부분 그 권한을 공유하고 있습니다. 행정부는 '집행명령권'(입법부가 제정한 법률을 집행하는 과정에서 발생하는 문제들을 해결하기 위한 법률집행을 위한 명령제정권), '위임명령권'(특정 법안의 대강이 통과된 후에 해당 법안과 연관된 구체적인 정책사안들에 대해서 입법부가 행정부에 위임한 명령제정권), '긴급명령권'(비상시에 국가안위를 위해서 필요한 법률제정권) 등의 형식을 통해서 입법부와 상관없이 자체적인 법률제정권을 보유하고 있습니다. 앞서, 의회가 포괄적으로 예산권을 갖는다고 해도, 예산을 편성하는 권한과 예산을 심의 및 의결하는 권한이 나뉘어 있음을 보았습니다. 마찬가지로, 의회가 입법권을 갖는다고 해도, 법을 제출하는 권한과 법을 심의 및 의결하는 권한은 구분되어 존재합니다.

㉠ 법률안 제출권(또는 발의권) : 권력분립이란 순수한 의미에서 본

76) '국정감사'나 '국정조사'의 경우는 반드시 예산집행사안에 대해서만 이루어지는 것은 아닙니다. 한국정치과정에선 두 용어를 구분하고 있는데, 국정감사는 정기적으로 국정전반에 걸쳐서 수행하며, 국정조사는 부정기적으로 특정 사안에 대해서 이루어집니다.

다면, 입법권은 의회가 집행권은 행정부가 독점해야 합니다. 그러나, 행정부의 집행권도 의회의 감사권에 의해서 견제되거나 간섭되고 있음을 보았습니다. 입법권이 의회의 권한이라면 법률안을 제출하는 권한은 의회의 권한이겠지만, 복잡다기한 성격의 국가를 운영하기 위한 법률을 제정하는 과정에서 필요한 전문인력을 다수 확보한 행정부가 법률안 제출권을 갖는 사례가 많습니다. 스테레오타입으로 말하자면, 의원내각제에서는 입법부와 행정부에 모두 법률안발의권을 갖는 반면에, 대통령제 국가에서는 입법부만이 법률안제출권을 소유합니다. 한국정치과정에서 전통적으로 대통령과 행정부는 법률안 제출권을 갖고 있으며, 입법부 이상으로 법률안 제출을 해왔습니다. 미국은 행정부에 법률안제출권이 없습니다. 비록 법률안 제출권이 입법부에만 있다고 하더라도 행정부는 여러 가지 경로를 통해서 입법부의 입법과정에 영향력을 미치게 됩니다. 예를 들면, 미국의 경우엔 행정부의 법률안 제출권이 없지만, 의회의 의원들이 행정관료들로 부터 정보를 얻어서 법률안을 발휘하는 경우가 오히려 다수라는 것입니다. 동시에 법률안 공포권이 의회가 아닌 대통령이 갖고 있어서 대통령은 의회를 통과한 법률에 대해서 공포하지 않고 '거부권'(veto power)을 행사할 수 있습니다.77)

㉡ 법률안 심의 및 의결권: 법률안의 제출권은 행정부와 입법부가 나누어 갖기도 하지만, 법률안의 심의 및 의결권은 전적으로 의회의 권한

---

77) 의회에서 법률이 통과된 후에 의회의 수반인 의회의장이 공포할 수도 있고, 행정부의 수반인 대통령이 공포할 수 있습니다. 대통령이 '법률공포권'을 갖는 경우에 그리고 의회를 통과한 법률에 대해서 부정적 판단을 하는 경우엔 '거부권'을 인정하는 제도가 있습니다. 대통령은 특정 법안뿐만이 아니라 그 시기에 통과된 모든 법안들에 대해서 공포를 거부하기도 하는데 이를 '보류거부'(pocket veto)라고도 합니다. 대통령이 자신에게 불리한 법안들을 공포하지 않고 모두 주머니 속에 넣어 놓고 보류한 상태에서 회기가 끝나기만 바라고 있다는 뜻입니다. 이런 경우, 의회는 대통령이 거부권을 행사하는 해당 법안에 대해서 '재의결'(再議結)을 통해서 다시 통과시키면 대통령은 반드시 해당법률을 공포해야만 합니다.

입니다. 만약 법률안을 심의 및 의결하는 권한을 행정부가 갖게 된다면 그것은 의회민주주의에 어긋납니다.[78] 여기서, 법률안을 심의는 '위원회제도'를 통해서 구현됩니다. 구체적 법안들에 대해서 심도있는 심사를 위해서 해당 법안에 대해서 전문성을 지닌 소수의 의원들로 구성된 '위원회'를 통해서 먼저 심사 및 의결을 한 후에 전체 의원들이 모인 '본회의'에서 최종 의결을 하게 됩니다. 위원회에는 '상임위원회'와 '특별위원회'가 있습니다.[79] 위원회 내에서 특정 법안을 숙의(熟議)하거나 그 집중도를 높이기 위해서 위원회 산하에 '소(小)위원회'를 두게 됩니다.

㉢ 조약에 관한 권한: 일반적으로 조약체결권은 행정부가 그 필요성에 의해서 발의하고 의회는 '동의권'이나 '승인권'을 통해서 최종 결정하는 절차를 취하는 것이 보통입니다. 조약은 대외적으로 행하는 것인데, 외교권은 행정부 주도로 이루어지기에 의회가 간섭하는데 한계가 존재합니다. 역설적으로, 조약체결의 결과 국내정치에 더 민감한 효과를 발생하는 경우엔 의회의 역할이 중요합니다. 21세기 이후 자유무역의 기조 속에서 다양한 '무역협정'이 체결되는 과정에서 의회는 동의권이나 승인권을 통해서 그 권한을 행사합니다.

---

78) 행정부도 행정부 내의 다양한 행정기관들을 내부 규율하기 위해선 '행정명령', '행정규칙'등을 의결합니다. '대통령령', '총리령', '부령' 등은 그 예입니다.

79) '상임위원회'는 국회 회기와 함께 선임된 의원들로 구성됩니다. 각 의원들은 정해진 소관 상임위원회를 배정받고 상임위원회 내부에 '전문위원'들을 두고 활동하게 됩니다. 상임위원회는 그 숫자를 대략적으로 행정부의 부처와 상응하게끔 정하는 것이 보통입니다. 행정부 장관이 15명이 이에 대한 카운터파트로서 소관 상임위원회가 15개 정도 존재한다는 의미입니다. 입법부의 행정부에 대한 국정감사는 상임위원회를 단위로 이루어집니다. 상임위원회의 소속 의원 숫자는 대략 '국회의원 전체인원수'를 '상임위원회 숫자'로 나누면 알 수 있습니다. 상임위원회의 위원장과 소속 위원들의 배분은 여당과 야당의 합의에 의해서 이루어집니다. '특별위원회'는 상임위원회 소관 사항이 아닌 특정한 사안을 심사 및 의결하기 위해서 설치하는데, 국회에서 여당과 야당의 합의로 설치됩니다. 입법과정은 궁극적으로 여당과 야당의 정당간 역학관계 속에서 결정되는 것입니다.

㉣ 헌법개정에 관한 권한: 헌법은 단순히 법이 아니며 국가운영의 정신과 대강이 결집된 총체입니다. 의회민주주의를 실현하는 한 징표로 의회는 헌법개정에 관해서 권한을 행사합니다. 의회는 일정 정족수를 통해서 헌법의 개정안을 발의할 수 있습니다. 권력분립이란 순수한 이론 차원에선 의회만이 헌법 개정을 발의할 수 있으나, 국가에 따라선 행정부(또는 대통령)도 헌법개정을 발의할 권한이 있습니다. 헌법개정안을 최종의결하는 기구로서 의회의 직위는 불안정하나 오히려 이것은 자연스러운 것입니다. 헌법개정에 대한 최종의결기관을 의회로 할 수도 있지만, 헌법에 관한한 그 중요성에 비추어 최종 의결단계를 국민투표로 한다는 의미입니다.

③ 시간 및 공간상에서 직접민주정치가 어려운 현대사회는 간접민주정치를 채택하고 있습니다. 이런 경우, 국민의 대표자들이 모여있는 장소인 의회는 국가운영의 최고기관입니다. 의회민주주의란 의회가 국가운영의 최고기관으로 기능할 때 가능합니다.

㉠ 내각선임권: 내각은 행정부의 각료(또는 장관)가 모인 회의체를 말합니다. 행정부 최고의 의결기관이라고 할 수 있습니다. 의원내각제하에선 궁극적으로 내각선임권은 의회라고 할 수 있습니다. 의원내각제하에서 내각을 구성할 권리는 의회선거결과 의회에서 다수 의석을 차지한 정당이나 다수세력을 형성한 연합세력(정당연합)에 의해서만이 가능합니다. 행정부의 수반인 수상(총리)을 의회가 선임하는 것입니다. 비록 내각의 구성원들인 장관들은 수상이 임명하더라도 큰 그림에서 볼 때 내각의 선임권이 궁극적으로 의회에 있는 것과 다름없습니다.[80] 의원내각제 국가와 비교하여 대통령제 국가에서는 의회가 행정부 내각선임권에 관여하는 정도가 매

---

80) 군주제 국가에서 군주가 수상을 임명하거나, 대통령이 존재하는 의원내각제 국가에서 대통령이 수상을 임명하지만 이것은 지극히 형식적인 절차입니다. 의회선거로 결과된 의회내 다수세력의 수반인 인물을 지명할 수밖에 없기 때문입니다.

우 제한적입니다. 근본적으로 행정부 수반을 뽑는 선거와 입법부 의원을 뽑는 선거를 따로 하여 서로 다른 임기를 부여하기 때문에 권력분립의 원칙이 더욱 강하게 작동됩니다. 대통령제하에서 행정부 구성의 원천은 국민이며(대통령선거) 의회는 상관없습니다. 장관임명권은 행정부 수반의 고유 권리이기에, 이를 가장 적게 침해하면서도 장관이란 직책의 국가적 중요성에 의거하여 의회는 임명동의안을 소유할 수 있습니다. 내각의 구성원인 장관에 대한 '선임권'(選任權)은 '임명권'과 '해임권'을 포괄하는 개념입니다. 임명권은 임명의 절차를 생각해 볼 때, '장관직 지명과정'과 '임명결정 과정'으로 구분됩니다. 동시에, 해임에 대해서도 직접 해임권을 갖는 것이 아니어도 의회내 일정 정족수를 통해서 문제되는 장관의 해임을 행정부 수반에게 건의할 수 있는 권한을 말합니다.

ⓛ 내각불신임권: 내각불신임권이란 의원내각제하에서 권력구조의 특성상 내재된 특성입니다. 의원내각제하에선 의회의 다수세력이 정국운영을 책임지고 행정부(내각)를 구성합니다. 의회가 판단하기에 내각의 정국운영에 문제가 있다고 판단하면 이를 불신임하여 내각을 해체할 수 있습니다. 행정부가 입법부로부터 구성된 것이기에 입법부는 행정부를 신임 또는 불신임할 수 있는 것입니다. 불신임안이 의결되면 내각은 재구성되어야만 합니다.[81] 권한의 중요성에 비추어 양원제 국가에서도 재정에 관한 권한을 지닌 하원의 단독권한인 경우로 하게 됩니다. 행정부와 입법부가 분리되어 구성되는 대통령제의 내재적 특성때문에 대통령제하에선 의회의 행정부에 대한 내각불신임안을 제도적으로 채택하기 어렵습니다.[82]

---

81) 의회의 '내각불신임권'에 대항하는 권력이 행정부 수반의 의회에 대한 '의회해산권'입니다. 의원내각제에서 총리는 불신임안이 의결될 것을 감지한 경우, 그리고 국민여론이 자기편이라고 생각되는 경우엔 '의회해산권'을 발동할 수 있습니다. 불신임안이 의결되지 않더라도 의회 내에서 자신의 세력을 확대하기 위해서 의회를 해산하여 의회선거를 다시 시행할 수도 있습니다.

㉢ 질문권[또는 질의권(質疑權)] : 의회가 행정부의 행위에 대해서 질문할 수 있는 권한은 단순히 상징적인 권한이 아닙니다. 의회민주주의가 실시간으로 작동되고 있는지 가장 현실적으로 느낄 수 있는 의회의 권한은 의회가 행정부의 일절 행위나 의문점에 대해서 수시로 질문할 수 있는 권한일 것입니다. 의회가 행정부에 대해서 질문하고 이에 행정부가 답변하는 형식은 행정부의 주의를 환기시키고 제대로 행정집행을 수행해 나가게 하는 원동력이 됩니다. 질문권은 정치과정에서는 입법부의 행정부에 대한 선제권(initiative)의 의미를 지닙니다.[83] 비록 의회의 질의에 대해서 행정부가 시정을 해야만 하는 강제조항이 아니더라도 의회가 시정을 요구할 수 있는 권한은 정치과정 상에서 단순히 상징적 의미가 아니라는 것입니다.

㉣ 국정감사 및 조사권 : 의회는 행정부에 대해서 정기적으로 또한 수시로 감사와 조사를 행하면서 입법부에서 결의한 법률과 정책이 제대로 집행되는지 견제하게 됩니다. 문제는 의회가 거대한 행정부를 제대로 견제하기 위해선 상당한 수의 전문인력을 지닌 효율적 기관이어야 한다는 것입니다.[84]

---

82) 한국정치과정에선 제1공화국하의 1952년 개헌헌법에서 이를 채택한 바 있습니다. 이 당시 개헌헌법은 대통령제이면서도 입법부의 행정부에 대한 불신임권을 인정하여 의원내각제적 성향을 동시에 갖고 있었습니다.

83) 의회의 대행정부 질의권에 대항하는 행정부의 권한은 '행정부의 국회출석발언권'입니다. 행정부의 필요에 따라서 의회를 설득하기 위해서 필요한 경우 국회에 출석하여 발언할 수 있는 권한은 행정부의 의회에 대한 선제권으로 작용할 수 있습니다. '국회출석발언'이란 용어가 의회의 대행정부 질문시와 행정부의 선제적 의회출석발언시에 동시에 쓰이기도 하기에 주의가 필요합니다. 전자이건 후자이건 모두 행정부 고위공직자들이 국회에 출석하여 이루어지는 행위여서 그럴 것입니다. 내가 필요에 의해서 나가는 것과 상대방에게 불려 나가는 것은 정치적 선제권의 의미에서 정반대의 상황으로 큰 차이가 있습니다.

84) 현행 한국의 제도를 보면 행정부가 행정부를 감사하는 형식을 띠고 있습니다. '감사원'은 행정부 소속이며 감사원장을 대통령이 임명하는 제도입니다. 국회의원의 특권을 내려놓는 것 이상으로 국회의원들에게 합당한 권한을 주면서 책임도 물어야만 합니다. 국회의원들이 행정부를 긍정적 의미에서 견제하도록 감사권한을 입법부가 갖는 것이 바람직하다는 것이 필자의 소견입니다. 물론 국회의원들이 행정부를 제대로

㉤ 고위공무원 탄핵소추권: 고위직 공무원들은 일정한 임기를 지니게 됩니다. 임기 중에 공무적, 사적으로 중차대한 비리가 발생한 경우 해당 공무원을 문책해야할 필요가 있는데, 이때 의회는 해당 공무원들에 대해서 '탄핵소추'(impeachment)를 발동할 수 있습니다. 의회가 법률이 정한 고위직 공무원들의 위법행위에 대해서 소추할 경우에 이를 최종 판단하는 경우는 대략 세 가지 정도로 대별될 것입니다. 양원제의 경우 하원이 소추를 의결하고, 차후에 상원이 이를 최종적으로 확정(endorsement)하는 경우입니다. 단원제의 경우 의회에서 소추의 의결이 최종결정이 되는 경우입니다. 단원제의 경우, 의회에서 소추를 의결하고, 차후에 별도의 기관인 헌법재판소와 같은 곳에서 탄핵을 확정하는 경우입니다. 대통령 탄핵절차를 보면 미국은 첫 번째 경우를 따르고 있고, 한국은 세 번째 경우에 해당합니다.

이제까지, 의회민주주의를 논하기 위한 주요 변수들에 대한 기초적 논의 내용을 살펴보았습니다. 한국정치과정에 대한 정부형태-의회정치에 대한 독자들의 비판의식은 이제까지 언급한 의회정치의 기본적 내용과 역할들이 헌법에 어떻게 규정되어 있는지, 실질적으로는 어떻게 기능해 왔는지에 대한 이해와 연관됩니다. 이제 앞서 논의된 의회정치의 이론적 내용들이 공화국이나 헌법 개정 시에 총체적으로 어떻게 구현되어 왔는지 1948년으로 거슬러 올라가서 하나씩 살펴보도록 하겠습니다.

다양한 헌법초안들

'제1공화국 헌법'을 헌법초안 및 대한민국헌법안과 구분하고자 합니다.

감사하려면 이에 대해서 수많은 행정서류 검토, 집행상황 조사, 현장답사, 공무원과 소통 등 많은 노력이 필요합니다. 이런 능력을 지닌 자들이 국회의원의 다수를 형성할 때, 우리나라 정치에 국민들이 공감할 수 있을 것입니다.

헌법초안(憲法草案)이란 헌법을 만드는 과정에서 일부 정치인 및 지식인들이 정부형태에 대해 구상한 안들을 말합니다. 헌법초안에도 여러 종류들이 있습니다. 국회에 최종 헌법안으로 제출되는 버전이 있고, 국회에 최종 헌법안으로 제출되기 전에 논의되고 참고되는 다양한 버전의 헌법안들이 존재합니다. 유진오의 『헌법기초회고록』을 참조하면, 몇 개의 공식적, 비공식적 기구가 상호작용하면서 대한민국의 제1공화국 헌법이 만들어 지고 있음을 알 수 있습니다.

1947년 5월 당시엔 제2차 미・소공동위원회가 개막되었습니다. 곧바로 6월 3일에 미군정청은 산하기관이었던 '조선인기관'을 '남조선과도정부'라고 개칭하면서 행정권을 조선인에게 넘겨주게 되는데, 과도정부의 사법부 안에 '조선법전편찬위원회'가 설립되고, 위원회 안에 '헌법기초분과위원회'가 설치됩니다.[85]

유진오는 초안작성위원으로 지명되고 양원제, 내각책임제, 농지개혁, 기업의 자유[중요기업의 국영(國營)] 등의 기본 원칙을 중심으로 하여 헌법초안을 구상합니다. 이러한 내용들이 헌법기초분과위원회에서만 논의된 것은 아닙니다. 유진오는 이러한 초안에 대해서 한민당의 지도자였던 김성수를 만나서 논의하면서 내용을 조율하고 있음을 밝히고 있습니다. 1948년 4월에 유진오는 신익희의 면담요청을 받고 낙원동으로 나간 자리에서 장경근, 최하영, 차윤홍 씨 등을 만나게 되며, 이들 모임이 '행정연구회'란 이름으로 헌법을 구상하고 있는 모임이란 것을 알게 됩니다. 이 때 행정연

85) 유진오는 해당 분과위원회가 "공적 성격을 띠고 있었기에 이번에는 위원직을 수락하였다"라고 기록하고 있습니다. 그리고, 중앙청 사법부장실에서 있었던 제1차 회의에 나갔을 때 참석했던 기억되는 사람들은 김용무 대법원장, 김병로 사법부장, 이인 검찰총장, 권승렬 사법부 차장, 강병순 변호사, 퍼글러(Dr. Pergler) 사법부 법률심의국 주석고문 등 이라고 기록하고 있습니다. 참고로, 1946년 12월에 개원한 '남조선과도입법의원'은 1947년 8월에 '남조선과도입법위원' 명의로 '조선임시약헌'을 의결하며 독립정부 수립을 위해서 나가고 있었습니다.

구회의 헌법초안(일명 '제1단계 헌법초안')이 유진오의 헌법초안과 차이가 있는 주요 부분들은 신체의 자유보장 규정, 위헌법률심사제, 농지개혁 문제 정도였으며, 기본 원칙에서는 대개 동일했음을 밝히고 있습니다.

1948년 5월 10일 선거를 통하여 합법적 국회가 구성되면서, 곧이어 5월 31일에는 제1회 국회가 중앙청에서 열리게 됩니다. 의장 이승만, 부의장 신익희, 김동원을 선출하고 헌법제정사업을 위해서 '헌법 및 정부조직법'을 위한 '기초위원'으로 국회의원 30인, '전문위원' 10인의 선출을 결의합니다. 개원 이틀 째인 6월 1일엔 기초위원을 선출하기 위한 전형위원을 공평성 차원에서 각 도 별로 1인씩 선출합니다.[86] 전형위원들은 6월 3일에 기초위원 30인을 선출합니다.[87] 선출된 기초위원들이 모인 '헌법 및 정부조직법 기초위원회'는 전문위원 10인을 선정위촉합니다.[88] 1948년 6월 3일 공식적 절차에 의해서 국회 내에 설립된 '헌법기초위원회'는 헌법초안(일명 '제2단계 헌법초안')을 거쳐서 최종안('대한민국헌법안')을 만들게 됩니다.[89]

제헌헌법 최종안이 만들어지기까지 위에 언급된 제 단체에서 논의된 여러 가지 안들의 통치구조 관련 핵심 내용은 다음과 같이 정리될 것입니다.

① 행정연구회의 안

• 6년 임기의 연임제(連任制) 대통령과 부통령 국민 직선제.

---

86) 이윤영(서울), 신익희(경기), 유홍렬(충북), 이종린(충남), 윤석구(전북), 김장렬(전남), 서상일(경북), 허정(경남), 최규옥(강원), 오용국(제주) 입니다.

87) 서상일(위원장), 이윤영(부위원장), 유성갑, 김옥주, 김준연, 오석주, 윤석구, 신현돈, 백관수, 오용국, 최규옥, 김광준, 이종린, 이훈구, 유홍렬, 연병호, 조헌영, 김익기, 정도영, 김상덕, 이강우, 허정, 구중회, 박해극, 김효석, 김병회, 홍익표, 서성달, 조봉암, 이청천 입니다.

88) 고병국, 임문환, 권승렬, 한근조, 노진설, 노용호, 차윤홍, 김용근, 윤길중, 유진오 입니다.

89) 유진오, 이상기, 장경근, 노용호, 김용근, 차윤홍, 윤길중, 최하영, 황동준 (9명)이 기초한 것으로 되어 있습니다.

• 대통령은 국가의 원수이며 한국을 대표함.
• 대통령이 임명하는 국무총리가 내각회의 의장이 됨.
• 대의원(하원)은 내각에 대한 집단 불신임의결권을 소지함.

② 유진오의 안

• 6년 임기의 중임제(重任制) 대통령과 부통령은 양의원합동회의에서 무기명투표로 선출함.
• 대통령은 행정권의 수반이며, 외국에 대하여 국가를 대표함.
• 국민의회(하원)의 추천으로 대통령이 임명하는 국무총리가 내각회의의 의장이 됨.
• 국민의회는 내각에 대한 집단 불신임의결권을 소지함.

유진오
(1906–1987)

③ 헌법기초위원회의 헌법초안(헌법논의를 위한 기준안)

• 대통령은 6년 임기의 중임제(重任制) 대통령과 부통령은 국회양의원합동회의에서 무기명투표로 선출함.
• 대통령은 행정권의 수반이며 외국에 대하여 국가를 대표함.
• 대통령이 임명하고 민의원(하원)의 승인을 받는 국무총리가 내각회의 의장이 됨.
• 민의원은 내각 또는 국무위원에 대한 집단 또는 개별 불신임권을 소지함.

④ 조선법전편찬위원회(헌법기초분과위원회)의 안

• 5년 임기의 중임제(重任制) 대통령과 부통령은 양의원연석회의에서 비밀투표로써 선거함.
• 대통령은 행정권을 통할하며, 외국에 대하여 국가를 대표함.

• 참의원(상원)의 승인을 얻어서 대통령이 임면하는 국무총리는 국무회의의 의장이 됨.
• 대의원(하원)은 국무총리 및 국무위원들에 대해 개별적으로 행하는 불신임권을 소지함.

⑤ 제헌국회 헌법기초위원회의 최종 '대한민국헌법안' 90)

윌리엄 딘
(1899-1981)

• 4년 임기의 중임제(重任制) 대통령과 부통령은 국회에서 무기명투표로써 각각 선거함(제54조).
• 대통령의 행정권의 수반이며, 외국에 대하여 국가를 대표함(제50조).
• 대통령이 국무회의의 의장이 됨(제69조).
• 대통령이 임면(任免)하는 국무총리는 대통령을 보좌하며 국무회의의 부의장이 됨(제68조, 제69조).
• 국회(단원제)는 국무원(대통령, 국무총리, 국무위원으로 조직되는 합의체)에 대한 내각불신임권은 없으며, 탄핵권만 있음(제45조, 제67조).

②, ③, ④는 대통령과 총리를 모두 의회에서 선출하며, 대통령의 총리에 대한 임명은 의회의 내각에 대한 불신임권이 존재하는 상태에서 사

90) 제헌국회의 '대한민국헌법안'에 대해서 조선법전편찬위원회는 이견서(異見書)를 제출합니다. 대법원장 김용무의 명의로 세사람(국회의장 이승만, UN임시조선위원단의장 하지 중장, 군정장관 딘 소장)에게 전달된 이견서의 내용을 보면 다음과 같습니다. • 당분간(즉, 국가건국이란 당시 상황상) 시급한 문제를 신속처리하기 위해서 단기적으로는 단원제를 할 수 있지만, 양원제를 채택하여야 함. • (중화민국헌법을 참조하면서)사법부인 대법원에도 법률제안권을 부여해야 함. • 대통령과 부통령은 국회에서 선거하지 말고 국민이 직접선거로 해야 함(대통령의 국회에 대한 독립성에 비추어 모순이 분명함). • 위헌법률심사 및 결정권을 사법부에 부여하여야 함(즉, 별도의 기관인 헌법위원회에 부여하지 말아야 함).

전동의나 사후승인에 상관없이 의회의 다수당 대표를 임명할 수밖에 없을 것입니다. 의원내각제로 분류가 가능합니다.[91] 하지만, ②, ③, ④ 모두 대통령을 입법부에서 선출함에도 '행정부의 수반'은 대통령이라고 하여 이원집정부제적 성향을 완전히 배제할 수 없습니다. ①은 대통령 직선제를 채택하여 상대적으로 ②, ③, ④보다 이원집정부제적 성격이 강합니다.

⑤번의 대한민국헌법 최종안이 제헌국회를 통과하면서 약간의 수정을 거쳐 '제1공화국 제헌 헌법'이 됩니다. 의원내각제적 성향을 기초로 하여 이원집정부제적 권력구조의 성격도 일부 존재했던 기준안 ③과 달리 최종안 ⑤는 대통령제적 특색이 뚜렷한 제도입니다. 제헌헌법이 제정과정을 보면 의원내각제안이 주류를 이루었지만, 대통령제로 변경되어 귀결된 것입니다. 당시 제헌 정국에서 한민당 세력은 의원내각제를 원했고 이승만은 대통령제를 원했습니다. 다양한 의견이 존재하겠지만, ②, ③, ④의 형태에서 가장 어색한 부분은 대통령이 행정부의 수반이라고 규정하면서도 내각회의의 의장은 국무총리라고 규정하는 이원성 부분입니다. 정치지도자들의 인물성향에 많이 의존하는 이원집정부제는 상대적으로 고도의 정치기술을 요하기에 국가건국기에 바람직한 제도라고 생각하지 않습니다. 대통령제와 의원내각제에 대한 선호를 떠나서 분명한 것은 ⑤에서 행정권의 수반이

91) 일반적 의미에서 '행정부의 수반'이 되려면 '내각회의(또는 국무회의)의 의장'이어야 할 것입니다. 제헌헌법안들을 비교해 볼 때, ②, ③, ④에선 '대통령이 행정권의 수반'(②, ③), '대통령이 행정권을 통할'(④)한다고 하면서도 행정권의 실질적 내용인 '내각회의의 의장'은 총리라고 규정하고 있습니다. 따라서 입안자들의 의도와 상관없이 결과물의 유형을 일반적 의미에서 분류하는 경우엔 ②, ③, ④의 통치구조도 단순히 의원내각제라기보다 이원집정부제의 성격을 배제할 수 없습니다. ②, ③, ④의 통치구조는 모두 대통령이 "행정부의 수반 내지는 통할자"라고 규정하면서도, 행정부 최고의 정책결정기구인 내각회의(국무회의)의 의장은 국무총리이기에 행정부 내부의 기능상 이원집정부제적인 성격이 나타난다는 것입니다. 이에 반해서 ①은 '국가의 원수'라는 직위와 '행정부의 수반'이라는 직위를 분명히 구분하고 있습니다.

대통령이라는 조항과 국무회의의 의장이 대통령이란 조항이 제도적 조합에서 더 명확한 규정으로 혼란이 스며들 여지가 없습니다.[92]

독자들은 1947년의 '조선임시약헌'을 기억하실 것입니다. 조선임시약헌은 당시 민선의원들이 포함되어 있는 입법부인 과도입법의원에서 의결된 헌법이기 때문에 비록 공포되지는 못했어도 그 내용을 ⑤번과 비교해 볼 필요가 있습니다. 1947년 8월 6일 의결된 조선임시약헌은 '주석제'였는데, 명칭만 다를 뿐 대통령제 권력구조임을 지적한 바 있습니다. 1948년 7월에 결정된 ⑤번의 대한민국헌법안(10장 102조)도 대통령제로 귀결됩니다. 제헌국회는 대한민국헌법안을 통과시키며 1948년 7월 17일 제헌헌법(10장 103조)을 제정합니다.

1948년 제헌 헌법

제헌 헌법은 "대통령은 행정권의 수반이며 외국에 대하여 국가를 대표한다"(제51조)고 규정하며 '대통령제'를 채택하였는데, 대통령제의 '이념형'(ideal type)에서 볼 때, 어색한 점은 "대통령과 부통령은 국회에서 무기명투표로 각각 선거한다"(제53조)는 것입니다.[93] 대통령과 부통령은 4년 임기로 중임까지 가능합니다(제55조). 이런 경우, 입법부에서 선출하는 행정부의 수반이 과연 진정한 의미의 대통령제로 구분될 것인가에 대해 반문할 수도 있을 것입니다. 대통령제와 의원내각제의 차이점을 분별하는

---

92) 내각회의의 의장을 겸해야 명실상부한 행정부의 수반이 됩니다. 행정부의 수반이라고 하면서도 내각회의의 의장은 총리라면 미묘한 상황이 연출될 것입니다. 일반적 의미에서 내각회의의 의장도 아니면서 행정부의 수반이라고 부를 수 있는지에 대해서 논란이 있을 것입니다.

93) 대통령과 부통령 선거는 재적의원 2/3이상의 출석과 출석의원 2/3이상의 찬성투표로 결정하며, 해당자가 없을 경우 2차투표를 반복하고, 2차투표에서도 해당자가 없을 경우엔 최고득표자 2인에 관하여 결선투표를 행하여 다수득표자를 당선자로 한다고 규정하고 있습니다(제53조).

기준의 하나가 대통령제는 입법부와 행정부의 선출기반을 분리합니다(two agents of electorates). 의원내각제는 국민이 입법부 선거만을 행하며(one agent of electorate), 그 이후엔 입법부가 선거결과에 따라서 행정부를 구성합니다. 현대적 의미에선 너무도 극명한 차이를 가져오는 이 두 가지 옵션의 차이에 대해서 당시 논의가 부족했던 것은 정파간 유불리를 넘어서서 국가건국이라는 시급성에 묻혀버린 것일 수도 있습니다.[94]

1919년부터 1945년까지 지속된 임시정부 시절의 전통이나 분위기가 여전히 남아 있었다면(즉, 임시의정원에서 대통령을 선출하는 전통), 비록 국회선출과 국민선출 사이에서 정치지도자간 유불리에 따른 선호가 대립했음에도 불구하고, 대통령을 국회에서 선출하는 것에 대해서 (현재에 국민들의 대통령 직접선출에 대한 선호도와는 달리) 국민들이나 정치인 모두에게 강한 거부감을 지닌 선택은 아니었던 듯 합니다. 더욱이 의원내각제 주창자들은 대통령을 의회에서 선출할 경우에 대해서 별다른 거부감을 갖지 않았을 것입니다. 의원내각제적 성격의 헌법초안(대통령은 당연히 국회에서 선출할 수밖에 없었으며)을 논의한 헌법기초위원회는 대통령제의 성격이 강한 제도로 타협해 주면서, 대통령은 여전히 국회에서 선출하는 것에 대해서 큰 거부감 없이 규정했을런지도 모릅니다.

앞서 1947년의 조선임시약헌에선 대통령제를 택하면서 국민선거가 있

94) 1948년 5월 10일 총선이후 이승만의 정부수립에 대한 구상 회견이 보도되고 있습니다. 양원제 vs 단원제, 의원내각제 vs 대통령제가 주요 논의 주제로 보도되었는데, 대통령 선출방식은 주요 의제로 나타나 있지 않습니다[「경향신문」(1948년 5월 27일, 1면)]. '의원내각제 vs. 대통령제'라는 거시적인 틀 속에서 '국회선출 vs 국민선출'이란 논의는 보다 미시적인 차원의 것으로 한정된 듯합니다. 양원제와 단원제에 대해 이승만은 단원제를 선호하고 있습니다. 이승만의 의견을 보면, 의원내각제는 군주체제가 깊이 정착된 영국이나 일본과 같은 경우에 채택되는 제도로 개념화하면서, 군주와 수상을 같이 앉혀놓고 수상이 모든 책임을 지는 것은 비민주제도라고 평가하고 있습니다. 이승만은 국회에서 대통령을 뽑는 것이 바람직하며 국민선출은 곤란하다고 주장하고 있습니다. 또한 국회에서 의원내각제가 통과되는 경우엔 그렇게 따르겠다고 천명하고 있습니다[「조선일보」(1948년 6월 8일, 1면)].

을 때까지 최초의 정부 주석과 부주석은 입법의원에서 선출한다고 규정한 예를 보면, 국가건국의 시급성이라는 큰 흐름 속에서 초대 대통령을 일단 정치엘리트들이 모인 의회에서 선출하려는 분위기도 있었을 것입니다. 국회에서 선출된 대통령이어도, 정해진 임기를 지니고 있으며, 내각의 수반으로서 국무위원들의 임명과 파면을 관장하고, 나아가 법률안 제출권도 갖고 있어 행정부는 입법부에서 독립적으로 기능할 수 있는 이유가 되어 대통령제에 기반한 정부형태로 구분하는데 무리가 없습니다.

대통령 선출기반의 문제와 더불어 또 다른 특징 중의 하나는 미국 대통령제와 달리 행정부가 '법률안제출권'을 갖고 있다는 것입니다. 제헌 헌법은 "국회의원과 정부는 법률안을 제출할 수 있다"(제39조)고 규정합니다. 일부 주장에선, 정부의 법률안제출권이 군사정부나 권위주의 정부시절에 행정부의 입법부에 대한 우월적 권력을 반영하는 증거로 언급되지만, 1948년 제1공화국 수립의 역사를 반추한다면 정부의 법률안제출권은 이미 그 당시에도 헌법초안, 헌법최종안, 공화국 헌법 모두에서 공통적으로 주창되고 채택되었음을 알 수 있습니다. 법률안제출권은 그 하나의 권한만으로 이해되는 것보다 행정부의 의회출석발언권과 조합하여 하나의 세트로 이해될 필요가 있습니다. 예를 들어, 미국의 대통령처럼 법률안제출권(무)-의회출석발언권(유)인 권력조합과 한국의 대통령처럼 법률안제출권(유)-의회출석발언권(유)인 권력조합의 경우는 차이가 있다는 것입니다. 후자의 경우는 두 권한이 확대재생산 될 가능성을 내포하고 있습니다. 물론, 권력은 그 권력을 사용하는 사람이 어떤 의도로 어느 정도의 적극성을 가지고 행사하느냐에 따라서 그 결과가 다양하게 나타나기에 한 가지로 일반화해서 설명하는 것에 한계가 있기는 합니다.

행정부의 의회출석발언권은 정치과정에서 행정부와 입법부의 역학구도를 판단하는데 중요한 조항입니다. 제헌헌법을 제정할 당시, 초안, 최종안,

헌법에서 모두 주창되었고 채택되었음을 알 수 있습니다. 의회출석발언권은 순수하게 제도적 의미로만 본다면, 대통령제하에서와 의원내각제하에서 그 성격이 다릅니다. 행정부와 입법부의 권력분립이 상대적으로 명확한 대통령제하에서는 행정부가 입법부에 간섭하는 것처럼 되어 행정부의 입법부에 대한 정치적 선제권이 가능합니다. 행정부와 입법부의 권력이 상대적으로 융합되어 있는 의원내각제하에서는 총리가 자신이 책임지는 의회에 출석하여 발언하는 것은 일종의 의무조항이기에 근본적으로 정치적 선제권의 의미로 해석되기 어렵습니다. 대통령제 하에서 대통령과 총리가 공존하는 경우, 대통령이 포함된 경우와 그렇지 않은 경우는 구분이 됩니다. 만약 대통령이 국회의 요구에 따라 의회에 출석하여 발언한다면 대통령의 권위가 실추될 가능성이 높아집니다. 미묘한 차이가 있는데, 대통령 자신이 내각의 의장이되, 부의장인 국무총리만이 국회출석 요구에 응하는 것으로 규정된다면, 대통령은 소위 스타일을 구기지 않고 국무총리를 입법부에 출석시키면서 자신에 대한 방패로 사용할 수 있는 것입니다. 따라서 행정부의 국회출석발언권에 대통령이 포함되느냐, 아니면 내각의 국무위원들만 포함되느냐는 정치과정상 행정부와 입법부, 여당과 야당 사이의 힘겨루기에 차이를 가져옵니다.

국회출석발언권 여부는 행정부 입장에서 그렇게 수동적으로만 사용되는 것이 아닙니다. 제1공화국 헌법 조항을 그대로 반추해보면 "국무총리, 국무위원과 정부위원은 국회에 출석하여 의견을 진술하고 질문에 응답할 수 있으며 국회의 요구가 있을 때에는 출석답변하여야 한다"(제44조)입니다. 행정부는 입법부의 요구에 응하는 경우만이 아니라, 행정부 자신이 필요한 경우엔 능동적으로 행정부의 입장을 개진할 수 있으니, 이른바 정치적 선제권의 의미도 동시에 지니고 있음을 인지해야 합니다. 극단적으로 가정하여, 국회의 출석요구권은 없고, 행정부의 자발적 출석으로 인해 행정부의 의견개진권이 전제된 입법부와의 질의응답이 있는 상태에서의 국회출석발언권은 철저히 행정부의 정치적 선제권 행사의 의미로 제한될 것입니다.

"국무원은 대통령과 국무총리 기타의 국무위원으로 조직되는 합의체로서 대통령의 권한에 속한 중요정책을 의결한다"(제68조)라고 규정합니다. 국무원을 '합의체'라고 규정하여 언뜻 보기에는 집단지도체제적인 성격을 나타내고 있습니다. 연관된 조항을 보면, "대통령의 국무에 관한 행위는 문서로 하여야 하며, 모든 문서에는 국무총리와 관련국무위원의 부서(副署)가 있어야 한다"고 규정하고 있습니다(제66조). '부서'란 대통령이 서명한 문서에 국무총리와 국무위원이 서명하는 것을 말합니다. 이렇게 본다면 대통령 일인 마음대로 한다기 보다는 항상 국무총리와 국무위원이 서명해야 최종 완결되니 결국 집단합의제의 성격이 있다는 것입니다. 총리와 기타의 국무위원들은 대통령의 권한을 다루는 기구에 소속된 구성원이어서 국무원은 대통령의 권한에 속한 중요정책을 의결하기 위해 집합하는 모임이어서 이미 정치적 주도권은 대통령에게 있기에 대통령 일인중심적인 경향이 강하게 드러납니다(51조, 68조). 대통령이 의제를 통제(agenda setting)할 수 있다는 의미입니다. 물론, 여기에는 대통령의 리더십 스타일도 중요한 변수가 될 것입니다. 종합하면, 부서조항이란 것은 대통령이 국가정책을 결정함에 있어서 여러 사람들과 상의하여 그만큼 신중을 기해 달라는 의미로 해석할 수 있으며, 집단지도체제로 지나치게 확대 해석되는 것에 주의를 요합니다.

국무총리는 행정부 최고의 정책의결기구인 국무원의 부의장으로서 의장인 대통령을 보좌합니다(제69조, 제70조). 국무총리는 대통령의 명을 '승(承)하여'(즉, 이어받아, 받들어) 행정각부장관을 통리감독하며 행정각부장관에게 분담되지 아니한 행정사무를 담임합니다(제73조). 대통령은 국무회의의 의장이면서 국무회의 의결에서 '캐스팅 보트'(casting vote: 가부동수인 경우에 결정권)를 갖고 있습니다. 정책결정과정에서 대통령의 의중을 중시하는 권력구조 형태입니다.

국무총리는 국회의 인준을 얻어 대통령이 임명합니다(제69조). 임명에 관한 국회의 인준, 승인, 건의 등은 이차 권력이며, 임명권이라는 일차 권력은 분명히 대통령이 갖고 있습니다. 국회는 임명된 국무원에 대한 불신임권을 갖고 있지 않으며, 이에 대해서 국무원도 국회에 대한 해산권이 없습니다. 만약 국회가 국무총리에 대한 불신임권을 갖고 있다면 대통령이 국회의 인준을 얻어 임명할 때, 국회의 국무총리 인준권도 나름대로 일차 권력으로 작용할 수 있지만, 국회가 국무원(또는 국무총리 및 국무위원)에 대한 불신임권이 없기 때문에 임명권 자체가 중요하다는 의미입니다.

제헌 헌법은 3권분립을 규정하면서 '제5장 법원' 규정을 두고 있습니다. "대법원장인 법관은 대통령이 임명하고 국회의 승인을 얻어야 한다"(제78조)고 규정하고 있습니다. 법률, 명령, 규칙, 처분 등이 헌법에 위배되는지의 여부를 판단하는 '위헌법률심사권'은 최고법원인 대법원이 갖고 있지 않고 별도의 기관으로 '헌법위원회'를 설치하고 있습니다(제81조). 헌법위원회는 위원장 부통령, 대법관 5명, 국회의원 5명으로 구성됩니다(제81조).

국회는 단원제로서 국민의 보통, 직접, 평등, 비밀선거에 의하여 공선(公選)된 국회의원들로 구성됩니다(제32조). 국회는 의장 1인과 부의장 2인을 두는데 국회의장은 국회의결에서 표결권을 행사할 수 있으며, 가부동수인 경우에 그 결정권을 갖게 됩니다(제36조, 제37조). 국회는 국민의 혈세로 조성되는 예산안을 심의결정하는 권한을 독점하며(제41조), 대통령, 부통령, 국무총리, 국무위원, 심계원장[95] 및 법관 등 법률이 정하는 공무원들의 그 직무수행에 관하여 헌법 또는 법률에 위배된 때 행하는 탄핵소추의 권리가 있습니다(제46조).[96] 국회는 탄핵사건을 심판하기 위해서 '탄핵재판소'를 설치할 수 있는데, 재판장은 부통령이며 대법관 5인과 국회의원 5인으로 구성됩니다(제47조). 국회가 고위직 공무원의 직무수행시 헌법에 위배된 때 탄핵소추를 의결할 수 있으니, 국회도 어떤 의미에선 헌법위원회와 유사하게 위헌 여부에 관해서 심사 의결하는 역할도 하는 셈입니다.

제헌 헌법에서 국가통치 이념을 기술한 '전문'(前文)을 보면 제헌 헌법이 독립국가로서 '민족주의', '민주주의', '정의사회'란 이념을 구현하려 함을 알 수 있습니다. 제헌 헌법 전문은 "…독립정신을 계승하여…민주독

95) 심계원((審計院)은 국가의 회계를 담당하는 기관으로 매년 수입지출의 결산을 검사하여 차년도 국회에 제출하게 되어 있습니다(제95조).

96) 입법부의 행정부 고위 공무원에 대한 탄핵(impeachment)제도는 대통령제와 더 제도적 궁합이 있을까요? 아니면 의원내각제와 더 제도적 궁합이 있을까요? 대통령제하에서 대통령 탄핵제도는 순수 대통령제의 이념형의 모습일까요? 아니면 의원내각제적 요소일까요? 답을 함에 있어서, 탄핵과 불신임권(nonconfidence)의 문제가 혼재되어 있고, 경험적 사실에 근거한 답변과 이론적 논리에 근거한 답변이 혼재되어 있어 단순하지 않습니다. ① 대통령제는 입법부와 행정부의 선출기반이 분리되었고 입법부와 행정부의 권력분립이 두드러지는 정부형태입니다. ⓐ 그렇다면 입법부의 행정부에 대한 탄핵도 없는 것이 더 이념형에 일치하는 듯합니다. 입법부의 행정부 고위직 공무원들에 대한 탄핵소추권은 권력분립에 반한다는 것입니다. ⓑ 반대의 논리도 가능합니다. 입법부와 행정부의 권력분립이 명확해서 입법부는 행정부와 '권력융합적'이라기보다는 행정부 공무원들에 대한 '견제의 역할'이 강합니다. 입법부의 행정부에 대한 불신임권이 없기에 역으로 입법부의 행정부에 대한 탄핵소추권 정도는 있어야만 입법부가 행정부 고위 공무원들에 대한 견제가 가능하다는 논리입니다. ② 의원내각제하에서의 탄핵소추권의 존재는 별로 문제될 것이 없습니다. 의원내각제는 어차피 입법부와 행정부가 융합된 것이어서 당연히 입법부는 행정부의 특정 공무원들을 탄핵할 수 있습니다. 의원내각제인 한 입법부의 행정부에 대한 불신임권은 당연한 것입니다. 경험적 사실로 보자면, 대통령제의 역사적 원형인 미국의 경우 대통령 탄핵제도가 있습니다. 하원이 의결하고 이어 상원에서 의결하면서 승인(endorsement)됩니다. 의원내각제의 역사적 원형인 영국의 경우 탄핵제도가 있습니다. 마지막 탄핵이 사용된지 한 참 지난 지금 시점까지도 사용되지 않아 사문화 조항에 가까울 뿐입니다. 각료 개인의 문제는 파면-징계, 사법처리, 불신임제도 등을 모두 활용할 수 있기 때문입니다. ③ 이렇게 본다면, 불신임권이 없는 곳에선 오히려 탄핵제도가 있어야만 고정된 임기를 지닌 고위직 공무원을 견제할 수 있다는 논리가 가능합니다.

립국가를 건설함에 있어서 정의인도와 동포애로서 민족의 단결을 공고히 하며 … 우리들과 우리들 자손의 안전과 자유와 행복을 영원히 확보할 것을 …"이라고 하여 민족주의가 독립정신을 강조하는 운명공동체적 국민국가의 민족자결주의이며, 편협한 선민사상에 의거한 민족주의가 아닌 세계평화에 이바지하는 민족주의라고 선언하고 있습니다. 제헌 헌법 전문은 "… 민주독립국가를 건설함에 있어서 … 모든 사회적 폐습을 타파하고 민주주의 제(諸)제도를 수립하여 … 모든 영역에 있어서 각인의 기회를 균등히 하고, …"라고 하여 사회정의에 입각한 민주주의 사회 실현을 목표하고 있음을 알 수 있습니다.

제헌 헌법의 공화헌정 체계 아래서 대한민국은 정치, 경제, 사회, 문화에서 폭 넓은 개혁을 실행하고 있었지만 안정을 이루지 못했습니다. 국가건국기임에도 불구하고 정치에선 이승만과 한민당이 극단으로 대립하였습니다. 당시 한국은 농업주축 사회였기에 '농지개혁'을 통해 농민들의 생활을 안정시키는 것이 사회안정에 중요한 요소였습니다. 헌법에도 '제6장 경제' 부분에서 "농지는 농민에게 분배하며 그 분배의 방법, 소유의 한도, 소유권의 내용과 한계는 법률로서 정한다"(제86조)고 규정하여 앞서 미군정하의 과도입법의원에서 보류된 문제를 이어받고 있습니다. 1949년 6월의 농지개혁법 공포에도 불구하고 농민의 영세성은 여전하였습니다.97) 전력,

---

97) 1945년 당시 남한 인구의 대략 70%정도가 농업에 종사하였습니다. 자작농은 15% 미만정도였고, 전체 경지의 대략 70%정도가 소작지였습니다. 소작료는 수확량의 절반가량이었습니다. 1949년 6월의 농지개혁법으로 지주·소작제가 폐지되고, 농지를 농민에게 돌려주게 됩니다. 그 내용을 보면, 적산농지(敵産農地: 일제시대 일본인이나 일본기관의 소유였던 농지)를 국유로 하고, 부재지주(不在地主), 3정보 이상의 농지를 가진 자 등의 농지를 국가에서 유상매수하고 대신 지가증권(地價證券)을 발급하여 5년간 지급토록 하였습니다. 한편, 매수한 토지는 영세농민에게 3정보를 한도로 유상분배하여 5년간 수확량의 30%씩 상환토록 하였습니다. 1949년 6월에 공포된 농지개혁법(수확량의 150% 지주보상, 125% 농민상환, 25% 국고부담)은 당시 한국의 재정상황에서 이승만 정부에 부담을 안겨주게 됩니다. 결국 정부의 수정요구에 따라서 1950년 3월에 지주보상과 농민상환을 150%로 동일하게 한 농지개혁법이 통

원료, 기술 등 사회 제반의 인프라가 조성되지 않은 상태에서 경제생활은 어려웠습니다. 1948년의 '제주도 4·3 사건'이나 '여수·순천 반란 사건'은 사회 불안정을 극대화시키고 있었습니다.98)

임시정부 시절에는 모두 5 차례의 개헌이 있었는데, 제1공화국 수립이후 제 6화국 현재까지 모두 9 차례의 개헌이 있었으며 1987년 이후 제6공화국 체제가 지속되고 있습니다. 헌법 제정 당시(1948. 7. 17: 이후 제1공화국), 제3차 개헌(1960. 6. 15: 이후 제2공화국), 제5차 개헌(1962. 12. 26: 이후 제3공화국), 제7차 개헌(1972. 12. 27: 이후 제4공화국), 제8차 개헌(1980. 10. 27: 이후 제5공화국), 제9차 개헌(1987. 10. 29: 이후 제6공화국)이 됩니다.

1차 개헌(1952. 7. 7)

제헌 헌법이 제정된지 불과 4년도 못 되어서 1952년 7월 4일에 1차

과되어 선포됩니다.

98) 제주도에서 1947년 3·1절 기념집회 과정에서 경찰이 발포하여 6명이 사망하는 사건이 발생합니다. 제주도에선 이를 계기로 우파와 좌파의 갈등이 심화되어 오던 중, 1948년 4월 3일에 미군정과 우익의 서북청년단의 위세에 대항해서 제주도민들에게 공산 남로당 사주세력들이 합세 봉기하여 발생한 사건이 '제주도 4·3 사건'입니다. 이 때 내건 구호들은 폭력적 탄압중지, 반미군정, 반단독정부, 반단독선거, 민족통일 등이었습니다. 1년 동안이나 계속된 진압과정에서 발생한 피해자 수는 무려 3만여명으로 보고되고 있습니다. '여수·순천 반란 사건'은 1948년 10월 19일에 전라남도 여수에 주둔하던 국군 제14연대내의 김지회, 홍순석, 지창수 등의 좌익들이 주도하여 일으킨 사건입니다. 정부가 '제주도 4·3 사건' 진압을 위한 출동명령을 내리자, 동족을 학살 할 수 없으며, 38선을 폐지하고 민족통일을 이루자는 구호를 내걸고 여수, 순천, 광양, 곡성, 구례, 벌교, 고흥 등으로 세력을 확장해 나갑니다. 1949년 4월에 김지회, 홍순석 등이 사살되고, 1950년 2월에는 그 추종자들이 대부분 소탕되면서 호남지구에 내려졌던 계엄령 해제와 동시에 사태가 마무리됩니다. 출범초기의 제1공화국은 타격이 클 수밖에 없었으며, 이 사건을 계기로 국군은 3차에 걸친 좌익계열의 군 인사들에 대한 숙군(肅軍)작업을 벌입니다. 후에 1963년 민정이양 대통령선거에서 박정희 후보는 윤보선 후보로부터 "박정희 후보는 여순반란사건 연루자로서 사형을 선고받았다가 감형되고 1950년 6·25전쟁으로 군에 복귀했다"라고 공격을 받은 바 있습니다.

부산정치파동 대통령직선제 등을 주요 내용으로 하는 헌법개정을 둘러싸고 국회와 정부 간 대립이 계속되던 중 이승만 대통령은 1952년 5월 25일 부산 일원에 비상계엄을 선포했습니다. 5월 26일 40여명의 국회의원이 탑승한 통근버스가 검문에 응하지 않았다는 이유로 헌병대로 연행했습니다. / 사진제공=국회 사무처

개헌이 있었습니다. 6·25전쟁으로 수도가 서울에서 부산으로 피난하던 시절이었습니다. 1차 개헌은 '부산정치파동' 또는 '발췌개헌'(拔萃改憲)이란 용어로 대변되기도 하는데, "일부개정 1952. 7. 7 헌법 제2호"란 명칭으로 선포됩니다. 대통령직선제와 의원내각제적 성격을 혼합한 내용이었습니다. 국회는 내각(국무총리와 국무위원들)에 대해서 '불신임권'을 의결할 수 있고, 그런 경우 내각은 총사직하여야 하니, 국회에 대해서 연대책임을 지는 권력구조였습니다(제70조의2).

대통령제를 채택한 제헌 헌법에서는 대통령과 부통령을 국회에서 무기명투표로 각각 선출했습니다(제53조). 대통령을 국민들의 직접선거로 선출하는 것이 아니고 간접선거로 선출하였습니다. 대통령과 부통령의 임기는 4년이었으며, 재선(再選)에 의하여 일차 중임(一次 重任)할 수 있었습니

다(제55조). 이승만 대통령의 첫 임기 중에 대통령의 권위를 실추시키는 '국민방위군사건', '거창양민학살사건' 등 굵직한 사회적, 정치적 사건들이 있었으며,[99] 대통령에 대한 반대 세력이 국회 내에서 커져 대통령을 국회에서 선출하는 경우 대통령은 재임이 어려울 것이라는 분위기가 조성되어 있었습니다. 이승만 지지세력은 현직 대통령의 재선 달성을 위해서 국회에서 대통령을 선출하지 않고, 국민투표로 선출하기 위해선 개헌이 필요했습니다. 당시 이승만 대통령은 비록 국회의원들에게는 신망을 잃고 있더라도, 여전히 국민들로부터는 가장 높은 인지도를 지녔으며, 관권선거를 보조수단으로 하면 상황을 통제할 수 있었습니다. 1948년 7월 17일 헌법이 제정될 당시 이승만 대통령의 주장은 "대통령은 국민이 선출하는 것보다 국회가 선출해야 한다"였는데, 첫 번째 임기도 채우지 못한 상황에서 그 주장이 뒤바뀌게 된 것입니다.

발췌개헌안은 당시 여당이 원하던 대통령직선제 개헌안과 야당이 기도했던 의원내각제 개헌안이 혼합된 것입니다. 여당의 개헌안 중에서 '직선

99) 1950년 6·25전쟁 와중에 두 개의 큰 사건이 발생합니다. 1950년 '국민방위군사건'에서 '국민방위군'이란 군 인력이 필요하게 됨에 따라서 '국민방위군설치법'에 의해서 만 17세에서 만 40세 미만으로 조직된 '제2국민병'을 말합니다. 정부는 중공군 개입으로 악화되는 전황을 극복하기 위해서 1950년 12월 17일에 '제2국민병' 소집 명령을 발동하여 전국 51개 교육연대에 인력을 분산 배치하였으나, 무장 훈련과 동원 및 군수 물자 수송은 취약하기만 한 상태였습니다. 당시 피난국회가 1951년 1월 15일 부산에서 열렸는데 여기서 국민방위군사건에 대한 의문이 제기되어 5월에 나온 결과 보고서는 충격적인 것이었습니다. 국민방위군 간부들이 유령인원을 만들어 24억원의 금품착복과 5만 2천섬의 양곡 부정처분이 발각된 것입니다. 당시 군 수뇌부의 5명이 고등군법회의에서 사형선고를 받았습니다. 국민방위군 사건과 같은 시기인 1951년 2월 10일과 11이 양일간에 경남 거창군 신원면 일대에서 공비토벌중이던 11사단 9연대 3대대가 양민 500명이 공비들과 내통했다고 집단 학살한 사건이 발생하였는데 이것이 '거창양민학살사건'입니다. 국회 차원의 조사결과 학살당한 사람들은 빨치산이 아니었음이 확인되었습니다. 국회조사단이 현장조사를 위해 현지에 도착했을 때는 공비로 가장한 군인과 경찰을 시켜 조사단에 총격을 가하는 해프닝이 벌어져 말썽이 되었습니다. 관련자들이 1951년 군법회의에 회부되어 무기징역과 3년형등을 선고받았는데, 결국 특사로 풀려나고 형집행정지로 석방되어 또 다른 논란이 되었습니다.

제 및 양원제'와 야당의 개헌안중에서 '국무원 연대책임제'가 발췌되어 조합된 결과물이기에 후일 이것을 '발췌개헌'이라고 부르기도 합니다. 그 과정에서 있었던 비정상적 정치사건들(중복정당설립, 국회해산, 국회의원체포, 대통령저격사건 등) 때문에 '부산정치파동'이라고 포괄적으로 부르기도 합니다.[100] 발췌개헌안은 1952년 7월 4일에 경찰, 군대, 대통령 친위 테러단이 국회를 에워싼 가운데 국회에서 기립표결로 출석 166명 찬성 163명 기권 3명으로 통과됩니다.

변경된 내용을 보면, 국회의 구성은 국민의 보통, 평등, 직접, 비밀 선거에 의해서 선거된 양원제를 채택하여(제32조), 임기 4년의 '민의원'(民議院)과 임기 6년의 '참의원'(參議院: 2년마다 의원의 1/3씩 개선)을 둡니다. 민의원은 의장 1인 부의장 2인을 선거하며, 참의원은 부통령을 의장으로 부의장 2인을 선거합니다(제36조). '양원합동회의'의 의장은 참의원 의장이 맡습니다(제36조). 민의원 의장은 표결권이 있으며, 가부동수인 경우엔 양원의 의장 모두 결정권을 갖게 됩니다(제37조). 법률안, 예산안, 기타 의안은 민의원에 먼저 제출하여야 한다고 규정하여(제39조) '민의원 우월주의'의 경향이 인지됩니다. 참의원에 먼저 제출되어야 하는 건은 국무총리 및 대법원장 임명에 관한 의안으로 제한됩니다(제39조).

재선까지 가능한 임기 4년의 대통령과 부통령은 국민의 보통, 평등, 직접, 비밀 선거에 의해서 각각 선출됩니다(제53조, 제55조). 대통령과 부통령의 당선은 최고득표자로 정하되 최고득표자가 2인 이상인 경우에는 양원합동회의에서 다수결로서 당선자를 결정하게 됩니다(제53조). 앞서 제헌헌법에서 대통령의 모든 행위는 문서로 하며, 해당 문서에는 국무총리와 관련국무위원이 부서(副署)한다는 조항이 있었는데, 해당 조항은 1952년

100) 정당간, 정당내 역학구조와 당시 선거상황 등은 뒷 장의 '정당-선거' 부분을 참조하면 됩니다.

의 개헌에서도 그대로 유지됩니다(제66조). 따라서 국무원은 합의체이기도 하지만(제68조), 여전히 국무회의의 의장은 대통령이며, 대통령이 임명한 국무총리는 대통령을 보좌하여 국무회의의 부의장이 되기에(제70조 1항 및 2항) 대통령의 행정부 내에서의 정치적 실권의 주-종관계는 명확하다고 할 수 있습니다.

1952년 헌법에서 권력역학의 문제는 행정부 내부에 있다기보다, 행정부와 입법부간에 발생합니다. 행정부 내에서 대통령 일인의 지도체제를 명확히 하면서도 대통령이 임명한 국무총리와 국무위원들이 입법부인 민의원의 신임 및 불신임의결에 종속되는 가장 강력한 의원내각제적 조항(즉, 행정부가 입법부에 종속되는)을 삽입하였기 때문입니다(제70조 3항; 제70조의2). 불신임조항에도 불구하고 의원내각제로 보기 어려운 이유는 행정부 최고정책결정기관인 국무회의의 의장은 국민직선으로 선출된 대통령이며 국무총리가 아니기 때문입니다. 이러한 형식은 프랑스 제5공화국의 '이원집정부제'와 유사합니다. 대통령이 국무총리와 국무위원을 임명하는 경우 그들이 민의원의 신임이나 불신임의 대상이 되기에 대통령은 그들을 임명할 때부터 국회가 선호하는 인물을 고려해서 임명하게 될 가능성이 큽니다. 1952년 헌법의 경우, 국무총리는 대통령을 보좌한다고 명시했으므로 대통령이 야당의 정치지도자를 국무총리로 임명할 때, 야당 정치지도자가 대통령을 보좌하여 국무총리직을 맡을 가능성은 크지 않습니다.

민의원은 국무원에 대한 신임 및 불신임을 재적의원 과반수의 찬성으로 의결할 수 있습니다(제70조의2). 국무원에 대한 신임의결은 민의원의 원총선직후 최초에 집회된 민의원에서 하게 되는데 국무원이 신임결의를 얻지 못한 때에는 국무원은 총사직하여야 합니다(제70조의2). 민의원에서 국무원의 권한에 관한 일반국무에 관하여 불신임결의를 하게 되면 국무총리와 국무위원은 연대책임을 지고 총사직을 하여야 합니다(제70조 3항;

제70조의2). 국무총리와 국무위원은 연대책임과 더불어 각자의 행위에 관하여는 개별책임을 진다고 규정하고 있습니다(제70조 3항). 국무원에 대한 불신임결의는 신임결의로부터 1년 이내에는 할 수 없도록 하여 불신임안이 현실적으로 남발될 가능성을 낮추고 있습니다. 단, 재적의원 2/3이상에 의한 찬성으로 인한 불신임결의는 언제든지 가능하도록 하였습니다(제70조의2).

그 밖에 중요 조항들을 보면 정부의 법률안 제출권(39조), 국무총리 및 국무위원의 국회출석발언권(44조), 탄핵재판소의 존재(제47조), 헌법위원회의 존재(제81조)는 1952년 헌법에서도 그대로 유지됩니다.

1952년 헌법의 개정 사유는 이승만 대통령의 대통령직 유지를 위한 것이었습니다. 헌법개정 사유가 개인적 사유로 귀착될 때 불행은 시작됩니다. 이제 헌법을 개정한 지 2년이 조금 지난 시점에 동일한 사유로 다시 헌법개정이 발생합니다.

2차 개헌(1954. 11. 19)

1954년 헌법의 권력구조적 특성을 한 마디로 정리하면 '국무총리'라는 직위가 폐지된 것입니다. 국무원은 대통령과 국무위원들로 구성됩니다(제68조). 대통령은 국무위원들을 임명하며 국무회의의 의장이 됩니다(제69조, 제70조). 국무위원들에 대한 민의원의 불신임의결권은 계속 유지됩니다(제70조의2). 단, 1952년 헌법과 다른 점은 국무위원 개인의 책임에 대하여만 불신임이 가능하며, 국무원의 연대책임제는 폐지됩니다(제70조의2). 참의원의 임기는 6년으로 동일하지만 2년마다 1/3씩 개선하던 것을 3년마다 1/2씩 개선하는 것으로 변경됩니다(제33조). 참의원의 경우 주요 고위 공무원들(대법관, 검찰총장, 심계원장, 대사, 공사 등)에 대한 인준권이 부여됩니다(제42조의2).

이승만 정권은 정부출범 초기에 '여순반란사건'과 '국민방위군사건' 등으로 군대의 기강이 무너지면서 국민들로부터 비난을 받게 되는데, 차후 군대의 기강을 위해서 '제5장 법원' 부분에 군사재판을 통할하기 위해서 '군법회의'를 둔다는 규정을 신설하여 군법회의의 헌법적 근거를 명시합니다(제83조의2). 대통령과 국회의 헌법개정권도 '국민헌법개정제의권'을 신설하여 확대합니다. 민의원 선거권자 50만명 이상의 찬성으로 국민들은 헌법개정을 제안할 수 있습니다(제98조).

그 밖에 1952년 헌법의 내용들은 그대로 유지되는데, 헌법 개정사유와 관련하여 가장 큰 변화는 1954년 헌법 '부칙'의 마지막 조항으로 "이 헌법공포 당시의 대통령에 대하여는 제55조 제1항 단서의 제한을 적용하지 아니한다"라는 규정입니다. 대통령 중임제를 폐지하고 대통령 연임제로 한다는 것입니다. 이승만 대통령과 그 주변 세력들의 임기 중 개헌의 근본 의도는 집권 연장이었습니다. 2차 개헌과정은 소위 '4사5입개헌'이라고 지칭되는데 말 그대로 절차적 정당성이 상실된 것이었습니다. 인생세간이 일러준 교훈에 '사필귀정'(事必歸正)이란 경귀가 있습니다. 비록 짧은 호흡 속에서 사태가 굴곡지더라도 긴 호흡 속에서 그 사태는 반드시 올바른 곳으로 돌

「三分之二」의 不等式

사사오입 개헌에 대해 다룬 당시의 신문 사설.

아가게 됩니다. 1958년 민의원 선거 결과 한국 의정사상 처음으로 군소정당이나 무소속으로 표가 분산되지 않고 제1야당 민주당에 힘이 집결되면서(79/233) 소위 '양당체계'가 형성됩니다. 강력한 제1야당의 득세는 공명정대한 경쟁에서 자신감을 결여했던 여당인 자유당의 1960년 '3·15부정선거'로 이어지고, 이를 심판한 '4·19혁명'으로 이승만 정권은 종말을 맞게 됩니다. 선거에 무리수를 두면서 흥했지만 역시 무리수를 둔 선거로 몰락한 것입니다.

3차 개헌(1960. 6. 15)

1960년 4·19혁명이 발생하고 4월 26일에 이승만 대통령은 하야성명을 발표합니다.[101] 국회는 당일에 이승만 대통령의 사임권고 결의안을 만장일치로 채택하였습니다. 4월 27일에 이승만 대통령이 국회에 대통령 사임서를 제출하자, 국회는 이승만 대통령의 하야와 함께 외무장관이었던 허

4·19 혁명 (1960)

김주열 (1944–1960)

---

101) 이승만 대통령 하야성명의 내용은 다음과 같습니다. "① 국민이 원한다면 대통령직을 사임합니다. ② 3·15선거에 부정이 있다고 하니 선거를 다시 하도록 지시하였습니다. ③ 국민이 원한다면 의원내각제로 개헌할 것입니다. ④ 선거에서 불만스러운 점을 없애기 위해 이기붕 의장을 모든 공직에서 완전히 물러나도록 조치하였습니다."

4 · 19 혁명 시위대에 대한 발포로 학생들이 희생되자 이승만(앞줄 왼쪽) 대통령이 하야성명을 발표한 후 경무대를 떠나고 있습니다.

정을 대통령권한대행으로 지명합니다. 4월 28일에 허정 과도내각이 출범하였습니다. 허정 내각은 5월 1일에 '3 · 15선거'의 무효를 선언합니다. 헌법개정안이 6월 11일 국회에 제출되고, 6월 15일 본회의 표결로 가결되면서 의원내각제, 국민 기본권 보완 및 강화, 양원제, 복수 정당제 보장 등을 골자로 하는 개헌이 완성됩니다. '1960년 6월 헌법'의 제정으로 '제2공화국'이 시작됩니다.

1960년 6월 헌법제정의 결과 탄생된 제2공화국의 권력구조는 '의원내각제'로 변경됩니다. 제1공화국의 폐해가 결국 '대통령제' 일인 중심체제에서 비롯되었다는 분위기 속에서 집단지도체제적인 성격의 '의원내각제'로 바뀌게 됩니다. 대통령이란 직위는 "국가의 원수이며 국가를 대표한다"라는 상징적 지위로 변모하고(제51조), 행정권은 국무총리와 국무위원으로 구성되는 국무원에 속하고, 국무원이 민의원에 대하여 연대책임을 진다고 규정하여(제68조) 행정부가 입법부의 신임 및 불신임에 종속되는 의원내각제적 형식을 분명히 하고 있습니다. 국무원은 국무총리 일인이 궐위(闕位)된 경우 국무위원들이 총사직하여야 합니다(제71조). 의원내각제의 전형적인 특성을 보여주고 있습니다.

허정
(1896-1988)

국무총리는 양원합동회의에서 선출된 대통령이 지명하되 민의원의 동의를 받아야 합니다(제69조). 대통령의 국무총리 지명권은 민의원에서

1960년의 정부형태는 의회 중심의 의원내각제였습니다. 사진 왼쪽부터 곽상훈 민의원 의장, 백낙준 참의원 의장, 윤보선 대통령, 장면 총리.

다수 의석을 차지한 제1정당의 지도자를 지명하여야만 민의원이 동의할 것이므로 국무총리 임명절차상 형식적 권한에 불과합니다. 국무위원은 국무총리가 임명하되 대통령이 확인하여야 합니다(제69조). 국무총리는 국무회의의 의장으로서 국무원령을 발할 수 있습니다(제70조).

대통령의 주요 권한을 보면, 그 주요 권한이 단독으로 행사하는 권리가 아니며, 국무총리나 입법부에 연관되어 행사되는 권리입니다. 예를 들면, 내우, 외환, 천재, 지변 또는 중대한 재정, 경제상의 위기에 처했을 때 공공의 안녕질서를 유지하기 위하여 긴급한 조치를 할 필요가 있을 때에도 대통령은 국무회의의 의결에 의하여 재정상 필요한 처분을 할 수 있으며, 국무총리는 필요한 처분을 집행하기 위하여 필요한 때에는 '국무총리령'을 발할 수 있습니다(제57조). 그리고, 이러한 처분은 즉시 국회에 보고하여 그 승인을 얻어야 한다고 규정하고 있습니다(제58조). 대통령은 국무회의의 의결에 의하여 조약비준권, 선전포고 · 강화권을 행사합니다(제59조). 대통령은 국무회의의 의결에 의하여 사면, 감형, 복권을 명합니다(제63조). 대통령은 국무회의의 의결에 의하여 계엄을 선포합니다(제64조).[102]

대통령은 국무회의의 의결에 의하여, 훈장 기타 영예를 수여합니다(제65조). 공무원의 임면(任免)에 관한 권리의 경우에도, 국무회의가 이에 대해서 의결하며(제72조 11항), 대통령은 공무원의 임면을 확인하는 권리로 제한됩니다(제62조). 종합적으로 대통령은 국무총리가 의장인 국무회의의 의결에 종속되는 형식적 권한을 갖고 있다고 해석할 수 있습니다. 대통령이 종속되는 국무회의 의결은 국무회의의 의장인 국무총리가 주도합니다. 국무총리가 국정의 기본적 계획과 정책들에 관한 의결을 주도하는 행정부의 수반입니다(제72조 1항–15항). 2공화국에서 총리는 장면, 대통령은 윤보선이었습니다.

제2공화국의 헌법은 '3 · 15부정선거'로 초래된 제1공화국의 파국을 교훈 삼았기에 몇 가지 특징이 감지됩니다. 첫째, 공무원의 정치적 중립성을 규정합니다. 제1공화국에서 공무원들은 관권선거에 동원되었습니다. 제2공화국 헌법은 "공무원은 주권을 가진 국민의 수임자이며 언제든지 국민에 대하여 책임을 진다. 국민은 불법행위를 한 공무원의 면직을 청원할 권리가 있다. 공무원의 정치적 중립성과 신분은 법률이 정하는 바에 의하여 보장된다"(제27조)라고 하여 공무원이 불법, 관권선거에 동원되는 것을 막고 있습니다. 공명하고 효율적인 선거 관리를 위하여 '중앙선거위원회'를 헌법기관화 하였습니다(제6장, 제75조의2). 중앙선거위원회는 모두 9인(대법관 중 호선한 3인, 정당에서 추천한 6인)으로 구성되며, 위원장은 대법관인 위원중에서 호선합니다.

둘째, 국민의 정치활동 자유의 측면에서 '정당조항'이 신설되었다는 것입니다. "정당은 법률이 정하는 바에 의하여 국가의 보호를 받는다"(제13조)고 규정하고 있습니다.[103] 이는 정당에 관한 법률로서 구체화되어야만

102) 국무회의의 계엄선포 의결사항에 관해서 대통령이 부당하다고 인정될 때에는 그 선포를 거부할 수 있어, 대통령의 거부권을 인정하고 있습니다(제64조).

하는데, “정치운동에관한법률”(1960. 10. 13)이 제정되면서 허가제가 등록제로 변경되어 특히 진보계열의 정당활성화에 기여합니다.

셋째, ‘제2장 국민의 권리의무’조항에서 국민 기본권을 강화하고 있습니다. 제1공화국 헌법에서는 주거이전의 자유나 통신의 자유의 경우엔 “법률에 의하지 아니하고는” 이라는 유보조항이 있었지만, 이러한 유보조항을 모두 삭제하였습니다(제10조, 제11조). 별도의 조항에서 “국민의 모든 자유와 권리는 헌법에 열거되지 아니한 이유로써 경시되지는 아니한다”(제28조)라고 규정하여 국민의 자유와 권리에 대한 보장을 강화하고 있습니다.[104]

제1공화국의 대통령제 하에서는 위헌심사를 위해서 법원과 별도의 기관으로 ‘헌법위원회’가 존재했는데, 제2공화국 하에서는 ‘헌법재판소’가 관장하는 사항들을 구체적으로 나열하고 있습니다. 그 사항들을 보면 법률의 위헌여부심사, 헌법에 관한 최종적 해석, 국가기관간의 권한쟁의, 정당의 해산, 탄핵재판, 대통령, 대법원장과 대법관의 선거에 관한 소송입니다(제83조의3). 임기 6년의 헌법재판소의 재판관은 9인(대통령 3인, 대법원 3인, 참의원 3인)을 선임하고, 2년마다 1/3씩 개임합니다(제83조의4).

제2공화국은 1960년 6월에 시작되어 1961년 5월에 막을 내려 불과 1년 남짓 존재했던 공화국입니다. 제2공화국 시절에도 개헌이 한 차례 있었습니다(제4차 개헌). 당시 사회에는 3·15부정선거 책임자 및 부정축재자

---

103) 단서조항이 있습니다. 동 제13조에 “단, 정당의 목적이나 활동이 헌법의 민주적 기본질서에 위배될 때에는 정부가 대통령의 승인을 얻어 소추하고 헌법재판소가 판결로써 그 정당의 해산을 명한다”고 규정하고 있습니다.

104) 단서조항이 있습니다. 동 제28조에 “국민의 모든 자유와 권리는 질서유지와 공공복리를 위하여 필요한 경우에 한하여 법률로써 제한할 수 있다. 단, 그 제한은 자유와 권리의 본질적인 내용을 훼손하여서는 아니되며 언론, 출판에 대한 허가나 검열과 집회, 결사에 대한 허가를 규정할 수 없다”고 명시하고 있습니다. 공공질서와 공공복리를 위해선 제한할 수도 있지만, 본질적인 내용을 훼손할 수 없다고 하여 개인의 권리와 자유에 대한 기본권을 유지하고 있습니다.

의 소급처벌을 원하는 시위가 빈번하였으며, 민의원은 소급입법제정의 근거를 위한 헌법부칙 개정안을 국회에 제출하여 제4차 개헌안이 통과됩니다(1960. 11. 29).[105]

5차 개헌(1962. 12. 26)

박정희 장군은 1961년 5·16군사혁명을 통해서 전국에 비상계엄을 선포하고 6개항의 혁명공약을 발표합니다.[106] 3주 후인 6월 6일에 '국가재건비상조치법'(1961. 6. 6)을 공포합니다. '제2공화국 헌법'은 해당 비상조치법이 저촉되지 않는 범위 내에서만 그 효력을 갖는다(비상조치법 제24조)고 규정하여 국가재건비상조치법이 헌법의 역할을 하게 됩니다. 국가재건비상조치법은 새로운 총선거가 실시되어 국회를 구성할 때까지 3권을 통합한 최고통치기구임을 명시합니

5·16 군사혁명

105) 개헌된 '부칙'(단기 4293년 11월 29일 헌법개정: 제5호, 1960. 11. 29)을 보면, 3개의 항목으로 대별되어 구성됩니다. "…단기 4293년 3월 15일에 실시된 대통령, 부통령선거에 관련하여 부정행위를 한 자와 그 부정행위에 항의하는 국민에 대하여 살상 기타의 부정행위를 한 자를 처벌 또는 단기 4293년 4월 26일 이전에 특정지위에 있음을 이용하여 현저한 반민주행위를 한 자의 공민권을 제한하기 위한 특별법을 제정할 수 있으며, 단기 4293년 4월 26일 이전에 지위 또는 권력을 이용하여 부정한 방법으로 재산을 축적한 자에 대한 행정상 또는 형사상의 처리를 하기 위하여 특별법을 제정할 수 있다."

106) 혁명공약 6개조의 내용을 간추려보면, ① 반공체제를 재정비, 강화한다. ② UN헌장 준수와, 미국을 위시한 자유우방과의 유대를 공고히 한다. ③ 부패와 구악을 일소하고 국민도의와 민족정기 회복을 위한 기풍을 진작시킨다. ④ 민생고를 시급히 해결하고 국가자주경제재건에 총력을 기울인다. ⑤ 국토통일을 위해서 공산주의와 대결할 수 있는 실력을 배양한다. ⑥ 이상의 과업이 성취되면 참신하고 양심적인 정치인들에게 정권을 이양하고 군대에 복귀한다.

다(비상조치법 제2조). 비상조치법의 공포로 내각의 총사퇴, 국회의 해산, 대법관의 해임이 이루어진 것입니다. 이어 1961년 6월 9일에는 '국가재건최고회의법'을 제정하여 분과위원회와 상임위원회 및 산하단체를 구성하여 국정을 관할하게 됩니다.107) 1961년 7월 3일에 국가재건최고회의의 형식적 의장이었던 장도영이 물러나고 박정희가 의장을 맡게 되어 혁명의 형식과 실제가 일치하게 됩니다.

박정희 국가재건 최고회의 의장

1961년 8월 12일에는 '정권이양시기에 관한 성명서'가 발표되는데 1963년 3월에 새로운 헌법을 공포하고, 1963년 5월에 총선거를 실시한다고 발표합니다. 이를 위해서 1963년 초에 정치활동 재개를 허용하게 될 것이라고 말합니다. 정부형태에 대한 개략적인 내용도 성명서에 있는데, 그 내용을 보면, 대통령책임제, 100명-120명 정도의 단원제 국회, 국가공영선거제, 부정부패 정치인의 정계진출 금지 등을 포함하고 있습니다.

1962년 7월 11일에는 새로운 헌법을 만들기 위해서 국가재건최고회의 산하에 특별위원회의 형태로 '헌법심의위원회'가 구성됩니다. 새로운 헌법이 제정되어도 이를 통과시키기 위한 국회가 해산된 상황이었기에, 국가재건비상조치법하에 국민투표법을 제정하여 공포하게 됩니다(1962. 10. 12). 1962년 12월 17일에는 새로운 헌법을 국민투표에 회부하였는데 통과됩니다.108) 이에 따라서 혁명 1년 반 만인 1963년 1월 1일을 기해서 구 정치

107) 법제사법위원회 이석제, 외무국방위원회 유양수, 내무위원회 오치성, 재무경제위원회 이주일, 교통체신위원회 김윤근, 문교사회위원회 송찬호 입니다. 이들 7개분과 위원장들이 모여서 상임위원회를 구성합니다. 국가재건최고회의 산하에는 중앙정보부, 국가재건기획위원회, 재건국민운동본부, 공보실, 수도방위사령부, 혁명재판소, 혁명검찰부를 둡니다.

인들의 정치활동이 재개됩니다. 그런데, 정치활동이 재개된 후 100일이 지난 시점에 갑자기 박정희 의장은 '3 · 16성명'을 발표하여 4년의 군정연장을 선언합니다. 국내외의 반발은 컸습니다. 미국은 잉여농산물 원조를 중단하겠다는 압력을 행사했으며, 재야 중진들은 '3 · 16성명'을 철회한다면 부패정치인 자진사퇴를 유도하겠다며 항거하였습니다. 박정희 의장은 '4 · 8조치'와 '7 · 27성명'을 통해서 민정이양을 다시 진행합니다. 결국 1962년 헌법은 공포된지 거의 1년 후에 열린 제5대 대통령선거(1963. 10. 15)와 제6대 국회의원선거(1963. 11. 26)이후에 실질적으로 기능하게 됩니다.

1962년 헌법은 대통령제를 채택하였습니다. 1차 중임이 가능한 임기 4년의 대통령은 행정권의 수반이며 외국에 대하여 국가를 대표합니다(제69조 1항, 제69조 3항, 제63조 1항, 제63조 2항). 대통령이 의장인 '국무회의'는 대통령, 국무총리, 10인 이상 20인 이하의 국무위원들로 구성됩니다(제83조 2항). 1962년 헌법이전에 존재했던 국무원은 의결기구였습니다. 대조적으로 1962년 헌법에서 국무회의는 의결기구가 아니라 단순히 '심의기구'입니다.[109] 제3공화국에선 "국무회의는 정부의 권한에 속하는 중요한 정책을 심의한다"(제83조 1항)고 하여 국무회의가 의결기구가 아닌 심의기구로 제한됨을 명시하고 있습니다. 이것은 과거 한국의 대통령제가 국무회의를 의결기구로 하더라도 실질적으로 대통령 일인의 입김이 지배하던 것을 형식적으로도 뒷받침하여 형식과 실제가 일치하는 소위 '신대통령제'(新大統領制, new presidentialism)를 대변하는 조항으로 해석됩니

108) 총유권자 12,412,798표; 투표자 10,585,998표(85.3%); 찬성 8,339,333표(78.8%); 반대 2,008,801표(19.0%); 무효 237,864표(2.2%)로 통과됩니다.

109) '국무원'이란 명칭이 1962년 헌법이후에는 없어지고, 단순히 '국무회의'란 명칭만 남아서 기관명칭도 되고 회의명칭도 됩니다(제2절 '정부'의 제2관 '국무회의'). 1962년 헌법이전에는 국무원이란 기관에서 하는 회의가 국무회의로 기관명칭과 회의명칭이 구분되었습니다.

다.[110)]

대통령은 심의기구인 국무회의와 함께 자문기구로 '국가안전보장회의'와 '경제 · 과학심의회의'를 둡니다. 대통령은 국가안전보장에 관련되는 대외정책, 군사정책과 국내정책의 수립에 간하여 국무회의의 심의에 앞서 대통령의 자문에 응하기 위하여 대통령이 주재하는 국가안전보장회의를 둡니다(제87조 1항, 제87조 2항). 대통령은 국민경제의 발전과 이를 위한 과학진흥에 관련되는 중요한 정책수립에 관하여 국무회의의 심의에 앞서 대통령의 자문에 응하기 위하여 대통령이 주재하는 경제 · 과학심의회의를 둡니다(제118조 1항, 제118조 2항). 대통령이 정책수립 과정에서 주요 정책 안건들을 국무회의에서 다루기 전에 국가안전보장회의와 경제 · 과학심의회의를 자문회의로 활용하는 셈이어서 결국 대통령 일인의 정책결정권 아래 세 개의 정책 심의 · 자문기구가 존재하는 것입니다.

대통령은 내우 · 외환 · 천재 · 지변 또는 중대한 재정 · 경제상의 위기시에 공공의 안녕질서를 유지하기 위하여 대통령령을 발할 수 있는 '긴급조치권'이 있습니다(제73조). 대통령은 전시 · 사변 또는 이에 준하는 국가비상사태에 있어서 병력으로써 군사상의 필요 또는 공공의 안녕질서를 유지할 필요가 있을 때에 '계엄선포권'을 갖고 있습니다(제75조 1항).

'신대통령제'하의 대통령은 국회의 주요 권한인 입법권, 예산편성권, 행정부 감사권 등에 대해서 모두 강력한 대응책을 갖고 있습니다. 행정부와 국회 모두 법률안을 발의할 수 있습니다(제48조). 국회에서 의결된 법률안은 정부에 이송되어 대통령이 공포합니다(제48조 1항). 이 때, 대통령은

---

110) 칼 뢰벤슈타인(Karl Löwenstein)은 입법부에 대해서 상대적으로 강력한 권한을 지닌 행정부의 수반을 '신대통령제'(neo-präsidentialismus)라는 용어로 표현합니다. 신대통령제란 행정부의 수반인 대통령의 권한 강화와 상대적으로 입법부인 국회의 권한 약화를 특색으로 합니다. 1950년대 이후 라틴 아메리카, 아프리카, 아시아 등 개발도상국의 대통령제를 지칭합니다.

'법률안재의권'을 갖고 있어 입법부 견제의 수단을 지니고 있습니다(제49조 2항).[111] 법률안을 의결하는 국회의 활동시기인 회기일을 명시(제43조 3항)한 것도 입법부에는 부담이 됩니다. 정기회의 회기는 120일을 임시회의 회기는 30일을 초과할 수 없습니다(제43조 3항). 국회는 국정을 감사한다고 규정하고 있습니다(제57조). 하지만, 실질적인 국정감사는 별도의 행정기관인 '감사원' 두고 수행하는 것으로 동시에 규정되어 있습니다. 국정감사의 주요내용은 국민의 혈세로 편성된 예산의 집행 과정과 결과에 대한 것입니다. 대통령은 직속기관으로 '감사원'을 두어, 국가의 세입, 세출의 결산, 국가의 법률에 정한 단체의 회계 검사와 행정기관 및 공무원의 직무에 관한 감찰을 수행합니다(제92조). 입법부의 역할은 법을 만드는 것과 행정부를 견제 감독하는 것입니다. 특히 입법부가 편성해준 국가예산을 각 해당 행정기관들이 적절하게 지출하는 지에 대한 감사를 입법부가 한다기보다 감사원이 한다는 것입니다. 감사원이 대통령 직속기관이기에 결국 대통령이 행정부를 감사하는 것입니다. 대통령이 임명하는 임기 4년의

111) 대통령은 법률안의 일부에 대하여, 또는 법률안을 수정하여 재의를 요구할 수는 없습니다(제49조3항). 대통령의 법률안 재의 요구에 대해서 국회가 의원 과반수의 출석과 출석의원 2/3의 찬성으로 전과 같이 의결하면 법률안은 최종 결정됩니다(제49조4항). 미국 대통령제를 비교해 보면, 미국 대통령이 의회에서 통과된 법률을 공포하지 않고 '거부권'(veto power)을 행사하는 경우엔, 상, 하 양원의 재의과정에서 2/3의 찬성으로 대통령 거부권을 무효화할 수 있지만, 양원이 모두 단일정당으로 2/3가 되기 어려워서 대통령의 거부권을 무효화하는 재의 여부는 현실성이 낮습니다. 대통령은 거부권 행사를 사전에 천명할 수도 있어 정치적 선제권으로 기능할 수도 있습니다. 미국 헌법 1조7절을 보면, "Every Bill which shall have passed the House of Representatives and the Senate, shall, before it become a Law, be presented to the President of the United States; If he approve he shall sign it, but if not he shall return it, with his Objections to that House in which it shall have originated, who shall enter the Objections at large on their Journal, and proceed to reconsider it. If after such Reconsideration two thirds of that House shall agree to pass the Bill, it shall be sent, together with the Objections, to the other House, by which it shall likewise be reconsidered, and if approved by two thirds of that House, it shall become a Law."

감사원장과 5인 이상 11인 이하의 감사위원은 대통령의 뜻을 받들어서 일을 수행합니다(제93조 1항, 제93조 2항, 제93조 4항). 입법부의 역할은 행정부가 법을 집행하는 과정이나 결과가 입법 의도에 적합한지 아닌지를 감사하는 것입니다. 행정부의 권한이 입법부의 권한을 초월하는 것입니다. 복잡다기한 국가예산의 집행과정 및 결산을 감시 감독하고 평가하려면 다수의 전문인력을 지닌 기관이 필요합니다. 그러한 전문인력 기관인 감사원이 입법부 소속이냐 행정부 소속이냐에 따라서 행정부와 입법부의 역학관계에 큰 영향을 미치게 됩니다.

1962년 헌법을 행정부의 수반인 대통령이 임명한 총리와 내각이 입법부의 신임이나 불신임의 대상이 되는 조항이 없기에 이원집정부제적 성향은 존재하지 않습니다. "국회의원은 대통령, 국무총리, 국무의원, 지방의회의원 기타 법률이 정하는 공사의 직을 겸할 수 없다"(제39조)는 규정을 통하여 행정부와 입법부의 분리를 명확히 합니다. 대통령제의 역사적 원형인 미국대통령제를 비교해 보면, "상원의원 또는 하원의원은 재임 기간 중에 신설되거나 봉급이 인상된 어떠한 합중국 공직에도 임명될 수 없다. 합중국의 어떠한 공직에 있는 자라도 재직 중에 양원 중 어느 원의 의원도 될 수 없다"(제6조 2항)고 규정하여 행정부와 입법부의 분리를 명확히 하고 있습니다. 제3공화국 초반기에 국무위원의 국회의원 겸직금지를 통한 행정부-입법부 분리원칙은 제3공화국 말기인 1969년의 3선개헌 이후 겸직가능으로 수정됩니다.[112]

112) 1962년 헌법은 헌법상에 국회의원의 국무위원 겸직금지의 원칙을 규정합니다. 이후 3공화국에서 1969년 헌법개정을 통해 법률에 유보하는 형식을 취하며 겸직을 허용합니다. 해당 조항을 보면, "국회의원은 법률이 정하는 공사의 직을 겸할 수 없다"(1969년의 제6차 헌법개정 제39조)고 규정하며 국회법에 유보하는 형식을 통해서 겸직을 허용합니다. 결론적으로, 제3공화국의 출발시점에선 국회의원의 국무위원 겸직이 금지되나, 3선개헌(1969) 이후 3공화국의 말기엔 겸직이 다시 허용된 것입니다. 이후 제4공화국, 제5공화국, 제6공화국 헌법은 법률(국회법)에 유보하는 형식

국무회의의 국무위원은 국무총리의 제청으로 대통령이 임명합니다(제84조 1항). 국무총리를 대통령이 임명하기에 국무위원 임명에 국무총리의 제청은 정치적 실권과 상관없는 지극히 형식적인 절차에 불과할 것입니다. 국회는 국무총리와 국회의원의 해임을 대통령에게 건의할 수 있으나(제59조), 말 그대로 '건의권'이지 '해임권'이 아니어서 공허한 권한입니다. 국회에서 해임을 건의해도 대통령이 해임하지 않으면 그만인 것입니다. 국무총리의 국무위원 해임건의권도 마찬가지입니다.

대통령의 경우엔 국회에 출석하여 발언할 수 있는 권한과 함께, 이를 서한(書翰)으로 대신 할 수 있는 권한도 있으니 권력의 상하관계를 보여주는 형식으로 작용할 수도 있습니다(제79조). 대통령이 직접 출석하는 대신에 서한을 보내서 국무총리로 하여금 발언하고 싶은 내용을 대독하는 상황에서 행정부와 입법부간의 권력관계가 드러납니다. 대통령의 국회출석 발언권 및 서한으로 대신할 수 있는 권한과 함께, 국무총리나 국무위원 또는 정부위원들은 국회나 그 위원회에 출석하여 국정처리상황을 보고하거나 의견을 진술하고 질문에 응답할 수 있으며, 국회나 위원회 또는 국회의원 30인 이상의 요구가 있을 때에는 출석·답변하여야 합니다(제58조). 이렇게 본다면, 행정부는 국회에 자발적으로 출석하여 발언할 수도 있고, 국회의 요구가 있는 경우에 출석하여 발언할 수도 있습니다. 전자의 경우엔, 대통령의 국회출석발언권 및 서한제출권 하에서 국무총리 이하 정부관리들의 국정처리 상황보고와 함께 의견진술은 오히려 행정부의 이니셔티브(선제권)로 작용할 수도 있습니다. 후자의 경우에도, 국회의원들의 요구에 의해서 출석하는 경우에도 여당 국회의원이 다수의석인 경우엔 행정부는 입법부에 대한 '국회출석 보고 및 답변에 관한 의무'를 부담스러운 의

을 통해서 국회의원의 국무위원 겸직을 허용하여 왔습니다.

무로 생각할 이유가 없을 것입니다.

1962년 헌법이 이전 헌법과 차별성을 지닌 부분들 중에서 가장 눈에 띄는 것은 정당관련 조항들입니다. 정치를 주요 정당중심으로 재편성하는 것인데, 이것은 1948년 이후 당시까지 무소속 의원들과 군소정당의 난립을 막기 위한 것입니다. 정당성립의 자유와 복수정당제 보장(제7조 1항), 대통령 국회의원선거 입후보시 정당추천제(36조 3항, 64조3항), 당적이탈 변경시 자격상실(38조)을 동시에 규정하여 지나친 군소정당은 대통령선거와 국회의원선거를 치루면서 자연스럽게 정리되고 정당에 소속된 경우에만 국회의원직을 유지하도록 하였습니다.[113]

1962년 헌법은 과거 위헌판결을 '헌법위원회'나 '헌법재판소'와 같이 법원과는 별도의 기관을 두던 것과는 달리 법원 내에서 최고법원인 대법원이 담당하도록 하였습니다(제96조, 제102조 2항). 헌법개정은 국회가 의결한지 60일 이내에 국민투표에 붙여 국회의원선거권자 과반수의 투표와 과반수의 찬성으로 의결하도록 하여 국민들이 최종 결정하도록 하였습니다(제121조 1항).

1962년 헌법은 당시 일종의 환경보호사업을 명시합니다. "국가는 농지와 산지의 효율적 이용을 위하여 법률이 정하는 바에 의하여 그에 관한 필요한 제한과 의무를 과할 수 있다"(제114조)고 했는데, 국토개발에 있어서 난개발을 막기 위한 '그린벨트'(green-belt) 조성사업은 그 예가 됩니다. 민둥산이 많았던 당시의 시대상황 속에서 수목보호사업의 성격도 동시에 지닌 그린벨트 사업을 헌법에 명시한 것은 과거 시점에선 획기적인 것이었습니다. 그린벨트 조성사업은 사유재산침해라는 논란이 있었지만 당시 개발지상주의 하에서 선구자적인 혜안을 지닌 사업으로 평가받고 있습

113) 의원직 자격상실 요건에 '합당' 또는 '제명'으로 소속이 달라진 경우는 해당되지 않습니다(제38조).

니다.

6차 개헌(1969. 10. 21)

1962년 헌법은 헌법개정을 궁극적으로 국민투표에 붙여 결정하는 방식을 채택하였습니다. 제3공화국 박정희 대통령 치하에 1969년 10월 21일 당시 헌법을 일부 개정하게 됩니다. 모두 4가지 내용입니다.

첫째, 제36조 2항의 국회의원 정수에 관한 조항입니다. 1962년 헌법에서는 국회의원의 수를 150인 이상 200인 이하로 한다고 하였는데, 1969년 헌법은 그 수를 150인 이상 250인 이하로 한다고 하여 증원하고 있습니다. 이것은 정치지망생들에게 국회의원이 될 수 있는 기회를 확장시켜 그만큼 사회 불만을 완충시키려는 의도로 해석할 수 있습니다.

둘째, 1962년 헌법에서의 국회의원 겸직금지 조항을 1969년 헌법에선 "국회의원은 법률이 정하는 공사의 직을 겸할 수 없다"(제39조)라고 개정하면서 법률(국회법)에 위임하는 형식으로 겸직을 허용하고 있습니다. 행정부-입법부의 분리원칙이 약화된 것입니다. 6차 개헌 직후에 개정된 국회법(1969. 11. 22)을 보면 국회의원은 국무총리 또는 국무위원의 겸직을 허용하고 있습니다.[114] 대통령제 하에서 국회의원의 국무위원 겸직을 허용하는 조항들은 행정부의 입법부에 대한 관계에 있어서 행정부 우위의 분위기를 형성합니다. 특히, 박정희 대통령의 3선 개헌 이후의 '협상선거법'(1970. 12. 22)에 의하면 국회의원인 국무총리 및 국무위원은 그 직에 있으면서도 입후보할 수 있도록 하여 행정부의 입법부에 대한 우월적 분위

114) 국회법 제30조(의원의 겸직제한): "의원은 국무총리 또는 국무위원의 직, 다른 법률로 허용된 직, 국회의 의결로 그 임기 중 행정 각 부처의 위원, 기타 이에 준하는 직을 겸임하는 경우를 제외하고는 지방의회 의원, 공무원, 공공기업체 기타 영리를 목적으로 하는 공사의 단체의 임·직원의 직을 겸할 수 없다."

기를 형성했습니다.

셋째, 제61조의 입법부의 공무원 탄핵조항 중에서 대통령 탄핵요건을 개정합니다. 1962년 헌법에 따르면 "대통령, 국무총리, 국무위원, 행정각부의 장, 법관, 중앙선거관리위원회위원, 감사위원 기타 법률에 정한 공무원"의 탄핵소추는 "국회의원 30인 이상의 발의가 있어야 하며, 그 의결은 재적의원 과반수의 찬성이 있어야" 했습니다(제61조 1항, 제61조 2항). 1969년 헌법에선 대통령의 탄핵요건을 여타 공무원들의 탄핵요건과 구분하여 "…다만, 대통령에 대한 탄핵소추는 국회의원 50인 이상의 발의와 재적의원 2/3이상의 찬성이 있어야 한다"고 개정합니다.

넷째, 개정 내용에서 가장 중요한 부분인데, 제69조 3항의 대통령 재임기간을 개정하여 "대통령의 계속 재임은 3기에 한한다"고 하여 '3선'이 가능하도록 합니다. 1969년의 개헌을 '3선개헌'이라고도 하는 이유이며, 해당 조항이 바로 1969년 개헌의 이유입니다. 이승만 정권이 장기집권으로 몰락하였듯이 박정희 정권도 이제 장기집권을 위한 첫발을 내디디게 된 것입니다.

3선개헌으로 제7대 대통령선거(1971. 4. 27)에서 박정희 후보와 김대중 후보가 맞붙었으며, 두 후보간 정책대결 양상을 보이기도 했지만, 부정선거 시비 속에 표의 동서현상 및 지역몰표현상(영남에서 72:28로 박정희 후보 승리; 호남에서 65:35로 김대중 후보 승리)이 나타나며 박정희 후보가 다시 대통령에 당선되어 3번째 임기를 시작하게 됩니다. 곧이어 열린 제8대 총선(1971. 5. 25)에 제1야당이 약진하게 됩니다(총 204석 중에서 공화당이 지역구 86석/전국구 27석, 제1야당인 신민당이 지역구 65석/전국구 24석). 총선이 끝나고 난 후 사법파동, 실미도사건, 장관해임건의안, 공화당내 항명파동, 대학가의 교련교육 반대 및 부정척결 데모 속에 박정희 정권은 서울에 위수령을 발동하게 되고(1971. 10. 15), 국가비상사태를 선포(1971. 12. 6)하게 됩니다. 국가비상사태 선포로 6개항의 특별조치를 발표하는데 그 내용은 국가안보와 사회 안정을 위해선 국민의 자유도 일부 유보할 수 있다는 것입니다.

7차 개헌(1972. 12. 27)

박정희 정권은 '3선개헌'으로 만족하지 않았습니다. 박정희 정권은 '3선개헌'이후 3년만에 유신헌법(維新憲法)을 제정하여 '제4공화국'을 출범시킵니다. 유신헌법은 비상국무회의를 거쳐서 1972년 12월 27일에 국민투표로 결정되었습니다.[115] 이승만 정권은 대통령 직선제로의 개헌에 만족하지 않고, 초대 대통령에 한하여 연임제의 개헌을 통과시키는 무리수를 두며 파국으로 치달은 바 있습니다.

박정희 정권의 제4공화국은 1972년 '유신헌법' 및 '유신체제'라는 용어로 대변됩니다. 3공화국 헌법이 '신대통령제'라면, 유신헌법은 그 내용을 보면 단순히 대통령제라고 하기보다는 '초(超)대통령제'(hyper-presidentialism)로 비교될 수 있을 것입니다. 대통령의 임기는 6년으로 연임이 가능하며, 대통령은 자신이 의장인 '통일주체국민회의'란 기관에서 토론 없이 무기명투표를 시행하여 재적대의원 과반수의 찬성으로 선출됩니다(제38조, 제39조). 대통령이 연임가능하며 대통령 자신이 의장인 곳에서 대통령을 선출하니 임기가 무한정인 '총통제'라고 할 수도 있습니다.[116]

115) 총유권자수는 15,676,395명에 투표자수는 1,441,714명으로 찬성(13,186,559), 반대(1,106,143명), 무효(118,012명), 기권(1,265,681명)이었습니다. 정리하면 91.9%의 투표율에 찬성율 91.5%였습니다.

116) 총통제의 특징은 두 가지로 정리됩니다. 가장 큰 특징은 당시 지도자가 영구집권의 제도와 분위기 속에 있다는 것입니다. 정권교체가 일어날 가능성이 거의 없이 특정 지도자의 장기집권이 기정사실화될 때, 그 지도자의 지위를 총통이라고 지칭할 수 있습니다. 두 번째 특징은 지도자가 정당, 입법, 행정, 군사의 전권을 장악하여 강력한 지도력을 갖게 되는 것입니다. 독일의 히틀러 총통(Führer)은 그 대표적 예입니다. 대만의 장개석 대통령도 장개석 총통(Generalissimo)이란 명칭이 더 자주 사

유신체제하에서 야당은 대통령 후보를 내지 않을 가능성이 높습니다. 대통령 후보를 낸다는 것 자체가 유신체제를 인정하는 것이 되기 때문입니다. 유신헌법에서 대통령 선출은 1인출마제도로 기능하기에 대통령의 장기집권이 보장됩니다.

유신헌법의 가장 큰 특색은 '통일주체국민회의'란 별도의 대통령 선출기관을 둔 것입니다. 통일주체국민회의는 국민의 직접선거에 의하여 선출된 대의원으로 구성하며, 대의원의 수는 2,000인 이상 5,000인 이하의 범위 안에서 법률로 정한다고 규정하고 있습니다(제36조 1항, 제36조 2항). 통일주체국민회의 대의원은 임기가 6년이며, 정당에 가입할 수 없고, 국회의원과 법률이 정하는 공직을 겸할 수 없습니다(제37조 3항, 제37조 4항). 대의원의 수가 많았던 만큼 이런 인원수가 모일 수 있는 장소는 1970년대 당시 '장충체육관'이었습니다. 그래서 세간의 사람들은 유신체제하에서 대통령 선출을 "통일주체국민회의에서 선출한다"라고 표현하지 않고, "장

장충체육관 선거 (1980.8.27)

용됩니다.

충체육관에서 선출한다"(소위, 장충체육관 선거)라고 냉소적으로 표현하기도 했습니다. 통일주체국민회의는 단순히 대통령을 선출하는 기관이 아닙니다. 해당 기관의 주요 권한을 정리해 보면 다음과 같습니다.

① 유정회 국회의원 선출: 대통령은 국회의원 총수의 1/3에 해당하는 국회의원의 명단을 자신이 작성하여 자신이 의장인 통일주체국민회의에 일괄 추천한 후 후보자 전체에 대한 찬반투표만으로 국회의원을 선출합니다(제40조).[117] 대통령이 추천하여 통일주체국민회의에서 선출된 국회의원을 '유정회'['유신정우회'(維新政友會)의 준말] 의원이라고 합니다.

② 국회발의 헌법개정안에 대한 의결 확정: 대통령이 의장인 통일주체국민회의는 국회가 발의하고 의결한 헌법개정안을 최종적으로 의결 확정합니다. 그러니까, 헌법개정안을 확정하는데 이중적 경로가 존재하는 것입니다. 대통령이 제안한 헌법개정안은 국민투표로 확정되고, 국회의원이 제안한 헌법개정안은 국회의 의결을 거쳐 통일주체국민회의에서 의결로 확정됩니다(제124조 2항). 그러니까, 대통령이 유신헌법을 유지하려고 생각하면 국민투표에 물어볼 필요가 없고, 국회의원이 새로운 민주헌법을 제시하면 대통령이 의장인 통일주체국민회의에서 통과시키지 않을 것입니다.

③ 대통령의 심의기관: 대통령은 통일에 관한 중요정책을 결정하거나 변경함에 있어서, 국론통일을 위하여 필요하다고 인정할 때에는 통일주체국민회의의 심의에 붙일 수 있습니다(제38조 1항). 통일주체국민회의에서 재적대의원 과반수의 찬성을 얻은 통일정책은 국민의 총의로 봅니다(제38조 2항).

대통령은 국가의 원수이며, 외국에 대하여 국가를 대표하고 행정권의 수반입니다(제43조). 대통령은 국무회의의 의장이며, 국무총리는 부의장이

117) 국회의원의 임기는 6년이며, 단, 통일주체국민회의가 선거한 국회의원의 임기는 3년입니다(제77조).

됩니다(제65조 3항). 국무총리는 국회의 동의를 얻어 대통령이 임명합니다(제63조 1항). 국회는 국무총리 및 국무위원의 해임을 개별적으로 의결할 수 있으며, 특히 국무총리의 해임이 의결되면 대통령은 국무총리와 국무위원 전원을 해임하여야 합니다(제97조 3항). 대통령은 국회의원 총수의 1/3에 해당하는 자신의 친위대 격인 '유정회'의원을 갖고 있기에 동시에 선거는 '1구2인제'였기에 여당의 후보는 동반당선되는 구조하에서 국회의 동의나 국무총리 해임의결이란 '쇼윈도우'(show window)적인 조항에 불과할 것입니다. 심의기관인 국무회의와 함께 두었던 자문기관인 '국가안전보장회의' 역시 대통령이 주재(主宰)합니다(제67조 2항). 경제자문기구는 1962년 헌법과 1969년 헌법에선 '경제·과학심의회의'라는 기구를 두었지만, 1972년 헌법은 경제자문기구의 명칭을 규정하지 않고 "대통령은 경제·과학기술의 창달·발전을 위하여 필요한 자문기구를 둘 수 있다"는 정도로만 규정하고 있습니다(제123조 2항). 박정희 체제에서 1972년 헌법은 그 이전의 헌법보다 '국가안전보장회의'의 기능이 더 강화된 분위기에 있으며 해당 회의는 사실상 긴급조치명령권, 계엄선포권 등을 의결하는 기구입니다.

대통령의 입법부에 대한 가장 강력한 권한은 역시 '국회해산권'입니다(제63조 1항). 국회해산권은 의원내각제에서 존재하며, 입법부의 대행정부 불신임권에 맞선 행정부의 대칭적 차원의 권한인 것입니다. 이념적 형태의 대통령제하에선 국회해산권이란 존재할 수 없으며, 존재한다면 이는 운영원리상 가장 강력한 독재 조항입니다. 대통령의 국회해산권에는 어떠한 조건이 달려있지 않아 대통령 의중에 달린 것이며, 국회가 해산되는 경우엔 국회의원총선거를 해산된 날로부터 30일 이후 60일 이전에 실시하게 됩니다(제59조 2항). 대통령은 국회해산권과 더불어 국회에서 의결된 법안에 대하여 '법률안재의권'을 갖고 있습니다(제88조).

제3공화국에서 있었던 국회의 국정감사권은 삭제된 상태에서 '감사원'이 존재했습니다(71조-74조). 국회는 정기회 회기는 90일을, 임시회 회기는 30일을 초과할 수 없으며, 정기회와 임시회를 합하여 년 150일을 초과할 수 없으나, 대통령이 집회를 요구한 임시회 일수는 이에 산입하지 않습니다(제82조). 국회의 개회일을 제한하여 입법활동이나 포괄적인 정치활동을 제한하려는 것으로 해석됩니다. 제3공화국의 박정희 정권하에서는 정기회의 회기는 120일을 임시회의 회기는 30일을 초과할 수 없었지만(1962년 헌법 제43조 3항), 총 회기일에는 제한이 없었기에, 임시회의를 필요에 따라서 제한 없이 열 수 있었습니다. 그런데, 제4공화국 유신헌법 하에서는 정기회와 임시회를 합하여 총 150일을 초과할 수 없으니, 이제 자유로운 입법활동에 분명한 제약을 가한 것입니다.

제3공화국 헌법은 중앙선거관리위원장은 위원들 중에서 호선하게 되어 있지만, 유신헌법에서는 위원들 중에서 대통령이 임명합니다(제112조 4항). 이것은 유신헌법체제하에서 선거중립 의지가 후퇴한 것으로 해석할 수 있을 것입니다. 제3공화국에서는 위헌법률심사 및 정당해산 여부를 법원에서 심판했지만, 유신헌법에서는 별도의 기관인 '헌법위원회'에서 이를 담당합니다(제109조).

국회의원은 법률이 정하는 공사의 직을 겸할 수 없게 하여 겸직에 관해서 법률(국회법)에 유보하는 형식을 취합니다(제78조). 당시 국회법은 유신체제 성립이후에도 별도의 변경 없이 1969년에 개정된 국회법을 따르고 있었으니, 국회의원의 국무위원 겸직은 유지되고 있었습니다. 국회의원 정수의 1/3을 대통령이 임명하고 국회의원은 국무위원 겸직이 허용되는 이른바 행정부가 입법부를 압도하는 분위기에서 입법부 내의 여당은 행정부의 고무도장(rubber stamp)이나 거수기 단체로 전락할 수 있습니다.

국회는 의원의 자격을 심사하며 의원을 징계할 수 있고, 국회재적의원

부 · 마항쟁 (1979)

2/3이상의 찬성으로 국회의원을 제명할 수 있는데, 이러한 처분에 대해서 법원에 제소할 수 없습니다(제98조 2항, 제98조 3항, 제98조 4항). 그런데, 바로 이 조항이 18년 박정희 정권의 종말을 가져옵니다. 당시 선명야당론을 주장하며 민주화투쟁을 이끌던 제1야당 총재 김영삼 의원을 국회의원직에서 제명시키는 초유의 사태가 벌어집니다(1979. 10. 4). 이 때 김영삼 총재는 "한 번 살기 위해서 영원히 죽는 길을 택하지 않고, 한번 죽어서 영원히 사는 길을 택하겠다"고 선언하게 됩니다. 야당총재 의원직 제명사건은 '부 · 마항쟁'(1979. 10. 16)으로 이어지고, 다시 '10 · 26사태'(1979. 10. 26)로 이어지면서 박정희 대통령은 김재규 중앙정보부장에게 시해됩니다.

유신헌법은 대통령이 궐위된 때에는 후임자는 전임자의 잔임기간 중 재임하는데, 통일주체국민회의에서 3개월 이내에 후임자를 선거하며, 잔임기간이 1년 미만인 때는 후임자를 선거하지 않습니다(제45조 1항, 제45조 2항, 제45조 3항).[118] 유신헌법 하에서 제8대 최규하 국무총리는 1979년

118) 유신헌법 아래서 네 번의 대통령선거가 있었는데, 그 중 두 번은 박정희 후보가 당선되고, 두 번은 각각 최규하 후보, 전두환 후보가 당선되었습니다. 물론 모두 단독출마였습니다. 제8대 대통령선거(1972. 12. 23)에 박정희 후보가 단독출마하여 재

최규하
(1919–2006)

12월 6일에 단독 입후보하여 제10대 대통령에 당선됩니다.[119] 최규하 대통령의 임기는 박정희 대통령의 잔여임기인 1984년 12월 26일까지이나, 1979년 11월 10일 특별담화를 통해서 잔여임기를 채우지 않고 빠른 시일에 헌법을 개정하여 총선과 대선을 거쳐 정권을 이양하겠다고 발표합니다. 당시는 비정치인 최규하 대통령과 같은 행정전문가가 국가통치권력의 공백을 메우기에는 너무도 큰 혼란기였습니다. 최규하 대통령은 취임 즉시 12월 7일에 긴급조치 9호를 해제하고 12월 21일의 취임사를 통해서 "앞으로 1년 정도면 국민들 대다수가 찬성할 수 있는 내용이 담긴 헌법을 마련할 수 있을 것"이라고 천명하였지만 이것은 오히려

서울의 봄 (1980)

적대의원 2,359명 중에서 2,359명이 투표에 참여하여 2,357표를 득표하여(무효2표) 당선됩니다. 제9대 대통령선거(1978. 7. 6)에 박정희 후보가 단독출마하여 재적대의원 2,581명 중에서 2,578명이 투표에 참여하여 2,577표를 득표하여(무효1표, 기권3표) 당선됩니다.

119) 재적대의원 2,560명 중에서 2,549명이 투표에 참여하여 2,465표를 득표하여(무효 84표, 기권 11표) 당선됩니다.

불에 기름을 붓는 격이었습니다. 정치일정의 단축과 유신잔재 청산을 위한 시위가 이어졌습니다. 거기에는 그럴만한 분명한 이유가 있었습니다. 이미 대통령이 취임사를 발표하던 때 보다 일주일 전에 '12 · 12사태'로 정치군인들의 '신군부'(新軍部)가 군대를 장악하고 최규하 대통령을 수렴청정하고 있다는 인식이 사회에 팽배했습니다. 이에 덧붙여서 이해가 엇갈린 삼김(三金)의 정치일정, 신군부의 정치적 야망, 이원집정부제 소문 및 여권 신당창당설 등 정국의 혼란은 깊어 갑니다.[120] '서울의 봄'은 1980년 '5 ·

광주항쟁 (1980)

---

120) 1980년 당시 사회분위기는 민주화를 '국민직선대통령제도입'이라는 명제와 동일시하였습니다. 따라서, 이원집정부제는 반민주적인 어떤 것의 연장선상에 있었습니다. 1979년 박정희 대통령의 서거이후에 다시 등장한 '신군부'를 보면서 많은 시민들은 '이원집정부제'라는 소문에 대해서 민간정부에 대한 군부의 수렴청정을 의미하는 것으로 받아들였습니다. 이전에 4공화국에서 대통령을 간접선거로 선출했던 것에 대한 반작용이 너무도 컸던 것입니다. 이러한 사회분위기는 1986년 '6 · 10항쟁'의 내용이 '대통령직선제쟁취'란 구호와 동일시되는 현상에서도 알 수 있습니다.

17쿠데타'와 '광주항쟁'(1980. 5. 18)으로 불과 반 년 만에 막을 내립니다. 최규하 대통령도 1980년 8월 16일에 대통령직을 사임하게 됩니다.

8차 개헌(1980. 10. 27)

8차 개헌으로 제4공화국이 막을 내리고 '제5공화국'이 들어서게 됩니다. 유신헌법의 주인이었던 박정희 대통령이 1979년 10월 26일에 시해되고 '제5공화국'의 헌법이 들어서는 1980년 10월 27일까지 1년의 기간 동안은 사회혼란이 가중된 과도기였습니다. 유신헌법은 보다 많은 사람들이 원하는 헌법이 아니었으며, 신군부만이 지키려고 했던 헌법이었습니다. 유신헌법에서 8차 개헌이 성사되기까지의 과정을 살펴봅시다.

1979년 10·26사태 이후 민주화의 봇물이 터지면서 다양한 헌법개정안이 속출하게 됩니다. 최규하 대통령을 중심으로 하는 정부안, 공화당안, 신민당안, 대한변호사협회안 등으로 대표됩니다. 재야단체나 학생들은 국회나 정부가 헌법개정을 주도하지 말고 국민이 주도해야 한다고 하면서 '헌법제정심의위원회'(가칭)의 구성을 요구하고 있었습니다. 1979년 11월

신군부 전체 사진 (1980)

14일에 국회는 당시 원내총무회담을 통해서 '헌법관계특별위원회'의 구성에 합의합니다. 1979년 11월 26일에 국회 본회의는 여야 각 14인 동수로 하여 총 28인으로 구성되는 '헌법개정심의특별위원회'의 설치를 만장일치로 의결합니다. 국회의 헌법개정심의특별위원회는 국회안을 정부에 이송하고 대통령이 발의하여 국민투표에 붙이는 방식에 합의하여 1980년 1월 29일에는 국민공청회를 마칩니다. 최규하 정부의 생각은 달랐습니다. 국회와 별도로 정부도 1979년 12월 21일 최규하 대통령은 독자적인 개헌작업을 선언하였으며, 1980년 1월 19일에는 '헌법연구반'을 만들고, 두 달 후인 3월 14일에는 '헌법개정심사위원회'를 발족시킵니다. 그러나 1980년 '5 · 17쿠데타'가 발생하면서 이제 새로운 헌법제정을 위해 최규하 대통령이 출범시킨 헌법개정심사위원회는 신군부의 권력아래에 놓이게 됩니다.

박정희 대통령의 시해사건을 수사하던 전두환 계엄사령부 합동수사본부장은 1979년 12월 12일에 김재규와 당일 궁정동에 같이 있었던 정승화 당시 계엄사령관을 연행하며 군내부에서 실권을 장악합니다. 1980년 4월 14일에 보안사령관직을 겸직하게 된 전두환은 1980년 5월 17일 저녁 9시경에 중앙청 국무회의실에 모인 국무위원들(국무총리 신현확)을 착검 상태의 무장 군인들로 둘러싼 채 비상계엄확대선포안을 상정하고 의결하여 공포할 것을 요구합니다. 이른바 5 · 17쿠데타가 발생한 것입니다. 김옥길 문교부장관이 이에 대한 설명을 요구했지만 무시되고 토론 없이 의안이 가결됩니다.

'5 · 17쿠데타'가 오후 9시에 발생하였지만, 이미 당일 오전 11시 전군주요지휘관회의에서 계엄확대실시, '국가보위비상대책위원회'(이후 국보위)의 설치, 국회해산 등이 논의되며 시작되었습니다. 소위 '신군부'라고 지칭되는 전두환 보안사령관, 노태우 수경사령관, 정호영 특전사령관, 박준병 20사단장 등의 강경발언으로 국방부장관, 합참의장, 계엄사령관이 모인 자리에서 신군부는 그 뜻을 관철시킵니다. 이미 군 내부에서 대세는 전두환이 이끄는 신군부였던 것입니다. 신군부는 당일 오후 5시에 신현확 국무총리를, 오후 7시에 최규하 대통령을 만나서 국회해산, 정치활동금지, 국보위설치를 주장하지만, 강압적 분위기에서 두 사람은 헌정 중단사태를 우려하며 비상계엄확대에만 동의합니다. 최규하 대통령은 신현확 총리에게 비상국무회의 소집을 지시합니다. 그것이 바로 저녁 9시에 열린 국무회의입니다. 영문도 모른채 국무회의에 참석한 국무의원들은 신군부 쿠데타의 제물이 되었습니다.

전두환이 이끄는 신군부는 '10·26사태'에 대한 수사로부터 시작되었지만, 1980년 5월 27일 국무회의(박충훈 국무총리서리)에서 '국가보위비상대책위원회' 설치령을 의결하고, 최규하 대통령은 5월 31일에 이를 공포합니다. 전두환은 스스로 국가보위비상대책위원회의 상임위원장에 취임합니다.[121] 1980년 8월 16일에 최규하 대통령이 사임하게 되고 박충훈 국무총리서리가 대통령 권한대행을 맡게 됩니다. 전두환은 1980년 8월 27일에 유신헌법하의 마지막 대통령직에 단독으로 출마하여 제11대 대통령에 당선됩니다.[122] 전두환은 유신헌법을 유지하기 위해서 유신헌법 하에서

121) 국보위는 상임위원회와 분과위원회가 있었습니다. 국보위의 기관 명분은 비상계엄하의 주요 국책사항들에 대한 심의와 의결로 대통령의 자문기관내지는 보좌기관이라고 하였지만 그것은 형식적인 것이고, 전두환이 이끄는 신군부세력의 최고 정책결정기관이었습니다. 과거 박정희 소장의 '국가재건최고회의'와 유사한 기능의 기관일 것입니다. 전두환이 이끄는 신군부는 자신들의 세력을 유지하면서도 국무회의의 구색을 갖추기 위해서 당시 대통령과 국무총리 및 명망있는 인사들을 포함시켜서 구성합니다. 국보위가 발표한 명단을 보면, 의장 대통령 최규하, 국무총리서리 박충훈, 부총리겸 경제기획원장관 김원기, 외무장관 박동진, 내무장관 김종환, 법무장관 오택근, 국방장관 주영복, 문교장관 이규호, 문공장관 이광표, 정보부장서리 전두환, 대통령비서실장 최광수, 계엄사령관 이희성, 합참의장 유병현, 육군참모총장 이희성, 해군참모총장 김종건, 공군참모총장 윤자중, 국군보안사령관 전두환(겸직), 육군대장 백석주, 대통령특보 김경원, 육군중장 진종채, 육군중장 유학성, 육군중장 윤성민, 육군중장 황영시, 육군중장 차규헌, 해군중장 김정호, 육군소장 노태우, 육군소장 정호용 등입니다.

122) 재적대의원 총수 2,540명, 투표수 2,525표, 득표수 2,524표, 무효 1표 입니다.

대통령에 출마하여 당선된 것이 아니고 절차적 요식행위로써 그렇게 한 것에 불과합니다.

제4공화국에서 제11대 대통령에 취임한지 불과 한 달 후인 9월 29일에는 헌법개정심사위원회에서 제출된 제8차 헌법개정안을 공고합니다. 한 달 후인 10월 22일에 국민투표가 실시되고 통과되어[123], 제4공화국 유신헌법은 종말을 맞습니다.

제5공화국 헌법이 발효되면서 국회가 해산되자, '국가보위비상대책위원회'는 법적인 효력을 산출하는데 한계가 있어, '국가보위입법회의'(총 81명, 의장 이호)를 설치합니다(1980. 10. 27).[124] 이제 제5공화국 1980년 헌법에 의해서 제12대 대통령 선거를 다시 실시하게 됩니다. 제5공화국의 제12대 대통령선거가 1981년 2월 25일에 간접선거방식으로 실시되어 전두환 후보가 당선됩니다.[125]

제5공화국 1980년 헌법은 신군부가 '3김씨'(三金氏)를 포함하여 주요 정치지도자들을 정치권에서 거세한 가운데 제정하여 시행한 헌법입니다. 헌법이 만들어질 때, 당시 국민들을 대표할 수 있는 정치세력들의 자유로운 토의와 합의를 통해서 이루어져야 헌법의 정당성이 인정될 수 있습니다. 헌법의 부칙 제6조를 보면, "이 헌법시행과 동시에 이 헌법 시행당시의 정당은 당연히 해산되고, 단, 늦어도 이 헌법에 의한 최초의 대통령선

---

123) 이러한 독재적 헌법이 통과될 수 있었던 이유는 다음과 같습니다. ① 관권동원선거 ② 야당內 잦은 내분(당권경쟁) ③ 경제 우선 분위기(안정희구세력)

124) 국가보위입법회의는 공포된 제5공화국 헌법의 '부칙 제6조'에 따라서 설치되었습니다. 국가보위입법회의의 주요 활동을 보면, 정치풍토쇄신을위한특별법안(1980. 11. 12)을 통해서 정치활동 피규제자 811명을 선정합니다. 그리고 5공화국 헌법을 바탕으로 대통령선거법, 국회의원선거법, 정당법, 정치자금법을 제정합니다. 신군부의 최종적인 정치적 의도와 집권 방향은 국가보위입법회의를 통해서 표면화된다고 볼 수 있습니다.

125) 대통령선거인단 선거인수 5,277표; 투표수 5,271표; 민주정의당 전두환(4,755표); 민주한국당 유치송(404표); 한국국민당 김종철(85표); 민권당 김의택(26표); 무효 1표; 기권 6표.

거일 3월이전까지는 새로운 정당의 설립의 보장된다”(부칙 제7조)고 규정은 하고 있습니다. 제정 절차에서부터 민주적 헌법과는 거리가 먼 제5공화국 헌법이 그 이전 헌법과 어떤 차이가 있는지 살펴봅시다.

제4공화국 헌법과 제5공화국 헌법은 모두 대통령간선제를 채택하였는데, 그 내용은 차이가 있습니다. 제4공화국 헌법에서는 ‘통일주체국민회의’라고 별도의 기관이 여러 가지 주요업무 중의 하나로 대통령선출을 담당하였습니다. 반면에 5공화국 헌법에서는 대통령선거만 담당하는 ‘대통령선거인단’이 대통령선출을 담당하였습니다. 대통령선거인단은 국민이 선출한 대통령선거인으로 구성되며(제40조 1항), 대통령선거인의 수는 5,000인 이상으로 하는데(제40조 2항), 대통령선거인은 정당에 소속할 수 있습니다(제41조 3항). 앞서 제4공화국 헌법에서는 국민의 선거로 구성된 통일주체국민회의 대의원은 정당에 가입할 수 없었습니다. 4공화국 대통령제는 6년 연임제인 반면에 제5공화국 대통령제는 7년 단임제였습니다(제45조).

1980년 헌법은 “국가는 법률이 정하는 바에 의하여 정당의 운영에 필요한 자금을 보조할 수 있다”고 규정하여 ‘정당운영비국가보조금제도’를 처음으로 채택하였습니다(제7조 3항). 정당운영비국가보조금제도는 돈 없는 사람들도 정치할 수 있는 기회가 상대적으로 보장된다는 의미에서 긍정적인 측면이 인정됩니다. 정당은 기관을 운영하기 위해서 자금이 필요하며 그런경우 정당자금에 많이 기여하는 돈 많은 사람들의 당내 권력이 커질 가능성이 농후합니다. 따라서 정당운영비국가보조금제도는 ‘금권정치’를 제어하는 긍정적 효과가 있습니다. 반면에, 정당운영비국가보조금제도를 시행하면 자금규모가 정당의 크기에 따라서 결정될 수밖에 없어 군소정당보다는 주요정당에게 유리하며, 이러한 구도가 정착될 가능성이 큽니다. 또한 기존의 정당들이 보조금을 받으면서 계속 기관을 유지할 가능성이 커서 기존 정당체계에 불만이 많은 경우에도 기존 정당체계에 따라서 정치가 흘러가게 됩니다. 그래서 정당운영비국가보조금제도는 정치체계 내에 '카르텔 정당'(cartel party)의 성격을 지닌 정당을 정착시킨다는 주장도 있습니다.[126)]

대통령을 보좌하는 국무총리는 국회의 동의를 얻어서 대통령이 임명합니다(제62조). 국무회의는 정책결정기구가 아니라 심의기구이며 대통령은 국무회의의 의장이며, 국무총리는 부의장이 됩니다(제64조). 국회는 국무총리와 국무위원에 대하여 개별적 '해임의결권'을 갖고 있는데, 국무총리의 해임의결이 있을 때 대통령은 국무총리와 국무위원 전원을 해임하여야 합니다(제99조). 국회의원 겸직에 관해서는 4공화국 헌법과 마찬가지로 "국회의원은 법률이 정하는 직을 겸할 수 없다"(75조)고 하여 국회법에 유보하는 형식을 유지합니다. 당시 국회법을 통해서 국회의원의 국무위원 겸직 허용은 그대로 유지됩니다.

대통령의 자문기관으론 '국정자문회의', '국가안전보장회의', '평화통일정책자문회의'를 둡니다(제66조, 제67조, 제68조). 대통령의 자문기관 중에서 국정자문회의는 국정의 중요한 사항에 관하여 대통령 자문에 응하기 위해서 국가원로로 구성되는 회의체인데, 국정자문회의 의장은 직전대통령

---

126) '카르텔 정당'이란 개념은 메어(P. Mair), 캐츠(R. Katz) 등의 학자들이 주창한 것으로 이를 쉽게 이해하는 방법은 '카르텔 기업'을 생각하시면 됩니다. 기업에 비유되는 정당, 소비자에 비유되는 유권자를 상상하면 경제시장과 정치시장이 유추되어 비교됩니다. 경제 시장에서 다수 기업들의 자유로운 시장 진입 및 경쟁구도가 막힌 상태에서 소수의 대기업 중심으로 상품을 제작하고 판매하는 경우 소비자는 피해를 입게 됩니다. 마찬가지로 정치시장에서 다수의 군소정당의 자유로운 정치시장 진입 및 경쟁구도가 막히고 큰 규모의 소수 정당 위주로 유권자들에 대한 정책을 만드는 상황이 바로 '카르텔 정당'의 속성입니다. 원론적으로 정당이란 사회균열을 정치균열화하는 기관입니다. 역으로 '카르텔 정당'은 시민사회의 균열을 정치균열로 연계시키기 보다는 기존의 정치균열을 사회균열화하는 정당입니다. 사회집단들이 원하는 정책을 만드는 것이 아니고, 자신의 존속에 관심을 가지면서 자신의 존속에 유리한 정책을 만들어서 사회집단들에게 부과한다는 것입니다. 그런데, 정당운영비국가보조금제도는 정치권의 정당들을 카르텔 정당화한다는 논의입니다.

이 된다고 하였습니다(제66조). 대통령 단임제 하에서 당선된 전두환 대통령은 그 직전의 유신헌법을 통해서 제11대 대통령직을 6개월 수행하였기에 제12대 대통령직에서 국정자문회의 의장이며, 후임 제13대 대통령의 기간에도 제12대 대통령으로서 국정자문회의 의장이 됩니다. 해당조항은 단임제 하에서 물러나더라도 쿠데타로 탄생한 제5공화국 하에서 '수렴청정' 하겠다는 의지를 반영하는 조항이라는 해석이 가능합니다.

임기 4년의 국회의원은 200인 이상으로 구성하는데, 법률이 정하는 직을 겸할 수 없도록 하였습니다(제77조, 제78조, 제79조). 국회의원은 지역선거구대표제와 비례대표제를 혼합하게 되는데, 절대적으로 제1당(여당일 가능성이 높음)에게 유리한 의석배분 방식을 채택하여, 입법부 의석수는 여당이 절대 다수를 차지할 수밖에 없습니다. 제4공화국에서의 유정회 국회의원과 같은 형식을 다시 채택하기 어려운 상황에서, 1당에게 절대적으로 유리한 비례대표제 의석배분방식을 택한 것입니다.[127] 국회 입법활동을 위한 회기일에 관한 규정을 보면, 정기회는 90일을, 임시회는 30일을 초과할 수 없으며, 년 150일을 초과할 수 없으나, 대통령이 요구한 임시회 일수는 산입하지 않는다고 규정하여(제83조) 제4공화국과 동일합니다. 국회의원과 정부는 모두 법률안을 발의할 수 있습니다(제88조). 대통령은 '법률안재의권'을 갖고 있습니다(제89조).

대통령제를 채택하는 헌법체계에서 가장 반민주적 조항이라고 할 수 있는 대통령의 국회해산권 조항은 제4공화국에서 처음 도입되었는데 제5공화국에서도 유지됩니다. 제4공화국과의 차이점이 있다면 "대통령은 국가의 안정 또는 국민전체의 이익을 위하여 필요하다고 판단할 상당한 이유가 있는 때에는 국회의장의 자문 및 국무회의의 심의를 거친 후에 그

127) 더 자세한 논의는 본 책의 '선거' 부분을 참조하시면 됩니다.

사유를 명시하여 국회를 해산할 수 있다"(제57조 1항)고 하여 대통령의 의도대로 국회를 해산하는데 아무런 지장이 없습니다. 자문과 심의를 받을 뿐이며 대통령 개인이 결정하는 것이기 때문입니다. 제4공화국과는 달리, 국회는 특정사안에 대해서 국정사안에 대해서 조사할 수 있어 특정사안이 발생하는 시기에 일시적으로 '국정조사권'을 발동할 수 있습니다(제97조). 그러나 일반적인 사안에 대해서 상시적으로 행하는 '국정감사권'은 실질적으로 '감사원'이란 행정기관이 소유합니다(제72조-제75조). 위헌법률심사를 행하는 기관도 법원 이외의 별도기관으로 '헌법위원회'가 그대로 유지됩니다.

제5공화국 헌법은 제9조에 '행복추구권'을 명시했다는 점에서 이전 헌법과 차별성을 지닙니다. 이러한 조항을 부정적 차원에서 보자면 군사정권이 지닌 정당성의 한계를 극복하기 위한 소위 쇼윈도우 성격의 조항으로 느껴질 수도 있습니다.[128] 민주시민들은 제5공화국 헌법 그 자체에 불행했을 것입니다. 반면에, 제120조 3항에 "독과점의 폐단을 적절히 규제하고 조정한다"고 규정하여 제5공화국이 국민경제에 적극적으로 개입하려는 의지가 인정됩니다. 헌법개정절차는 헌법개정안에 대한 국회의 의결이후 국민투표로 최종결정하는 형식으로 다시 일원화되었습니다(제131조). 5공화국의 헌법은 정치적 정당성이란 정권의 태생적 한계차원에서 전두환 대통령이 물러나면 개정될 수밖에 없는 정치적 정당성의 태생적 한계를 지니고 있었습니다. 전두환 정권의 최대 정치적 업적을 "단임제를 지키고 장기집권을 위한 개헌을 하지 않았다"는 것으로 서술하는 경우가 있습니다. 하지만, 민주화의 방향이 거스를 수 없는 시대적 과업인 거대한 민주화의

128) 5공화국의 행복추구 정책은 '3S'(sports, screen, sex) 정책과 연관된 것이어서 국민들을 '비정치화'(非政治化, apoliticalization)시키는 것과도 무관하지 않았습니다. 제5공화국이 들어서자마자, 칼라TV가 보급되고, 스포츠의 프로화가 추진되었으며, 세계미인대회를 유치하기도 합니다.

물결 속에서 장기집권을 위한 개헌은 상상도 할 수 없는 일이었다는 것이 중론입니다. 그리고 민주화의 물결을 하나의 제도적 형식으로 환원한다면, 그것은 '대통령직선제'입니다. 유신헌법으로 없어진 '국민직선제'는 반드시 이루어야 할 국민적 열망이었습니다. 대통령제의 최대 강점은 "내 손으로 직접 국가의 원수인 대통령을 선출한다"는 것입니다.

전두환 대통령의 임기 내내 민주화 투쟁이 지속되며 정치적으로 혼란할 수밖에 없었습니다. 임기 말년에 접어드는 1985년은 정국의 전환점이 됩니다. 1985년 2·12총선의 돌풍으로 신한민주당은 야당다운 야당으로의 등극하며 민주화 투쟁은 제도권과 비제도권이 연결됩니다. 그 이전엔 제도권 내에 들어와 있었던 야당들은 여당의 그늘아래 있었던 힘 없는 야당이었습니다. 민주화 투쟁은 제도권내의 야당, 재야의 민주화세력들, 시민세력들이 함께 이끌고 있었습니다. 민주화를 위해 가장 중요한 것은 민주화된 헌법을 만드는 것입니다. 당시 시민들에게 민주화된 헌법이란 '대통령직선제'를 의미했습니다. 여권은 일단 제5공화국 헌법 하에서 제13대 대통령을 선출하고 나서 개헌한다는 입장이었는데, 1987년 '6·10항쟁'으로 이어지면서 전두환 정권은 1987년 '6·29선언'을 통해서 '국민직선제' 개헌을 받아들입니다. 대통령직선제로의 개헌 그 자체는 민주화의 가장 중요한 첫 단추이면서 성공적 업적이었습니다. 국민직선제로 개정된 '제 6공화국'헌법 하에서 1987년 12월에 제13대 대통령을 선출하게 됩니다.

9차 개헌(1987. 10. 29)

전두환 정권의 처음 주장은 제5공화국 헌법의 '호헌'(護憲)이었습니다. 단임제 하에서 전두환 대통령의 의도는 제5공화국 헌법 하에서 한 번 더 대통령을 선출하면, 전직 대통령인 자신이 국정자문회의의 의장직을 맡아서 앞으로 7년 더 국정에 관여하는 것이었습니다. 노태우가 대통령 후보자로 가시화된 시점에 많은 사람들은 이러한 시나리오에 대해서 더 확신하게 됩니다. 야당의 개헌 핵심은 '대통령직선제'였으며 이것은 대다수 국민들의 열망과 일치했습니다. 이에 대해서 여권은 절대 호헌주장 및 의원내각제로의 개헌 주장 등으로 대립합니다.

1986년 1월 16일 새해국정연설에서 전두환 대통령은 개헌논의는 1989년에 하는 것이 순서라고 밝혀 제5공화국 헌법 하에서 제13대 대통령(예상 선거일 1988년 2월 25일)을 선출할 뜻을 밝혔습니다. 1985년 2·12총선의 신한민주당 돌풍이후 실질적인 배후 권력자인 김영삼과 당대표직을 맡고 있었던 이민우가 함께 참여하여 1986년 2월 12일에 '헌법개정추진위원회'를 출범시키고 범국민개헌서명운동을 시작합니다. 1986년 '2·24 청와대회담'에 전두환 대통령과 여당 및 야당대표들이 모였는데 여기서 전두환 대통령은 국회 내 헌법관련 특별위원회 설치를 제의하면서 '89년 개헌'을 고수합니다.

제1야당인 신한민주당은 1986년 3월 7일에 이민우, 김영삼, 김대중 3자 기자회견을 통해서 '2·24 청와대회담'에서 여당의 제의를 거부하고, 전두환 현임 대통령의 임기 중인 1986년 11월까지 개헌을 완료할 것을 요구하며 서울에서 개헌추진 시도지부 현판식을 계기로 실력행사에 돌입합니다. 전두환 대통령은 1986년 4월 30일 여당 및 야당대표와 함께 청와대회담을 하면서 임기 내(1988년 2월 25일까지) 개헌용의를 밝힙니다. 이에 따라 국회에서 여당과 야당은 '국회헌법개정특별위원회' 구성을 결의합니다(1986. 6. 24). 이후 해당 헌법개정특위가 공청회를 위한 'TV 생중계' 문제로 대치하게 되면서 헌법개정특위 자체가 무산될 위기에 처합니다. 헌법개정특위는 총 45명 중에서 여당인 민정당이 23명이어서 여당이

이민우-김대중-김영삼 3자 기자회견 (1986)

반대하면 어떤 일도 추진하기 어려웠습니다.129)

1986년 9월 29일에 김영삼과 김대중씨는 회동을 통해서 "현 개헌과정에의 난국을 돌파하기 위해서 '실세회담'만이 유일한 길"이라고 하여 야당 내에는 미묘한 기류가 흐릅니다. 여기서 실세란 김영삼, 김대중 양김씨를 말하는 것으로 이민우 당 총재는 제외된 느낌을 주는 것입니다. 결국, 1986년 12월 24일 이민우 대표는 여당의 구상인 '의원내각제'에 동조하는 '이민우 구상'의 깜짝 선언으로 동지들을 당황시킵니다. 당시 재야 민주세력과 신한민주당은 대통령 직선제를 외치고 있었기 때문입니다. 1987년 5월 1일 신한민주당에서 이탈한 김영삼, 김대중 세력은 통일민주당 창당작업에 돌입하며(1987. 4. 9) 의원내각제 주장은 야권에서 사라지게 됩니다. 이에 여권은 1987년 '4·13호헌조치'를 발표합니다. 1988년 8월에 '88올림픽'을 치루기 위해서는 사회 안정이 중요하다는 것이 논리였습니다. 이에 1987년 4월 17일 김영삼 통일민주당 창당위원장은 현행 대통령선거제도하에서는 대통령에 출마하지 않겠다고 선언합니다.130)

'4·13호헌조치'는 오히려 국민들의 대통령직선제 열망에 불을 붙였습니다. 당시는 박종철 군의 고문치사사건 정국이었는데, 1987년 6월 9일

129) 국회헌법개정특위는 국회의원 총 45명(민정당 23명, 신민당 17명, 국민당 4명, 무소속 1명)으로 구성됩니다(1986. 6. 24).

130) 일주일 후인 4월 24일 통일민주당 관악지구당 창당방해사건이 아직도 많은 사람들에게 언급되는 소위 '용팔이 사건'입니다. 이들은 정권의 일부 세력에게 사주를 받아 각목과 흉기를 들고 창당 회의장에 난입하여 폭력을 행사합니다. 나중에 용팔이 사건의 주모자는 양심선언을 하고 그 때를 반성하여 세간의 이목이 집중되기도 하였습니다.

이한열 군이 시위 중 최루탄에 맞아서 사망하는 사건이 발생하며 학생들의 시위에 이제 시민들이 가세합니다. 이한열 군이 사망한 다음 날에 민정당은 태연히 현행 헌법 하에서 출마할 대통령 후보로 노태우를 지명하자, 시민과 학생들의 시위는 1987년 '6·10항쟁'으로 승화됩니다. 전두환 정권은 위기의식이 고조되면서 1987년 '6·29선언'을 발표하여 대통령직선제로의 즉시 개헌과 개헌에 의해서 제13대 대통을 선출하겠다고 국민에게 선언합니다.

박종철 (1964-1987)

이한열 (1966-1987)

'6·29선언' 이후에 다양한 헌법개정안들이 제시됩니다. 통일민주당의 개헌안, 민정당의 개헌안, 대한변호사협회의 개헌안, 민주헌법쟁취국민운동본부의 개헌안 등입니다. 결국 개헌시안에 대한 정치권에서의 통일민주당과 민정당의 합의 도출이 개헌 성사의 현실적 답안일 수밖에 없었습니다. 1987년 7월 31일부터 9월 16일까지 한 달 반의 기간 동안 각 정당 협상대표자들에서 100개항 내외의 쟁점안을 조율하는 과정을 거치면서 합의에 이릅니다. 이후 대통령직선제 헌법개정안은 1987년 10월 12일에 제12대 국회에서 가결되고, 10월 27일 국민투표에 회부되어 통과되며 1987년 헌법이 탄생합니다.[131] 1987년 헌법은 9차 개헌으로 이후 '제6공화국'이 시작됩니다.

131) 총 유권자 수 25,619,648명, 투표자 20,028,672표(78.2%), 찬성 18,640,625(93.1%)였습니다[국민투표총람 1988, 21-22].

1987년 제6공화국 헌법의 가장 큰 특색은 대통령직선제로의 회귀입니다. 전문에 '대한민국임시정부의 법통'과 '4·19민주이념'을 포함시켰습니다. 민주화된 권력구조를 위해서 헌법 개정 취지에 맞게 대통령의 국회 해산권을 삭제하였으며, 긴급조치권을 완화시켰으며, 국회의 국정조사권과 함께 국정감사권을 부활시켰습니다. 종합적으로, 그 이전의 헌법보다 입법부의 권한을 더 증대시켰습니다.

대통령 직선제를 마지막으로 시행했던 때는 제7대 대통령선거(1971. 4. 27)였으니, 16년 만에 다시 대통령 직선제로 회귀한 것입니다. 1987년 당시에는 불과 100일 남짓한 기간에 헌법이 제정되면서 충분한 논의 속에 헌법이 개정되었다고 보기 어렵습니다. 5공화국 헌법에 나타난 비민주적인 조항들을 삭제하거나 수정 보완하는 방식으로 이루어진 느낌이 없지 않습니다. 대통령의 헌법 개정을 통한 임기연장은 한국정치의 트라우마(trauma)입니다. 제6공화국 헌법이 단임제를 채택한 것은 그런 측면에서 이해가 가능하다고 생각합니다. 시간이 지나면서 대통령의 중임제로의 개헌이 논의된다는 점에서 당시 1987년 헌법 개정이 근시안적이라는 비판에서 자유롭기 어렵습니다. 아무래도 대통령제의 장점은 국민의 손으로 선출된 대통령이 강력한 권한을 쥐고, 국민들의 대변자로서 정치를 한다는 점입니다. 부정적 측면에선, 인기영합주의(populism)의 성격이 존재한다는 비판이 존재하는데, 긍정적 측면에선, 대통령의 시국관과 능력이 탁월한 경우 국가에는 구습으로부터 변화의 활력이 넘칠 수 있습니다.[132)]

---

132) 일군의 일본정치학자들은 대통령제에 대한 선호를 갖고 있습니다. 그들은 변화의 활력이 넘치는 한국의 대통령제를 부러워합니다. 국민들에게 선출된 대통령의 임기 초반에 대통령은 국민들의 대변자로서 국민들이 원하는 것을 정치에 반영할 수 있는 힘이 존재합니다. 물론 실제 효과로 나타나는가는 별개의 문제입니다. 그들은 의원내각제가 대통령제보다 사회 병폐에 대한 변혁의 속도나 개정을 위한 기동성이 떨어진다고 봅니다. 물론 지나친 변화를 시도하는 과정에서의 사회불안은 부정적으로 작용할 수도 있습니다.

1987년 헌법에서도 국무총리는 대통령을 보좌하여 행정에 관하여 대통령의 명을 받아 행정각부를 통할하는 직위로 한정되며(제86조), 국무회의는 심의기구입니다(제88조). 대통령의 국회출석발언권 및 서한으로 의견을 표시할 수 있는 권한을 유지하였습니다(제81조). 국무총리, 국무위원 또는 정부위원은 국회나 위원회의 요구가 있을 경우 출석, 답변의 의무가 있습니다(제62조 2항). 종합적으로 대통령 자신은 국회출석발언권을 갖는 상태에서 자신을 보좌하는 사람들만이 국회 요구에 의한 출석·답변의 의무가 있으므로 대통령이 그럴 의도가 있다면 국회와의 관계에서 정치적 선제권을 행사할 수도 있을 것입니다.

1987년 헌법에선 대통령의 자문기관으로 국가원로자문회의와 국가안전보장회의는 그대로 유지하면서, 국민경제의 발전을 위한 중요정책의 수립에 관하여 대통령의 자문에 응하기 위한 '국민경제자문회의'를 신설하였습니다(제93조). 1987년 헌법은 국민경제와 관련하여 '제9장 경제' 부분에 "국가는 균형 있는 국민경제의 성장 및 안정과 적정한 소득의 분배를 유지하고 시장의 지배와 경제력의 남용을 방지하며 경제주체간의 조화를 통한 경제의 민주화를 위하여 경제에 관한 규제와 조정을 할 수 있다"(제119조 2항)고 규정합니다. 개인과 기업의 경제상의 자유와 창의를 존중함을 기본으로 하되(제119조 1항), 소수가 아닌 다수 국민을 위한 규제와 조정이 필요한 경우 국가수준에서 개입할 수 있음을 규정한 것입니다.

대통령이 입법부에 대한 해산권을 지니는 것은 이념형에선 더 이상 대통령제가 아닙니다. 대통령제의 이념형은 행정부 생존과 입법부 생존의 분리를 말합니다. 따라서 대통령제는 행정부 수반을 선출하는 선거와 입법부의 국회의원을 선출하는 선거를 분리합니다. 대통령이 입법부를 해산한다는 것은 입법부의 생사여탈권을 행정부가 쥐고 있다는 것으로, 특히 입법부가 행정부 내각에 대한 불신임권도 없는 상태에서 '국회해산권'은 독재헌법의 조항입니다. 1987년 헌법은 제4공화국과 제5공화국에서 유지되던 대통령의 국회해산권을 삭제하였습니다.

1987년 헌법은 대통령의 '긴급조치권' 조항도 수정을 가하였습니다. 아무래도 대통령제는 대통령 일인의 지도체제가 두드러지는 권력구조입니다. 대통령의 가장 강력한 권한은 비상정국에서 국가 안위를 위해 취할 수 있는 '긴급조치권'이나 '계엄선포권' 등에 나타납니다. 1987년 헌법에선 특히 '긴급조치권'과 관련하여 처분의 범위를 축소시킵니다. 이전의 헌법에선 "내정 · 외교 · 국방 · 경제 · 재정 · 사법 등 국정전반에 걸쳐서" 필요한 비상조치를 할 수 있었지만, 1987년 헌법에선 "최소한으로 필요한 재정 · 경제상의 처분을 하거나"라는 문구로 수정하게 됩니다(제76조 1항).

1987년 헌법은 국회의 국정조사권과 함께 국정감사권을 포함시켰습니다. 국회의 기관 존재 이유는 법을 만드는 것, 그렇게 만든 법을 행정부가 제대로 집행하는지 감사하는 것입니다. 1987년 헌법은 국회는 국정을 감사하거나, 특정한 국정사안에 대하여 조사할 수 있다고 규정하고 있습니다(제61조). 따라서 국회는 일상적인 행정부의 국정에 대한 '국정감사권'을 가지며, 특정한 국정사안이 발생했을 때 그 특정 사안에 대하여 국회는 '국정조사권'을 갖습니다. 그러나 국정감사권과 관련하여 입법부의 권한이 행정부의 권한보다 크다고 할 수는 없습니다. 국회의 국정감사권이나 국정조사권은 감사원의 존재여부 내지는 감사원의 소속여부와 함께 종합적으로 판단되어야 합니다. 국회의 국정감사권은 절반 이하의 감사권이라고 해도 과언이 아닙니다. "국가의 세입 · 세출의 결산, 국가 및 법률이 정한 단체의 회계검사와 행정기관 및 공무원의 직무에 관한 감찰을 하기 위한 기구로서 '감사원'이 대통령 직속기관으로서 행정부에 존재하기 때문입니다(제97조). 현대 사회에서 복잡다기한 회계업무를 담당하기 위해서 다수의 전문인력으로 충원된 감사원의 존재가 필연적입니다. 문제는 감사원이 행정부 소속인지 입법부 소속인지입니다. 감사원이란 별도의 기관이 입법부와 행정부간의 권력구조를 논할 때, 감사원이 입법부 소속인지 행정부 소속인지는 매우 중요한 변수입니다.

1987년 헌법이 법원이나 입법부의 권한을 강화하였다고 일반적으로 평가합니다. 어떤 특정 조항을 보면, 포괄적 의미에서 법원이나 입법부의 권한을 강화하는 방향과는 일치하지 않는 조항들도 존재합니다. 먼저, 위헌 판결여부는 '법원'내의 최고기관인 '대법원'이 담당하지 않고, '헌법재판소'란 법원 외의 별도 기관을 통해서 하게 됩니다(제111조-제113조).[133] 법원의 권한을 강화하려면, 위헌판결을 '대법원'에서 하여야 하며, 별도의 기관을 두어서 위헌판결을 하게 되면 법원의 권한은 이원화되는 것입니다. 임기 6년의 헌법재판관 9인도 대통령이 3인, 국회에서 3인, 대법원장이 3인을 지명하여 대통령이 임명하게 됨으로써 헌법재판소는 행정부, 입법부, 법원의 조합기관입니다. 입법부의 권한도 약화된 부분이 있습니다. 제5공화국 헌법에선 국회가 국무총리 또는 국무위원에 대하여 개별적으로 해임을 의결할 수 있었으며(제98조 1항), 국회가 해임의결을 하면 대통령은 해당자를 해임하여야 하며, 국무총리에 대한 해임의결을 한 경우 대통령은 국무총리와 국무위원 전원을 해임하여야만 했기에(제98조 3항) 일종의 연대책임제를 채택하고 있었습니다. 반면에 제6공화국 헌법에선, "국회는 국무총리 또는 국무위원의 해임을 대통령에게 건의할 수 있다"(제63조 1항)고 규정하여 '해임건의권'만을 인정하고 있습니다. 이것은 이념형적 대통령제하에선 행정부와 입법부의 정치적 생존이 분리되기 때문인 것으로 제5공화국 헌법의 의원내각제적 요소를 제거한 것으로 생각됩니다. 그렇지만,

133) 과거 '헌법위원회'란 명칭은 '헌법재판소'로 변경되었습니다.

국회의원의 국무위원 겸직은 그대로 유지되어 제6공화국 헌법의 내용적 일관성 수준은 낮습니다. "국회의원은 법률이 정하는 직을 겸할 수 없다"(43조)고 하여 제6차 헌법개정이후 법률(국회법: 1988. 2. 25 개정; 2014. 8. 29 개정)에 유보하는 형식을 계속 유지하면서 국회의원의 국무총리 및 국무위원 겸직을 허용합니다. 제6공화국 헌법에서 국회의원의 국무위원 겸직 허용은 과거 헌법의 의원내각제적 요소를 제거하지 않고 그대로 유지한 것입니다.[134)]

마지막으로, '민주화'의 내용과 관련하여 1987년 헌법의 두드러진 특색은 "일반 국민들도 신청할 수 있는 '헌법소원심판제도'를 채택하였다"는 점입니다.[135)] 한국정치에서 '1987년 이후'를 '민주화 이후'라는 말과 동의어로 사용합니다. 지금까지 논의된 헌법 개정 차수와 공화국별 개헌에 나타난 권력구조의 내용을 정리하면 다음과 같습니다.

---

134) 1988년 2월 25일 개정된 국회법에서는 겸직할 수 없는 직위를 규정하고 그 외의 다른 직은 겸할 수 있다고 규정합니다(국회법 제31조). 2014년 8월 29일 개정된 국회법에서는 국무총리 또는 국무위원 직 이외의 다른 직을 겸할 수 없다고 규정합니다(국회법 제29조).

135) 김동하(2014)는 그의 연구에서 1987년 헌법이 단순히 정치적 통치질서를 형식적으로 규정하는 제도를 넘어 시민들의 정치적 정체성과 삶을 구성하는 권력으로 변용되었음을 지적합니다. 1987년 헌법에서 '헌법재판소'는 대통령이 9인을 임명하되, 9인에 대한 지명은 대통령이 3인, 국회가 3인(국회의장 1인, 여당 1인, 야당 1인), 대법원장이 3인을 각각 지명합니다. 헌법재판소는 위헌법률심사, 탄핵심판, 정당해산심판, 권한쟁의심판, 헌법소원심판을 관장합니다. 참고로 1962년 개정헌법과 1969년 개정헌법에서만 '대법원'이 헌법재판기관이었습니다. 명칭도 차이가 있는데, '헌법위원회'(1948년헌법, 1952년헌법, 1954년헌법, 1972년헌법, 1980년헌법), '헌법재판소'(1960년 4월, 1960년 11월, 1987년헌법)입니다. 한국과 같이 위헌심사를 위해 별도의 기관을 두는 프랑스와 비교해 본다면, 프랑스는 '헌법평의회'(헌법위원회) 담당하며, 그 구성은 당연직으로 전직 대통령이 종신직이고, 임명직은 임기 9년으로 대통령, 하원의장, 상원의장이 3인씩 임명합니다. 헌법평의회는 위헌법률심사, 대통령 및 상하원 선거소송심판, 대통령선거 감독, 국민투표 감독의 권한을 행사하는데, '사전적 규범통제'의 원칙을 채택하여 법률안이 제안된 후 의결전 단계나 의결된 후 공포전 단계에서 위헌심사를 진행합니다.

공화국	개헌 차수	제정 일시	정부 형태	권력구조의 골간	개헌 사유
1공화국	제헌 헌법	1948. 7. 17	대통령제	• 대통령 및 부통령 국회간선제 • 단원제 국회 • 국무회의 의장은 대통령이며 대통령이 임명하는 국무총리는 대통령을 보좌	
	1차 개헌	1952. 7. 7	대통령제	• 대통령직선제 / 양원제 국회 • 국무회의 의장은 대통령이며 대통령이 임명하는 국무총리는 대통령을 보좌 • 대통령이 임명하는 국무총리와 국무위원은 민의원의 신임 및 불신임에 종속되어 이원집정부제적 성향 (연대책임제와 및 개별책임제)	대통령 선출방식을 국민직선제로 변경
	2차 개헌	1954. 11. 29	대통령제	• 대통령직선제 / 양원제 국회 • 국무총리직을 없애 국무원은 대통령과 국무위원들로 구성됨 • 국무위원 개별책임제만 유지함	초대 대통령에 한하여 중임제한 철폐
2공화국	3차 개헌	1960. 6. 15	의원내각제	• 양원제 국회 • 대통령은 양원합동회의에서 선출/ 국무총리는 대통령 지명후 민의원 동의 • 국무회의의 의장인 국무총리와 국무위원은 민의원 불신임의결에 연대책임	제1공화국의 붕괴로 제2공화국 건립 필요성
	4차 개헌 (일부 개정)	1960. 11. 29		• 헌법부칙개정: 3・15부정선거관련자, 부정축재자 처벌 및 공민권제한	소급입법을 위한 근거마련

3공화국	5차 개헌	1962. 12. 26	신대통령제	• 대통령직선제/단원제 국회로 회귀 • 국무회의는 심의기구 • 일명 '신(新)대통령제'의 시작 • 국회의원의 국무위원 겸직금지 • 법원의 위헌법률심사권 • 정당국가적 경향을 지향	5·16군사혁명과 군사과도정부의 민정이양
	6차 개헌 (일부 개정)	1969. 10. 21		• 대통령직 3선 가능 • 국회의원의 국무위원 겸직금지원칙의 해제로 '신(新)대통령제'의 강화	대통령 재선 조항을 3선 가능으로 변경
4공화국	7차 개헌	1972. 12. 27	초대통령제	• 6년 임기 연임가능 대통령간선제/단원제국회 • 대통령이 의장인 통일주체국민회의에서 대통령을 선출하고 국회의원의 1/3을 일괄선출하며 국회헌법개정안의 최종 확정 • 대통령발의 헌법개정안은 국민투표로 확정 • 국무총리 해임 의결시 연대책임제 • 대통령의 국회해산권 • 일명 '초(超)대통령제' 또는 '총통제'	장기집권
5공화국	8차 개헌	1980. 10. 27	대통령제	• 7년 임기단임제 대통령간선제/단원제국회 • 감사원이 있는 상태에서 특정사안에 대한 국정조사권만 인정 • 국회의 국무위원 해임의결권 및 국무총리해임의결시 연대책임제 • 대통령의 국회해산권 유지 • 국회의원지역구 및 비례대표제 도입 • 정당운영국고보조금제도 도입 • 행복추구권, 독과점규제 규정	5·17군사쿠데타
6공화국	9차 개헌	1987. 10. 29	대통령제	• 임기5년 단임제 대통령 • 국민직선제 • 대통령의 국회해산권 삭제 • 국회의 국무위원 해임건의권만 인정 • 감사원이 있는 상태에서 특정사안에 대한 국정조사권 및 일반사안에 대한 국정감사권 인정 • 정당운영국고보조금제도 유지	민주화 헌법제정

3. 결론과 예상

한국정치과정에선 임시정부 하에서도 5차례의 개헌, 정부수립이후에도 9차례의 개헌이 있었지만, 개헌을 통한 권력구조 개편 논의는 현재 진행형입니다. 개헌을 위해선 근시안 적인 논의보다 이제 '통일한국'을 상정한 개헌 논의가 필요할 것입니다. 학자들마다 선호하는 정부형태가 있습니다. 분명한 사실은, 제도 변경이 현상 타파를 위한 만병통치는 아니라는 사실입니다. 제도는 특정 사회의 문화 속에서 기능하는 것이기에 제도와 문화의 총합이란 관점에서 제도를 바라보아야 할 것입니다. 이런 관점의 극단은, 어떤 제도도 운영하기 나름이라는 입장으로 환원되기도 합니다. 물론 제도적 허점이 두드러지는 경우 이를 개정해야겠지만 그 과정에서 어떤 제도로 개혁할 것인지에 대하여 국민적 합의 도출이 중요합니다. 제도의 개혁 옵션은 수없이 많기 때문입니다.

대통령제라는 대분류 하에도 수없이 많은 대통령제의 형태가 소분류로 존재하기에 보다 현실적인 논의가 필요합니다. 단순히 대통령제라는 이념형만 존재하지 않고 보다 다양한 맞춤형이 존재한다는 의미입니다. 맞춤형을 강조하는 학자들은 대통령제를 채택하면서도 국회가 대통령을 견제하기 위해서 내각의 해임을 의결할 수도 있다고 보며, 대통령제를 채택하면서도 국회의원을 장관으로 발탁할 수도 있다고 봅니다.[136] 맞춤형을 강조

---

136) 대통령제하에서 국회의원의 장관직 겸직 문제를 의원내각제적 요소로서 삭제되어야 한다는 주장이 다수의 의견이지만, 반대로, 장관직이란 단순한 행정직이 아니고 정무직이기에 국정운영의 효율성 면에서 행정적 능력을 겸비한 선출직 국회의원이 적역일 수 있다는 소수 의견도 존재합니다. 이들 소수 의견에 따르면, 대통령제와 의원내각제란 정부형태의 준거틀의 의미는 사실상 이념형적인 것일 뿐이며 중요한 것은 국정운영의 원활성과 생산성이란 것입니다. 장관직을 수행할 수 있는 능력은 단순히 행정능력을 벗어난 정치력에 해당하는 것이며 유권자들과 접해본 선출직이 유리하다는 것입니다.

하는 학자들은 대통령제를 행정부와 입법부의 정치적 생존을 분리한다는 이념형만으로 생각한다면, 대통령 탄핵은 국민만이 할 수 있어야 하며, 입법부가 대통령을 탄핵하여서는 곤란하다고 주장합니다.

앞으로도 개헌 논의가 피할 수 없는 것이라면, 국민들이 권력구조의 내용을 판단하는데 중요한 변수들에 대해서 인지하는 것이 중요하다고 봅니다. 이를 위해서 몇 가지 살펴보면서 '정부형태'의 장을 마치고자 합니다. 결국 권력구조의 핵심은 대통령이 임명하는 총리가 입법부와 격리되어 존재하는지 아니면 입법부와 연계되어 존재하는지의 문제입니다. 슈가트(Matthew Shugart)와 캐리(John Carey)가 도형화한 5가지의 권력구조의 명칭과 상대적 위치는 다음의 그림과 같습니다. 슈가트와 캐리의 행정부-입법부 관계 유형을 중심으로 살펴봅시다.

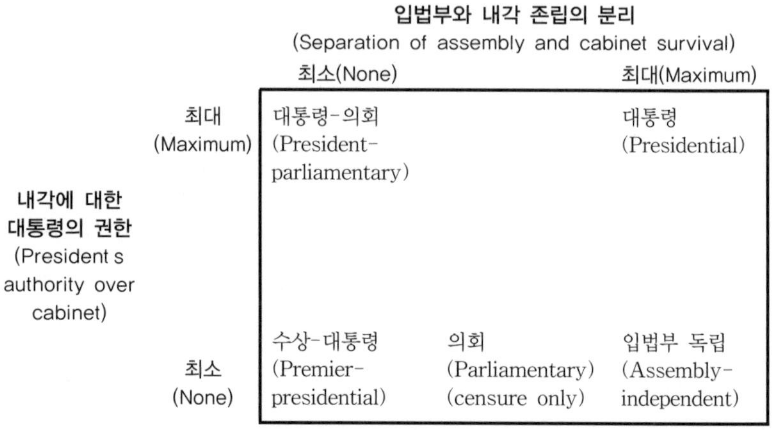

출처: Shugart and Carey, *Presidents and Assemblies: Constitutional Design and Electoral Dynamics* (Cambridge: Cambridge University Press, 1992), p.26.

결국 헌법이란 것은 행정부와 입법부 상호 권력관계를 다룬 권력구조의 형태를 규정하는 부분이 주요 부분인데, 슈가트(M. Shugart)와 캐리

(J. Carey)는 ① 내각에 대한 대통령의 권한과 ② 입법부와 내각의 독립성을 두 축으로 권력구조 유형을 분류하면서 이에 따른 5개의 이념형적 정부형태를 제시하고 있습니다. 그들이 분석 대상으로 삼은 50개국 이상의 국가들을 경험적으로 분석하여 모두 5개의 이념형은 다음과 같습니다. 제도적 선호는 사람들마다 다양하지만, 그러한 선호는 궁극적으로 ①과 ②라는 두 개의 축에 기초하게 됩니다. 우리가 제도를 고안하고 논의할 때, 매우 유용한 이론틀이라고 생각합니다.

①번 축은 행정부 내부에서 대통령(행정부의 수반일 수도 있고 아닐 수도 있는)의 총리(수상) 및 국무위원들에 대한 권한을 의미합니다. 즉, 대통령이 총리나 국무위원들을 자유롭게 임명하고 해임하는 권한, 임명하고 해임할 때 입법부의 사전 동의가 필요한지, 사후승인이 필요한지, 대통령이 국무회의의 의장인지 총리가 국무회의의 의장인지의 여부, 국무회의는 의결기구인지 아니면 자문기구나 심의기구로 한정되는지 등의 그런 사안들입니다.

②번 축은 대통령이 임명한 (국무)총리 및 국무위원이 얼마나 입법부에 종속되는가를 의미합니다. 대통령이 임명한 국무총리나 국무위원이 국회의 신임이나 불신임여부에 따라서 직을 물러나야하는지 뿐만이 아니라, 국회는 국무위원들에 대해 해임권이 있는지, 아니면 해임건의권만이 있는지, 국무위원들이 연대책임을 지는지, 반대로 행정부는 입법부에 대한 해산권이 존재하는지 등의 사안들을 포괄적으로 포함한다고 할 수 있습니다.

한국의 경우는 개헌이 빈번했으며 개헌마다 차이가 있지만, 그림에서 보자면 순수 '대통령제'(President)와 '대통령-의회제도'(President-Parliamentary) 사이에 존재하되 실질적 정치과정의 전개를 보면 오히려 '대통령-의회제도'에 가까운 일종의 혼합형적인 성격으로 규정될 수 있습니다. 한국헌법의 특색은, 1954년 헌법을 제외하곤, 대통령과 국무총리

직위가 항상 함께 존재해 왔습니다. 1공화국 말기인 1954년 헌법에서만 국무총리직을 없애고 국무위원들만으로 국무원을 운영하였습니다. 한국헌법은 대통령제를 태반으로 하여 정부형태를 유지하여 왔으며, 대통령직과 국무총리직이 함께 존재했던 것이 역시 태반인데, 그런 경우에 국무회의의 의장은 항상 대통령이었으며, 국무총리는 대통령을 보좌하는 역할로 한정되었습니다. 헌법마다 차이가 있지만, 대통령제를 채택하더라도 입법부는 국무총리나 국무위원들에 대한 해임의결권이나 최소한 해임건의권을 소유하고 있었습니다. 심지어 신임 및 불신임권을 소지한 적도 있었습니다. 한국 권력구조에서 1962년에서 1969년의 시기를 제외하고 국회의원은 국무회의의 장관직을 겸직할 수 있습니다. 제5차헌법개정(1962. 12. 26)을 통해 제3공화국을 시작하면서 국회의원의 국무위원 겸직금지조항(제39조)이 잠시 있었으나, 1969년 3선개헌 이후에 다시 겸직금지원칙을 폐지하였습니다.

제3공화국의 1962-1969년 시기에만 국회의원의 국무위원겸직이 금지된 것입니다. '대통령-의회제도'는 적어도 행정부 내에선 여전히 대통령의 권한이 최대로 평가되는 제도입니다. 한국의 권력구조를 종합적 시각에서 '제왕적 대통령제'라고 지칭하는 사람들이 많은데, 이는 대통령이 다양한 국가권력기관(국가정보원장, 검찰총장, 국세청장 등)의 장을 임명할 수 있는 권한과 무관치 않을 것입니다. 물론 한국의 현재 시대적 상황 속에서 대통령의 권한이 과연 대통령의 의지대로 수월하게 시행되느냐의 차원에서 볼 때 논란의 여지가 있습니다.

현재 한국정치는 대통령제하에서 이루어지면서 개헌논의는 그치지 않고 있습니다. 대통령을 유지하되 중임제로 하자는 의견, 대통령의 권한을 분리하자는 이원집정부제, 아예 의회중심정치를 위해서 의원내각제로 가지는 의견 등으로 삼분된다고 하겠습니다. 다양한 이념형을 가지고 논의한다면 역사적으로 우리에게 익숙하면서도 더 적합한 제도 고안에 대한 논의가 가능할 것으로 생각합니다. 앞으로의 개헌은 단순히 남한만이 아닌 북한과의 통일까지도 염두에 둔 통일헌법으로 권력구조를 구상해야 한다는 의견들도 있습니다.

권력구조의 문제를 마무리하기 위해서 마지막으로 의회정치의 문제를 언급하고자합니다. 앞서 입헌민주주의 상에서 의회정치가 구현되기 위한 이론적 조건들과 그것이 한국 정부형태에 어떻게 나타났는지에 대해서는 이미 살펴보았습니다. 의회정치는 정당이 기본이 되어 이루어지는 것입니다. 정당들은 선거를 통해서 의회의 정해진 의석수를 차지하게 됩니다. 의회정치란 것은 의회내 정당들간의 세싸움 내지는 견제와 균형을 통한 정책대결의 장이기도 합니다. 의회정치 발전에 대한 논의는 ㉠ 정부형태 또는 헌법상에서 의회민주주의를 여하히 실현할 수 있는 이론적 조건들이 충족되느냐의 보다 법적인(또는 규정상의) 논의와 ㉡ 실제로 의회를 구성하는 정당들간의 정치과정상의 논의로 대별될 것입니다. ㉠에 관해서는 앞서 논의하였습니다. 뒷 장에서 정당-선거를 논하기 전에 ㉡에 대해서 언급하고자 합니다.

한국의회정치에서 논의하여야 할 다양한 주제는 결국 의회의 정책능력 강화라는 하나의 주제로 수렴된다고 봅니다. 한국민들이 "정치인들은 매일 싸움만 한다"고 하는 이미지는 결국 "국회에서 정당끼리 정치인들끼리 매일 싸움만 한다"는 것입니다. 국민들이 그런 이미지를 갖게 된 것은 정당이나 정치인의 책임이 더 크며, 나아가 분명한 이유가 있을 것입니다. "국회의원들이 일은 안하고 세비만 받아간다"는 이미지도 결국 의회를 대상으로 한 국민들의 이미지입니다. 국회는 정당들이 모여서 국민들의 보다 나은 삶을 위한 정책을 만드는 곳입니다. 서로 다른 이념과 신념을 지닌 정당들은 갈등할 수밖에 없습니다. 문제는 국회가 여하히 국민들의 삶을 고양시킬 수 있는 국가발전이라는 공감대를 형성할 수 있는 정책들을 산출해 낼 수 있느냐의 문제입니다.

현재 한국의 의회는 '상임위원회' 중심으로 기능합니다. 이론적으로 상임위원회 중심으로 기능한다면 본회의 중심으로 기능하는 것보다 정당간 분쟁보다 타협이 강조되어 정책산출 기능이 강화되는데, 한국의 의회를 보면 본회의 중심형태보다 더 정당간에 정치인들간에 치열하게 싸우며 정책 산출기능이 긍정적이지 못합니다. 왜 그럴까요? 제도만의 문제라기보다 정치문화의 문제일 수도 있습니다. 한국의 국회를 보면 상임위원회장과 본회의장에서 두 번 싸웁니다. 타협의 문화보다는 사생결단의 문화가 있는 듯합니다. 더 현실적으로 보자면 정당소속 국회의원들의 자질이 문제란 것입니다. 중학생들이 국회방청석에서 단체 관람을 하는 상황에서 부적절한 언어로 버젓이 싸우는 모습이 매체에 공개되면서 실소를 떠나 분노를 느낍니다. 이렇다 보니, 정당공천제도가 중요한 것입니다. 각 정당이 어떤 공천제도를 채택하느냐에 따라서 어떤 자질과 품성을 지닌 인물이 공천되는지에 영향을 미치고, 결국 국회에 입성하는 의원들의 자질과 품성이 바뀌게 되는 것입니다. 의회의 정책능력강화는 한국국회의 영원한 숙제인 것입니다.

상대적으로 의원내각제와 비교하여, 대통령제 정부형태는 행정부의 정책 주도성과 전문성이 강하게 나타나기 때문에 행정부 중심으로 기능하는 경향이 나타납니다. 이를 위해서 미국 의회의 경우, 행정부의 정책 카운터파트적 역할을 충실히 하기 위해서, 1970년대 이후 두 가지 방식의 노력을 기울입니다. 하나는 의회 내 전문성을 담보하는 조직을 신설하는 것이며, 또 다른 하나는 그러한 조직과 연계한 전문 인력의 증원과 충원입니다. 예산, 결산, 입법과정에서의 연구 및 조사의 전문성을 위해서, '의회예산처'(CBO: Congressional Budget Office), '기술평가처'(OTA: Office of Technology Assessment), '의회조사국'(CRS: Congressional Research Service), '회계검사원'(GAO: General Accounting Office)을 신설하여 행정부에 대항한 전문성을 확보하고 총체적으로 국가운영에서 건설적인 견제와 균형이 이루어지는 것입니다. 입법부의 전문성 확보란 궁극적으로 행정부를 감시 감독하기 위한 것입니다. 한국의 경우에도, '입법조사처', '예산정책처', '법제처' 등을 통하여 입법부 내부의 전문성을 강화해오고 있지만, 현재 행정부 소속의 '감사원'과 비교해 볼 때, 전문성과 규모에 있어서 의회의 대행정부 감사기능은 효율적이라고 볼 수 없습니다.

본회의 중심의 의회기능은 상대적으로 그렇다는 것이지 영국의 경우에도 과거보다 더 현재시점에서 위원회 중심의 기능이 강화되고 있습니다. 복잡다기한 현대사회의 다양한 사회적 요구에 부응하기 위해선 세부 전공별로 정책에 대한 숙고가 가능한 각 종 위원회제도를 활용할 수밖에 없으며 이것은 시대적 대세입니다. 대체적으로, 상임위원회로는 부족하며, 개별 상임위원회 내부에서 '소위원회'를 활성화하는 것이 병행되어야 한다는 것입니다.

의회가 행정부를 견제하기 위한 하나의 통합된 기관으로서 기능하기 보다는 의회 내에서 여당과 야당으로 나뉘어서 경쟁하는 구도와 더불어 또 다른 의회 내의 균열 축이 존재합니다. 바로 지역구 사무와 국가 사무의 대립 문제입니다. 이러한 문제는 여당과 야당의 구분이 없습니다. 국회의원은 지역구별로 선출되지만 국회의원이란 명칭 그대로 맡고 있는 사무는 국가사무입니다. 이런 문제가 부정적으로 표면화되는 것이 국가의 예산할당에 있어서 지역구 의원들의 자기 지역구에 대한 우선적 예산할당 경쟁입니다. 이런 현상을 '포크배럴'(pork barrel)이라고도 합니다.[137] '포크

137) 포크(pork)란 속어로 의원들이 얻어내는 정부보조금을 말하는 것인데, 미국에서 연방의회의원이 선거구의 이익을 위해서 정부 보조금을 획득하는 것에서 유래한 말입

포크배럴 포크배럴은 '집단구성원'들 전체의 '공익'(public interests)보다는 '정치적 후원'(political patronage) 관계를 배경으로 구성원 일부의 이익을 위한 것입니다. 국가전체예산집행에서 지역구선심사업은 대표적인 예입니다.

배럴'의 문제는 국가예산집행의 효율성을 떨어뜨리고, 소위 '예산 과부하(過負荷)'의 빌미가 되기도 합니다. 현재 한국은 예산결산위원회를 특별위원회의 형식으로 설치하며, 해당 예산결산특별위원회 산하에 '계수조정소위원회'를 두고 있습니다. 예산결산특별위원회는 대략 50명 전후의 국회의원들이 참석하고, 이중 15명 전후를 선발하여 계수조정소위원회를 설치하는 것입니다. 국회에서 예산확정기간 동안 국회의원들은 자기 지역구를 위한 예산할당을 위해서 계수조정소위원회 위원들에게 부탁성 쪽지를 전달하게 되고 이것이 항상 문제화됩니다.

한국정치에 대한 부정적 분위기에는 한국정치문화도 한 몫 하고 있습니다. 한국정치문화를 보면 민주화 이후에도 '사생결단'의 측면이 부각되는 경우를 종종 목도합니다. 혹자는 한국정치문화에 '위임의 여유'(leeway of delegation)란 측면이 아쉽다고 합니다. 미국의 경우 대통령은 자신의 권한을 때로는(또는 의도적으로) 의회에 위임하기도 합니다.[138] 한국이 과거처럼 독재정권타도를 외치는 과정에 있는 것도 아니고 이제 정당들은 국민들의 마음을 사고 국가를 위한 정책개발에 집중하면 됩니다. 민주사회에

니다. 결과적으로 특정 지역구의 주민들만 이롭게 할 수 있습니다.

138) 정치전략 차원에서 '위임전략(delegation strategy)'은 두 가지 효과를 갖고 있습니다. 잘못된 경우 책임소재에서 자유로울 수 있습니다. 잘되는 경우엔 위임한 사람의 포용성이나 양보심이 부각될 수 있습니다.

서 영원한 여당도 영원한 야당도 없습니다. 여당과 야당을 반복하는 것입니다. 1997년 이후 이런 모습이 한국정치과정에서 이미 현실화되었습니다. 그런데도 지금이 아니면 안 된다는 식의 사생결단의 행태는 불행한 세상으로 만들게 됩니다. 여당은 야당이 될 준비를 하면서 정치를 하고, 야당은 여당이 될 준비를 하면서 정치를 하는 보다 격조 높은 한국정치를 기대해 봅니다.

그러면, 한국정당은 왜 이런 모습일까요? 어떤 중요 선거들이 있었을까요? 정치학에서 말하는 정당이론이나 선거이론과 한국정치과정에 나타난 정당-선거는 어떻게 다를까요? 지금 한국의 정당의 모습은 하루아침에 이루어진 것이 아니고 굴곡진 시대상황과 반복되는 선거 여정을 거쳐서 만들어진 과거로부터 이어진 현재진행형의 모습인 것입니다. 과거의 한국정당사와 한국선거사를 분명히 알수록, 한국정당의 굴곡진 행태를 극복하고 보다 긍정적 선거행태를 도출할 수 있는 동력이 발생할 것입니다. 권력구조의 틀인 행정부-입법부 관계에 대한 실제적 작동은 근본적으로 정당정치를 통해서 구현됩니다. 정당에서 공천을 받은 후보자가 행정부의 수반인 대통령도 되고, 의회의 구성원인 국회의원도 되기 때문입니다. 행정부-입법부 구도보다도 여당-야당 구도로 정치과정이 이루어지기에, 의회정치는 정당정치에 대한 또 다른 형식에 불과하다는 표현이 가능합니다. 다음 장에서 구체적으로 정당-선거를 통한 한국정치과정에 대해서 살펴보도록 하겠습니다.

제 2 장
정당 · 선거

| 개요 |

거시적 차원에서 의회정치의 반 쪽은 행정부와의 관계를 통해서 이해됩니다. 나머지 반쪽은, 또는 보다 근본적으로, '정당정치'와 '선거정치'를 통해서 이해됩니다. 시 · 공간상의 제약으로 간접민주주의를 채택하는 사회에서 '의회'라는 것은 기구라는 형식적 성격이 강하며 그 본질적인 내용물은 '정당정치'와 '선거정치'란 두 축으로 채워지게 됩니다. 의회는 '정당'들로 구성되며 정당들이 의회에 진출하는 것은 '선거'를 통해서입니다. 본 장에서는 1945년이후 현재까지 한국정치과정에 나타난 정당정치와 선거정치의 특성들을 다양한 이론들과 접맥하며 이해해 보고자 합니다. 한국은 짧은시기에 경제적 발전과 더불어 정치적 발전을 이루어 냈습니다. 짧은 시기라고는 하지만 우여곡절이 많았고, 현재도 계속되고 있습니다. 올바른 민주시민이 되기 위해선 한국정치과정사에서, 특히 '정당정치사'와 '선거정치사'의 역사적 사실관계들에 대한 지식을 바탕으로 소위 '온고이지신'(溫故而知新)하는 것이 중요합니다.

앞장에서 입헌민주주의와 의회민주주의라는 두 개의 축을 중심으로 한국의 정부형태와 권력구조를 살펴보았습니다. 민주주의는 사회 구성원들의 시간적 공간적 제약때문에 '간접 민주주의'의 형식을 통해서 현실화됩니다. 자신의 생각과 유사한 사람들을 대표자로 선출하여 그들에게 권한을 위임하게 되는데, 대표자들을 천거하는 집단이 '정당'(政黨, political parties)이며, 그러한 정당들이 공천한 후보자들은 사회구성원들이 참여한 '선거'(選擧, election)를 통해서 대표권을 위임받게 됩니다. 직접 민주주의를 실행할 수 없는 곳에서 정치과정의 기본 형식은 정당-선거를 통해서 이루어진다는 의미입니다. 현대 사회에서 민주주의를 수행하는 과정은 여러 개의 정당들이 정치체계 내에서 서로 경쟁하면서 정책을 만들어 냅니다. 정책을 만들기 위해선 정치세력이 형성되어야 하며 그 정치세력이 바로 정당입니다. 입헌민주주의에서 헌법이란 일종의 선언이고, 의회민주주의에서 의회라는 것은 일종의 외형적 기관인데, 그러한 선언을 실천하고, 외형적 기관의 내용물을 채워주는 것이 바로 정당입니다.

간접민주주의 하에서 정당은 국민들의 요구를 수렴하여 의회에서 정책으로 전환시키는 역할을 합니다. 그래서 학자들은 정당을 민의(民意)와 정책을 연결하는 '운반도구'(vehicle)의 역할을 하고 있다고 정의합니다. 입헌민주주의 하에서 "행정부와 입법부 사이의 권력관계"의 실제 내용을 들여다보면 '정당 대 정당'으로 "정당들 사이의 권력관계"입니다. 개별 정당 내부에선 정당 노선(路線)에 관한 당내 세력들 간의 권력관계입니다. 정치과정은 의원내각제와 대통령제에서 각각 다른 형식으로 여당과 야당이 결정됩니다. 의원내각제에서는 의회선거에서 승리한 정당이 '여당'이 되고, 패한 정당이 '야당'이 됩니다. 대통령제에서는 행정부의 수반을 선출하는 대통령선거에서 승리한 정당이 여당이 되고 패한 정당이 야당이 됩니다. 행정부와 입법부간의 권력관계를 이해하기 위한 '분석단위'(unit of analysis)는 궁극적으로 정당입니다.

본 장에서는 한국정치과정에서 정당간(政黨間, inter-party), 정당내(政黨內, intra-party) 정치 경쟁의 내용과 이와 연계된 주요 선거들을 사건과 이론을 연계시켜 설명해 보고자 합니다. 1948년 이후 한국정치과정은 일년 남짓한 의원내각제 채택기간을 제외하곤 모두 '대통령제'로 귀결되었음을 알고 있습니다. 1948년 이후 한국의 정당정치와 선거정치를 이론과 실제를 접맥시키면서 한국정치과정의 특질을 이해해 보고자 합니다.

1. 정 당

작금에도 많은 한국민들은 "왜 우리나라 정치는 이정도 수준밖에 안될까?", "어떻게 하면 한국의 정치도 잘 될 수 있을까?"하는 질문을 합니다. 한국정치에 대한 이러한 의문을 보다 일반화된 버전으로 바꾼다면 "정치가 잘 되기 위해서 가장 중요한 요인은 무엇일까?"하는 것입니다. 많은 정치학도들은 이에 대해서 "정치가 제대로 되기 위해선 정당정치가 잘 되어야 한다"는 명제에 동의할 것입니다.

그렇다면, 정당정치가 제대로 된다는 것은 어떤 의미일까요? 여러 가지 판단기준이 있겠지만, 우선적으로 거론할 수 있는 것은 정치체계 내에 사회구성원들로부터 그 역사성을 인정받아 생명력을 이어가는 소위 '제도화된 정당'(institutionalized political parties)으로 기능하는 것입니다. 장기간에 걸쳐서 국민들로부터 그 존재의 가치를 인정받아 온 정당을 '제도화된 정당'이라고 부르며, 국민들은 정치과정에서 제도화된 정당을 통해서 국가정책에 대한 예측가능성을 갖게 됩니다. 일반적으로 선진민주주의 국가들에는 제도화된 정당들이 존재합니다. 1948년 제1공화국 이후 이제 70년이 지나 100년을 바라보고 있지만, 불행히도 한국정치과정에는 여타의 선진민주주의 국가들과 비교할 때 동일한 당명(黨名)아래서 생명력을 이어오고 있는 제도화된 정당이 존재하지 않습니다.[1] 제도화된 정당의 존재와 정치발전이 필연적 '인과관계'는 아니더라도, 제도화된 정당이 존재한다는 것은 그 만큼 높은 수준의 책임정치를 이룰 수 있는 개연성을 지니게 되어 정치발전에 유리합니다. 그래서 정치체계의 순기능을 위해선 제도화된 정당들의 존재와 대국민 기능이 중요하다고 하는 것입니다.

한국정치체계에는 왜 제도화된 정당이 존재하지 않고 1948년 정부수립이후 21세기가 지난 현재 시점에서도 정당들은 개명이나 이합집산을 반복하고 있는 것일까요? 그렇다면, 한국정치는 후진적인 것일까요? 단순히 제도화된 정당의 존재만으로 정치의 선진성을 파악할 수 있는 것은 아니며, 제도화된 정당이 존재하지 않는 상황에서 정치발전을 도모하는 것이 나름대로 한국정치과정의 특수성일런지도 모릅니다. 이에 대해서 구체적인 역사적 사건들을 여러 가지 이론들과 연계해 가면서 하나씩 살펴보도록 하겠습니다.

정치가 있는 곳에는 '파벌'(faction)이 존재합니다. 파벌 그 자체가 나

---

1) 정당조직의 내용은 실질적으로 동일한 정당인데, 당명만 바꾸는 경우에 대한 해석이 다를 수 있습니다. 당명을 바꾸기 이전과 이후는 동일한 정당입니까? 아니면 다른 정당입니까? 이것은 여러 가지 경우의 수가 존재하기에 한 가지 답변이 있기 어렵습니다. 한국정치에서 제도화된 정당의 존재여부는 해석하는 입장에 따라 다를 수 있습니다. 당명을 바꾸는 경우는 이에 맞추어서 당헌(정당의 헌법)과 당규(정당의 규칙)를 수정하는 경우가 일반적입니다. 당명을 바꾸면서 당헌과 당규를 거의 그대로 유지하는 경우도 있습니다. 한 마디로 정리하기엔 경우의 수가 복잡다기합니다. 주요 정당과 군소 정당이 통합하는 경우에도 '당 대 당' 통합인지, 단순히 흡수통합인지에 따라서 당명 변경에 대한 해석이 다를 수 있습니다. 일반적인 상황은 두 정당이 '당 대 당' 통합을 하는 경우엔 새로운 당명을 만들고, 큰 정당이 작은 정당을 흡수 통합하는 경우엔 큰 정당의 당명을 그대로 유지할 것입니다. 그런데 반대로, '당 대 당' 통합을 하면서도 당명을 바꾸지 않을 수도 있고, 흡수통합을 하면서도 당명을 바꿀 수 있다는 것입니다. 반대로 주요 정당이 여타의 정당을 흡수 통합하는 것도 아니면서 당명을 변경할 수도 있습니다. 어떠한 상황이건 기관의 이름을 바꾸는 것은 개인의 이름을 바꾸는 것과는 차원이 다른 이야기입니다.

쁜 것이 아니라 파벌들이 공공선을 위한 생산물을 도출하기 못하고 사적 차원의 '붕당'(朋黨) 수준에 머무를 때 문제가 발생합니다. 갑신정변도 하나의 정파에 의해서 추진되었고, 독립협회에도 내부에 서로 다른 시국관을 지닌 파벌이 존재하였으며, 상해임시정부의 경우에도 그 내부에 파벌이 존재하였습니다. 파벌이 곧 '정당'은 아닙니다. 정당의 가장 고전적인 정의는 "비슷한 주의·주장을 가진 사람들이 국민적 이익을 위해서 정치과정에서 권력의 획득을 목표로 하는 집단"입니다. 다양한 정치세력들이 1945년 8월 15일 해방 이후 한반도에서 정당이라고 하는 모습으로 나타납니다. 1945년 해방 직후 미군정청에 등록한 정당이 300여개 정도였으며, 미소공동위원회가 있던 1946년 즈음엔 등록된 정당의 수가 400개를 넘었습니다.

한국정당정치의 맹아를 대한제국이후 해방직후까지 살펴본다면, 주권없는 일본 치하에서 정당의 목표는 독립운동이 그 중심이고, 해방된 직후엔 국가수립(nation building)이었기에, 이를 주도할 정치지도자의 역할이 중요할 수밖에 없었습니다. 정당이 지도자를 중심으로 기능하였기에 인물이 정당이란 기관을 넘어서는 인물중심의 정당이 될 수밖에 없었던 것입니다. 1897년 대한제국 선포 이후 1948년 제1공화국 성립 때가지 대략 50년의 시기를 세 시기로 구분하고 그 정당의 형태로 인식할 수 있으며, 한국정당발전 과정에서 의미를 지닌 것으로 판단되는 정당(더 정확하게는 정치세력단위)들은 다음과 같이 정리해 봅니다.

① 대한제국선포(1897. 8. 17)–한일병합(1910. 8. 29)이전까지:

㉠ 독립협회(1898, 서재필)[2)]

2) 독립협회는 원래 1896년 12월 발족 시에는 이완용을 비롯한 친러세력들을 위시한 정부요인들이 참여하였으나, 1898년엔 서재필, 이상재 등의 자주독립과 내정개혁을

ⓛ 신민회(1906, 안창호)[3]

서재필
(1864–1951)

② 한일병합~해방(1945. 8. 15)이전까지:

㉠ 전로(全露)고려공산당(1918년 1월, 김철훈, 이르쿠츠크 공산당 한인지부로 출발; 1919년 9월 전로한인공산당으로 개명; 1920년 7월 전로고려공산당으로 개명)[4]

㉡ 한인사회당(1918. 6. 26, 이동휘; 1921년 1월 이후 상해 고려공산당)[5]

㉢ 대한국민회의(1919. 3. 17, 일명 노령(露領)정부)

㉣ 상해(上海)임시정부(1919. 4. 11, 이승만 외; 1926년 이후 김구 외)

㉤ 국민대회(1919. 4. 23, 이규갑 외; 일명 '한성정부' 이후 이승만 외)

주창하는 세력들이 중심이 되어 일반적으로 인식되는 독립협회의 기관 정체성에 맞게 1898년으로 하였습니다.

3) 조직 운영이 '점조직'에 의거한 비밀결사단체여서 이른바 듀베르제(M. Duverger)가 구분한 정당조직 유형들 중에서 '세포조직'(cell organization)의 형태입니다. 안창호 선생이 중심이 되어 이갑, 전덕기, 양기탁, 안태국, 이동녕, 이동휘, 신채호, 조성환, 노백린 등이 참여하였으며, 조직운영은 '세포조직'으로 운영되어 지휘부 외에는 조직원 상호간에 한 두 사람만 연락이 가능하였습니다.

4) 연해주 이르쿠츠크에서 김철훈이 중심이 되어 조직한 '고려공산당'과 상해에서 이동휘가 중심이 되어 조직한 '고려공산당'을 구분하기 위해 전자를 '이르쿠츠크 고려공산당'(당면 목표로서 사회주의 혁명을 강조), 후자를 '상해 고려공산당'(당면 목표로서 민족해방이 사회주의 혁명의 전제라고 주장)이라고 부르거나, 김철훈의 고려공산당, 이동휘의 고려공산당 이라고도 합니다.

5) 한인사회당은 노령의 하바로프스키에서 조직을 만들었으며, 곧바로 블라디보스톡에서 대표자회의를 하여 조직을 옮기게 되고, 1918년 8월 30일 이후 이동휘가 상해임시정부에서 초대국무총리직을 수행하게 됨에 따라 다시 한 번 근거지를 상해로 옮겨서 고려공산당을 조직합니다. 한편, 블라디보스톡에도 한인사회당이 1920년 3월 다시 한 번 조직을 재확인하고 상해 고려공산당의 지부로 기능합니다. 당명 하에 기관 중심으로 움직이는 것이 아니고, 당을 창당한 지도자가 근거지를 옮기면서 생기는 현상입니다. 물론 당시의 독립투쟁 상황 속에서 불가피한 현상인 점이 인정됩니다.

김원봉
(1898–1958)

이상재
(1850–1927)

ⓑ 조선의열단(1919. 11. 10, 김원봉; 1932. 11. 10, '대일전선통일동맹'; 1935년 7월 이후 '한국민족혁명당'; 1937년 1월 이후 '조선민족혁명당')6)

ⓢ 조선공산당(1925. 4. 17, 김재봉)

ⓞ 신간회(1927. 2. 15, 이상재, 권동진 외)

ⓙ 한국독립당(1930. 1. 25, 안창호, 이동녕, 조소앙, 김구; 1935년 9월 1차 재건이후 1940. 5. 8 이후엔 김구 중심으로 재편됨)7)

ⓒ 한국민족혁명당(1935. 7. 5, 김원봉, 김두봉, 지청천, 이범석, 김규식; 1937년 1월 이후 조선민족혁명당으로 개명)8)

ⓚ 한국국민당(1935. 11월, 김구, 이동녕, 조완구, 차이석, 안공근, 이시영)

---

6) 해방정국에서 '민주주의민족전선'(1946년 2월: 여운형, 박헌영, 허헌, 김원봉, 백남운)으로 연결됩니다.

7) 한국독립당은 1929년에 안창호, 김구, 조소앙, 이시영 등이 합심하여 결성하였고, 결당식은 임시정부 변공처(辨公處)에서 1930년에 한 것으로 기록되어 있습니다. 윤봉길 의거이후 안창호 투옥으로 세력들이 분산되었다가, 한국민족혁명당에서 조소앙, 박세창이 회귀하고 (1935년 9월 한국독립당 1차재건), 1940년 5월 8일에 각각의 정당이었던 김구(한국국민당), 조소앙(한국독립당), 지청천(조선혁명당)이 합당합니다(2차 재건). 이후 김구 중심의 단일지도체제로 재편됩니다. 합당 직전의 상황을 보면 한국독립당과 조선혁명당 모두 한국국민당의 재정적 도움을 받고 있어서 사실상 한국국민당의 부속적 위치에 있었습니다. 통합된 한국독립당은 해방 정국에서 남한 단독정부 수립반대와 남북합작의 자주독립국가를 역설합니다. 1949년 6월 26일에 김구가 피살되면서 정당의 기능을 잃습니다.

8) 1935년 9월에 김원봉을 중심으로 한 의열단세력의 전횡에 반발하여 조소앙, 박세창 세력이 탈당하여 '한국독립당'의 재건을 추진한 이후 1937년 1월 남경에서 당대표대회를 통해서 '조선민족혁명당'으로 개명합니다. 하지만, 당내 세력은 김원봉계열과 지청천계열로 분리됩니다. 결국 '조선민족혁명당'으로 개명한 직후인 1937년 4월에 지청천세력이 다시 이탈하여 '조선혁명당'을 창당합니다.

ⓔ 조선혁명당(1937. 4월, 지청천, 최동오, 유동열, 이광제, 양기탁, 현익철)

ⓕ 건국동맹(1944년 8월, 여운형; 1945년 8월 15일 이후 '건국준비위원회'로 연결됨)

③ 해방~제1공화국성립직전(1948. 5. 10)까지:

㉠ 건국준비위원회(1945. 8. 15, 여운형; 1945. 9. 6이후 박헌영 조선인민공화국; 1945. 11. 12 이후 조선인민당; 1946. 11. 12 이후 사회노동당; 1947. 5. 24 이후 근로인민당)9)

㉡ 국민당(1945. 9. 1, 안재홍)

㉢ 한국민주당(1945. 9. 16, 송진우, 김성수)

㉣ 조선공산당(1945. 9. 11, 박헌영)10)

㉤ 독립촉성중앙협의회(1945년 10월, 이승만; 1946. 2. 8 이후엔 '대한독립촉성국민회'로 확대 개편됨)11)

㉥ 신한민족당(1945. 12. 14, 이갑성)

㉦ 비상국민회의(1946. 2. 1, 홍진 외; 1947년 2. 14일 이후 '국민회의'로 개칭, 조소앙 외)12)

---

9) 여운형이 주도하는 '건준'(건국준비위원회의 약칭)은 '중도좌파'이고 박헌영 주도의 '인공'(조선인민공화국의 약칭)은 '극좌'로 이념적 색채가 구분됩니다.

10) 해당 정당은 1925년 4월에 김재봉의 조선공산당을 재건하여 계승한 것입니다. 김재봉의 조선공산당은 1925년 11월 '신의주사건'으로 해체된 이후 강달영, 김철수, 안광천, 차금봉 등에 의해 몇 번의 재건 시도가 무산되고 결국 해방이후에 다시 재건됩니다.

11) 이승만 중심의 독립촉성중앙협의회에 김구 중심의 '신탁통치반대 국민총동원 중앙위원회'가 결합하여 대한독립촉성국민회로 개편되었습니다. 총재 이승만, 부총재 김구, 김규식, 고문 권동진, 김창숙, 함태영, 조만식, 오화영, 회장 오세창으로 하여 반탁운동, 좌익운동 봉쇄, 미·소공동위원회 활동 반대를 주창하였습니다. 1946년 6월 말에는 '민족통일본부'로 다시 개편됩니다.

12) 1946년 2월 14일 이후 비상국민회의의 핵심세력들인 28명이 미군정청이 창설한 남조선대한민국대표민주의원(이승만, 김구, 김규식)으로 나가면서 그 명칭을 '국민회의'로 바꾸게 됩니다.

ⓞ 민주주의민족전선(1946. 2월: 여운형, 박헌영, 허헌, 김원봉, 백남운)

ⓩ 남조선노동당(1946. 11. 23; 허헌, 박헌영)

현대적 의미에서의 정당 조직의 시발은 선거절차와 의회형태를 지니게 되는 1948년 5월 10일 선거 이후로 보는 것이 일반적이지만, 그 당시 정당들이 하늘에서 갑자기 떨어진 것은 아닐 것입니다. 이승만의 '독립촉성회', 송진우의 '한민당', 김구의 '한독당' 모두 그 이전에 이미 세력들이 형성되어 흘러 온 것이기에 1897년 이후 정당의 시원적인 모습들을 이해하데 도움이 될 것입니다. 세 시기로 나눈 경우 모두 50년의 기간인데 어떤 정당도 당명이 동일하게 이어지면서 두 시기도 연이어서 유지된 정당이 없습니다. 이름이 같더라도 다시 만들어진 정당이거나, 정당 주역이 시기를 넘어서 건재한 경우엔 당명이 여지없이 바뀌고 있음을 알 수 있습니다. 1945년 이전엔 한국이 독립주권이 없는 독립운동의 시기였음을 감안해도, 어떤 기존의 세력을 중심으로 계속 힘을 누적시키기 보다는 인물 중심의 이합집산을 거듭하며 당명을 바꾸거나 신흥 집단을 창당하고 있음을 알 수 있습니다. 1945년 8월 이후엔 남한과 북한으로 나뉘어 이념대립을 하게 되면서 이념기관이라 할 수 있는 정당들은 자유로운 이념표방을 통한 활동이 제약될 수밖에 없었습니다. 지금도 한국정치의 특징으로 지적되는 정당 간 이합집산과 반복적인 당명 바꾸기는 이념적으로 박약한 구조적 상황이 한국 정당 태동기에 형성되어 있음과 무관치 않을 것입니다. 동일한 이념아래 있음에도 불구하고 작은 노선 차이가 발생할 경우, 조화를 모색하지 않고 바로 분당하여 새로운 정치세력을 만들어 온 것이 한국정당정치사의 대세라면 사회적인 이념적 제약 상황만을 탓할 수 없습니다.

1948년 5월 10일에 제1공화국 수립을 위한 선거에 참여한 정당들을 보면 당시 한국정치과정에서의 정당체계(political party system)와 개별 정당들의 모습을 파악할 수 있습니다.

건국에 실패한 정치조직 건국준비위원회

해방이 되자 일본 정부는 한반도에 이주해 있던 일본인들의 안전과 행정권 이양을 담당할 한국 지도자나 기관을 물색하게 됩니다. 김구가 주도하는 대한민국임시정부는 1941년 11월 28일에 '대한민국건국강령'을 제정 공표하며 해방을 준비하고 있었지만 그 활동 기반은 해외인 충칭에 있었습니다. 해방 직후에 국내에서 유일하게 정치 조직의 형태를 지니고 있었던 기관은 여운형의 주도로 1944년 8월 1일에 조직된 '건국동맹'입니다. 여운형은 일제의 패망이 다가와 있던 1년 전에 나름대로의 선견지명을 가지고 해방에 대비하여 국내에서 '건국동맹'이란 정치조직을 만듭니다. 1945년 8월 14일에 일본의 니시히로(西廣忠雄) 경무국장은 여운형을 접촉하여 일본의 패전 소식을 전하였으며, 일본인들의 치안 문제를 요청합니다.[13] 그 다음날 8월 15일 아침엔 엔도류사쿠(遠藤柳作) 정무총감이 다시 한 번 여운형을 접촉하여 일본인들의 치안과 행정권 이양에 관한 교섭을 합니다. 여운형은 정치범의 석방, 조선인들의 정치활동과 조직 활동에 대한 자유, 3개월의 식량확보 등의 내용을 확약 받고서 일본의 교섭에 응합니다. 여운형은 당일 8월 15일 저녁에 곧바로 건국동맹을 '건국준비위원회'로 전환 발족시키면서 산하에 건국치안대와 식량문제위원회를 둡니다.[14]

---

13) 일본 측에서 여운형보다 먼저 (또는 같은 시점에) 송진우를 접촉하였다는 설도 있습니다. 송진우는 패전국인 일본의 접촉을 고압적인 자세로 대했기에 일본은 송진우 대신에 여운형을 적극적으로 접촉하였다는 것입니다. 해방정국에서 송진우는 승전국이었던 미국 중심으로 정세가 움직일 수밖에 없다는 판단을 하였기에 친미적인 정책 성향을 띠고 있었습니다.

14) 건국준비위원회에는 우익 (안재홍, 김병로, 이인), 중도노선 (여운형, 허헌), 좌익(박헌영, 정백) 등이 참여하여 어느 정도는 좌우익 합작의 성격이 있었습니다. 조직의

하지만 일본은 패전국이지 승전국이 아닙니다. 한반도에는 특히 38°선 이하에는 미국이 승전국으로서 영향력을 행사하기 직전이었습니다. 미국은 여운형과 건국준비위원회를 무시하였습니다. 건국준비위원회는 이념적으로 중도좌파적인 성향이 강했습니다. 우익의 주요 지도자들은 건국준비위원회에 참여하지 않고 있었습니다. 건국준비위원회에 참여했던 좌익 세력들은 1945년 9월 6일에 박헌영을 중심으로 건국준비위원회를 장악하면서 '인민공화국'으로 명칭을 다시 한 번 개칭합니다. 여운형은 '인민공화국'의 이념적 편협성에 동의하지 않습니다. 해방직후 여운형의 건국준비위원회는 '20일 천하'로 막을 내렸습니다.

패전국 일본의 접촉으로 탄생한 해방 후 첫 번째 정치조직이 '건국준비위원회'라면 승전국 미국의 너그러운 눈길 속에서 조직된 첫 번째 정치조직은 송진우, 장덕수 등이 주도했던 '한민당'입니다. 송진우와 장덕수는 건국준비위원회에는 참여하지 않고 해방 정국을 예의 주시하다가, 건국준비위원회가 인민공화국으로 개칭하여 발족되면서 좌익의 색채를 분명히 하자, 곧바로 행동에 옮겨 1945년 9월 16일에 한국민주당(이후 한민당)을 창당합니다. 우익의 송진우, 장덕수 등이 건국준비위원회에 참여하지 않았던 대의명분은 "임시정부의 환국(還國)을 기다린다"는 것이었습니다. 실질적인 이유는 권력의 실체는 미군정일 수밖에 없다는 현실 인식에 기인할 것입니다. 승전국 미국의 연합군총사령부는 9월 2일 '일반명령 1호' 및 첨부서로 '일반사명 1호'를 발행하여 과거 일본의 통치지역이 이제 미국의 통치지역임을 분명히 하며, 이어 1945년 9월 8일에는 인천을 통해 상륙합니다. '미군정'이 시작된 것입니다. 미군정에 대한 상황 인식 속에서 창당된 것이 우익의 한민당입니다.[15)]

인사들을 보면 위원장 여운형, 부위원장 안재홍, 총무부장 최근우, 재무부장 이규갑, 조직부장 정백, 선전부장 조동우, 무경부장 권태석 입니다.

한민당은 1948년 5월 10일 선거에서 주요 정치세력으로 자리매김하며 향후 한국정치에서 그 생명력을 이어 오는 '보수야당'의 모태가 되는 집단이라고 할 수 있습니다. 해방정국에서 좌익과 우익은 이념대립 속에서 서로 다른 정당을 만들면서 좌-우합작의 실질적인 통합 기관을 만들지 못했습니다.

'원외 자유당' vs. '원내 자유당' 그리고 '민국당' (1948-1954)

한국정당은 기관중심으로 기능하지 못하고 인물중심으로 기능하는 한계를 지니고 있다는 비판을 받습니다. 정당 지도자가 권력을 잃는 경우, 정당도 기관 생명을 유지하지 못하고 해체됩니다. 정당 지도자의 필요에 의해서 당명을 바꾸기도 하고, 분당하기도 하고, 통합하기도 합니다. 이러한 정당이합집산의 전통은 독립운동을 하면서 임시정부를 수립했던 시기를 지나 민주공화국이 설립된 시절에도 유지되어 한국 정당정치의 부정적 모습으로 남았습니다.

이승만 초대 대통령은 독립운동과 자유민주주의 체제의 대한민국이 출범하는데 구심점의 역할을 했지만, 정당발전에 관한 한 그만 부정적인 선례를 남기고 말았습니다. 정당이 이념적 정체성에 의한 정책 개발을 하는 기관이 아니라 정당 지도자의 권력을 위한 친위대로 전락하는 것입니다. 정당이 기관의 목적을 위해서 존재하는 것이 아니고 권력자의 권력 옹호나 재창출의 수단으로서 존재하는 부정적 선례를 남긴 것입니다. 독립투쟁의 시기나 민주화 투쟁의 시기에 일정 수준으로 투사적 역할의 정당 지도

15) 당시 '한민당 세력'들을 '민족주의세력'이라고도 하는데, 우파를 말합니다. 현재 한국사회의 '보수-진보 논쟁'에서는 '진보세력'이 '민족주의세력'으로 스테레오타입화되어 있습니다. 이것은 진보세력이 통일문제를 다룸에 있어서 남한의 입장보다는 남한과 북한을 아우르는 '민족'을 강조하면서 발생한 현상으로 추측해 봅니다.

자들을 중심으로 정치가 진행될 수 있습니다. 정치는 정치인들의 권력경쟁을 기반으로 합니다. 국가 건국기에 정치 지도자들의 지나친 권력욕은 정당을 자신들의 친위대로 만들었습니다.

1948년 8월 이후 1954년 11월까지 무려 5번의 개헌 시도가 있었습니다. 이중에서 3번은 무산되고, 2번의 개헌이 이루어집니다. 이 기간 동안 정당 경쟁 구도는 두 차원으로 이루어지는 매우 독특한 형태를 띠게 됩니다. 하나는 일반적으로 예상할 수 있는 여당 대 야당의 정당경쟁 구도입니다. 개헌과정에서 여당인 자유당 대 야당 연합세력인 민국당의 정당경쟁구도입니다. 그런데, 여당인 자유당이 창당할 때 며칠 간격으로 '원외(院外)자유당'과 '원내(院內)자유당'이 나뉘어서 창당하며 개헌안에 대해서 대립하게 됩니다. 이른바 여당 내에서 그리고 여당과 야당간 '이중게임'(two-level game)의 구도가 형성된 것입니다.

국회의 간선제도에 의해서 대통령에 당선된 이승만은 제헌국회인 제1대 국회에서 대통령을 선출하는 경우 정권 재창출이 어려울 것이라는 판단 하에 1951년 '대통령 직선제' 개헌을 하게 됩니다. 이 때, 이승만 대통령의 강력한 친위대 역할을 한 것은 '자유당'인데 같은 자유당 내에서 반(反)이승만의 '원내세력'과 친(親)이승만의 '원외세력'이 대립하다가 결국 원외세력 중심의 자유당으로 재편됩니다. 원내세력이란 국회에 진출한 의원들을 중심으로 한 세력을 말하고, 원외세력이란 국회에 진출하지 못한 정치세력 집단을 말합니다.

대통령 직선제 개헌을 가능케 한 것은 '원외자유당'의 존재와 함께 '원내교섭단체'의 기능입니다. 정당정치가 어눌했던 당시는 '원내교섭단체'가 의회정치에 큰 역할을 하게 됩니다. 교섭단체는 특정 정치 현안이나 주요 이슈를 중심으로 국회의원들이 모여서 국회 내에 단체를 구성하는 것입니다. 의회 내에서 경쟁세력은 정당 사이에 형성되는 것이 일반이지만, 정당

소속을 넘어서 의원들 사이에 구성된 교섭단체를 중심으로 기능하기도 합니다. 교섭단체의 구성요건은 그 당시 국회법에서 정하게 됩니다. 단체의 장은 교섭단체장이 되며, 의원수가 많은 경우 정치력을 발휘하게 됩니다. 교섭단체 중심의 정치과정에서도 정당별로 교섭단체를 구성하는 것이 일반이지만, 특정 현안이나 이슈를 중심으로 그 때 그 때 원내에서 교섭단체를 구성하여 단체세력이 의도하는 바를 관철시키려 한다는 것입니다. 원내 교섭단체가 단순히 정당을 중심으로 형성되는 경우보다 정치과정은 더 유연성을 지니게 됩니다.[16] 경우에 따라선 원내정치과정이 막후교섭에 의존하여 예측가능성이 없이 혼란해 질수도 있습니다.

1951년 8월 15일 이승만 대통령은 신당조직을 위한 의사를 표명합니다.[17] 개헌을 하려면 2/3이상의 동의를 얻어야 하기에 무려 17개 정치집단이 난무하고 있었던 제헌국회에서 신당 창당으로 세력을 재편하지 않으면 개헌을 실현할 수 없었습니다.[18] 대통령은 당시 국회의 다수 세력인 '한민당' 세력들로부터 지원을 받지 못했으며, 국회에서 대통령을 선출하는 경우 다시 대통령에 당선될 가능성이 낮았습니다. 이승만 대통령은 정권 재창출을 위해 국회 간선제로부터 국민 직선제로 개헌을 염두에 두게 되었습니다. 제1공화국 헌법이 대통령제로 결정된 것은 한민당의 협조아래서 이루어진 것인데, 한민당 세력은 이승만 정권이 출범하면서 국무총리 임명

16) 원내교섭단체의 다원성은 국회내 정당균열에 더하여 교차균열(cross cleavage)을 형성하면서 정치 교착(膠着)을 극복하는데 도움을 줍니다. 일반적으로 정치교착상태는 제도보다는 그 사회의 '정치문화'에 의해서 극복됩니다. 합의를 존중하고, 상대를 배려하는 문화가 정착된 곳에서 교착상태 극복에 유리할 것입니다.

17) 2대 국회 중이었으며, 의석수 분포는 무소속(126), 대한국민당(24), 민주국민당(24), 국민회(14), 대한청년단(10), 대한노동총연맹(3), 일민구락부(3), 사회당(2), 민족자주연맹(1), 대한부인회(1), 중앙불교위원회(1), 여자국민당(1) 입니다.

18) 제헌국회의 의석수는 총 200명이었는데, 의석수 분포를 보면, 무소속(85), 대한독립촉성국민회(55), 한국민주당(29), 대동청년단(12), 조선민족청년단(6), 대한독립촉성농민총연맹(2), 나머지 11개 의석은 11개의 단체가 각각 1석씩 차지하고 있었습니다. 무소속을 한 개의 단체로 본다고 해도 무려 17개의 세력이 난무하고 있었습니다.

과 내각 구성에서 소외되자 제헌헌법의 권력구조를 대통령제로 합의해 준 것에 대해서 배신감을 느끼고 있었습니다. 한민당은 제1공화국이 출범하던 당시 주장되던 의원내각제로 변경하는 개헌을 준비합니다. 정부가 출범한 지 3년이 되는 시점에 정국은 개헌 정국으로 변환합니다. 더욱이 당시는 6·25전쟁 중에 수도를 부산으로 이전한 상태였습니다.

먼저 포문을 연 곳은 국회에서 야당으로서 제1당의 위치에 있었던 '민주국민당'(이후 민국당)이었습니다.[19] 야당 세력이 하나로 뭉쳐서 '민국당'을 조직하자, 친이승만 세력들은 '대한국민당'(이후 대국당)을 결성하여 이에 대항합니다.[20] 민국당은 일부 무소속의원들과 합세하여 1950년 1월 27일에 의원내각제 개헌안을 국회에 제출하였는데 3월 14일 표결 결과 2/3의 개헌 선을 충족하지 못하고 부결됩니다. 민국당의 개헌 추진이 무산되고 나서 제2대 국회의원 선거후 6·25전쟁으로 수도를 부산으로 옮긴 상태에서 이번에는 1951년 11월 30일에 이승만 대통령이 대통령 직선제와 양원제를 골자로 하는 헌법개정안을 국회에 제출하였습니다. 앞서 한민당의 의원내각제 개헌안에서는 그래도 45% 정도가 개헌안에 찬성(재적 179명 중에서 79명이 찬성)했는데, 이승만 대통령의 헌법개정안은 1952년 1월 28일 표결에 붙여졌는데 12%정도만이 찬성(재적 163명 19명이 찬성)하여 참패를 당하면서 부결되었습니다. 제1공화국 출범이후 1차, 2차

19) 민주국민당은 1949년 2월 10일에 한국민주당과 대한국민당(신익희) 및 대동청년단(지청천)과 합당하여 창당한 정당입니다. 한국민주당은 당시 친일파들의 정당이란 이미지에 고민하고 있었는데, 이승만의 대통령제에 합의해 준 한국민주당은 이승만 대통령이 국무총리 지명과 국무위원 임명에 자신들의 진출을 기대하였으나 외면당하고 이에 반이승만 세력을 구축하게 됩니다. 이에 민주국민당으로 세력을 확장한 한국민주당 세력들은 제헌 헌법에서 그들이 양보했다고 생각하는 의원내각제 개헌을 추진하게 됩니다.

20) '대한국민당'은 이미 1948년 11월 12일에 창당되었으나, 그 세력이 약해서 명맥만 유지하는 상태였습니다. 친이승만-반민국당으로 세력을 결집한 당시는 재결성이라고 하는 것이 더 정확한 표현입니다.

로 제출된 개헌안은 모두 부결된 것입니다. 야당과 대통령의 개헌안 시도는 모두 무산되었습니다. 그러면, 이제 기존 헌법을 지키면서 정치인 본연의 임무에 충실해야 할 것입니다.

1952년 1월에 부결된 이승만 대통령의 개헌안은 자유당 창당 이후였는데, 왜 자유당 창당에도 불구하고 개헌안 통과에 실패하였는지 살펴볼 필요가 있습니다. 이승만 대통령은 자신의 개헌 의지를 실현시켜줄 정당의 필요성을 절감하였습니다. 1951년 8월에 이승만 대통령의 정당 체제 확립을 위한 신당 창당의 필요성을 언급하면서 자유당의 창당이 기획됩니다. 이승만 대통령의 지지기반이던 '공화민정회'소속 의원들을 중심으로 한 원내 세력과 대한독립촉성국민회, 대한청년단, 대한노동조합총연맹, 대한농민조합연맹, 부인회 등의 원외 사회단체가 공동으로 신당을 발족하는데 합의하면서 현실화됩니다.[21] 이승만 대통령의 개헌 구상의 핵심은 대통령 및 부통령 직선제와 양원제를 골자로 하는 헌법개정안입니다. 노년층이 많았던 원외세력들은 이승만 대통령, 이범석 부통령을 세우고, 상원이 각 도 단위 대선거구 지역대표로 구성되는 경우엔 대거 국회로 진출하여 실권을 잡을 수 있는 것으로 기대하고 있었습니다.[22] 참의원은 민의원과 동등한 권한을 지니는 것으로 안을 구상하고 있었습니다. 반면에 이미 국회의원 신분인 원내세력은 의원내각제를 통해서 이승만은 명목상의 상징적 대통령으로 하고, 장면을 내각제하의 실권자인 총리로 하는 것이 자신들의 실권을 유지하는데 유리하다고 판단하였습니다. 원외 자유당과 원내 자유당

---

21) 공화민정회는 1951년 5월 29일 발족된 원내교섭단체로서 신정동지회, 공화구락부, 비민주국민당계 의원들이 모여서 결성하였습니다. 공화민정회 교섭단체는 민주국민당과 대립하고 있었습니다. 국회의원들은 정당에 소속되어서만 활동하는 것이 아니며, 주요한 정치적 현안이나 주요 이슈에 따라 뜻을 같이 하는 의원들이 교섭단체를 구성하고 교섭단체장을 선출하여 교섭단체장끼리 안건들을 합의하고 조정합니다.

22) 예를 들면, 예산권의 경우는 민의원이 선심권(先審權)을 갖고 참의원이 후심권(後審權)을 갖습니다.

은 동상이몽(同床異夢)을 갖고 있었던 것입니다.

이범석
(1900–1972)

원외세력과 원내세력은 신당창당과정에서 창당발기인 선출문제를 놓고서 대립하게 됩니다. 원외세력들은 당시 단원제 국회를 양원제로의 개헌을 통해서 국회에 진출하기를 원했습니다. 이승만 대통령이 1951년 11월 30일에 대통령 직선제 및 양원제 개헌안을 제출하면서 공화민정회 소속 의원들을 중심으로 한 원내 자유당은 적극적으로 반대하며 원외 자유당과 첨예하게 대립합니다. 결국 자유당은 한 지도자 아래에서 두 번 창당하는 기형적인 창당을 하게 됩니다. '원외 자유당'은 이범석을 중심으로 1951년 12월 17일에 창당되었습니다. '원내 자유당'은 이갑성을 중심으로 1951년 12월 23일에 창당되었습니다. 원외 자유당은 개헌안에 관하여 국회에서 표결권이 없습니다. 결국 국회의 주요 세력인 원내 자유당과 민국당의 강력한 반대로 이승만 대통령의 개헌안은 통과될 수 없었습니다.

1950년 1월 민국당의 개헌안 제출과 부결, 1951년 11월 대통령의 개헌안 제출과 부결은 1라운드 리턴매치에 불과했습니다. 이승만 대통령 세력과 반이승만 세력은 개헌에 집착하면서 곧바로 2라운드 리턴매치에 돌입하게 됩니다. 헌법 개정에 대한 의사는 이미 야당안도 부결되고 대통령안도 부결되었습니다. 1년도 안된 시점에 반복할 이유가 전혀 없습니다. 한국의 정치문화를 사생결단의 정치문화라고 하는데, 경쟁과정에서 결과가 나오면 그 결과에 승복하며 중간매듭을 짓지 못하고, "갈 데까지 가보자"라는 식의 경쟁을 지속한다는 것입니다. 어떤 정치세력이건 개헌을 성사시키려면 입법부 선거에서 해당 세력이 개헌의석에 가까운 다수 의석을 차지하는 것이 중요한 절차일 것입니다. 절차상 개헌안을 의결하는 1차 집단은 입법부이기 때문입니다. 어떤 상황에서건 대통령이 직접 개헌안을 제출할 수도 있지만, 대통령의 안이 부결되었다면 그 결과에 승복하고 다시 개헌의 국가적 필요성이 무르익는 순간까지 상당기간은 개헌을 다시 언급하지 않는 것이 바람직할 것입니다. 결과에 승복하지 않는 경쟁은 민주적 경쟁이 아닙니다.

한국정치과정에서 정당정치와 연관하여 더욱 심각한 문제는 이 때 정당간 경쟁 구도의 모습에 있었습니다. 의회가 존재하는 한, 정당간 경쟁의 바람직한 형태는 국회 내에서 토론과 심의를 통해서 경쟁하는 것입니다. 그런데, 원내 야당인 '민국당'과 원외 여당인 '원외 자유당'의 기형적인 경쟁구도가 만들어졌습니다. 그것도 야당은 원내세력인데, 여당이 오히려 원외세력으로서 작용하고 있었으며, 동시에 원외세력은 정책개발과 연계된 세력이 아니라 대통령의 친위대에 불과한 세력이었던 것입니다. 공화국이 탄생한지 5년도 안 되는 시점이어서 모든 것이 어눌했다고 하지만, 모든 행동에는 업보가 있습니다. 이런 부정적 선례들이 지금도 한국정치에 그늘로 남아있는 것입니다. 의원들이 거리로 나가 장외투쟁(場外鬪爭)을 하는 모습들이 아직도 남아있습니다. 정당은 이념적 정체성이 기본인 집단이기에 이념적 정체성의 일관성을 위해서는 원내 세력과 함께 원외 세력의 역할도 중요합니다. 일반적으로 정당의 원외세력은 정당이 원내의 정책결정과정에서 이념적 일관성을 잃지 않도록 긴장감을 조성해 줍니다. 정당의 정책결정기능에 있어서 원외정당의 건전한 기능이 중요함에도 불구하고, 한국정치에서 원외정당세력이 갖는 부정적 이미지는 이때에 태동된 것으로 추론해 봅니다.

이승만 대통령은 1952년 1월에 자신의 개헌안이 부결된 후에 대통령 직선제 개헌의 필요성을 확산시키기 위해서 친위대 격인 '원외 자유당'과 연계하여 관제(官制)데모를 주도합니다. 백골단, 땃벌떼, 민중자결단 등을 동원하여 국회의원들을 협박하고 회유하며, 비상계엄을 선포합니다. 정치 게임에는 항상 반발이 존재합니다. 작용이 있으면 반작용이 있습니다. 국회에서는 오히려 반이승만 분위기가 고조되면서 일군의 세력들이(민국당, 원내자유당 잔류파, 민우회) 1952년 4월 17일에 의원내각제 개헌안을 다시 제출합니다.[23] 이 때 제출에 연명한 국회의원은 123명이었는데 이 숫자는 재적의원 183명의 개헌 정족수 2/3보다 1명이 더 많은 숫자여서 해당 의원내각제 개헌안이 차후 표결에 부쳐지면 채택될 가능성을 예견하고 있었습니다. 이승만 대통령도 1952년 5월 14일에 개헌안을 제출하여 국회는 두 개의 개헌안을 같은 시기에 심사하게 되는 초유의 사태를 맞게 됩니다. 그 결과는 두 헌법으로부터의 발췌를 통해서 하나의 헌법을 만드는 '발췌개헌'이 결론이었습니다. 어찌보면, 파국을 막고 합의를 보았다고 할 수도 있으나, 한 나라의 가장 중요한 헌법에 대한 철학이나 원칙이 없는 누더기 헌법을 만들었다는 점에서 긍정적 평가를 내리기 어렵습니다. 결국 1952년 4월에 야당세력의 의원내각제 개헌안과 곧이어 5월에 여당세력의 개헌안 리턴매치 2라운드의 결과는 발췌안이었는데, 이것이 원형적 대통령제의 핵심과 원형적 의원내각제의 핵심이 조합된 것이어서 '절충형'에 해당되는 정부형태를 만들어 내게 됩니다. 결과에 승복하지 않는 정치세력들이(또는 정당들이) 만들어낸 결과는 그 것 이외에 다른 길이 없을 것입니다.

여기서 독자들은 반이승만 세력의 국회의원 123명이 발의했음에도 왜 그들의 해당 개헌안이 통과되지 못하고, 이승만 대통령의 개헌안과 조합하여 발췌개헌으로 귀결되었는지 의문이 들 것입니다. 이유는 대립 정당의 의원들을 포섭하는 회유책과 비상계엄에 의한 강압책을 통해서 반이승만

---

23) 원내 자유당 세력에서 잔류파는 48명입니다.

세력인 민국당과 원내자유당 세력을 무력화시켰기 때문입니다. 원내 자유당 세력들 중에서 52명을 이승만 대통령 세력이 포섭했기 때문입니다. 자유당은 원내 자유당과 원외 자유당으로 나누어 대립하고 있었는데, 차후 원외 자유당과 원내 자유당 세력 중 포섭된 의원들이 하나가 되어 '합동자유당'이 성립한 것입니다.[24] '합동자유당'은 1952년 5월 19일에 국회에 교섭단체 등록을 합니다. 이제 친이승만 세력과 반이승만 세력은 다시 팽팽해 졌습니다.

이승만 대통령은 1952년 5월 22일에 원외 자유당 및 족청계를 이끄는 대통령의 오른팔 이범석을 내무부장관에 임명하고 5월 26일에 비상계엄령을 선포합니다. 공포 분위기가 조성된 상황 속에서 양쪽 세력의 절충안인 발췌개헌의 탄생에 원내교섭단체가 다시 한 번 역할을 합니다. 이승만 대통령은 장면 총리를 자신의 세력인 장택상 총리로 경질한 상태였습니다. 장택상 총리는 비민국당 세력들을 규합하여 '신라회'를 주도하고 있었는데 여기에는 원내자유당 잔류파 의원들도 포함되어 있었습니다. 장택상 국무총리는 이러한 위치를 이용하여 개정헌법에 관한 절충안을 6월 5일에 제시합니다. 그런데 이 절충안의 내용이 대통령제와 의원내각제의 골간이 되는 원칙을 합쳐 놓은 것입니다.

① 상 · 하 양원제로 한다.
② 대통령직선제를 채택한다.
③ 국무위원은 국무총리의 제청으로 대통령이 임명한다.
④ 하원에서 국무원(대통령, 총리, 기타 국무위원)의 신임 또는 불신임 결

24) 잔류파인 자유당이 자신들을 원내자유당이라고 하자, '합동자유당'도 자신들을 원외자유당이라고 하게 됩니다. 이해하기 쉽게 정리하자면, 기존에 있던 원외자유당이 원내자유당 세력의 일부를 포섭하여 세력을 확장하였고, 원내자유당은 세력이 약화된 것입니다.

의는 재적의원 과반수의 찬성으로 한다. 하원은 국무원의 조직완료 또는 하원총선거 즉후의 신임결의로부터 1년 이내에는 불신임의결을 할 수 없으나, 재적의원 2/3의 찬성에 의한 불신임 결의는 언제든지 할 수 있다.

②번은 대통령제의 본질과 연관되는 조항입니다.[25] 국가의 상징적 원수로서의 대통령이 아니라 행정부의 실질적 수반인 대통령을 운영하는 대통령제이면서 행정부의 수반인 대통령을 입법부에서 선출한다는 것은 일반적인 대통령제의 개념과는 다른 대통령제입니다. 대통령제를 대통령제답게 운영하기 위해서 ②번이 필요한 개정 사항으로 해석될 수도 있지만, 문제는 ④번입니다. 대통령제라는 권력구조 속에서 의원내각제의 핵심 규정인 ④번을 ②번에 조합한 것은 국가의 대계와 연관된 헌법 개정에 원칙과 철학이 실종되었다는 비판에서 자유로울 수 없을 것입니다. 단적으로 ②번은 행정부 중심의 대통령제 권력구조를 의미하며, ④번은 입법부 중심의 의원내각제 권력구조를 의미합니다. ②번과 ④번의 조합은 화합하고 타협하는 정당경쟁 구도에선 문제가 없지만, 제헌국회이후 지속적으로 비정상적인 투쟁에 가까운 정당경쟁 구도에선 정치가 파행에 이르게 됩니다. 발췌개헌이 대통령직선제를 관철시키기 위해서 야당의 의원내각제적 요구를 받아준 것으로 소위 잡탕 권력구조를 만들어낸 것입니다. ①번은 대통령제나 의원내각제 어떤 정부형태와도 상관없이 채택될 수 있는 조항이고, ③번은 총리의 권한이 대통령의 권한을 넘어설 수 없다는 점에서 대통령제라는 큰 틀에서 가능한 조항입니다.[26]

---

25) 대통령제는 행정부의 수반인 대통령이 입법부와 분리되어 존재합니다. 행정부의 수반을 뽑는 선거를 입법부 선거와 분리하는 것으로 행정부와 입법부는 각각의 정해진 임기가 있어 생존기반이 분리됩니다.

26) 핵심은 국무총리에 대한 임명권을 대통령이 갖는 경우, 국무총리의 국무위원에 대한

제청권은 상대적으로 형식적 권한이라는 의미입니다. 국무총리를 임명하는 것이 대통령이라면, 국무총리는 독선적으로 국무위원을 추천하기 어렵습니다. 동시에 국무총리 임명에 대한 동의권을 국회가 갖더라도 임명권과 동의권은 차원이 다른 권한입니다. 국무총리 임명에 국회의 동의 여부가 중요하다는 주장도 있지만, 대통령이 임명한 자에 한해서만 동의 여부를 결정하는 한계적 권력일 뿐입니다. 임명권과 동의권은 중량감이 다른 권한입니다.

개헌의도와 상관없이 결과론적으로만 보자면, 발췌개헌은 '이원집정부제'의 성격을 지니고 있다는 해석도 가능합니다. 내각회의 의장이 총리가 아닌 국민직선 대통령인 상황에서 내각에 대한 의회불신임권을 볼 때 프랑스식 이원집정부제와 유사성을 지니고 있습니다. 그러나 이것은 결과론적인 해석일 뿐입니다. 발췌개헌안은 여당의 대통령직선제와 야당의 국무원 불신임 및 연대책임제(즉, 의원내각제)가 절충되어 혼합된 것입니다. 더 정확히 표현하자면, 여당이 대통령직선제란 목적을 관철시키기 위해서 야당의 일부 요구를 받아들인 가운데 만들어진 영혼 없는 개헌입니다. 발췌개헌안은 1952년 7월 4일에 경찰, 군대, 대통령 친위 테러단이 국회를 에워싼 가운데 국회에서 기립표결로 출석 166명 찬성 163명 기권 3명으로 통과됩니다.

헌법을 대통령직선제로 개정한 이승만 대통령은 다시 한 번 대통령 직위를 유지할 가능성이 높아졌습니다. 인물중심의 정당에선 정당 2인자가 기관 내의 정상적 절차를 통해서 차세대 지도자로 성장하는데 예측가능성이 매우 낮습니다. 정당 1인자의 의중에 달려있습니다. 정당 2인자로서 이범석은 토사구팽(兎死狗烹)됩니다. 주인은 사냥개를 위하지만, 사냥개가 토끼를 잡아오고 나면 사냥개를 삶아 먹는다는 것입니다. 발췌개헌을 통과시킨 장택상도 후에 야당에 합류합니다. 그 자리를 이기붕이 대신하며 대통령의 친위정당인 자유당을 운영합니다. 이범석은 족청계(조선민족청년당계)를 이끌면서 원외 자유당을 이끌고 있었는데, 대통령 직선제를 관철시킨 후에는 상황이 바뀝니다. 이범석의 세력 확장을 경계한 이승만 대통령이 1953년 9월에는 당수제를 총재제로 바꾸면서 이범석은 부당수에서 거세되고 1954년 1월 이후에는 새로이 당 중앙위원회 의장으로 선출된 이기붕이 대통령의 오른팔 역할을 하게 됩니다. 자유당은 1960년 3.15부통령 선거에서 이기붕을 부정으로 당선시키면서 4.19를 유발시키고 이승만 대통령이 해외로 망명하면서 붕괴됩니다. 정당이란 기관의 흥망성쇠가 결국 인물의 정치적 흥망성쇠와 동일하게 움직이는 것은 정당의 후진성을 나타내는 것입니다. 기관은 원칙과 강령이 있어야 하는 것이며, 그것이 특정 인물의 영향력에서 독립하여 기관자율성(institutional autonomy)을 가질 때 그 기관이 사회에 정착될 수 있습니다.

불과 2년의 기간 내에 4개의 개헌안(2번은 야당, 2번은 대통령)이 제출되는 과정에서 정당이란 기관이 정착되어 가는 형태를 보면 인물 중심의 정당 형태의 방향으로 정착되고 있음은 분명합니다. 기관 중심으로 정당 형태가 정착되려면 기관의 설립 목적과 이와 연계된 이념 정체성이 분명하고, 이런 정당들끼리의 정책 대결 구도가 의회에서 구현되어야 합니다. 제헌 헌법 이후 창당된 가장 큰 정당인 자유당의 모습은 인물 중심의 친위 정당이었습니다. 이것은 대통령제의 채택과도 관련이 없지 않으나, 반대로 의원내각제를 시행하기에는 짧은 의회민주주의 역사여서 미진한 점이 많을 수밖에 없지만, 선례가 중요하기에 첫 단추를 잘 끼워야 하는데 아무래도 아쉽습니다.

1948년부터 1955년까지 두 번의 국회가 있었으며 이 기간의 한국정당정치는 비정형화된 정당인 자유당과 민국당의 대결구도였습니다. 비정형화된 정당이란 정당이 실질적인 행위자라기보다 어떤 특정 현안을 처리하기 위해서 조직된 세력집단이란 의미입니다. 비정형화된 정당은 여러 복잡한 세력들의 집합체로서 언제든지 이합집산 할 가능성이 높은 정당입니다. 여당 역할을 했던 대한국민당 및 자유당, 야당 역할을 했던 한민당 중심의 민국당은 모두 개헌을 다투는 과정에서 형성된 비정형화된 정당이었습니다.

결론적으로, 1948년 이후 1953년까지 4번의 개헌안이 제출되는 과정에서 국회에서 1차 정당 격인 독립촉성국민회, 한민당, 무소속 집단 등은 모두 2차 정치행위 집단의 단위에 불과했습니다. 이러한 정치집단들을 바탕으로 창당이나 교섭단체형성을 통해서 2차로 창조된 민국당, 공화민정회, 원외 자유당, 원내 자유당, 합동자유당, 신라회 등이 정당의 자리를 대신한 실질적인 1차 정치행위 집단이었습니다.

이제 자유당과 민국당의 마지막 3라운드가 시작됩니다. 그것이 바로 '4사5입 개헌안'의 국회제출로 시작된 정당대결입니다. 아무래도 권력이 마주(魔酒)입니다. 이승만 대통령은 초대 대통령에 한하여 중임제한을 철폐한다는 내용을 골자로 하는 헌법개정안을 국회에 제출하는데, 이를 위해서 자유당의 2인자인 이기붕은 원내 소장파들을 중심으로 야당 및 무소속 의원을 무차별로 영입하여 원내 개헌의석 136석을 채우려고 시도합니다.[27] 자유당은 1954년 6월 15일에 개헌선 136석을 확보하고, 3달 후인 9월 7일 136명의 국회의원 서명을 달아 개헌안을 제시합니다. 불과 2년전에 발췌개헌이 있었는데, 다시 한 번 개헌논쟁이 시작되고 자유당과 민국당은 이제 3라운드 싸움을 시작한 것입니다. 1954년 9월 20일에 자유당이 제출한 개헌안의 주요 내용은 다음과 같습니다.

① 주권의 제약, 영토의 변경 등 국민안위에 관한 주요 사항에 국민투표제(referendum)를 채택한다.

---

27) 1954년 6월 9일에 개원한 제3대 국회의 의석수 분포는 자유당(114), 무소속(67), 민국당(15), 국민회(3), 대국당(3), 제헌의원동지회(1) 입니다.

② 국무총리제 및 국무위원 연대책임제를 폐지하고 민의원에 개별적 불신임권을 채택한다.
③ 참의원은 2부제로 개선하고, 대법관 등 기타 고급 공무원의 임명에 대한 인준권을 부여한다.[28)]
④ 경제체제의 중심을 국유, 국영의 원칙에서 사유, 사영의 원칙으로 변경한다.
⑤ 초대 대통령에 한해서 중임제한을 철폐한다.

②번 조항으로 대통령제하에서 의원내각제적 성향은 완화되었습니다. 정치적 문제가 있어도 내각은 유지하면서 내각내의 각료들 개인만이 책임을 진다는 것이기 때문입니다. 내각불신임권이 아닌 장관해임권인 것입니다. ⑤번 조항은 초대 대통령에 한해서 중임제한을 철폐하는 것이므로 단순히 '3선 개헌'이 아니라 연임(連任)에 의한 영구집권을 의미한다고 볼 수 있습니다. 대통령의 개인 욕심으로만 이것을 설명할 수 없습니다. 이것은 이승만 대통령 주의의 측근들이 자신들의 기득권 체계를 유지하고 영구히 하려는 의도와의 합작품인 것입니다. 그래도 대통령이기에 판단의 최종 책임자는 대통령입니다. 앞서 개헌의 무리수와는 또 다른 정치적 의미를 지니는 해당 '사사오입 개헌'은 대한민국 민주공화국의 국부(國父)인 이승만 대통령의 정치역정에 큰 오점으로 남았습니다.

'4사5입 개헌안'은 1954년 11월 18일 국회에 상정되었습니다. 11월 27일 국회 표결에 들어갔는데 결과는 재적의원 203명 중에서 찬성 135표, 반대 60표, 기권 7표로 나타났습니다. 203명 중에서 135표의 찬성은 개헌 정족수 2/3이상의 찬성을 충족시킨 것입니까? 분명히 아닙니다.

28) 이전에는 3부제로서 참의원은 6년 임기로 2년마다 의원의 1/3씩 개선(改選)하는 것입니다. 2부제는 6년 임기를 3년마다 의원의 1/2씩 개선하는 것입니다.

203명의 2/3를 만족시키는 정족수는 분명 136석입니다. 203표의 2/3는 135.3333…이기 때문입니다. 135석은 203석의 2/3에 못 미치는 것이고, 136석이 있어야만 결국 2/3를 충족시키는 것입니다. 135.3333…이라는 결과는 2/3에 못 미치는 숫자란 의미 그 이상도 이하도 아닌 것입니다.

표결 결과가 나온 직후에 사회를 맡은 최순주 부의장은 개헌안의 부결을 선언했습니다. 문제는 그 다음날 11월 29일 '4사5입의 논리'를 설명하면서 부결된 개헌안을 번복가결동의를 거쳐 최종 가결하게 됩니다. 부끄러운 역사로 기록될 것입니다. "민국당 대 자유당의 경쟁구도"라고 했지만, 원내교섭단체가 중요한 행위자로 기능합니다. '4사5입 개헌'이 통과되고 난후 민국당, 자유당 탈당 의원, 무소속 의원들이 '호헌동지회'란 원내교섭단체를 구성하고 1954년 11월 30일에 교섭단체 등록을 합니다. 호헌동지회는 대여 투쟁을 강화하고 이를 신당창당운동으로 연계시킵니다. 호헌동지회는 비자유당계의 의원들이 모두 결집하는 계기가 되어 앞으로 한국정당사에서 대여투쟁을 위해서 야당이 결집하는 '야당통합운동'의 초기 사건이라 해석할 수도 있습니다. '4사5입 개헌'이란 정치 파행의 결과는 한국정치지형에 방향성을 만듭니다. 한국정당정치가 형식적으론 군소정당을 포함하는 다당체계인 경우에도 기능적으론 커다란 두 개의 정당을 중심으로 기능하는 '양당체계'적 성격을 보여줍니다. 미국정치가 "형식적 양당제이며, 기능적으로 양당제"인 반면에, 영국정치는 "형식적 다당제이며, 기능적으론 양당제이다"라는 묘사에서 후자와 유사한 모습인 것입니다. 여당의 4사5입 개헌이란 파행적 정치과정은 한국정치과정에 각성효과를 가져와 야권세력이 결집하여 제대로 된 야당을 창당하거나 '진보당'이나 '민주혁신당'과 같은 이념정당이 창당되는 계기가 됩니다.

자유당 vs. 민주당 (1955-1961)

1948년 이후 1954년까지 무려 5번의 개헌 시도와 이 중 2번이 개헌으로 연결되었습니다. 이 과정에서 의회민주주의는 거의 실종되었으며, 특정 인물을 중심으로 한 정치세력이 자신이 의도하는 바를 실현시키는 정치는 정당 대 정당의 경쟁구도와 함께 여러 세력들이 특정 인물을 지지하거나 반대하면서 원내교섭단체 구성이 동시에 작동하는 세(勢) 싸움 속에서 이루어졌습니다. 결과론으로 보자면, 권력을 차지할 만한 인물을 중심으로 정당을 건설하는 것이 시간과 노력이 적게 든다는 인식이 팽배하다는 것입니다. 이러한 인식은 21세기에 들어선 현재에도 남아있는 듯합니다.

1919년 대한민국임시정부 수립이후 건국의 정치과정에서 이승만 대통령은 유능하고 대중들에게 가장 높은 대중인지도를 지닌 인물이었다는 점은 분명합니다. 1919년 이후 한국정치과정에서 초대 집정관, 초대 총리, 초대 대통령은 모두 이승만이었습니다. 1948년 정부수립과 출범이후 개별 정당 차원에선 정당 지도자가 단추만 누르면 당 조직이 일사불란하게 움직이는 머신정당(machine party)이 존재했습니다. 정당체계(party system)의 차원에서 보자면 개별 정당의 머신정당적 성격이 경쟁적 양당체계를 조기에 정착시키는 효과를 가져 온 측면이 있습니다. 정권을 재창출하기 위해 어떤 특정 인물중심으로 조직화된 여당이 있다면, 선거를 통해서 그에게 경쟁할 수 있는 인물중심으로 야당의 결집이 발생한다는 것입니다. 대통령제하에서 실권을 갖는 것은 결국 정당이 대통령 선거에 이기는 것이며, 이를 위해 정당의 조직과 제도를 정비하여 대통령 선거에 임하게 됩니다. 선거승리를 위해선 큰 인물을 중심으로 조직을 정비하여 선거에 임하는 계기가 되면서, 대결구도는 양자대결구도로 수렴하는 경향을 보입니다. 역설적으로 양자대결구도로 가면서, 단순히 인물중심으로만 선거를 치룰 수 없으며 조직화된 정당을 중심으로 선거를 치루는 계기도 됩니다. 비록 정당은 인물 중심의 정당이더라도 선거는 인물중심으로만 치룰 수는 없으며, 정당의 이름으로 '정치적 상징조작'을 하면서 유권자들을 동원하여야만 선거에 승리할 수 있게 된 것입니다. 제헌국회와 2대국회는 인물중심의 선거였으며 따라서 소집단을 포함하여 15개 이상의 집단이 국회에 진출해 있었습니다. '4사5입개헌'이란 극도의 정치적 파행은 오히려 정치권에 각성효과를 가져오면서 1955년 '민주당'의 창당이후엔 '자유당 대 민주당'이라는 정당중심의 선거를 치르게 됩니다.

레입하트(A. Lijphart)는 양당체계(two-party system)가 다당체계(multi-party system)에 대해서 갖는 상대적인 특성을 다음과 같이 정리합니다: "㉠ 유권자로 하여금 두 개의 대비된 입장에 대해서 분명한 선택을 가능케 한다. ㉡ 정책 대결이 극단으로 가지 않고 완화된 형태로 나타난다." 그런데 레입하트의 양당체계에 대한 언급에는 전제조건이 있는데, 그 내용은 두 정당의 성격이 '중도좌파'와 '중도우파'로 이념적인 상대성에 기반한 정당에 의한 양당체계입니다. 한국정당정치의 경쟁구도는 중도파를 기준으로 '중도좌파'와 '중도우파'간의 정책 대결구도가 아니라, 말 그대로 '보수여당'과 '보수야당'의 경쟁구도였습니다. 양당체계여도 이 당시 한국의 양당체계는 레입하트가 일반적으로 말하는 양당체계와 다른 것을 알 수 있습니다. '4사5입 개헌' 이후 한국의 정당체계는 군소 정당들의 창당에도 불구하고 대세는 '보수양당체계'로 정착되어 갑니다.[29] 1958년의 5.2총선(제4대 국회의원 선거)을 계기로 자유당이 126석, 민주당이 79석으로 한국정당경쟁구도에 처음으로 '양당체계'가 형성됩니다.[30] 이후 한국정치는

29) 자유당과 민주당 이외의 군소정당들을 보면, 민정당(이범석, 장택상, 1956년 3월 29일; 이범석의 족청계열과 장택상의 비족청계열의 갈등으로 1956년 4월 25일 대거 탈당 사태가 벌어지면서 '공화당'으로 개명), 진보당(조봉암, 박기출, 1956년 11월 10일), 민주혁신당(서상일, 장건상, 1957년 10월 15일) 등입니다.

형식적으로는 다정당체계를 띨 때에도 양당체계로 기능하는 성격이 정착됩니다. 군소정당들이 존재하여도 의회에서 세력을 형성하거나 정책 통과 여부에 중요치 않고 선거에서 큰 힘을 발휘할 수 없어, 커다란 두 개 정당의 경쟁구도 속에 정치과정이 형성된다는 의미입니다.

원외 자유당과 원내 자유당으로 나뉘어 있던 자유당은 '4사5입 개헌'을 계기로 자유당 대 '호헌동지회'의 세력구도로 재편성됩니다. 원내교섭단체였던 호헌동지회는 1954년 12월 27일 신당발기준비위원회를 구성하기로 결정하면서 보수양당체계의 정당대결구도가 형성됩니다. 신당 창당 운동에 참여한 세력들은 민주국민당(신익희, 조병옥, 김성수, 윤보선), 무소속 동지회(곽상훈), 순수 무소속(이범석), 혁신계(조봉암, 서상일), 대한부인회(박순천) 등으로 반자유당 세력이 모두 모이게 되었습니다. 다양한 세력들이 모여서 그 세가 확장되는 것은 좋으나, 역으로 성분이 각양각색이어서 창당 과정에서 또 다른 정당 창당의 매개체로 작용합니다. 신당창당운동은 결국 보수 세력의 '자유민주파'(신익희, 조병옥)와 혁신세력의 '민주대동파'(조봉암)로 분리되며 전자는 1955년 9월 19일에 '민주당'으로 창당되고, 후자는 1955년 10월 24일에 '진보당' 준비세력으로 활동을 시작합니다.[31]

지금도 많은 사람들은 한국정당들이 본연의 주요 임무인 정책 개발의 노력이 미진하고 그 결과 정책들을 제대로 산출하지 못한다고 봅니다. 자

---

30) 의석수 분포를 보면, 자유당(126), 민주당(79), 무소속(27), 통일당(1) 입니다.

31) 진보당은 1955년 10월 24일 진보당발기준비위원회를 결성하면서 활동을 시작하였으나, 공식적 창당일은 1956년 11월 10일 입니다. 무려 1년의 기간이 걸렸는데, 그 사이에 대통령 선거(1956. 5. 15)가 있었고, 진보당 준비세력은 무소속으로 대통령 후보로 조봉암, 부통령 후보로 박기출을 내세워 선거를 치룹니다. 대통령 선거가 끝난 후에 창당대회를 거쳐서 진보당을 공식적으로 창당합니다. 1958년 1월 13일 조봉암 당위원장을 국가보안법위반혐의로 체포하고, 2월 27일 조봉암 피고에게 간첩 및 간첩방조죄를 적용 사형을 언도합니다, 진보당은 불법 단체가 되며 와해됩니다.

유당이란 거대한 세력을 두고서 이에 대항하는 세력들이 창당하던 시기를 보면, 주요 정당이건 군소 정당이건 계파간 내분에 휩싸여 정당 본연의 주요 임무인 공공정책 개발의 노력을 찾아보기 어렵습니다. 국가건국기여서 수없이 많은 공공정책의 산출이 필요했기에, 오히려 지금보다도 더 정당의 정책산출기능이 강조되는 시기였습니다. 웨어(A. Ware)가 지적했듯이 정당의 정책 개발 노력은 정당이 이념적 기관일 때, 나아가 이념적 정체성을 지니는 기관일 때 더 효과적입니다. 한국정당이 정책정당이 되지 못하고 선거 승리에 집착하는 선거정당이 된 것에는 정당 외적인 구조적 문제가 있을 것입니다. 말하자면, 반독재 투쟁을 우선시 할 수밖에 없었고 남북한 대치 상황 속에서 이념적으로 제한된 정당 활동만이 용인된다는 그런 문제들입니다. 하지만, 이 당시 정당들의 당내 문제를 보면, 사적 차원의 파벌 문제가 심각했으며 그러한 파벌이 공공정책에 대한 다양한 의견을 표출하는 집단으로 기능하지 않았다는 점입니다. 당내 민주주의를 위해선 당내의 다양한 파벌이 상호 견제와 균형이란 긍정적인 역할을 할 수도 있습니다. 파벌 그 자체는 문제가 아니며, 파벌들끼리 합의를 도출하지 못하는 것이 문제입니다.[32] 정책산출기능은 차치하고라도 창당된 정당의 모습을 유지시키는 것도 쉽지 않았습니다. 심각한 파벌 상황에서도 일단 정당을 합당(合黨)하거나 창당(創黨)하기로 합의했다면 그 합의된 정당을 적어도 상당기간동안 깨지 말아야 할 것입니다. 그런데 이 당시 정당들을 보면 예외 없이 파벌이 얼마 지나지 않아 다시 분당(分黨)으로 발전하는 안타까움이 있습니다. 그 당시 정당의 형성과정에서의 이러한 모습은 현재 한국정당의 모습을 형성할 수 있는 첫 단추에 해당하기에 그 파급효과가 큽니다. 창당준비위원회가 만들어질 때는 모든 계파가 함께 모여야 한다고 하

32) 파벌은 '대화와 합의'의 또 다른 표현일 수도 있습니다. 파벌없이 일사불란한 '머신정당'이 더 문제일 것입니다.

다가, 막상 창당준비위원회가 결성되면 그 때부터 세 싸움이 시작됩니다. 이런 세력은 이래서 안되고, 저런 세력은 저래서 안된다고 합니다. 그래서 창당이 되고나면 창당과정에서 이미 뜻에 맞지 않는 세력들과는 결별하였으니 나름대로 응집력을 지닌 정당일 것으로 예상하지만, 실권을 잡고 나면 다시 계파간 세 싸움에 돌입하는데, 그것이 도를 넘어서 정당 해체나 분당 내지는 정치파탄에 이르게 됩니다. 그 잠재성은 한국정당정치에서 여전히 유지되고 있습니다.

1955년 민주당은 반이승만 세력이 하나로 모이면서 결집되고 창당준비위원회가 결성됩니다. 그런데, 진보 세력은 정치이념이 다르다고 하여 배척됩니다. 과거 이승만 세력이었던 이범석과 장택상은 과거가 문제라고 하여 배척됩니다. 그리고 한민당-민국당 세력이 중심이 되어 흥사단계 원외 세력과 결집합니다. 결과론적으로, 이것은 더욱 더 큰 민주당의 독배였습니다. 대통령 선거에서 반복적으로 불운이 겹치기도 했지만 한민당-민국당 세력은 결국 4·19 혁명의 힘을 빌어서 의원내각제를 실현시키고, 이어 1960년 7월 29일 선거에서 전체 233석 중에서 175석을 차지하여 제2공화국의 여당이 됩니다. 의원내각제 하에서 민주당은 여당이 되고 난 후엔 내각 구성에서 계파간 권력분배를 놓고 당내의 내분이 도를 넘게 되고 당내분열은 정치적 방치상태로 몰고 갑니다. 이러한 민주당의 행태는 분명 5·16 군사쿠데타 발생의 명분을 제공하게 됩니다.

군소정당들의 행태도 비슷했습니다. 상대적으로 규모가 있는 주요 정당의 이념적 정체성이 큰 편차를 갖는데 반하여, 작은 규모의 군소정당은 상대적으로 이념적 응집력이나 정체성이 선명한 것을 무기로 하는 것이 보통입니다. 주요 정당들은 보다 큰 규모의 인구가 분포하는 중도 유권자들의 지지를 중심으로 세력을 넓혀 가지만, 군소 정당은 이념적 위치를 확실히 하면서 작은 규모의 지지세력 분포를 상정하되, 적극적이고 강한 지지를 무기로 하는 것이 일반적입니다. 큰 규모의 주요 정당은 이념적 일관성의 무기를 포기하며 포괄정당의 모습을 취하고 선거정치에 의존해서 존재할 수 있지만, 군소정당은 정당정체성의 일관성을 포기하면서 큰 정당의 흉내를 내서는 존재하기 어렵습니다. 군소정당의 정체성이 이념적 정체성이건 아니면 어떤 정치 현안에 대한 정체성이건 중요한 것은 일관된 정체성, 정체성에 대한 집착, 그리고 그러한 집착을 대중들에게 이해시켜 나가는 과정이 정당생존에 중요하다는 의미입니다.

근·현대적 의미의 정당이 태동되던 시기의(또는 보수양당체계가 시작되는 시점의) 한국 군소정당들을 보면 주요 정당과 마찬가지 행태를 가지고 있습니다. 민주당에서 배척된 구 자유당 인사인 이범석과 장택상이 공동으로 출범시킨 '민정당'은 결국 이범석 계의 족청에 반발한 장택상 계의 대규모 탈당으로 불과 몇 달 만에 붕괴되며 '공화당'으로 개명하여 출범합니다. 반이승만 정당으로 급조된 대통령 선거용 군소정당이라는 한계를 고려하더라도 적어도 두 정치인은 그 당시 합심해야 할 것입니다. 민주당에서 배척된 진보 세력도 마찬가지입니다. 진보 세력은 결국 조봉암계와 서상일계로 나뉘게 됩니다. 서상일은 비혁신계와도 광범위한 제휴를 주장하지만, 조봉암은 순수혁신계만으로 정당 창당을 주장합니다. 이 역시 이념 논쟁이라기보다 권력을 위한 세 싸움에 기인하는 측면이 크다고 봅니다. 자신이 배척되어 신당을 창당하는 경우, 왜 정작 자신은 남을 배척하는 것일까요? 단순히 이념적 노선의 차이로 설명할 수 없으며 인물간의 주도권 경쟁의 성격이 강하게 나타납니다. 정치인들의 리더십이 아쉽습니다. 결국 조봉암과 서상일은 '진보당'과 '민주혁신당'으로 갈라서게 됩니다. 한국정치에서 진보계열 정당이 하나의 정당으로 결집하여 제도화되어 왔다면 아마 우리는 지금 건강한 중도좌파 정당을 정치체계 내에 갖고 있었을 것이라고 가정해 봅니다.

조봉암
(1898–1959)

제1공화국에서 혁신세력들은 이념적으로 설 자리가 없었습니다. 한국정당 사상 첫 번째 혁신정당인 진보당의 '조봉암 사건'은 단적인 예입니다. 1956년 제3대 대통령선거(1956. 5. 15)에 진보당 후보로 출마하여 선전하였던 조봉암을 간첩행위자로 몰아서 검거하고(1958. 1. 12), 처형하는 사건이 발생합니다(1959. 7. 31).[33] 와중에 진보당의 정당등록도 취소됩니다(1958. 2. 25).

제1공화국의 정치적 파행의 결과 4월혁명이 발생하면서 혁신세력들의 창당이 봇물을 이룹니다. 4월혁명 직후 제5대 국회의원선거(1960. 7. 29)에 혁신세력 정당들인 '사회대중당', '한국사회당', '혁신연맹'이 입후보자를 냅니다.[34] 양원제에서 사회대중당은 민의원 4명과 참의원 1명을 당선시키고, 한국사회당은 민의원 1명, 참의원 1명을 당선시킵니다. 혁신세력은 사회에서도 환영받지 못했고, 근본적으로 구심점이 약해서 지리멸렬하였습니다. 혁신세력은 신통치 않았던 선거경쟁이후 보다 큰 통일문제를 찾아서 활발한 운동을 펼치며 '민족자주통일중앙협의회'(1960년 9월)을 결성합니다.[35] 이마저도 다시 '중립화조국통일총연맹'(1961년 2월)이 이탈합니다.[36]

한국정치과정의 특색 중 하나는 평상시에 정당간 정책연합을 통해서

33) 2011년 1월 20일 대법원 재심 대법관 전원일치 무죄 판결을 받았습니다.
34) '혁신연맹'의 주도자들은 김창숙, 김학규, 유림, 장건상, 정화암, 조경환 등입니다.
35) '민족자주통일중앙협의회'는 사회대중당, 한국사회당, 혁신동지총연맹, 민주민족청년동맹 등의 혁신계뿐만이 아니라, 포괄적으로 천도교, 유교회, 4월혁명학생연합회 등이 연합한 단체입니다.
36) '중립화조국통일총연맹'은 보다 뚜렷한 색채의 진보세력을 중심으로 형성된 단체입니다. 민족자주통일중앙협의회가 진보세력뿐만이 아니라 보다 포괄적인 세력들이 포함되어 있었기에, 여기서 이탈한 소위 순수진보세력인 통일사회당, 사회혁신당, 삼민회, 광복동지회 등을 주축으로 연합하였습니다.

정당간 이견을 좁히며 선거연합으로 발전되는 것이 아니라, 선거시기 직전에 곧바로 정당간 선거연합이 이루어진다는 것입니다. 민주당은 정당의 창당 단계에서 진보세력과의 결별을 선언하였습니다. 그러나 대통령 선거일이 다가 왔을 때 민주당은 원내교섭단체인 '헌정동지회'의 주선으로 진보당 준비 세력과 함께 범야당 단일후보화를 시도합니다.[37] 민주당은 진보정당 창당 세력과의 결별을 하고 창당하였지만, 대통령 선거에 직면하여선 '선거연합'을 고려합니다. 진보당 준비 세력은 민주당과의 연합전선에 있어서 두 당간 정책의 협정이 전제된다는 입장이었으며, 이는 이념적 정체성이나 당내 역학에 연관된 것이어서 민주당은 이를 받아들일 수 없었습니다.[38] 다시 성사된 만남에서 진보당 준비세력은 민주당이 대통령 후보와 부통령 후보 모두 민주당에서 추천하겠다는 주장을 받아들일 수 없었습니다. 최소한 부통령 후보만큼은 진보당 준비세력에게 양보하라는 입장이었습니다. 범야당 단일후보화 시도는 결렬되어 민주당은 신익희 대통령 후보, 장면 부통령 후보를 내세우게 되며, 진보당 준비 세력은 무소속으로 조봉암 대통령 후보와 박기출 부통령 후보

신익희
(1894–1956)

조병옥
(1894–1960)

37) 헌정동지회는 1955년 12월 6일에 등록되었는데, 무소속 의원들로 구성된 교섭단체입니다.

38) 진보당의 정책적 요구 내용을 보면, 수탈 없는 경제체제 실현, 평화통일 성취, 부통령후보 양보 등입니다. 진보당은 민주당의 신익희씨가 당선될 경우 조봉암 배척에 앞장섰던 조병옥, 김준연씨를 중용하지 않을 것을 요구합니다. 조병옥은 당시 조봉암의 진보적 정치노선에 철저히 반대하였고, 진보당은 조병옥의 입장이 미군정의 의도를 대변하고 표면화한 것으로 봅니다.

를 내세웁니다. 민주당은 반이승만 세력을 결집하여 대통령 선거에서 승리하는 것을 목표로 하면서도 보수야당의 정체성을 넘어서서 진보당과 연합할 수는 없었습니다.[39]

민주당 구파 vs. 민주당 신파 (1961–1962)

1960년 4·19혁명으로 이승만 대통령이 하야한 후에 4월 28일 대통령권한대행에 외무부장관 허정이 임명되면서 과도내각이 출범합니다. 6월 15일 의원내각제로 헌법개정안이 결정되고 난후, 6월 22일에는 양원제 국회의원 선거제도가 채택됩니다. 7월 29일에 5대 국회의원 선거가 열립니다.[40] 선거결과 민주당은 여당이면서도 공룡 여당이었습니다. 민주당은 자신의 의도대로 의원내각제를 이루었으며, 의원내각제하에서도 거대 여당이어서 단일 내각을 구성하여 민주당의 의지대로 정국을 운영하는데 아무 문제가 없었습니다. "집 밖의 도둑보다 집 안의 도둑이 더 무섭다"라는 말이 있습니다. 민주당 내부의 파벌 간 세 싸움은 건강한 파벌정치의 도를 넘어서서 민주당의 생명을 단축하게 됩니다. 지리멸렬한 여당은 사회불안을 초래하며 군사쿠데타의 빌미가 되었습니다. 반이승만 세력의 결집이 단

39) 민주당의 정강정책을 정리하면 다음과 같습니다. ① 독재를 배격하고 민주주의의 발전을 기한다. ② 대의정치와 내각책임제를 구현한다. ③ 자유주의 원칙하에 생산을 증강하고, 사회주의에 입각한 공정한 분배로 건전한 국민경제의 발전을 꾀하며, 농민, 노동자, 기타 근로대중의 복리향상을 기한다. ④ 민족문화를 육성하며 문화교류를 촉진하여 세계문화 진전에 공헌한다. ⑤ 국토통일과 국제주의의 확립을 기한다. 진보당의 정강정책을 정리하면 다음과 같습니다. ① 공산독재는 물론 자본가와 부패분자의 독재를 배격하고 민주주의 체제를 확립하여 책임 있는 혁신정치를 이룬다. ② 생산분배의 합리적 통제로 민족 자본을 육성한다. ③ 민주우방과 제휴하여 민주세력이 결정적 승리를 얻을 수 있는 조국통일을 실현한다. ④ 교육체제를 혁신하여 국가보장제를 수립한다.

40) 233석의 민의원 선거결과 의석수 분포는 민주당(175), 무소속(49), 사회대중당(4), 자유당(2), 한국사회당(1), 통일당(1), 헌정동지회(1)로 나타났습니다. 58석의 참의원 선거결과 의석수 분포는 민주당(31), 무소속(2), 자유당(4), 사회대중당(1), 한국사회당(1), 민족진보연맹(1)으로 나타났습니다.

초가 되어 결성된 민주당은 몇 개의 세력으로 구성될 수밖에 없었습니다. '한민당-민국당계'와 원외세력의 '흥사단계'로 균열이 잠재되어 있었으며, 전자를 '구파' 후자를 '신파'라고 합니다.

구파와 신파는 이미 개헌과정에서부터 대립하고 있었습니다. 구파 및 무소속과 자유당은 '선개헌, 후총선'을 주장했고, 신파는 '선총선, 후개헌'을 주장하였습니다. 결국 먼저 개헌을 하고 나서, 그 다음에 총선을 치루는 것으로 결정되었습니다. 신파와 구파는 공천문제로도 첨예하게 대립합니다. 자유당의 몰락으로 민주당은 선거 전부터 여당이 되는 것은 떼놓은 당상이었으며 얼마나 큰 표 차의 승리를 거두느냐의 문제만 남아있었습니다. 어느 파에서 많은 후보자를 공천하느냐는 차후 당내 권력을 장악하는데 가장 중요한 문제였습니다. 신파와 구파는 정당 후보자 공천 문제가 첨예하게 대립하자 상향식 공천방법을 하향식 공천방법으로 변경하기로 합의합니다. 공천대회를 개최하되 핵심당부와 도당부의 의견이 일치하지 않는 경우 중앙공천심사위원회에서 결정한다는 것이 핵심입니다. 그나마 이렇게 합의하고 그 결과에 승복한 것이 다행일 정도로 분란이 과열 되었습니다. 민주당에서 공천한 후보자 판세를 보면 구파 108명, 신파 118명, 중도파 8명으로 신파가 약간 우세하였지만, 사실상 백중세에 가까웠습니다.

선거를 치루고 난 결과 당선된 민주당 의원들 중에서 구파와 신파에 소속된 의원들의 분포를 보면 거의 차이가 없이 팽팽하였습니다: 구파(민의원 84명, 참의원 17명), 신파(민의원 75명, 참의원 13명). 민주당은 당선자 대회를 신파는 8월 6일에 구파는 8월 7일에 각기 별도로 개최하였습니다. 구파의 당선자 대회에서는 이미 구파 '20인위원회'에서 준비했던 분당 확인 선언을 추인하였습니다. 신파는 당선자 대회에서 대통령 후보는 윤보선(구파), 국무총리 후보는 장면(신파)을 추대하기로 결정하면서 당의 통합을 유지하기로 합니다.

이런 상황 속에서 1960년 8월 12일에 민의원, 참의원 양원합동회의에서 제4대 대통령선거가 실시되었습니다. 그 결과 압도적인 표차이로 민주당의 구파인 윤보선 의원이 대통령에 당선되었습니다.[41] 그 다음날 13일 양원합동회의에서 윤보선 대통령은 취임식을 갖고 헌법 규정에 따라서 민의원 의원직을 사임하고 민주당을 탈당하였습니다. 결국, 대통령 후보 선출 후에 민주당 구파와 신파는 내각을 구성함에 있어서 심한 갈등 상황으로 돌입합니다.

윤보선
(1897–1990)

의원내각제 하에서 국무총리직과 내각에 입각하는 것은 정치적 실권을 장악하는 것입니다. 윤보선 대통령은 자신과 같은 구파의 김도연을 국무총리에 지명하나, 민의원 본회의 인준 절차에서 낙마합니다.[42] 2차로 지명된 신파 소속의 장면이 국회 인준을 통과하며 국무총리에 임명됩니다.[43] 이제 민주당의, 아니 대한민국의 최고정책 결정자는, 민주당 신파의 장면입니다. 신파에서는 대통령을 구파가 가졌으니, 국무총리는 신파가 갖

장면
(1899–1966)

41) 제4대 대통령선거는 재적의원 263명에서 259명이 참여하였고, 후보별 득표수는 다음과 같습니다. 윤보선(208), 김창숙(29), 백영준(3), 변영태(3), 김도연(2), 허정(2), 김병로(2), 김시현(1), 나용균(1), 박순천(1), 유옥우(1), 이철승(1) 입니다. 구파의 원래 계획은 대통령 김도연, 국무총리 윤보선이었는데, 신파에서 대통령 윤보선, 국무총리 장면으로 계획하자, 구파는 자신들의 원안을 대통령 윤보선, 국무총리 김도연으로 변경하였습니다.

42) 8월 17일에 실시된 김도연 총리 인준은 민의원 재적 227명의 과반수인 114명인데, 224명이 참석하여 찬성 111표, 반대 112표, 무효 1표로 부결됩니다.

43) 8월 18일에 실시된 장면 총리 인준은 찬성 117표, 반대 107표, 기권 1표로 가결됩니다.

는 것이 균형에 맞는다고 생각하지만, 의원내각제 하에서 대통령은 상징적 의미가 있을 뿐, 실권은 국무총리가 지니고 있습니다. 권력구조상 신파가 승리한 것입니다.

민주당의 창당 세력은 한민당에서 민국당으로 이어지는 구파 세력이 터줏대감이고, 신파는 원외세력이 합세한 것입니다.[44] 구파는 대통령선거 후보자였던 신익희와 조병옥을 선거과정에서 차례로 잃는 극단의 불운을 겪습니다. 구파는 이제 신파에게 밀리면서 불안할 수밖에 없었을 것입니다. 구파는 8월 20일에 별도의 원내교섭단체인 '민주당구파동지회'(원내총무 유진산, 부총무 이민우 · 김영삼)를 결성합니다.

장면 내각은 1960년 8월 23일 신파 위주의 1차 내각 인선을 하지만, 구파의 반발로 불과 보름만인 9월 12일 2차 내각 인선을 통해서 신파 8명, 구파 5명, 무소속 2명으로 결정합니다. 구파는 김도연의 총리 낙마에 대한 분을 삭이지 못하며, 이후 분당에 대해서 적극적인 입장을 취합니다. 구파의 논리는 이미 자유당이 몰락한 상황에서 민주당이 너무 거대하니 구파가 분당하여야만 '보수양당제'를 유지할 수 있다는 것입니다. 구파와 신파 소속의 의원들은 각각 '구파동지회'와 '민주당'이라는 별도의 원내교섭단체를 구성하여, 민의원은 신파의 민주당, 구파의 민주당구파동지회, 무소속의 민정구락부로 나뉘어져서 운영됩니다. 자유당-민주당 양당체계 이후 민주당 일당 독주체제로 잠시 변경되었다가, 몇 달 만에 다시 '보수양당체계' 형식으로 되돌아 간 것입니다. 그러면서도, 민주당이란 동일한 정당 아래에서 서로 다른 원내교섭단체를 구성하여 여당의 역할을 하는 신파와 야당의

44) 김영삼의 정치적 뿌리는 민주당 구파, 김대중의 정치적 뿌리는 민주당 신파에 있었기에, 1970년대 40대기수론 이후 '삼김시대'(三金時代) YS-DJ 정치역정과 정치경쟁의 성향을 민주당 구파-신파의 성향과 견주어 보는 시각도 있습니다. 원내정치세력은 김영삼이 더 컸으며, 원외세력 및 재야세력의 지지는 김대중에게 더 집중되었습니다.

역할을 하는 구파의 양당체계라는 묘한 형태로 연출되었습니다.

구파가 신당 발족을 기정사실화 한 후에 구파 안에서 '분당파'와 '협상파'의 의견 대립이 발생합니다.[45] 1960년 10월 12일에 구파의 분당파는 신당인 '신민당'의 발족을 선언합니다.[46] 정권을 창출한 거대 여당이 쪼개진 것입니다. 불과 얼마전까지 여당이었던 자유당도 당명을 바꾸어 재창당합니다.[47] 군소정당들도 창당되거나 난립하게 됩니다.[48] 새로운 정당이라기보다는 기존의 정당이 개명하거나 분파되어 난립하는 성향이 있습니다.

---

45) '즉각 분당론'(김도연), '기한부 분당론'(유진산), '분당 반대론'(민관식), '민주당 교섭단체 가담론'(박해충) 등으로 나뉩니다.

46) 이후 1960년 11월 8일 신민당발기주비위원회에서 보수야당의 기치를 내걸고 위원장 백남훈, 부위원장 김도연, 간사장 유진산을 선출합니다. 신민당이 내건 강령의 내용을 정리하면 ① 당의 기본노선은 자유민주주의이다. ② 다원적 정당제도와 의회주의는 민주주의에 필수적인 제도이다. ③ 모든 계급과 직업의 구분을 초월한 전국민의 이익을 정치적 노력의 이념으로 한다. ④ 한국이 자유와 평화를 사랑하는 자유세계의 일원임을 확인한다. ⑤ '한국은 언제나 하나이다'라는 역사적 사실을 확인한다. ⑥ 개인의 존엄과 그 정치적 자유를 통해 생활에 필요한 생존권이 보장되지 않고는 모든 것이 불가능함을 확인한다.

47) 1960년 11월 15일에는 자유당 재건파들이 '공화당' 창당을 선언합니다(최고위원에 김준연, 이갑성, 이윤영, 조경한, 조경규). 공화당의 창당으로 자유당은 소멸합니다.

48) 2공화국 헌법의 특색 중의 하나는 정당의 활동을 헌법이 보장(제13조)한 것인데, 이것은 이념적으로 진보(또는 혁신)계열 정당들이 적극적으로 활동할 수 있는 유리한 분위기를 조성합니다. 1공화국 하에선 '조봉암 진보당 사건' 등을 통해서 혁신계의 활동은 위축될 수밖에 없었습니다. 조봉암 사후 와해된 진보당은 3개의 파로 나뉩니다: ㉠ 김달호 주도의 사회대중당; ㉡ 장건상 중심의 혁신당; ㉢ 윤길중이 주도하는 새로운 혁신 통합 세력의 정당운동. 진보세력은 1960년 7·29총선에서 '사회대중당'이 민의원 4명, 참의원 1명, '한국사회당'은 민의원 1명, 참의원 1명을 당선시킵니다. 선거에 참패하고 이합집산을 거듭하면서 분열된 모습을 보입니다. 이념에 집착성과 충실도가 높은 진보정당들이 이념정당이 아닌 한 번의 선거승패에 영향 받아 흔들리는 선거정당의 모습을 보여준 것입니다. 혁신계열 정당들은 하나로 통합하지 못하고 분열을 거듭하였습니다. ① '한국사회당'(전진한: 1960. 6. 14; 민족주의적 온건 사회주의 노선). ② '사회대중당'(김달호: 1960. 6. 17; 주요 세력들이 다수 통일사회당으로 이전). ③ '혁신연맹'(장건상, 김창숙: 7·29선거 직전; 혁신동지총연맹 또는 혁신당) ④ '통일사회당'(서상일, 김성숙, 정화암, 윤길중, 고정훈, 이동화, 송남헌 등 다수를 포용: 1961. 1. 21), ⑤ '사회당'(최근우: 1960. 11. 27).

구파의 ‘분당파’ 의원들이 신민당을 결성해서 분당하고, 구파의 ‘합작파’ 의원들이 다시 민주당으로 복귀하면서 민주당 내부에선 ‘소장파’와 ‘노장파’가 대립합니다. 내각 인선에서 소외된 소장파는 당 요직 배분을 주장하면서 ‘소장동지회’를 결성합니다.[49] 민주당으로 재입당한 ‘합작파’도 각료직에 지분을 요구합니다.[50] 결국 장면 총리는 1961년 1월 30일에 3차 내각을 발족시켜 파벌간 요직 안배를 시도하지만 불만을 잠재우기에는 역부족이었습니다. 구파가 떠난 자리에서 주인이 된 신파는 특정한 인물의 지도력에 의지하지 않았으며 노장파의 집단지도체제나 다름없었습니다. 이런 가운데 소장파, 합작파의 요구를 수렴하거나 잠재우면서 민주당을 이끌어 나가기엔 장면의 지도력은 우유부단한 수준에 가까웠습니다. 인물본위의 정당에선 특정 인물의 지도력이 기관효과를 넘어서는 문제가 발생합니다. 반면에, 파벌을 통합하는 지도력을 갖춘 인물이 없는 정당은 기관도 지리멸렬합니다. 이래서 정치가 어려울 것입니다.

결국 의원내각제의 실험은 내각의 요직을 놓고서 파벌들이 복잡하게 경쟁하며 파국으로 끝납니다. 민주주의란 일정 수준의 혼란을 불러올 수밖에 없다고 생각해 보지만, 불과 1년의 기간 동안의 내각정치는 민주주의를 후회할 정도의 정치 혼란이었다고 평가해 봅니다. 한국정치과정이 기관 중심의 정당을 정착시키지 못하고 인물 중심의 정당을 만들어내는 이유로 대통령제의 채택을 언급할 수도 있습니다. 대통령제는 대통령 선거가 보다 인물중심적으로 기능할 개연성이 높기 때문입니다. 제헌 헌법이 의원내각제를 채택하였다면 정당의 바람직한 기관화 방향을 유인할 수 있지 않았던가 하는 주장도 가능할 것입니다. 그런데, 정당정치가 제대로 정착되지 않은 상태에서 의원내각제를 유인하는 것은 역시 제도적 궁합에 문제가

49) 이후 1961년 1월 26일에 교섭단체인 ‘신풍회’(新風會)를 결성합니다.
50) 합작파는 ‘정안회’(政安會)를 결성합니다.

있는 듯합니다.[51] 의원내각제는 대통령제와 비교하여 더 정당중심으로 기능하는 체제입니다. 의원내각제 하에선 소위 '당내민주주의'(intra-party democracy)와 연관하여 복잡한 당내파벌의 문제를 효과적으로 운영하고 관리하는 것이 중요하며, 당내의 통합 리더십 역시 중요합니다. 파벌이 없는 정치는 없습니다. 다양한 파벌간의 견제와 균형은 독선을 막고 합의를 도출하여 민주주의를 가능케 합니다. 문제는 파벌들이 하나의 통합된 방향을 만들어 내지 못한다면 그것은 정당을 유지하는데 큰 장애가 됩니다.

이승만 대통령은 국민들에게 "뭉치면 살고 흩어지면 죽는다"라고 하였는데, 이것은 정당의 생존과정에도 적용되는 듯합니다. 거대 보수여당이 '보수양당체계' 형식으로 흩어졌는데 결국 민주당과 신민당 모두 죽게 됩니다. 강력하게 통합된 여당으로서의 민주당이 존재했다면 군사 쿠데타의 빌미가 되지도 않았고, 쿠데타가 발생했어도 이에 대항할 수 있었을런지도 모릅니다.

산업화 세력 vs. 민주화 세력 (1963-1967)

1955년 9월 반이승만의 기치아래 조직된 민주당은 1960년 7월에 정권을 차지하여 여당이 되지만, 몇 달 만에 분당되고(1960년 10월) 다시 몇 달만인(1961년 5월)에 군사쿠데타에 직면합니다. 사회 안정 및 새로운 국가건설의 명분아래 1961년 5월 16일 박정희 소장과 김종필 중령 및 일단의 청년 장교들이 제2공화국의 민주당 정권을 무너뜨리고 정권을 장악

51) 반대의 논리도 있습니다. 정치과정의 핵심은 정당정치인데, 의원내각제를 채택하는 경우 정당정치가 정상궤도에 들어선다는 것입니다. 오히려 대통령제를 시행하면 인물중심의 정치가 되어 정당정치가 기관중심의 정치가 아닌 인물중심의 정당정치로 간다는 것입니다. 이러한 논리를 '공급측면의 이론'(supply-side theory)이라고 하면서 오히려 '수요측면의 이론'(demand-side theory: 정당정치가 제도화되어야 의원내각제 도입이 가능하다는 논리)보다 더 현실성이 있다고 주장하는 연구자들이 있습니다.

한 사건이 바로 5·16 군사쿠데타입니다. 이승만 독재를 극복하고 민주주의를 이루었다고 하지만, 정당이라는 기관이 분파들 아래서 지리멸렬하고, 정당의 통합 리더십이 우유부단한 가운데 정당이 군사쿠데타에 대항세력으로서 작용할 수 없었습니다.[52)]

군사쿠데타에 성공한 박정희 소장은 군사과도정부를 이끕니다. 1공화국과 2공화국에 이르기까지 쌓아왔던 정당과 정당체계는 다시 무너졌습니다. 한국정당정치과정에는 독재의 개연성이 높을 수밖에 없는 군사정부의 거대 여당과 이를 상대할 새로운 야당들이 들어설 수밖에 없는 모습이 형성될 수밖에 없었습니다. 정당정치는 완전히 새판을 짠다고 해도 과언이 아닙니다. 그 이전의 정당체계가 문제가 있다면 완전히 새판을 짜는 것도 좋겠지만, 새판을 짰을 때, 그 새판이 결국 과거의 모습을 다시 반복할 수도 있습니다. 크로체(B. Croce)는 "역사는 반복된다"라는 말을 한 적이 있습니다. 딜타이(W. Dilthey)는 "역사는 사실들의 인과관계를 이해하는 것"이라고 했는데 역사의 과거 모습은 현재모습과 인과관계로 이해될 수 있습니다. 과거를 부정하면서 무조건 새판을 짜는 것은 과거의 잘못을 보완하며 앞으로 나가는 것보다 유리하지 않을 수도 있습니다. 정치발전이라는 것은 사회 구성원이나 집단들이 과거의 허물을 고치면서 상호간에 신

---

52) 한국군의 작전지휘권을 갖고 있던 유엔사령관 매그루더(Carter Bowie Magruder) 장군은 쿠데타 반대성명을 내고 강제진압 의사를 공포합니다. 국가 최고의 정책결정권자인 장면 총리는 은신처로 피신해 있었습니다. 대통령 윤보선은 '올 것이 왔다'는 말을 남깁니다. 5월 18일에 장면 총리는 은신처에서 나와 국무회의를 열어 내각총사퇴와 군사혁명위원회에 정권이양을 의결하고, 윤보선 대통령은 이를 재가합니다. 미 국무성도 이를 승인합니다. 혁명의 당위성에 대한 논쟁이나 혁명이 가져온 결과에 대한 논쟁은 별도로 하는 경우, 헌법 체계 아래서 최고 위정자들은 국민들을 대표하여 그 헌법을 지켜야할 의무가 있습니다. 미국은 여순반란사건에 연루되어 한 때 젊은 공산주의자라는 낙인이 찍힌 박정희의 이력을 보고서 반미 쿠데타로 해석하여 쿠데타를 진압하려고 했는지도 모릅니다. 친미성향이라는 것이 확인되자 그대로 승인한 것입니다. 어떻게 마련한 제2공화국 헌법입니까? 위정자들의 헌법 수호 의지가 약했습니다.

뢰를 확인하면서 나가는 것이지, 허물을 전면 부인하면서 결벽증에 가까운 투명성을 담보하는 과정은 아닐 수 있기 때문입니다. 포퍼(K. Popper)는 "지상에서 천국을 건설하려는 시도가 지상을 지옥으로 만들곤 하였다"라고 설파했는데 나름 일리가 있다고 생각됩니다. 반대로 "개혁이 혁명보다 어렵다"라는 말 역시 일리가 있습니다. 독자분들은 어떻게 생각하십니까?

군사쿠데타가 있었을 때, 한국의 정당정치는 사실상 공황상태였습니다. 군사정부가 민정이양을 하면서 민주공화당을 창당했을 때, 한국의 야당은 사실상 구심점이 약했습니다. 한국정당사의 아이러니 일수도 있는데, 제2공화국의 공룡 여당이었던 민주당이 민주당과 신민당으로 쪼개진 것이 정치와 사회 혼란과 연관될 수 있지만, 반대로 당이 쪼개졌기 때문에 모두 죽지 않고 일부는 살아남았다는 생각도 할 수 있습니다. 민주당 한 당으로 존재했다면 민주당이 죽는 경우 모두 죽지만, 민주당이 두 당으로 쪼개지니까 민주당이 죽어도 분당된 신민당은 일부 살아남을 수도 있지 않았을까 하는 점입니다. 분명히 '민주당'이란 단어는 당시에 무능, 부패, 파벌이란 부정적 용어들의 대명사였습니다. 민주당의 이름으로 통합된 세력이 새판에 다시 등장하는 경우 모두 죽었을 것이라는 의미입니다. 반복되는 이합집산 속에서 분당이나 신당 창당을 무조건 부정적으로만 볼 수도 없을 것입니다. 현재 상태로는 도저히 안되니까 분당하고 창당할 것입니다. 정당생존과정에서 이념적 제한과 비민주적인 험한 상황 속에서 명맥을 이어가기 위해 탈피와 변신 융통성의 긍정적 측면을 무시할 수만은 없습니다.

민주당과 분당되었지만 무관하지 않았던 신민당도 제3공화국 출범 초기에는 회생하지 못했습니다. 시간이 흐르면서, 제3공화국의 박정희 정권하에 민주공화당에 대항한 신민당이 존재하면서 보수양당체계는 유지되는데, 이것은 한국민들이 선거를 통해서 제 1야당에게 힘을 몰아주는 행태와 직접적인 연관성이 있을 것입니다. 거대 여당을 상대하려면 거대 야당이 필요한 것이지, 야당이 군소정당들로 나뉘어 정치력이 분산된다면 거대 여당을 상대할 수 없을 것입니다.

1962년 11월에 '민정이양'(民政移讓)을 위한 헌법개정안(제 5차 개헌)이 국가재건최고회의에서 의결되고, 12월에 국민투표로 확정됩니다.[53] 통과된 헌법은 대통령 권한 강화, 단원제, 경제발전, 그리고 복수정당제 보장 및 무소속 입후보 금지란 내용을 골자로 하고 있었습니다. 박정희 군사과도정부는 1961년 5월 16일 이후 정치인들과 정당의 자유로운 정치활동을 제약하고 있었지만, 국가재건최고회의 명의로 헌법개정안을 발의, 의결하고, 국민이 최종결정한 제3공화국 헌법이 1962년 12월 26일 공포되자 정치활동은 재개됩니다.[54]

군사정권은 김종필이 주도가 되어 '민주공화당'을 창당합니다. 창당 시작점인 1963년 1월 10일 발기인회에서의 명칭은 가칭 '재건당'이었습니다. 1963년 1월 17일 신당의 명칭을 '민주공화당'으로 확정하고, 2월 2일 창당준비위원회(위원장 김종필, 부위원장 정구영)를 조직하고, 2월 26일 창당을 선언합니다(총재 정구영, 당의장 김정렬).

초반기에 반군정세력들은 가칭 당명을 '민정당'(民政黨)으로 하는 단일야당 통합운동에 뜻을 같이했습니다. 1963년 1월 12일 부터 15일까지 (2공화국에 활동했었던) 무소속계, 민주당계, 신민당계, 자유당계 등이 모여서 회의를 하면 기본노선에는 합의가 되지만, 대통령후보 선정문제나 당수 선정문제에서 다시 갈등이 재현됩니다. 정치노선의 차이가 아닌 자원배분, 권력분배의 문제가 매번 걸림돌이 됩니다. 민주당계는 이탈하고 신민당계, 무소속계, 자유당계, 군소정당 등이 1963년 1월 27일에 모여 민정

53) 국민 전체 유권자수는 12,412,798명 이었으며, 투표율 85.3%에 찬성 78.8%, 반대 19.0%, 무효표 2.2%였습니다.

54) 1962년 3월 16일에 공포된 '정치활동정화법'에 의해서 많은 정치인들이 자유로운 정치활동에 제약을 받고 있었습니다.

당 창당발기인대회를 갖고 집단지도체제(6인지도위원회)를 채택합니다. 1963년 5월 14일 창당을 선언하면서 대통령 후보로 윤보선을 지명합니다. 민정당의 창당 과정에서 민주당 재건 모임, 허정의 신정당, 이범석의 민우당 등은 포섭되지 못했습니다.

민정당은 자신들의 창당 시기에 달리 창당된 신당들인 '신정당'(허정과 민주당계의 일부, 자유당 및 무소속계의 일부: 1963. 4. 29) 및 '민우당'(자유당 시절의 '족청계' 중심: 1963. 6. 19)과 '3당 통합'을 시도합니다.[55] 1963년 7월 5일에 윤보선이 민정당 대통령후보를 사퇴하면서 3당의 통합운동은 본격화됩니다. 7월 18일에 김병로(민정당), 허정(신정당), 이범석(민우당)의 영수회담에서 '무조건 통합'을 결의하고 이에 무소속까지 합세시키는 '국민의 당' 창당운동이 시작됩니다. 당의 법통문제, 당명문제 등은 합의를 보았으나, 결정적으로 대통령후보 단일화의 문제는 남아 있었습니다. 국민의 당은 대통령후보단일화문제를 매듭짓지 못한 상태에서 1963년 9월 5일 창당대회를 맞이합니다. 9월 6일 국민의 당 전당대회에서 대통령 후보지명을 위한 표결을 강행하려는 '민정당계'와 사전조정 후에 표결하자는 '비민정당계'가 대립합니다. 9월 10일에 비민정당계는 중앙선거관리위원회에 정당등록을 접수하였으나, 민정당계는 서울민사지법에 '국민의당등록정지가처분신청'을 합니다. 이쯤 되면, 왜 정당을 통합해야 하는지 근본적인 의문이 들면서 "동지마저 적으로 만든다"는 우매함이 극에 달합니다. 9월 12일 전당대회는 민정당계가 제출한 '당해체 동의안'이 문제가 되어 집단난투극이 발생합니다. 민정당계는 국민의 당을 떠나서 민정당을 재정비하기로 결정하면서, '국민의 당'은 비민정계들의 정당으로 한

55) 군사정부의 정치활동정화법의 가장 큰 영향을 받은 정당은 당연히 민주당입니다. 민주당은 환골탈태하기 위해서 신정당에 합류할 것을 결정하지만(이상철: 1963. 4. 3), '민주당고수파'(정일형)는 민주당 당명을 유지하고자 합니다.

정됩니다. 이미 당을 창당하여 있거나, 창당을 준비하고 있는 정당들은 통합된 정당에서 자신들의 지분에 대한 확고한 의지가 있었던 것입니다.

김종필
(1926–2018)

야권에서 민정당, 신정당, 민우당의 3당 통합운동이 전개되고 있을 때, 여권에서 민주공화당과 자유민주당의 통합운동이 진행되고 있었습니다. 통합운동의 결과만 보자면, 야권의 총체적 실패와 비교하여 여권은 절반의 성공을 거두면서 시작하였습니다.

민주공화당 창당 시 김종필의 구상은 '원외정당' 형태였습니다. 당의 사무처(원외)가 대의기구(원내)를 조정할 수 있도록 하는 당의 이원화 방안으로, 소위 원외정당 형태의 정당 구상이었습니다.[56] 김종필의 정당 구상에 반대하는 세력(김동하, 김재춘)들은 당의 대의기구가 당의 사무처에서 조정을 받지 않도록 하는 정당 형태를 주장하며 반발합니다. 김종필은 정치자금과 관련한 '4대의혹사건'에 연루되며 1963년 2월 20일에 모든 공직에서 사임하고 며칠 후에 외유를 떠납니다.[57] 2월 26일에 민주공화당이

56) 사무처와 대의기구 사이의 이원화냐 일원화냐의 문제에 대해서, 정당의 유지비, 지방행정 상의 난맥, 사무국의 의회와 정부사이에서 연계의 비능률 등의 이유로 일원화를 주장한 것으로 되어 있습니다. 이원화는 원외정당적 형태, 일원화는 원내중심적 형태로 구분해 볼 수도 있습니다. 김종필은 영국정당조직을 벤치마킹하면서 정당이 의회표결에도 영향을 미치는 현상을 참고했다고 하는데, 이것은 정확히 원외정당 형태를 말합니다.

57) '새나라자동차 의혹사건', '워커힐 의혹사건', '회전당구 의혹사건', '증권파동'을 둘러싼 정치자금의혹사건을 말합니다. "자의반(自意半), 타의반(他意半)"이란 유명한 어록은 1963년 2월 25일 김종필은 외유를 떠나면서 기자들의 질문에 답하며 남긴 말입니다. 기자들이 외유를 떠난 것의 성격에 대해서 묻자, 김종필은 간단히 "자의 반, 타의 반"이라고 답했습니다. 정치적으로 해석하자면, "타의에 의한 것"(즉, 박정희 권력자의 의지)이 주된 것이라는 심정을 점잖게 표현한 것이 아닌가 싶습니다. 박정희 의장의 입장에선 제2인자의 세력 기반이 구축되고 확장이 될 사건들에 대해서는 알레르기 반응이 있었을 것입니다. 박정희 의장은 민주공화당 창당 과정에서 야무지고 빈틈없이 일을 추

창당됩니다. 3월 16일에 국가재건최고회의 박정희 의장은 정당 난립, 정치인들의 무상한 이합집산 및 파쟁으로 인한 정계 혼란과 일부 군인들의 반국가 음모사건을 이유로 정치활동중지 및 군정연장을 주장하면서 이를 국민투표로 결정할 것을 제안하는 3·16성명을 발표합니다. 그러면서 민주공화당 당의장인 김정렬에게 민주공화당의 해체를 지시합니다. 하지만, 박정희 의장은 돌연 1963년 4월 8일에 자신의 대통령 출마를 포함하여 정치활동 재개 허용을 골자로 하는 '4·8성명'을 발표합니다. 이에 따라서 야당의 정치활동이 재개됩니다. 이로써 정당해체를 차일피일 미루던 민주공화당은 존속하게 됩니다.[58] 박정희 의장은 김종필에게도 정당 창당 작업을 시켰지만, 김재춘을 통해서도 범국민적 정당추진 작업을 진행하고 있었습니다. 두 개의 정당조직을 경쟁시킨 후에 차후 더 유리한 정당을 통해서 대통령 후보에 출마할 생각을 하고 있었던 것입니다.

민주공화당의 제2차 전당대회(1963. 5. 27)에서 대통령 후보로 박정희 의장을 지명하면서 김종필의 민주공화당과는 또 다른 곳에서 진행된 김재춘의 범국민정당 추진은 힘을 잃고 결국 민주공화당 쪽으로 선회하기 시작합니다.[59] 1963년 6월 3일 박정희 의장이 범국민정당운동(의장 김용

진해 나가는 김종필과 그 주위에 추종세력이 형성되는 것을 보면서 오히려 거리감을 느꼈을런지도 모릅니다. "권력은 나누어 가질 수 없다"는 말은 동서고금의 진리입니다.

58) 시차적으로 민주공화당이 설립되어 있었지만, 또 다른 범국민정당은 아직 추진 단계로 그 성공적 설립을 보장할 수 없는 상태였습니다. 이미 성공적으로 설립된 민주공화당을 해체하는 것은 위험할 수 있습니다. 박정희 의장이 민주공화당을 해체하지 않은 것이 특정 정치인이 그렇게 하지 않도록 제안해서 그렇게 된 것이라고 하는데, 박정희는 이미 이런 사실들을 알고 모든 상황들을 연출하고 있었을 것으로 추측해 봅니다. 두 개의 정당을 추진하면서 충성 경쟁도 시키고, 더 좋은 기관을 선택하고, 희생양도 만들고 하는 것 들입니다.

59) 박정희 의장의 4·8선언을 계기로 기사회생한 민주공화당은 비공식적으로 그렇지만 영향력을 가지고 친여세력 통합을 추진해 나갑니다. 자유당계, 민주당계, 민정당계, 민주공화당 이탈파 등 다양한 계열을 포섭해 나갑니다. 이렇게 본다면, 범국민정당운동은 민주공화당도 동시에 진행하고 있었던 것입니다.

우)에서 손을 떼기로 했다는 '제주도 발언'으로 민주공화당과는 또 다른 친여정당의 축이었던 범국민정당운동은 원래의 방향과는 다른 방향으로 향합니다. 범국민정당운동에는 자유당계가 다수파였는데, 김도연계가 대거 합류하면서 1963년 6월 10일 '범국민정당'(가칭) 신당발기대회를 개최합니다. 민주공화당은 선발 기관의 유리성을 이용하여 그 이전부터도 범국민정당과의 합류를 물밑으로 타진하였으나, 범국민정당이 신당발기대회로 가시화되자 통합작업을 표면화합니다. 6월 14일에 범국민정당은 당명을 '자유민주당'으로 개명합니다. 자유민주당은 민주공화당과의 합류를 원하는 '주류파'와 '비주류파'로 나뉘는데, '비주류파'가 민주공화당에 개별 입당하는 것으로 합당절차는 마무리 됩니다. 곧이어 민주공화당의 제3차 전당대회(1963. 8. 31)에서 박정희 의장의 민주공화당 입당과 대통령후보지명 수락연설이 있자, 자유민주당은 즉각 야당으로 선회합니다. 1963년 9월 3일에 김재춘, 송요찬, 소선규, 김도연이 주축이 된 자유민주당이 창당되면서 송요찬을 대통령 후보로 지명하게 됩니다.[60]

1963년 5월 27일 민정이양을 위한 대통령선거에 민주공화당 후보로 박정희 후보가 결정될 당시에 야당의 상황은 당연히 지리멸렬했습니다. 통합을 원하면서도 각자의 기득권을 놓지 못하는 상황은 반복될 수밖에 없었습니다.[61] 야권의 단일 정당으로 '국민의 당'을 중심으로 한 통합운동은

---

60) 송요찬은 옥중 출마하였으며, 후에 대통령후보 단일화 작업에 협조하여 사퇴합니다.
61) 통합의 장에 나서는 개체들은 통합의 장에 나서기 전에 "기득권을 내려 놓는다"라는 자세를 견지하는 것이 필요한데 쉬운 일은 아닙니다. 소통의 장에 나가는 사람들은 자신의 입장을 변경하고 양보를 생각하고 기득권도 포기할 수 있다는 자세를 견지하는 것이 민주주의에서 말하는 진정한 소통입니다. 많은 사람들은 이를 "마음을 비운다"라고 합니다. 기득권의 포기란 어렵기에 빛나는 것입니다. 일본인들을 대상으로 실시한 "현재의 근대화된 일본의 모습에 일등공신은 누구라고 생각하는가?"라는 설문조사에서 일본인들의 대답은 사카모토 료마(坂本龍馬)였습니다. 일본인들이 신주단지 모시듯 하는 료마란 인물은 토사번 출신의 무사인데 19세기 당시 반목하는 사쓰마번과 조슈번을 중재했던 인물입니다. 통합을 만들어 내기 위해서 료마가 선택한 방식은 자신의 기득권을 포기하면서 상대방에게 신뢰를 주어 일을 성사시키는 것이

결렬됩니다. '3당 통합'의 시도도 무산됩니다. 1963년 9월 15일 대통령 후보 등록에 야권은 무려 6개의 정당을 출마시킵니다: '민정당'(윤보선), '국민의 당'(허정), '자유민주당'(송요찬, 옥중출마), '추풍회'(오재영), '정민회'(변영태), '신흥당'(장이석). 분열하는 야당은 조직적인 여당의 대통령 선거 경쟁에서 어려운 싸움을 할 수밖에 없었습니다. 그렇지 않아도 박정희 후보는 '경제발전'이란 시대의 흐름을 잡고 있어서 상투어구(cliché)인 '민주주의' 논쟁만으로 정권을 차지할 수 없었습니다. "민주주의는 좋다. 그러나 빵은 더 좋다"라는 말이 있습니다. 역사의 경험적 증거는 일정 수준의 경제발전을 담보하지 않은 민주화 수준에는 향상이 없음을 보여주고 있습니다. 차후 한국정치에서 당시 대통령 후보 경쟁에서 여당과 야당의 구호와 이에 대한 지지세력은 '산업화 세력'과 '민주화 세력'으로 대명사화 됩니다.

제5대 대통령선거(1963. 10. 15)가 끝나고,[62] 연이어서 제6대 국회의원선거(1963. 11. 26)를 마치면서,[63] 자신들의 입지가 불안한 야당들은 선거전과 달리 합당을 성공적으로 성사시킵니다. 선거직전과 선거직후 정당의 행태가 너무도 다른 것입니다. 선거직전과 달리 선거직후엔 권력획득과 상관없이 또다시 앞으로 정당 생존에 초점을 맞추게 됩니다. 선거결과를 통해 나타난 정당의 득표는 정당통합과정에서 정당의 지분을 결정하는 객관적 지표로 작용하게 됩니다. 결국 큰 정당이 작은 정당을 흡수통합하는 형식이 일반적으로 나타납니다. 1964년 9월 17일 '민주당'(박순천)이

었습니다. 이 위정자가 현재의 일본을 만든 것입니다. 제국주의는 미화될 수 없지만, 국력 그 자체만을 볼 때, 일본이 20세기 중반에 전 세계의 열강들을 상대로 싸울 수 있는 국력을 만드는 시작점이 료마였다는 의미입니다. 한국이란 나라에서 이런 위정자는 누구라고 생각하십니까?

62) 유효투표수 10,081,198표 기준으로 민주공화당 박정희(4,702,640), 민정당 윤보선(4,546,614), 추풍회 오재영(408,664), 정민회 변영태(224,443), 신흥당 장이석(198,837).

63) 선거 결과 의석수 분포는 다음과 같습니다. 민주공화당(110), 민정당(41), 민주당(13), 자유민주당(9), 국민의 당(2).

'국민의 당'(허정)을 흡수 통합합니다. 1964년 11월 26일에는 제1야당인 '민정당'(윤보선)이 '자유민주당'(김도연)을 흡수통합하게 됩니다.

박순천
(1898–1983)

이런 분위기 속에서 이제 흡수통합의 두 주체인 '민주당'과 '민정당'이 거대 여당 견제에 나서기 위해서는 양당의 통합이 필연적이라는데 인식을 같이 하게 됩니다. '한 · 일회담'을 통해 여권은 '한 · 일국교정상화회담'을 본격화하고 있었으며, 학생들과 재야(在野)세력들은 이를 반대하는 투쟁에 돌입해 있었습니다.[64] 거대한 여당을 견제하기 위해선 제1야당과 제2야당의 통합운동이 발생한 것입니다. 고무적인 일은 두 정당이 '선통합, 후조정' 원칙에 합의하고 '민중당'을 우선 창당했다는 것입니다. 본질이 형식보다 우선하는 것이 상례이나, 때로는 형식이 본질을 좌우합니다. 1965년 5월 3일 민정당과 민주당은 당 대 당으로 합당하여 민중당을 창당하며, 합당 원칙에서 '집단지도체제'를 규정합니다.

불행하게 이 통합이 오래가지 못합니다. 1965년 6월 14일에 합당전당대회에서 대표최고위원에 박순천, 최고위원에 허정, 서민호, 고문에 윤보선을 결정합니다. 가장 큰 지분을 가진 윤보선은 대표최고위원 선거에서 박순천에게 밀리게 되어 한일협정에 가장 강하게 반대하는 투쟁 노선을 주장했던 윤보선은 힘을 잃게 되었습니다. 보다 더 강한 투쟁을 위해서 합당

---

64) 한 · 일회담은 1952년 2월에 시작하여 1965년 6월 22일 한 · 일협정(또는 한 · 일기본조약)이 체결되기까지 14년간 6차례에 걸쳐서 진행되었습니다. 이에 대한 학생과 재야세력의 반대 투쟁이 1964년 6월 3일 광화문에서 파출소가 방화되기에 이르는 등 가장 격렬하여 그날 밤 비상계엄 선포가 있고 시위대의 주축이었던 많은 학생들이 검거됩니다. 이를 '6 · 3사태'라고 합니다. 그리고 이 때 대학시절을 보낸 세대를 '6 · 3 세대'라고 합니다.

을 추진한 것인데, 오히려 지도체제에서 한 발 물러서게 된 것입니다. 이것은 '진산파동'[이전 민정당 시절 6·3사태를 다스리기 위한 여당의 언론윤리위원회 법안(언론보도 규제 및 학원의 정치참여 규제) 통과에 유진산이 암묵적으로 동조했다고 하여 유진산의 제명을 추진한 윤보선과 이에 반발한 유진산의 대립]을 겪었던 유진산이 박순천을 지지했기 때문입니다. 1965년 7월 23일 국회에서 한·일협정비준을 둘러싸고 윤보선의 '강경파'(의원직 사퇴와 원외투쟁 주장)와 박순천의 '온건파'(국회에 남아서 비준안 저지 주장)가 대립합니다. 1965년 6월 22일 민주공화당은 '한·일협정비준심의 특별위원회'에서 비준안을 원안대로 가결합니다. 1965년 11월 1일 윤보선과 강경파 의원 14명은 집단 탈당과 함께 신당참여를 선언하여 민중당은 사실상 분당됩니다. 이때 분당되어 '신한당'(1966. 2. 15: 수석대표위원 윤보선, 대표위원 김도연·정일형)을 발족하고 3월 30일에 결성합니다. 신한당의 입장은 한·일협정비준을 방조하고 한국군의 월남파병을 지지하는 세력들과는 타협하지 않겠다는 것입니다.

그런데, 다시 한 번 반전이 있습니다. 이 신한당과 민중당이 다시 합당하여 이번에는 '신민당'을 창당합니다. 과거의 민중당에서 분당한 세력들이 신한당을 만들고 민중당이 신한당과 다시 합당한 것입니다. 새 술은 새 부대에 담아야 할 것입니다. 당명을 이번엔 '신민당'(新民黨)으로 합니다. 바로 이 신민당이 '민주주의 세력'의 중심에 서며 한국 민주주의 정착에 큰 역할을 하게 됩니다.

1955년에 야당 결집세력인 민주당은 1955년-1960년의 기간에 거대 여당인 자유당을 상대한 제1야당으로서의 역할을 했습니다. 그리고 정권을 교체하였습니다. 1967년에 야당 결집세력인 신민당은 1967년-1979년의 기간에 거대 여당인 민주공화당을 상대한 제1야당으로서의 역할을 했습니다. 공통점은 민주당, 신민당 모두 각각의 상대 여당인 자유당, 민주공화당과 함께 '보수양당체계'를 형성했었다는 것입니다. 차이점은 민주당은 1960년 창당 목적인 의원내각제로의 개헌을 성사시키고 제2공화국을 탄생시키며 정권교체에 성공하였다는 것입니다. 민주당 정권이 공식적으로 출범한지 1년도 안 되어 군사쿠데타에 무너져, 린쯔(J. Linz)와 오도넬(O'Donnell)의 용어를 빌리자면 '민주주의 붕괴'(breakdown of democracy)가 발생합니다. 반면에 신민당은 1979년 박정희 대통령 암살사건을 계기로 민주공화당이 몰락하고, 이를 민주주의 정권의 탄생으로 연결시키지 못하고 결국 다시 한 번 군사쿠데타를 경험하며 제2차 '민주주의의 붕괴'를 경험합니다. 린쯔와 오도넬은 민주주의는 권위적 정부에서 민주적 정부로의 반전이 일어났을 때, 지속적인 민주주의로 이어지는 '민주주의 공고화'(democratic consolidation) 과정이 진행되지 않으며, 일반적으로 다시 민주주의 붕괴의 과정을 거치면서 민주주의를 정착시켜 나갈 수 있다고 하였습니다. 민주주의붕괴이후 '재민주화'(redemocratization)된 이후에야 민주주의는 공고화의 과정의 기간으로 연결된다는 것입니다. 민주주의는 그렇게 쉽게 도래하지 않고 고난을 거쳐서 도래한 것입니다. 우리 속담에 "비온 뒤에 땅이 더 굳는다", "한 번 더 움추렸다가 뛰는 개구리가 더 멀리 뛴다"라는 말이 있는데 이와 일맥상통한다고 하겠습니다.

한국 경제발전의 일등 공신 '민주공화당'은 이제 한국 민주발전에 결정적 기여를 한 신민당과 한국정치를 이끌어 갑니다. 상호간에 소위 임자를 제대로 만난 것인데, 이는 정당이라는 기관효과를 넘어서 여당엔 박정희와 김종필, 야당엔 김영삼과 김대중이라는 인물효과가 극대화 됩니다. 이승만 대통령의 국가건설기가 있었다면, 국가발전의 두 축은 경제화와 민주화입니다. 국가가 건설된 초기에 이 두 가지를 모두 충족시키지 못했습니다. 박정희와 김종필은 한국 산업화 과정의 중심축 역할을 합니다.[65] 김영삼과 김대중은 한국 민주화 과정의 중심축 역할을 해냅니다.[66] 경제발전 우선을 외치는 '산업화 세력'과 정치발전을 외치는 '민주화 세력'은 1963년 이후 한국정치과정에서 정치세력의 중요한 대립 세력으로 존재하게 됩니다. 1970년대부터 2002년까지 20세기말의 한국정치과정은 산업화 과정 속에서 민주화를 추진하는 과정이 복합됩니다. 이 당시 한국정치과정은 김영삼(YS), 김대중(DJ), 김종필(JP) '3김씨'의 정치 역정 및 역학관계와 직·간접적인 연관성을 맺고서 설명된다고 해도 과언이 아닙니다. 소위 '삼김시대'(三金時代)는 한국판 '삼국지'입니다.

민주공화당 vs. 신민당 (1967-1979)

제3공화국(1963-1972)에서는 대통령과 국회의원의 임기가 4년으로 동일하며, 제3공화국이 출범하면서 대통령 선거와 국회의원 선거를 연이어 치렀습니다. 제5대 대통령 선거(1963. 10. 15)와 연이어 국회의원 선거

65) 2010년 이후 한국경제규모는 대략 10-15위정도로 평가받고 있습니다. 박정희의 비상함이 평가받고 있습니다. 1962년 이후 '경제개발5개년계획'을 통해서 중화학공업을 집중적으로 육성하여 소위 '한강의 기적'을 이끌어 갑니다. 1965년 '금리현실화조치'는 또 다른 한국경제성장의 공신이라고 평가됩니다.

66) 이코노미스트지(The Economists)가 2년마다 평가하는 선진 민주주의 순위에서 한국은 2010년대 한국은 2010년 이후 10-20위 사이에 랭크되어 있습니다. 인구 5천만 명 이상의 국가를 기준으로 10위정도이며, 인구 소국들도 모두 포함한 경우 20위 정도입니다. 객관적인 제3자의 눈으로 볼 때, 한국은 경제선진국이자 정치선진국입니다. 우리의 굴곡진 역사를 회고해 볼 때, 대단한 국가이고 대단한 민족입니다. 앞으로 정치선진화를 유지하기 위해선 시민의식이 중요하고 이는 '시민교육'을 통해서 가능합니다. 높은 시민의식이란 권리를 주장하는 '정치적 참여의식'(political participation)과 '정치적 인내심'(political tolerance)이 조화를 이룰 때 가능하다고 생각합니다. 이는 '교육'을 통해서 가능하며 교육자의 역할이 중요합니다. 인내심의 구체적 내용은 3가지로 구성된다고 생각합니다. ① 인내심이란 국가의 성원으로서 상대방에 대한 배려심에서 나오는 것입니다. 상대방에 대한 예의와 배려심 함양을 교육하는 것이 우리 민족의 장래에 중요합니다. 내 입장만 있는 것이 아니고 다른 사람의 입장도 있는 것입니다. ② 모든 사람이 함께 살아가기 위해선 최소한의 질서와 원칙이 있는 것입니다. 집단들의 투정이나 정서가 국가가 정해놓은 원칙(또는 헌법)을 존중해야 합니다. ③ 모든 직업에는 직업윤리가 있지만, 특히 위정자나 공무원의 직업윤리가 중요합니다. 국민들이 정치적 인내심을 잃는 것은 단적으로 위정자나 공무원이 부정부패하거나 무능력한 모습을 보이기 때문입니다.

(1963. 11. 26)가 있었습니다. 두 선거는 대통령 선거가 끝난지 한 달 남짓한 기간에 국회의원 선거가 치뤄졌기에 '밀월선거'(honeymoon election) 관계를 갖고 있었습니다. 대통령 선거와 국회의원 선거가 밀월선거로 치뤄지는 경우, 대통령 선거에서 승리하는 정당이 자연스럽게 국회의원 선거에서도 득세할 가능성이 높습니다. 대통령 선거가 끝나고 얼마 안 되어 열리는 국회의원 선거에서는 대통령을 지지했던 유권자들이 대통령의 정당에 지지표를 보낼 가능성이 높기 때문입니다. 대통령 선거와 이후 치르는 국회의원 선거의 간격이 좁을수록 밀월선거의 성격이 강하여 대통령 선거에서 승리하는 정당에 유리할 것입니다. 일반적으로, 대통령선거가 끝난 후 6개월 정도 내에 국회의원선거가 치러지거나 최대 1년을 넘지 않아야 밀월선거로 기능한다고 봅니다.

민중당 내에서 한·일 협정 비준 이슈나 한국군의 월남파병 이슈에 대한 강경파들이 분당하여 새롭게 만든 정당이 신한당입니다. 민중당과 신한당이 다시 통합을 시작한 것은 제6대 대통령 선거(1967. 5. 3)를 앞두고서 입니다. 두 정당은 대통령 선거에서 선거승리를 위한 선거연합을 생각했던 것입니다. 대통령 선거뿐만이 아닙니다. 국회의원 선거(1967. 6. 8)가 불과 한 달 간격의 밀월선거로 열리기에 분열된 야당이 거대 여당인 민주공화당을 상대하기 버거움은 자명한 사실입니다. 민주공화당을 지지하는 산업화 세력들은 박정희의 '경제개발 5개년계획'이 진행되면서 그 효과를 느끼고 있었고, 심지어 민주화 세력들도 박정희의 국가 운영에 있어서 추진력을 적어도 심정적으로는 인정하고 있었다고 보는 것이 사실에 가까울 것입니다. 국민들 입장에서 박정희는 당시 주요 위정자들과는 다른 인물이라는 인식이 존재했다는 것입니다.

민중당 상황을 볼 필요가 있습니다. 민중당 내에서 강경파들이 출당하여 만든 신당이 신한당인데, 당시의 헌법과 정당법에 따르면 국회의원에 당선될 당시의 당적을 이탈, 변경하거나 자신의 소속정당이 해산될 때는 의원직을 상실하도록 되어 있었습니다.[67] 이러한 법규 때문에 민중당에는 분당해서 나가지 않은 강경파들이 '명정회'(明政會)란 조직을 결성하여 남아있었습니다. 어차피 신한당이 분당된 상황에서 당에 분란을 일으키는 명정회 소속 의원들을 안고 갈 수밖에 없는 민중당에게도 고충이 있습니다. 민중당이 이들 의원들을 제명하면 이제 분당된 신한당이 국회에서 '교섭단체'를 구성할 수가 있어서 그야말로 "호미로 막으려다 가래로 막는다"라는 형국이 생기기 때문입니다. 민중당은 울며겨자먹기식으로 명정회를 안고 가고 있었습니다. 대통령 선거일이 1년 앞으로 다가오면서 선거연합을 준비해야할 필요성이 절실해 진 시점인 1966년 5월 이후에 '6인소위원회' '12인대책위원회' 를 통한 정당 상호간의 통합시도와 '야당통합을 위한 시국선언'이란 사회 분위기가 있었지만, 신한당은 민중당에게 보다 선명한 야당 노선을 전제 조건으로 요구하면서 재합당에 진척이 없었습니다.

합당에 물꼬를 튼 계기는 민중당의 대통령후보지명과 원외에서 활동하는 '야당후보단일화추진위원회'였습니다. 민중당과 신한당의 연합은 철저하게 선거연합이라는 의미입니다. 민중당은 대통령후보로 적합한 인물을 논의하던 과정에서 유진오 박사를 당에 영입합니다. 1966년 10월 22일에 민중당 전당대회에서 대통령후보로 지명됩니다. 이 날 민중당은 대통령후보 지명과 함께 당수에 박순천, 부당수에 유진산을 지명합니다. 당의 대통령 선거를 위한 기본정책으로 야권후보단일화를 의결하여, 당외에선 '야당후보단일화추진위원회'가 가동됩니다.[68] 야당후보단일화추진위원회라는 것은 양

67) 제3공화국에서 '정당법'이 처음 만들어지고 체계화됩니다. 박정희 군사정부의 정당활동에 대한 태도는 제약 일변도가 아니었습니다. 헌법에 복수정당제 보장 및 무소속 입후보 금지와 함께, 한국정치과정에서 처음으로 1962년 12월 31일에 '정당법'을 만들어서 정당 활동에 대한 규칙을 체계화합니다.

68) 해당 위원회는 원외와 양당을 포괄하는 기구입니다. 원외(백낙준, 백남훈, 이범석)와

당통합위원회의 다른 이름으로 해석하는 것이 사실에 가까울 것입니다.

야당후보단일화추진위원회는 대통령후보단일화 방안을 양당에 전달하였으나, 민중당의 수락과 달리 신한당은 거부하면서 의견을 제출합니다. 이러한 의견을 조합하여 다시 한 번 조정안을 마련하였으나 이 역시 신한당이 거부합니다. 두 정당 합당의 명분이 선거연합의 성격이란 것을 누구도 모르지 않았지만, 두 정당의 합당의 명분은 시종일관 ㉠ 여당에 대해서 야당으로서 선명하지 않은 모호하며 오도된 지도노선 개선에 대한 확약, ㉡ 한·일 기본조약 협약 파동 당시에 민중당이 국회로 복귀한 것에 대한 사과문 발표였습니다.[69] 선거연합을 하면서 '노선연합'과 같이 기능한 것입니다.[70] 결국 1967년 1월 23일에 야당단일화후보추진위원회는 해체를 선언 직전까지 이릅니다. 야당후보단일화추진위원회는 양당통합위원회의 다른 이름이었기에 합당이란 사건에는 당 지도자들 사이에 권력을 잡기 위한 권력경쟁이 기본적으로 깔려 있는 것입니다. 누가 대통령후보자로 낙점되느냐가 핵심이었다는 의미입니다.

이제 공은 신한당으로 넘어갑니다.[71] 야당후보단일화추진위원회가 해

양당의 인사들[허정, 이상철, 홍익표 (이상 민중당); 김도연, 장택상, 정일형 (이상 신한당)]로 구성되었습니다.

69) 민중당은 한일협정비준안의 국회특위에서의 가결로 소속의원 중에서 61명이 의원직 사퇴서를 의장에서 일괄제출한 바 있습니다(1965. 8. 11). 의장은 탈당서가 첨부된 14명의 강경파 의원의 사퇴서는 수리하고, 나머지 47명의 사퇴서는 반려합니다. 당지도부는 다수인 온건파의 뜻대로 원내복귀를 결정하고 온건파는 국회본회의에 출석합니다(1965. 10. 11). 재합당시 이상의 국회복귀사건에 대한 사과를 요구한 것입니다.

70) '노선(路線)연합'은 구체성을 띠는 '정책연합'과는 달리 보다 추상성이 높은 수준의 슬로건 밑에서 연합하는 것을 말하며, 정당 지도자들 간의 역학구도를 반영하는 연합의 형태입니다.

71) 민중당의 대통령후보가 결정된 이후에 신한당이 후보단일화에 응하지 않으면 민중당의 대통령 후보자가 야당의 단일화 후보가 될 가능성이 큽니다. 아니면, 두 당 모두 분열하여 각자의 대통령 후보를 내는 것이고 물론 분열된 야당의 선거결과는 불보듯 뻔한 것입니다. 당시 산업화 세력에 대항하는 민주화 세력들에게 명분때문에 합당하지 않는 신한당이 명분을 저버리게 되는 일이 발생합니다.

체 의결을 예정했던 1967년 1월 23일에 신한당은 '4자회담'을 제의합니다. 1967년 1월 26일 제1차 4자회담에선 세 가지에 합의합니다: ㉠ 양당의 통합방식은 새로운 정당을 창당하는 '신설합당'으로 한다. ㉡ 새로운 정당의 대통령 후보와 당수는 윤보선과 유진오 두 사람에게 안배한다. ㉢ '9인 실무위원회'를 구성한다 는 것입니다. 두 당 사이에 '4자회담'이 의결기구인지 '9인실무위원회'가 의결기구인지를 놓고 대립이 있었지만, 결국 '4자회담'을 의결기구로 합니다.72)

이제 민중당의 대통령후보자인 유진오, 신한당의 권력자 윤보선, 그리고 외부에서 백낙준과 이범석으로 구성된 4명이 최종 담판을 짓는 것입니다. '9인 실무위원회'는 먼저 신당의 지도체제를 '단일지도체제'로 하고, 당의 의결기구는 전당대회와 운영위원회로 이원화 합니다. 두 당의 합당을 위한 전당대회를 앞두고 대통령 사전안배 협상이 있었는데, 대통령 후보에 윤보선, 당수에 유진오로 합의를 보게 됩니다. 정당에서 '당권'(黨權)과 '대권'(大權)을 분리한 것입니다. '당권'이란 한 정당의 당수(또는 총재)로서 입법부에서 정당권력의 수뇌가 되는 것을 의미하며, '대권'이란 정당에서 대통령후보에 나가 행정부의 수반이 되는 권력을 의미합니다.73) 민중

---

72) 대통령후보자단일화 안건이 합당 안건과 복합적인 것이었기에, 민중당 당수인 박순천이 제외된 것은 민중당입장에서 논란거리가 될 수도 있습니다. 당시 민중당의 당수는 박순천이었고 대통령후보는 유진오였습니다. 신한당의 총재는 윤보선이었으며, 대통령후보는 아직 미정이었습니다. 4자에 대한 구성은 {민중당 당수, 신한당 당수, 외부 2인}으로 하는 경우의 수와 {민중당 대통령 후보, 신한당 대통령 후보, 외부 2인}으로 하는 경우의 수가 다르다는 의미입니다. 민중당의 입장에선 합당논의에 당수가 제외된다는 것을 받아들이는 것이 쉽지 않았을 것입니다. 따라서 4자회담을 의결기구로 하지 않고 9인실무위원회를 의결기구로 하고 싶었을 것입니다. 신한당의 윤보선은 당에서 후보로 지명이 예상되는 강력한 대통령 후보인 상태이지 대통령 후보로 지명받은 상태는 아니었습니다. 역으로, 신설되는 정당의 대통령 후보는 통합된 정당의 후보자이기에 이미 특정 정당의 대통령 후보가 더 불리할 수도 있습니다. 합당하면서 이미 대통령후보로 지명받은 사람을 대통령으로 하면 대통령후보를 갖고 있는 정당에 그렇지 않은 정당이 흡수통합되는 형태가 된다고 볼 수 있기 때문입니다.

73) 정당의 당권과 대권의 관점에서 본다면, 대통령제하에서도 의원내각제처럼 '권력융합'

당과 신한당이 합당하여 1967년 2월 7일에 '신민당'(新民黨)이 창당됩니다. 결론적으로, 신민당은 민주공화당을 상대하기 위해 대통령선거와 국회의원선거를 앞두고 통합한 것입니다.74)

야권 세력은 신민당으로 통합하여 대통령 선거와 국회의원 선거를 치릅니다. 산업화 세력을 대표한 민주공화당의 박정희와 민주화 세력을 대표한 민주당의 윤보선이 치룬 이른바 2라운드였는데, 오히려 1라운드에서 두 사람의 표 차이보다 더 큰 차이가 났습니다.75) 유효 투표수를 기준으로 박정희 후보는 과반수이상의 득표를 하였습니다. 야당 표를 모두 합해도 박정희 후보의 득표수에 못 미치니, 제1야당인 민주당의 표가 군소 야당들로 분산되어 민

제6대 대선 포스터

적 차원이 존재합니다. 의원내각제는 의회(즉, 입법부)에서 다수석을 차지한 정당을 중심으로 내각(즉, 행정부)을 구성하기에 입법부와 행정부의 권력융합 현상이 발생합니다. 마찬가지로, 대통령을 배출한 정당이 행정부를 장악하는 상태에서 입법부도 다수 의석을 차지하고 있다면 행정부와 입법부의 권력융합 현상이 발생할 것입니다. 결론적으로, 대통령제가 의원내각제와 비교하여 상대적으로 '권력분립'에 충실한 제도이려면 정당운영에 있어서 당권과 대권을 분리하는 것이 더 바람직한 것으로 판단됩니다.

74) 통합된 신민당은 정책정당을 표방하였는데 그 주요내용은 다음과 같습니다: 중소기업소생, 재벌집중투자 지양, 농어민의 수입과 근로자의 생계 보장, 반독재, 반부패, 대통령 중임제 폐지, 국무회의의 의결기구화, 국회의 국무위원 불신임권 부활, 경찰중립화, 지방자치제실시, 통일논의 자유보장, 관영요금 사정위원회 설치, 2중곡가제 실시 등입니다.

75) 대통령 선거인 수 13,935,093명 중에서 11,058,721명이 투표하였으며, 후보자별 득표수를 보면, 민주공화당 박정희(5,688,666), 신민당 윤보선(4,526,541), 통한당 오재영(264,533), 민중당 김준연(248,369), 한국독립당 전진한(232,179), 정의당 이세진(98,433) 입니다.

주당이 패배했다는 말을 할 수가 없는 것입니다. 관권선거가 있었지만, 일단 박정희의 '경제개발5개년계획'을 통한 경제개발 노력이 국민에게 어필하고 있었습니다. 정당간 대결에서 산업화 세력이 민주화 세력에게 다시 승리한 것입니다.

1963년에 이어서 연속적이고 참담한 패배였는데, 여기에는 정당이란 기관효과와 함께 인물효과도 동시에 작용했다고 판단됩니다. 한국정당발전과정의 특질은 정당을 중심으로 그 세력을 누적시킨다기보다, 정당 간에 특정 인물을 중심으로 이합집산을 거듭하면서 합당, 분당, 창당을 반복하는 것입니다. 한국정당의 가장 큰 특색을 인물정당이라고 하는데 자유당의 이승만 이상으로 민주공화당의 박정희는 정당이란 기관에 대한 인물효과를 극대화하고 있었습니다.

3선 개헌과 '40대 기수론'

민주공화당의 박정희 대통령은 1963년에 이어 1967년에 마지막 임기를 위한 정권창출에 성공합니다. 역시, 권력은 마주(魔酒)입니다. 1968년 12월 17일 윤치영 민주공화당 당의장 서리는 "조국근대화와 민족중흥의 과업을 위해선 강력한 대통령의 리더십이 필요하며, 이를 위해서 대통령 연임조항을 포함한 현행 헌법상의 문제점을 개정하는 것이 연구되어야 한다"는 취지의 발언을 합니다. 1969년 1월 3일에 당시 이효상 국회의장이 "3선 개헌은 불가능한 것이라고 말할 수 없다"고 언급합니다. 박정희 대통령이 1월 10일 연두기자회견에서 "헌법개정문제는 연말이나 내년 초에 거론하여도 늦지 않을 것"이라고 발언하면서 민주공화당과 신민당의 정당 경쟁구도는 개헌통과냐, 개헌저지냐의 정국으로 환원됩니다. 제7대 국회의원 선거가 세계선거사에 남을 정도의 부정선거시비로 얼룩진 이유는 민주

3선 개헌파동
1969년 박정희 대통령 개헌에 관한 특별담화

공화당의 개헌 의석 확보와 무관할 수 없습니다.

1969년 7월 28일에 민주공화당은 '3선 허용과 국회의원 각료 임명 허용'을 골자로 하는 제6차 헌법개정안의 골격을 확정합니다. 민주공화당 내에서 차기를 노리고 있던 권력 2인자 김종필계는 '3선개헌안'에 반발하였습니다. '3선 개헌안'은 발의자 118명의 이름으로 국회에 제출됩니다.[76] 30일 공고기간을 거쳐 9월 13일 본회의에 회부됩니다. 9월 13일 신민당의 반발에 막히자, 이효상 의장은 9월 15일 월요일에 처리할 수밖에 없다고 하며 산회를 선포했습니다. 신민당 의원들이 잠자리에 든 시간 9월 14

76) 여기에 3명의 신민당 의원들(성낙현, 조흥만, 연주흠)이 서명하는 일이 발생하고 신민당은 이들을 응징하기 위하여 의원직 박탈을 추진합니다. 신민당은 헌법 제38조(정당이 해산된 경우 의원자격을 상실함) 규정을 이용합니다. 당을 해산하기 위한 '전당대회'에 앞서서 '의원총회'를 열고 여기서 3인을 제외한 소속의원 44명을 스스로 당에서 먼저 제명시켜 의원직을 유지할 수 있게 합니다. 뒤이어 9월 7일 전당대회를 통해서 당을 해산한 후에, '신민회'란 교섭단체로 등록하여, 3인의 의원직을 상실토록 합니다. 44명의 의원들은 정당 해산과 동시에 신당발기준비위원회를 조직하여 재창당에 나섰고 일단 원내교섭단체 '신민회'로 등록합니다. 44명의 의원들은 9월 20일에 다시 신민당을 복원, 재창당하여 복당(復黨)합니다.

일 일요일 새벽에 기습처리됩니다.[77]

일요일 새벽에 변칙 처리된 '3선 개헌'은 오히려 우리 정당사에 새로운 전환점이 됩니다. 부산정치파동, 4사5입개헌 등에 이어서 최악의 개헌 사태가 반복된 것입니다. 신민당은 '3선개헌' 저지실패로 무기력증에 빠지게 되며 1969년 9월 14일 유진오를 다시 총재에 선출합니다. 유진오 총재가 건강을 이유로 몇 달 만에 사임하면서, 새로운 당수선출에 관심이 집중됩니다. 민주공화당과의 경쟁구도 속에서 무엇인지 새로운 동력을 찾아야만 하기 때문입니다. 1970년 1월 26일 전당대회에서 유진산은 당수로 선출되면서 다양한 정치세력들과의 통합을 통한 당세의 확장을 강조합니다. 당수 선출 직후에 윤보선 신민당 고문이 탈당하여 신당운동을 전개하여 당세 확장의 동력은 사실상 빛이 바랩니다.[78] 자유당, 한국독립당, 재야세력, 나아가 온건 혁신세력과 통합을 성사시키나 모두 시차적으로 윤보선 고문 탈당이후여서 한계가 있을 수밖에 없습니다.[79] 아무리 외부에서 군소정당이나 군소 정치세력들을 흡수하더라도 "물은 안에서 새고 있으니" 통합효과는 반분될 수밖에 없었습니다. 밖의 세력을 흡수해 와도, 안에서 다시 분열하니, 당이 분당 후 통합, 통합 후 분파, 분파 후 분당, 분당 후 다시

77) 개헌의결 정족수는 114표이며 당일 공화당 의원, 무소속, 정우회 의원들 122명이 참석한 가운데 122명 찬성으로 의결됩니다.

78) 1970년 2월 2일 윤보선은 당의 선명성의 문제를 지적하며 탈당성명을 발표합니다. 1970년 5월 6일에 '민주통일국민회의'(가칭)를 발족하고 1971년 1월 6일 '국민당'을 창당하면서 단일지도체제를 채택하고 총재로 윤보선을 선출합니다. 국민당은 민주당계, 신한당계, 혁신계 및 민주공화당 및 신민당의 현역의원도 포함되어 제법 폭 넓은 당세를 보여 줍니다. 유진산은 윤보선과 껄끄러운 관계입니다. 어찌보면 이것이 분당의 가장 큰 이유일 것으로 추측할 수도 있습니다. 민정당 시절 '언론윤리위원회법안' 문제로 윤보선은 유진산을 제명시키려고 한 적이 있습니다(진산파동). 더 거슬러 올라가면, 1963년 후보단일화 과정에서 유진산은 허정의 사퇴를 촉구하면서 윤보선도 경우에 따라선 예외일 수 없음을 주장한 바 있습니다.

79) 1970년 1월 22일엔 민권투쟁위원회(이철승 등 20명), 1월 23일 재야혁신계(윤길중, 정화암 등 16명), 1월 25일 한국독립당(이태구 등 10명), 1월 26일 자유당(이재학 등 21명)이 신민당에 합세합니다.

통합, 통합 후 다시 분파를 반복하고 있는 것에 불과합니다. 어차피 정치란 것은 분열과 통합, 통합과 분열의 반복이지만 정도와 수준의 문제입니다. 시간이 흐르면서 세력이 누적되고 통합되는 것이 아니라 일정수준의 누적을 보이다가도 정당 본연의 목적인 정권 창출을 하기도 전에 분열이 반복되고 있는 것입니다.

40대 기수론 (1969)

대통령제 하에서 정당이 활력을 찾는 길은 역시 대통령 선거에 내보낼 후보자를 결정하고 그 후보자가 국민들로부터 지지를 얻어내는 과정이 가장 직접적이고 가시적입니다.[80] 신민당은 '40대 기수론'을 차기 대통령 선거 후보자 선출에서 실천하며 당의 활력을 찾고 있었습니다. 흥미로운 것은 산업화 세력 민주공화당에게 번번이 당하던 민주화 세력 신민당이 당의 활력을 정당합병 등과 같은 외적인 힘에서 찾지 않고, 당 내부의 자체 동력으로부터 찾았다는 것입니다. 그것이 신민당 내에서 김영삼에 의해서 주창된 '40대 기수론'입니다. 1969년 11월 8일 김영삼 원내총무(42세)가 '40대 기수론'을 주창하며, "빈사상태의 민주주의를 회생시키기 위해서 1971년의 대통령 선거에 신민당 후보로 나설 것을 밝힌다"고 하여 민주당에 새로운 활력을 불어 넣습니다. 한 사람의 목소리만으로 '40대 기수론'은 완성될 수 없습니다. 이어 1970년 1월 24일 김대중 후보(45세)가 대통령 후보 출마를 선언합니다. 이어 이철승(48세)이 출마선언을 함으로써 신민당은 민주공화당

80) 이렇기에 대통령제하에선 모든 정치 현안들이 '대통령 선거'를 중심으로 돌아가는 폐해가 있다고 주장합니다. 국회의원 선거도 지방선거도 국회운영도 자체적인 이슈들을 갖고 진행되지 못하고 대통령과 연관되어 진행됩니다. 대통령의 정치가 모든 정치 현상들을 빨아들이는 일종의 '블랙홀'(black hole)처럼 작용합니다.

신민당의 당권 주자들 앞줄 좌측 세 번째부터 우측으로 차례대로 이철승, 김영삼, 김대중.

과 경쟁하기 위한 자체 동력이 창출됩니다. 정당이 어려운 상황에선 외부에서 해답을 찾지 않고 내부로부터 해결책을 찾는다는 것의 의미를 되새길 수 있는 정치적 사건일 것입니다.

'40대 기수론'에 대해서 유진산 총재는 처음에 구상유취(口尙乳臭)라고 하였지만, 신민당의 활력 돌파구의 대세는 '40대 기수론'임을 받아들였습니다. 유진산은 자신이 대통령 후보를 포기할테니 대신에 후보택일권을 줄 것에 대해 제의합니다.[81] 김영삼은 받아들이고, 김대중은 이를 거부하였습니다. 결국 유진산은 1970년 9월 28일 중앙상임위원회에서 김영삼을 지지한다고 발언하여 분위기는 김영삼 후보에게 유리한 듯 했습니다.

유진산
(1905–1974)

81) 자신이 킹메이커(king-maker)의 역할을 하겠다는 의미로 해석하면 될 것입니다.

1970년 9월 29일 신민당 대통령 후보 지명대회가 서울시민회관에서 개최되었는데 당시 당의 후보자 결정 정족수는 투표자의 과반수였습니다. 후보 경선 1차투표 결과 총 투표수 885표 중에서 김영삼 421표, 김대중 382표, 백지투표 78표, 기타 4표로 김영삼 후보가 1위로 나타났습니다. 과반수 정족수가 443표인데 두 후보자 모두 이에 미치지 못한 것입니다. 당일 저녁 일간지들은 김영삼 후보 지명을 기정사실화하면서 신문의 머릿제목으로 뽑기도 했으며, 김영삼 측은 승리를 낙관하며 신민당 대통령 후보 수락 연설문을 준비하고 있었습니다. 반면에 김대중 후보는 백지투표 78표가 결국 대부분 이철승 후보 지지라고 생각하며 이철승과 교섭으로 선거연합을 성사시키기 위해 동분서주하고 있었습니다.[82)]

다음날 열린 제2차 투표에서, 결과는 역전되었습니다. 김영삼 후보가 너무 일찍 축배를 들었던 것입니다. 총 투표수 884표 중에서 김대중 후보 458표, 김영삼 410표, 기타 16표로 신민당 대통령 후보는 김대중으로 결정됩니다. 이어 김영삼 후보는 결과에 깨끗이 승복하며 김대중 후보의 대통령 당선을 통한 정권교체에 힘을 보탤 것을 선언합니다.

'제7대 대통령선거'(1971. 4. 27)는 여러 군소후보들이 있었지만, 박정희 후보와 김대중 후보의 2파전으로 진행되었습니다. 김대중 후보는 예비군폐지문제, 한미상호방위조약의 수정보완을 주장하였으며, 해당 선거에서 박정희 후보가 당선되면 이제 한국은 영원히 박정희 일인 독재시대로 갈 것이라고 유권자들의 주의를 환기시켰습니다. 한국유권자들은 보수적이었습니다. 민주화에 대한 열망도 존재했지만, 급속한 경제발전을 통해서 중산층이 형성되기 시작하면서 중산층은 사회 안정 희구세력으로서 표심을 보여주었습니다. 지금도 확인되는 대선에서의 제1승리 요인변수인 '경제변

82) 당시 자료들에 의하면 신민당에서 '이철승 체제'를 구축하는데 협조하겠다는 각서가 교환된 것으로 되어 있습니다.

수'(어떤 후보가 국가 경제를 잘 운영할 것인가의 문제)는 그 때도 확인되었습니다. 여기에 박정희 후보는 영남출신, 김대중 후보는 호남출신이라는 '지역주의'가 결합하면서 결과는 박정희 후보의 승리로 막을 내렸습니다.83)

'三金時代'의 정당정치(1972-2002)

한국정치과정에서 '3김시대(三金時代)'가 정치과정의 중심축으로 자리를 잡는 시기는 1972년 유신체제가 시작하면서부터라고 할 수 있습니다. 한국정치과정에서 으레 '세 김씨'란 김영삼(YS)과 김대중(DJ), 김종필(JP)을 지칭하며, '두 김씨'란 김영삼과 김대중을 지칭하는 용어로 쓰여왔습니다. 유신체제의 시작은 정치 암흑기의 시작이기도 하지만 동시에 경제 제일주의의 산업화세력에 대하여 민주세력들의 결집이 더 강하게 일어난 시기로 인식됩니다. 경제발전이 일정 궤도에 들어서고 중산층이 늘어나면서 시민들은 '교차압력'(cross-pressure)의 심리상태를 경험하게 됩니다. 유권자행태이론에서 말하는 '교차압력'이란 유권자들이 높은 생활수준에 대한 경제적 요구가 충족되어 생활수준이 나아지면서 교육수준이 높아지고 이에 따라서 민주화에 대한 열망도 높아지게 되어 경제열망과 민주화열망 사이에서 우선순위를 선택함에 압박을 느끼는 심리상태를 말합니다. 1960년대에는 경제적 요구와 사회 안정이 우선이었지만 1972년 유신체제가 시작되면서 한국유권자들 사이에는 '교차압력'이 발생하기 시작합니다.

83) 총선거인수 15,552,236명, 투표수 12,417,824표, 민주공화당 박정희(6,342,828표), 신민당 김대중(5,395,900표), 정의당 진복기(122,914표), 국민당 박기출(43,753표), 자민당 이종윤(17,823표)로 나타났습니다. 한국선거의 특성인 지역주의도 나타났습니다. [박정희:김대중]의 표를 보면 경북[1,333,051: 411,116], 경남[891,119: 310,595], 전북[308,850: 535,519], 전남[479,737: 874,974]로 나타났습니다. 참고로 당시 가장 큰 두 개의 도시인 서울특별시와 부산직할시의 표를 보면, 서울[805,772: 1,198,018], 부산[385,999: 302,452]으로 나타났습니다.

박정희 정권의 3선개헌과 1971년 제7대 대통령선거 이후 박정희 정권이 마지막 임기를 시작하면서, '3김시대'가 본격적으로 시작됩니다. 야당에서 김영삼, 김대중의 '40대기수론'이나, 여당 내부에서 김종필은 자타가 공인하는 2인자였기에, '3김'이 차세대 정치권의 주도세력이라는 전조는 이미 형성되어 있었습니다. 유신체제를 세운 박정희는 사실상 '세 김씨'와 선의의 정치적 경쟁을 포기한 것이라는 해석이 가능합니다. 역으로, 한국의 정치과정에서 '세 김씨'의 정치행위는 일거수일투족이 국민들에게 더 뚜렷이 각인되기 시작합니다.

'三金時代' 의 정당정치 (1972 – 2002)

본 단행본에서 1972년부터 2002년의 기간은 공화국을 중심으로 구분한 것이 아닙니다. 유신체제의 시작부터 김대중 대통령의 정권이 끝나는 시기까지로 기간을 분류한 것입니다. 이런 식의 기간분류를 한 이유는 3김의 정치행보가 한국정치의 권력과정에서 중심에 서기 시작한 시기부터 그들이 권력에서 퇴장하던 시기까지를 구분한 것입니다. 유신체제 시절은 정치암흑기입니다. 유신체제의 종말을 가져온 것은 신민당 전당대회에서 선명 야당을 주창하던 김영삼을 총재로 선출하고, 이어 김영삼 총재가 의원직에서 제명되는 초유의 사건으로 이어지면서부터입니다. 1979년 10월 26일 김재규 중앙정보부장의 박정희 대통령 시해사건을 계기로 한국정치에 '민주화의 봄'이 찾아오지만, 앞의 장에서도 살펴보았듯이 당시 상황은 너무도 혼란하였고, 전두환 장군의 '신군부'가 다시 득세하며 또 다른 군부정치가 시작됩니다. 한국민주화과정에서 1960년 5·16과 1980년 5·17 두 차례의 민주주의 붕괴(breakdown of democracy)를 경험하게 된 것입니다.

1980년 5월 17일 전두환 장군의 5·17쿠데타와 함께 1985년 초까지 '세 김씨'는 정치활동의 공백기를 갖지만, 1985년 2·12총선 및 정치활동 해금조치가 시작되면서 야권 세력의 배후 실권자로 정치에 컴백하게 되며 민주화 세력들을 결집하여 정당들을 이끌게 됩니다. 1990년에 김영삼-김종필은 '3당합당'으로 연합하고 먼저 김영삼이 1992년에 28년만의 '문민정부'를 탄생시킵니다. 다시 1997년에 김대중-김종필은 'DJP연합'을 통해서 35년 만에 야당에 의한 선거정권교체에 성공한 '국민의 정부'를 창출합니다.

한국정당을 인물정당이라고 이야기하는데 1948년부터 1967년까지 이승만, 신익희, 조병옥, 윤보선, 장면 등의 정당도 그러하지만, 그 보다 더 강력한 인물정당은 1971년 대통령 선거이후에 시작되는 김영삼, 김대중, 김종필 '세 김씨'의 정치 역학 관계 속에서 존재했던 정당들이었을 것입니다. 1985년이후 3김씨가 주도한 정당이합집산 과정은 인물중심 정당체제의 최고조였다고 할 것입니다. 유신체제와 함께 시작한 이들 세 김씨의 정치행로와 리더십은 한국 민주화 과정에서 중심축으로 작용하면서 역학관계를 구성합니다.

통일주체국민회의가 간접선거로 대통령을 선출하는데, 통일주체국민회의의 의장은 대통령입니다. 야당이 대통령에 출마한다면 그것은 유신체제를 받아들이는 것입니다. 버젓한 야당이 통일주체국민회의를 통한 간접선거방식에 대통령 후보를 출마시킬 이유가 없습니다. 대통령은 여당의 총재이기도 합니다. 행정부의 수반이자 국회 내 활동 단위인 정당의 당대표란 의미입니다. 여당 내에서 경쟁구도가 있을 수 없습니다.

이런 상황에서 나름대로의 민주적 정당경쟁 구도가 나타날 수 있는 부분은 야당 내에서 진행되는 당권 경쟁밖에 없습니다. 유신체제하 야당내부에서의 정당경쟁구도는 대(對)여당 경쟁노선에 대한 정체성을 위한 당권

경쟁이었습니다. 유신체제 이전의 당내 당권 경쟁 구도가 대통령 후보에 출마하기 위한 성격을 강하게 띠었다면 유신체제 이후엔 여당내에선 당권 경쟁구도가 있을 수 없고, 야당 내에선 여당에 대한 투쟁노선을 선명하게 할 것인지(유신체제 자체를 반대할 것인지), 온건하게 할 것인지(유신체제 내에서 경쟁할 것인지)의 문제가 가장 중요한 정당경쟁의 내용이 됩니다. 야당의 당권 경쟁 결과 정해진 대여 투쟁노선이 당시 정치 정국을 결정하였으며, 나아가 유신체제의 종말을 가져왔습니다. 유신체제 직전에 정당간 경쟁구도를 먼저 살펴보고, 유신체제하에서 야당 내에서의 당권경쟁의 성격을 살펴보도록 하겠습니다.

유신체제 도래 직전의 정당경쟁구도

민주공화당은 제7대 대통령 선거(1971. 4. 27)에서 승리했지만, '3선 개헌'이란 무리수를 두어 그 후유증으로 내분에 시달리고 있었습니다. 반면에 신민당은 '40대 기수론'의 활력에도 불구하고 대통령선거에서 근소한 차이로 패배하면서 당시 동원선거, 관권선거의 폐해를 지적하며 그 분노를 삭이고 있었습니다. 한 달 만에 연이어 열린 '제8대 국회의원 선거'(1971. 5. 25)에서 신민당은 당내의 '전국구 파동'에도 불구하고 선전하면서 민주공화당과 대등한 의석수를 차지하는 기염을 토합니다.[84] 신민당은 민주공화당과 거의 대등한 입장에서 국회를 운영할 수 있는 입장에 섭니다. 그런데 호사다마(好事多魔)입니다. 정당이 이제 여당과 거의 대등한 야당으로 커지자 당권 경쟁이 심화되면서 '진산계'와 '반유진산계'가 대립하면서 신민당 내에 김홍일 총재와 유진산 총재가 양립하는 극단의 상황을 맞게 됩

84) '전국구 파동'이란 유진산 총재가 자신의 지역구인 영등포 갑을 포기하고 전국구 1번으로 등록하면서 당내분 사태가 발생한 것을 말합니다. 이것은 김대중계와 유진산계의 싸움으로 비화되고, 김영삼과 이철승이 중재에 나서는 형국으로 진행됩니다.

니다.[85]

신민당은 1971년 4월 대통령선거에서 패했지만 곧이어 1개월 후의 5월 국회의원선거에서 득세하면서 민주공화당 113석, 신민당 89석의 명실상부한 제1야당으로 거듭났습니다. 당시의 국회의원선거제도는 국회의원 총인원을 3/4의 단순다수대표제 지역구 의원과 1/4의 비례대표제 전국구 의원으로 구성했는데, 전국구 의석수 배분 방식이 여당에게 유리한 제도였습니다.[86] 그럼에도 불구하고 야당이 국회의원 선거에서 득세한 것입니다. 이것은 대통령선거를 통해서 행정부에는 안정과 발전을 요구하면서도, 곧이어 열린 국회의원 선거를 통해서 입법부에는 행정부에 대한 견제를 요구한 국민들의 의사로 해석될 수 있습니다. 그러나 국민들의 '제1야당' 밀어주기를 통한 거대여당 견제의 의사는 신민당의 극심한 내분을 통해서 빛이 바랬습니다.

신민당은 1970년 1월 26일 임시전당대회를 통해 유진산을 당수로 선정하여 1971년 4월의 대통령선거만을 치루고, 당 내홍을 거치면서 5월의 국회의원선거는 김홍일 총재권한대행 체제로 치르게 됩니다. 유진산 당수는 대통령선거과정에서 김영삼 후보를 지원했으나, 김대중 후보가 신민당 대통령 후보로 결정되면서부터 당 내홍은 시작된 것이나 다름없었습니다. 연이어 있었던 국회의원 선거에서 유진산 당수는 국회의원 선거 당시 자

85) 진산계(유진산, 고흥문, 김영삼, 이철승)와 반진산계(김대중계, 김홍일계, 양일동계의 3파 연합)로 분류됩니다. 진산계는 1972년 9월 26일 전당대회를 소집하여 유진산을 총재로 선출합니다. 반면에 당시 당 총재였던 김홍일을 중심으로 반진산계는 전당대회 소집이 "해당 전당대회가 지구당위원장이 임명한 대의원으로 소집되었기에 당헌에 위배된다"는 주장을 하며 전당대회의 무효를 주장하며, 9월 27일에 별도의 전당대회를 개최합니다.

86) 1971년의 국회의원 의석수는 1963년 및 1967년의 175석에서 203석으로 증가되었습니다. 지역구 152석과 전국구 51석이었습니다. 제3공화국에서의 국회의원선거제도(1963년, 1967년, 1971년)는 국회 의석수 배분방식에 있어서 여당에게 유리한 제도였습니다. 전국구의 경우 제1당에게는 1/2이상 2/3미만을 보장하는 방식이었고, 제2당은 제1당 배분후에 나머지의 2/3를 보장하는 방식이었습니다.

신의 지역구(영등포 갑)를 포기하면서 자신을 전국구 1번에 등록합니다. 이것이 소위 유진산 당수의 '전국구 파동'입니다. 당원들은 당수의 지역구 포기에 반발하고, 김대중 의원은 그 다음날인 7일에 고흥문, 홍익표, 정일형 등의 위원들과 함께 유진산 당수의 제명을 의결합니다. '진산파'와 '반유진산파'가 회합하여 유진산 당수가 사퇴하고, 중도파로 인식되는 김홍일 총재권한대행 체제로 가는 것으로 일단락되면서 국회의원 선거를 치릅니다. 제8대 국회의원 선거 결과는 민주공화당 113석(지역구 86, 전국구 27), 신민당 89석(지역구 65석, 전국구 24석), 국민당 1석(지역구 1석), 민중당 1석(지역구 1석) 입니다. 신민당이 여당을 견제할 수 있는 거대야당이 되자, 당내 권력투쟁이 더욱 더 심화됩니다.

신민당은 국회의원선거를 성공적으로 끝내고 나서 중앙당 당기위원회를 열어서 김대중, 고흥문, 홍익표 등에게는 불법회의를 통해서 당총재 제명을 결의하였다는 명목으로 징계를 결정합니다. 김홍일 권한대행체제가 들어서기 전까지 양일동은 부의장을 맡고 있었습니다. 이러한 결정에 유진산계와 양일동계만 찬성하고 나머지 당원들은 반발합니다. 1971년 7월 20일에 전당대회가 개최됩니다. 김홍일, 김대중, 양일동 3자가 출마하여 3차투표까지 가는 접전 끝에 김홍일 후보가 당 총재에 당선됩니다.[87] 김홍일의 당선은 유진산계와 중도계가 바탕이 된 것이었는데, 총체적으로 당내 화합과 안정을 요구하는 분위기가 반영된 것이었습니다.

오래가지는 못했습니다. 1971년 12월 6일 국가비상사태 선언으로 민주공화당은 '국가보위에 관한 특별조치법안'을 국회에 제출하고, 같은 해 12월 27일 새벽에 기습 처리해 버립니다.[88] 해당 특별조치법안이란 차후

87) 유효표 총 882표 가운데 (김홍일, 김대중, 양일동)이 얻은 유효표는 1차투표(407: 302: 172), 2차투표(425: 340: 111), 3차투표(444, 370, 해당없음).

88) 제출된 특별조치법안의 내용을 정리해 보면 ① 대통령은 국가안전보장회의의 자문과 국무회의의 심의를 거쳐서 비상사태를 선포할 수 있다. ② 비상사태 하에서 대통령

1972년 '10월유신'으로 가는 길목이었습니다. 그러나 1972년 중반 당시에도 신민당은 '진산계'와 '반유진산계' 두 계파 사이에 법통논쟁, 법정투쟁, 별도의 당무집행이 진행되면서 분당을 걱정하는 지경에 이르고 있었습니다. 가장 큰 쟁점은 당시 전당대회를 개최함에 있어서 '대의원'을 '지구당위원장'이 임명하도록 한 당규가 당헌에 위배됨으로 이를 개정한 후에 전당대회를 개최해야 한다는 김대중 의원의 주장에 대한 갑론을박이었습니다. 당헌에 위배한 당규에 의해 지명된 대의원들이 결정한 지도체제는 정당성이 없다는 법통논쟁이 발생합니다. 1972년 9월 25일에 '4자회담'(김홍일, 유진산, 양일동, 김대중)이 있었지만 결렬됩니다. 1972년 9월 26일에 유진산계를 중심으로 서울시민회관에 대의원 443명이 참여한 가운데 전당대회가 개최됩니다. 반유진산계는 김홍일 총재의 효창동 자택 정원에서 별도의 전당대회를 갖게 됩니다. 그러면서 두 계파는 서로 법정투쟁에 돌입합니다.[89] 한 개의 당에서 별도의 전당대회를 치르는 것은 기능상 분당과 다를 바 없습니다. 1971년 대통령선거이후 진산파와 반진산파로 형성된 계파가 계속 대립하면서 분열하게 된 것입니다.

아이러니하게도 실제 분당사태를 지연시킨 것은 신민당의 화합력이 아니라 외부에 의한 정치활동중단사태 때문이었습니다. 1972년 10월 17일 박정희 대통령은 특별담화를 통해서 아예 국회를 해산합니다. '10월유신'

은 국가 재정 및 경제질서를 위한 통제와 제한을 가하는 명령을 발할 수 있다. ③ 비상사태 하에서 대통령은 국가동원령을 발할 수 있으며, 옥외집회를 금지할 수 있다 등입니다.

89) 유진산계가 대표위원명의변경등록신청서(김홍일을 유진산으로)를 중앙선거관리위원회에 제출하는 사건이 발생합니다. 김홍일은 이에 대한 이의신청서를 중앙선거관리위원회에 제출하며, 대표직인을 부정사용한 행위를 검찰에 고발하고, 신민당 당수직무대행자집행정지가처분신청 및 전당대회(1972. 9. 26)무효소송을 서울민사지방법원에 제출합니다. 이전투구를 벌이며 적전분열하게 된 것입니다. 당내 분란의 가장 근본적인 원인은 1971년 대통령선거에서 김영삼을 지원했던 진산계와 김대중을 지원했던 반진산계의 앙금이 지속된 것이라고 해석할 수 있습니다. 대통령제하에서는 당내 분란의 큰 원인이 바로 대통령후보 옹립과 연관됩니다.

이 온 것입니다. 박정희 대통령의 특별선언으로 국회 해산, 정치 및 정당 활동 중지, 비상국무회의 설치가 이루어지며 비상계엄령이 선포됩니다. 일체의 정치활동이 금지되는 소위 한국정치의 '정치 암흑기'가 왔기 때문에 민주화 세력의 보루인 신민당은 분당 직전에 잠시 분당이 지연되는 상황이 발생한 것입니다.[90] 그 시기는 다르지만, 민주당은 '자충수'(自充手)로 자멸하고, 민주공화당은 '무리수'(無理手)로 자멸하는 상황으로 가게 되는 것입니다.

1972년 10월 27일 비상국무회의에서 헌법개정안이 의결되고 11월 21일 국민투표에 부쳐집니다. 유권자 1,441,714명이 투표하여 이중에 91.5%가 찬성하게 되며 소위 '유신헌법'이 통과됩니다. 대통령은 임기 6년으로 연임이 가능하며 '통일주체국민회의'에서 선출합니다. 통일주체국민회의란 대통령 선출을 위한 간접선거인단인데, 여기서 대통령이 국회의원 정원의 1/3을 일괄추천하고 이들에 대해서 일괄투표하여 당선여부를 결정합니다. 국민의 선거가 아닌 통일주체국민회의 선거에서 당선된 의원들을 '유정회'(유신정우회) 의원이라고도 합니다. 대통령은 긴급조치권 및 국회해산권을 갖으며, 국회의원 및 법관에 대한 '임면권'을 갖고 있습니다.[91] 국회의원 정원의 2/3에 해당하는 국회의원도 1지역 2인 선거구로 하여 여당은 그 지역에서 등수에 상관없이 동반 당선되도록 하였습니다. 국가운영에서 입법부의 기능을 행정부(즉, 행정부의 수반인 대통령의 직위)가 압도

90) 결국 유신헌법이 공표된지 (1972. 12. 27) 7일만에 정치활동이 재개되자마자 1973년 1월 27일 반유진산계는 양일동을 중심으로 단일지도체제를 채택하며 '민주통일당'을 창당합니다 (대표최고위원 양일동, 상임고문 김홍일). 이로서 신민당은 다시 분당됩니다. 두 번에 걸친 합당 시도가 있었지만 모두 무산됩니다. 전체적인 시각에서 신민당은 민주통일당을 흡수통합하려하고, 민주통일당은 신민당과 당 대 당 통합을 위한 전당대회 개최를 주장하지만, 신민당은 번거로운 절차없이 합당하려고 합니다. 제10대 국회의원 선거(1978. 12. 12)에서 의석수는 신민당(61), 민주통일당(3)이었습니다.

91) '임명권'(任命權)과 '임면권'(任免權)은 다릅니다. 전자는 임명하는 권리만을 말하며, 후자는 임명하고 파면할 수 있는 권리를 말하는 것입니다.

하는 것이며, 정치에서 야당의 기능을 전면 마비시키는 헌법이라고 해석해도 과언이 아닙니다.

이승만 대통령이 '4사5입 개헌'으로 대통령직 연임을 위한 무리수를 두었듯이, 박정희 대통령은 '3선개헌'을 넘어서서 이제는 연임을 위한 종신제 대통령의 무리수를 두고 있었습니다. 10월유신에서의 대통령제는 '총통제'라고 하는 것이 사실에 더 가까울 것입니다. 연임을 하더라도 국민 직선제를 통하여 연임하는 것과 자신의 친위대로 간접선거인단을 구성하고 간접선거인단이 대통령을 선출하게 하는 방식은 확연히 다릅니다. 박정희 대통령은 경제발전을 통한 산업화 공적을 부정적 방향으로 상쇄시켜 버릴 수도 있는 반민주적 독재정권의 다리를 건너고 있었습니다.

1972년 10월 17일 비상계엄이 발표되면서 모든 정치활동이 중지됩니다. 두 달 후인 12월 15일에는 통일주체국민회의 대의원선거가 시행되어 2,359명의 대의원을 선출합니다. 12월 23일에는 '제8대 대통령선거'를 위하여 통일주체국민회의가 소집됩니다. 대의원 전원이 참석한 가운데 박정희 후보가 단독으로 출마하여 찬성 2,357표, 무효 2표로 박정희 후보가 6년 연임제의 대통령에 당선됩니다.

유신헌법체제 아래서 대통령이 취임하자마자 국회의원선거법과 정당법이 1972년 12월 30일에 공포됩니다. 1973년 2월 27일에 '제9대 국회의원선거'가 열립니다.[92] 유신헌법체제하에서 국회의원은 1개 선거구에서 2인을 선출하는 중선거구제이며 임기는 6년입니다. 근본적으로 여당은 제1야당에 이어 2등으로라도 '동반당선'될 가능성이 높으니 유신헌법하의 국회의원 선거제도는 여당에게 유리한 제도임이 분명합니다. 반면에 무소속

92) 유신헌법 아래서 두 번의 국회의원 선거가 있었는데, 1973년의 제9대 국회의원선거는 지역구 146석, 유정회의원 73석이었습니다. 1978년의 제10대 국회의원선거에서는 지역구 154석, 유정회의원 77석이었습니다.

출마를 허용하여, 야당의 표가 분산되는 효과를 노렸습니다. 제4공화국 유신헌법하의 국회의원선거제도에서는 전국구 비례대표제를 채택하지 않았습니다. 아니, 할 필요가 없었습니다. 앞서 언급한 바와 같이 대통령이 아예 국회의원 정수의 1/3에 해당하는 임기 3년의 국회의원을 추천하여 자신의 기관인 통일주체국민회의에서 일괄선출하는 방식을 취했기 때문입니다.

정치암흑기였던 유신체제는 대통령 및 여당에게 일방적으로 유리한 선거제도를 통해서 행정부, 입법부, 정당체계가 형성된 것입니다. 유신체제하의 선거제도하에선 야당이 여당을 넘어설 수 없습니다. 유신체제 헌법은 대통령이 국회를 해산할 수 있는 권한을 지니고 있습니다. 여당과 야당간 경쟁구도에는 여당의 일방적 독주가 있을 뿐입니다. 오로지 방식이 존재한다면, 야당의 힘이 분산되지 않고, 제1야당을 중심으로 야권의 힘이 결집되는 것입니다.

한국의 정당은 이런 과정을 거치면서 발전해 왔기에 이를 교훈삼아서 앞으로 한국 정당발전에 위정자 및 국민들의 주의와 노력이 필요한 것입니다. 우리는 서양사에서 '중세 암흑기'를 기억합니다. 중세 암흑기는 신권이 인권을 지배하여 모든 것이 신의 이름으로 행해지는 '마녀 사냥 및 화형식'과 같은 반인륜적인 상황이 발생한 12세기 이후 15세기까지의 시기입니다. 한국에서도 정치암흑기가 1972년 10월 유신이 선포되어 시작되며, 이제 야당에 의한 정권교체는 또다시 막막한 상황으로 돌아갑니다.

이런 비정상적인 상황 속에서 소위 미국의 기능주의자들 중에서 체계이론(system theory)가들이 말하는 순화적인 '정치체계' (political system) 속에서 정당의 국민 이익통합기능을 중심으로 한국정당정치를 이해하는 것은 어폐가 있을 것입니다. 10월유신은 정치암흑기를 가져왔습니다. 획일적 경제우선주의로 간 것을 중산층도 용서할 수 없는 상태가 발생한 것입니다. 한국의 중산층의 성격을 단순히 '산업화 세력'이나 '민주화

세력'이란 이분법적 구도로만 설명할 수 없을 것입니다. 1960년대와 달리 1970년대이후 일정 수준의 경제발전이 진행된 상태에서 산업화세력들도 민주화의 필요성에 대한 '교차압력'을 느끼고 있었습니다. '10월유신'이란 사건은 다시 한 번 신민당이 분당으로 가는 위기를 넘기면서 민주화 투쟁에 전력하는 계기가 됩니다. 한국의 정당발전경로는 민주화 세력을 결집하여 민주화 투쟁의 중심에 설 수 있는 인물들을 중심으로 갈 수밖에 없는 상황으로 진전됩니다. 유신체제이후 산업화세력과 민주화세력의 경쟁구도는 좀 더 복잡해집니다. 박정희의 경제발전 우선정책의 결과로 한국사회에 형성된 중산층들이 박정희의 무리수라고 할 수 있는 유신체제에는 동조하지 않는 민주화세력으로도 기능하기 때문입니다. 정치과정에서 민주화 요구의 깃발을 중산층이 직접 들 수는 없었으며, 야당이 선발대로서 기수 역할을 해야만 합니다.

유신체제하에서의 정당경쟁의 특성을 보면, 여당과 야당간에 민주화 투쟁이라는 주제 하에 긴장관계가 형성되면서도, 동시에 야당 내에서는 대여 투쟁노선의 성격을 반영하는 당권경쟁이 진행됩니다. 민주화를 위한 대여투쟁에 있어서 강경노선인지 온건노선인지의 문제를 배경으로 당권경쟁이 진행되는 것입니다.

합당실패

12월 27일에 유신헌법의 공포와 함께 대통령 취임식이 거행되면서 비상계엄이후 중지되었던 정치활동이 두 달여 만에 다시 재개됩니다. 정치활동이 재개되자마자 신민당에서 양일동, 윤제술, 유청 등이 분당하며 '민주통일당'이 창당됩니다(1973. 1. 27).[93] 신민당은 유진산 총재의 총재직

93) 민주통일당은 단순히 신민당에서 이탈한 세력들 뿐만이 아니라, 당시 군소 야당이던 '국민당'을 흡수하고 일부 재야 혁신세력들을 포함하면서 창당되었습니다. 민주통일

사퇴와 정일형 대행체제(1973. 1. 22), 유진산 총재 사표반려 결의(1973. 3. 11), 전당대회로 유진산 총재 재추대(1973. 5. 7)라는 단계를 밟으면서, 유신체제이후에도 다시 한 번 유진산 총재 체제로 환원합니다.

유신체제의 충격은 클 수밖에 없었습니다. 유신정국에서 가장 큰 이슈는 이제 국민생활과 연관된 정책입안이 아니라 민주주의 회복을 위한 유신헌법의 개헌이었습니다. 와중에 김대중납치사건(1973. 8. 8)이 발생하고, 김대중과 신민당의 웬지 서먹한 관계 속에서 '재야세력'들이 먼저 깃발을 들게 됩니다.[94] 재야세력들은 개헌서명운동본부를 설치합니다(1973. 12. 24). 곧이어 신민당이 개헌결의안을 통과시키는 날(1974. 1. 8)에, 박정희 정권은 즉시 대통령긴급조치 1호(개헌논의금지)와 2호(비상군법회의설치)로 맞섭니다. 유진산 총재가 와병중 사망하게 되고(1974. 4. 28) 이제 야당은 40대 기수론의 주창자인 김영삼을 총재로 선출하게 됩니다(1974. 8. 23).[95]

김영삼 총재가 당선되자마자 당내와 당외에서 추진한 일은 유신헌법

당의 창당이 단순한 분당이 아니고 재야 세력이 규합된 것이어서 신민당에게 적지 않은 부담을 주고 있었습니다.

94) 당시 '진산계'와 대립할 때 '반진산계'로서 김대중과 뜻을 같이하던 양일동은 '민주통일당'으로 분당하여 신민당을 떠난 상태에서 민주통일당 총재직을 맡고 있었습니다. 김대중은 일본 도쿄에 있는 그랜드팔레스호텔로 양일동 총재를 만나러 갔는데 이때 중앙정보부 요원들에게 납치됩니다. 결국 납치 주모자들은 일주일 만인 1973년 8월 13일 동교동 자택부근에 풀어 줍니다. 한국 민주화과정에서 '야당'과는 별도로 소위 '재야세력'들이 목소리를 내게 되는데, 이것은 당시 김대중이 신민당에서 대통령 후보까지 했지만, 신민당 당내 세력은 진산계를 중심으로 형성되어 있었고, 더욱이 양일동은 당을 분당하여 나간 상태였습니다. 차후 김영삼과 김대중의 라이벌 관계에서 보면, 김대중이 상대적으로 재야세력과 더 깊은 관계 속에서 정치를 하게 됩니다. 1970년대와 1980년대 한국정치의 특성 중의 하나는 재야세력들의 민주화과정에서의 영향력입니다. 재야세력들은 여당에 대해서도 목소리를 높이지만, 야당의 대여투쟁노선과 방식에 대해서 영향을 미칩니다.

95) 1974년 8월 22일과 23일 양일간의 임시전당대회에서 후보자별 득표수를 보면 1차 투표에서 총 729표에서 김영삼(197), 김의택(142), 정해영(126), 고흥문(111), 이철승(107) 무효표(46)이었고, 2차 투표에서 총 723표에서 김영삼(324), 김의택(203), 정해영(185), 무효표(11)로 나타났습니다.

개정을 위한 것이었습니다. 김영삼 총재는 당내에 헌법개정추진기구를 설치하면서 국회에 '헌법개정기초심의특별위원회구성결의안'을 제출합니다. 1974년 12월 5일에 신민당의원들이 국회에서 무기한 농성에 돌입하면서 박정희 정권은 1975년 2월 12일에 유신헌법에 대한 찬반여부를 국민투표에 붙이게 되고 73.1%로 찬성을 얻게 됩니다.

이렇게 되자, 신민당은 개헌의 활력을 불어넣기 위해 민주통일당을 다시 신민당으로 끌어들이게 됩니다. 당시 민주화투쟁은 단순히 정당을 통한 제도권내의 운동으로 한정된 것이 아니었으며, '재야세력'들을 포함하는 범야권에서 이루어지고 있었습니다. 신민당과 민주통일당이 재합당할 당시에 범야권 내의 '재야세력'을 통합된 당에 어떻게 포함시키는가는 당내 역학구도에 영향을 미칠 수밖에 없기에 주요한 이슈가 됩니다. 1975년 3월 31일에 당시 정국에서 정치 실세 4인인 김영삼, 양일동, 김대중, 윤보선이 모여서 '선합당, 후재야세력 영입'이란 원칙에 합의하고 다음 날인 4월 1일에 두 당의 합당 원칙을 공포합니다.[96]

분당도 당권투쟁에서 비롯되었듯이, 당내 권력에서 불리한 입장에 서지 않으려는 두 당의 합당도 지연될 수밖에 없었습니다. 신민당은 당의 골격을 바꾸지 않는 상태에서 신속하게 민주통일당을 흡수통합하려는 의도였으며, 민주통일당은 모든 형식과 절차를 거쳐서 당 대 당의 1:1통합을 의도하고 있었습니다. 결국 민주통일당이 다시 '재야인사영입과 합당의 병행'을 주장하며 1975년 5월 7일에 민주통일당 전당대회를 시행합니다. 와중에 박정희 정권은 긴급조치 9호를 발령하여 헌법 비방과 반대를 금지시

96) 당시 신민당내에는 "형식적인 통합보다 통합뒤에 일어날 부작용과 후유증에 대한 대비책이 강구된 후에 통합되어야 한다"는 주장(이철승, 정운갑, 이민우 등)도 존재하는데, 김영삼 총재는 "민주화 명분을 통해서 부작용을 용해시켜야 한다"고 주장하면서 YS 특유의 돌파력을 선보이게 됩니다. 차후 이런 행태는 YS의 트레이드마크가 됩니다.

킵니다(1975. 5. 13).[97] 민주통일당은 정당이 통합할 때, 전당대회를 열기를 희망했으나, 김영삼 총재는 긴급조치 상황하에서 번거로운 절차보다는 신속한 합당을 통한 재야단결의 모습을 국민들에게 보여주어야 한다고 주장했습니다. 두 당의 합당시도는 불발로 끝나고, 그 후유증이 오히려 신민당 내분으로 나타납니다.

4거두 회담 (김영삼, 윤보선, 양일동, 김대중)

각목전당대회와 수습전당대회

신민당은 '김옥선 파동'(1975. 10. 8)과 '명동사건'(1976. 3. 1)을 거치면서 당내에서 서로 다른 시국관을 가진 세력들로 재편됩니다.[98] 재야의 신민당과 민주통일당의 통합 요구에 김영삼 총재가 두 당의 통합은 1976년 5월 전당대회이후에나 가능하다는 입장을 표명하면서, 이제 김영삼 '주류파'와 이철승 '비주류파'가 당권을 놓고 경쟁합니다. 핵심 사안은 앞으로 신민당의 지도체제와 관련하여 단일지도체제(주류파)의 성격을 유지할 것인지, 아니면 집단지도체제(비주류파)를 채택할 것인지의 문제였습니다.[99] 이철승의 비주류파는 김영삼 개인의 지도체제가 당시 정치현안들

97) 1975년 5월 21일에는 청와대에서 박정희와 김영삼의 여야 영수회담이 열립니다. 그 내용이 공개되지 않으며, 김영삼의 대여투쟁노선이 온건화되었다는 의혹이 일기도 합니다.
98) 1975년 10월 8일 국회본회의 대정부질문에서 김옥선 의원의 체제비판발언을 여당이 문제 삼게 되면서 김의원은 10월 13일에 반 강제로 의원직을 사직하게 됩니다. 김옥선 의원의 사직에 김영삼 총재가 적극적인 투쟁으로 응수하지 않았다는 비판이 당내에서 제기됩니다. 1976년 3월 1일에 명동성당에서 있었던 김대중과 재야세력들의 '3·1민주구국선언사건'으로 김대중이 수감되고, 정일형 의원이 의원직을 상실합니다.
99) 비주류측은 의원총회 소집요구를 김영삼 총재가 묵살하는 등 김영삼 일인체제가 독선적이라는 비판을 하게 됩니다.

각목전당대회 (1976)

을 제대로 관리해 나갈 수 없다고 보았으며, 김영삼의 주류파는 보다 선명하고 강력한 대여투쟁을 위해서는 일인지도체제가 불가피하다고 보았습니다. 계파간 지구당 조직책 임명문제나 대의원 구성비율을 놓고서 당내 갈등이 격화되었습니다. 이들은 앞서 신민당과 민주통일당이 분당 직전에 전당대회를 각각 따로 열었던 것처럼, 별개의 전당대회를 기획합니다. 달라진 것이 있다면 더 과격해져서 차후 '각목전당대회'란 오명을 안게 되며 정치사에 기록되었다는 것입니다.

신민당은 1976년 5월 25일 전당대회를 열기로 하였습니다. 22일에 전당대회 개최를 저지시키기 위해 비주류측 청년당원이 관훈동 중앙당사에 난입하여 난동 후에 철수하는 사건이 발생합니다. 비주류파는 이어 25일 새벽에 전당대회장인 시민회관별관에 청년당원을 배치시켰으나, 주류측과의 싸움끝에 대회장에서 쫓겨납니다. 다시 비주류측 청년들은 각목과 쇠파이프를 휘두르며 주류세력들을 몰아내고 대회장을 차지하며 당일 오전 9시에 의원 34명, 대의원 372명이 참석한 가운데 최고위원 5인(고흥문, 김원만, 신도환, 이철승, 정해영)을 선출하며 집단지도체제를 선언합니다. 전당대회장인 시민회관별관을 뺏긴 주류측은 관훈동 중앙당사에서 오전 10시에 의원 21명, 대의원 415명이 참석한 가운데 김영삼을 총재에 재선출합니다.

중앙선거관리위원회는 주류와 비주류가 각각 제출한 당대표변경등록신청서에 관해서 원래 전당대회가 열리기로 한 시민회관별관 이외의 장소에서의 총재선출은 무효이며, 김영삼 총재의 임기는 소멸된 것이라는 유권해석을 내립니다. 김영삼 총재는 권한대행으로 이충환 전당대회의장을 지명하고 당수습위원회에 모든 권한을 위임하게 됩니다. 당수습위원회를 중심으로 주류와 비주류는 집단지도체제의 내용으로 7명의 최고위원과 1명의 대표최고위원을 두는 당헌 개정에 합의한 후 최고위원과 대표최고위원을 위한 수습전당대회를 개최합니다(1976. 9. 15).[100]

해당 수습전당대회는 한국 민주주의 과정과 당내 민주주의에 관련해서 시사점을 갖는 사건입니다. 별도의 전당대회란 사건 자체가 일어난 것은 문제겠지만, 이번에는 과거와 달리 분당 직전의 사태를 슬기롭게 극복하는 모습을 나름대로 보여주었습니다. 두 계파 모두 당수습위원회에 전권을 위임하고 특히 수습전당대회를 다시 개최하여 표대결을 통해 대표최고위원을 선출하고 그 결과에 승복하는 모습을 보여줍니다. 9월 15일의 최고위원 선출은 대의원 767명이 참여하여 주류측은 이충환(103표), 유치송(98표), 김재광(72표)이 당선되고, 비주류측은 이철승(142), 신도환(118), 고흥문(87)이 당선됩니다.

다음날인 9월 16일에 열린 대표최고위원 선거에서는 김영삼(주류), 이철승(비주류), 정일형(중도파)의 3파전으로 진행되었습니다. 총 767표 중에서 김영삼 349표, 이철승 263표, 정일형 134표로 과반수 득표자가 없어서 2차투표가 필요했습니다. 2차투표에선 정일형이 이철승 지지를 선언하고 사퇴하고, 이철승 389표, 김영삼 364표로 이철승 후보가 김영삼 후보를 역전하며 신민당 집단지도체제의 대표최고위원 직에 당선됩니다. 이철승 대표최고위원은 당선수락연설을 통해서 '중도통합론'을 내세웁니다. 유신체제 하에서 활동하는 한 그 체제를 부인하는 것이 아니라 개선해 나가는 방향으로 노력해야 한다는 것입니다. 이후에 대표최고위원 선거에도

---

100) 당수습위원회는 10명의 인사로 구성됩니다: 유치송, 김은하, 김수한, 황낙주, 박용만, 이중재, 박영록, 송원영, 신상우, 김창환.

출마했던 정일형 의원이 의원직을 상실하면서 김영삼을 중심으로 한 비당권 세력들은 '선명야당론'을 내세우며 이철승 체제를 유신체제 타협노선으로 몰아붙입니다. 앞서 김옥선파동 때와 입장이 서로 뒤바뀐 것입니다.

'5·30전당대회' 역전드라마

신민당은 관훈동 당사 시절을 마치고 1978년 6월 22일에 마포구 도화동으로 당사를 옮기게 됩니다. 당사를 옮긴 이후에 1979년 5월 30일에 열린 '5·30전당대회'에서 이철승의 중도통합론과 김영삼의 선명야당론이 맞붙게 됩니다. 당시 '5·30전당대회'는 바로 직전에 있었던 제10대 총선(1978. 12. 12)에서 야당의 득표율이 여당의 득표율보다 1.1%를 앞서는 상황에서 주류와 비주류가 다시 '단일지도체제'로 당헌 개정을 환원하는 것에 동의한 상태에서 치러진 것이어서 그 열기가 대단했습니다. 과거 집단지도체제에서 대표최고위원을 선출하는 것과 단일지도체제에서의 총재를 선출하는 것은 그 선거의 성격이 본질적으로 다릅니다. 이철승과 김영삼 세력은 전당대회 전날 전야제를 통해서 결의를 다졌는데, 이 때 연금상태에 있던 김대중이 김영삼 세력들의 단합장인 아서원에 나타나서 친유신파인 이철승파를 눌러야 한다면서 김영삼 후보 지지 연설을 하게 됩니다.[101)]

---

101) 선거 전에는 이철승 후보의 승리가 예상되고 있었습니다. 이철승 후보는 고흥문, 이충환, 유치송 최고위원의 지지를 받아서 안정된 연합을 구축하고 있었지만, 김영삼 후보는 선거 직전까지도 지지세력이 뚜렷이 가시화되지 못했습니다. 이에 김대중은 총재경선에 나가려던 조윤형, 김재광, 박영록에게 경선을 포기하고 김영삼 지지를 선언하도록 설득하였습니다. 1971년 신민당 대통령후보지명전에서 김대중 후보가 승리할 수 있었던 것은 이철승 후보의 도움을 통해서였습니다. 도움을 요청할 당시에 그 명분은 호남(김대중 전남, 이철승 전북)이란 지역주의였습니다. 대통령후보지명전이 끝난 이후에 김영삼은 김대중의 본선거에서 찬조연설을 하며 김대중을 도와줍니다. 김대중의 김영삼 후보 지지선언은 민주화 투쟁이란 명분에서 당연한 것이었습니다. 후일에 김영삼과 김대중은 "우리는 민주화투쟁을 위해선 단합하며, 민주화시기에는 서로 경쟁한다"고 발언한 바 있습니다.

전당대회는 전국대의원 757명중에서 751명이 참여한 가운데 단일지도체제로 당헌을 환원시키는 것을 만장일치로 의결한 후에 곧바로 총재선출에 들어갑니다. 1차투표는 다자구도로 이루어졌는데 이철승 292표, 김영삼 267표, 이기택 92표, 신도환 87표, 김옥선 11표, 무효 2표로 나타났습니다. 결국 이철승-신도환 연합과 김영삼-이기택 연합으로 2차투표가 이루어지면서 김영삼 378표, 이철승 367표로서 과반수인 376표를 넘어선 김영삼이 이철승을 역전하면서 앞서 수습전당대회에서의 패배를 만회하고 신민당은 강력한 대여투쟁노선을 채택합니다.

5.30 전당대회 역전드라마
당시 동아일보 백인수 화백의 만평

한국정당사나 민주주의과정에서 '5 · 30전당대회'는 중요한 의미를 갖게 됩니다. 첫째, 결과에 승복하는 전당대회였다는 것입니다. 앞서 당내분에도 불구하고 수습전당대회를 통해서 당내 표심에 깨끗이 승복하는 분위기를 만들었는데, 이러한 분위기는 선거과열 속에서도 다시 한 번 재현되었습니다. 둘째, 이제 박정희 정권은 강력한 정치 파트너를 맞이하게 되었습니다. 1974년 8월 이후 김영삼 총재체제는 일인지도체제였음에도 민주통일당과의 합당실패로 인해 그 힘이 결집되지 못했었습니다. 1976년 9월 이후 수습전당대회로 탄생된 이철승 집단지도체제는 신민당이 민주공화당의 대변인이라거나 2중대란 소리를 듣고 있었던 상황이었습니다. 1979년 '5 · 30전당대회'이후 탄생한 김영삼 단일지도체제는 얼마 전에 있었던 '제10대총선'에서 야당이 여당득표율을 앞서며 마련한 민주화 투쟁의 분위기를 더욱 상승시키고 있었습니다. 셋째,

'5 · 30전당대회'의 가장 큰 의미는 해당 전당대회가 강력한 대여투쟁노선을 지닌 당권을 탄생시키면서 불과 6개월 후의 '10 · 26사태'로 이어지는 기폭제가 되면서 유신체제가 붕괴되었다는 것입니다.

야당 총재 직무정지가처분결정과 의원직 제명

신민당 김영삼 체제의 성격은 일인지도체제에 의한 강력한 선명야당이었기에 출범에서부터 여당의 공작정치가 시작됩니다. 박정희정권의 공작정치는 야당 총재를 의원직에서 제명시키는 초유의 사태를 발생시키게 됩니다. 김영삼 총재는 취임 직후에 외신기자클럽 초청연설에서 남북관계의 긴장완화를 위해 김일성과 면담용의가 있다고 발언합니다(1979. 6. 11). 이를 빌미로 박정희 정권은 '5 · 30전당대회'에서의 총재선출에 하자가 있다고 주장하며 신민당총재단 전원에 대한 직무정지가처분신청을 서울민사지법에 제출합니다(1979. 8. 13).[102] 김영삼 총재는 국민과 당원이 선출한 총재를 일개 법원에서 판결할 수 없으며 이는 박정희정권의 야당말살행위라고 주장하는 가운데, 서울민사지법은 신민당 총재단의 직무정지가처분신청의 심리에 착수하겠다고 발표합니다(1979. 8. 20). 서울민사지법은 김영삼 총재와 이민우, 박영록, 이기택, 조윤형 부총재의 권한을 본안소송 판결확정시까지 정지시키고, 정운갑 전당대회 의장을 총재직무대행으로 선임하는 가처분결정을 내립니다.[103]

정운갑 대행이 중앙선거관리위원회에 직무대행등록신청서를 접수시키자(1979. 9. 21), 신민당 당원들 1,200명은 마포 중앙당사에서 전국당원

---

102) 윤완중(공주 · 논산지구당위원장), 유기준(성남 · 여주 · 광주 · 이천지구당위원장), 조일환(대구중 · 서 · 북갑지구당위원장)은 당시 당원자격이 없는 조윤형 부총재와 자격이 없는 그가 임명한 성북지구당 대의원들의 표 역시 무효임을 주장했습니다.

103) 서울민사지법 합의16부(부장판사 조언, 판사 김중곤, 김동건: 1979. 9. 8).

대회를 통해 김영삼 총재체제의 정통성을 다시 한 번 확인합니다(1979. 9. 25). 결국 대표변경신청이 아니라 대행등록신청이 접수되었기에 신민당의 법통은 김영삼 총재와 정운갑 대행이 동시에 존재하는 기이한 형태가 됩니다.

YS 국회의원직 제명사건 (1979)

여기서 그치지 않습니다. 공화당과 유정회는 9월 15일에 있었던 김영삼 신민당총재의 뉴욕타임즈(New York Times)와의 기자회견 내용을 문제삼게 됩니다. 김영삼 총재는 "미국이 박대통령의 독재에 직접적이고 공개적인 압력을 통해서 제어해야하며, 이것은 한국 국내문제에 대한 간섭이 아니다. 그렇다면, 미군 지상군 3만명의 주둔도 국내문제 간섭인가?"라는 발언을 하게 됩니다. 공화당과 유정회는 합동조종회의를 통해서 김영삼의 회견내용이 반민족적 사대주의라고 규정하고 160명의 이름으로 징계동의안을 국회에 제출합니다(1979. 9. 22). 당시 국회의장은 유정회 출신인 백두진 의장이었는데 수백명의 무술경위들이 호위하는 가운데, 본회의장이 아닌 국회별관에서 김영삼 의원제명안을 출석의원 159명 전원이 찬성하여 10분 만에 변칙처리합니다(1979. 10. 4). 이에 대해서 신민당은 의원총회를 열고 소속의원 66명 전원이 의원직 사직서를 국회에 제출하기로 결정하고 민주통일당 의원 3명도 이에 가세합니다. 여당은 야당 의원들의 사퇴서를 선별수리하겠다고 하여 국민들마저 자극합니다. 박정희 정권이 자기의 묘혈을 판 것입니다. 이제 민주화 투쟁은 국회를 떠납니다. 김영삼의 정치적 기반인 부산과 마산에서 '부마사태'(1979. 10. 16)가 발생합니다.

와중에 김영삼 신민당총재와 양일동 민주통일당총재는 두 당이 무조건 통합에 합의하였음을 발표합니다(1979. 8. 27). 양당 내부에서는 반발합니다. 여기에는 복잡한 당내 역학관계가 얽혀있어서인데, 김영삼 신민당총재는 민주통일당이 신민당과 합당하는데 재야인사들의 목소리가 너무 크기 때문이라고 판단하며 재야인사들이 복권되기 이전에 합당하려고 시도한 것입니다. 양당의 일부 지구당위원장들은 자신들과의 입지문제에 연관된 합당에 강력히 반발하고 있어 또다시 양당은 통합하지 못합니다. 이러한 상황은 '10·26사태'이후 찾아온 1980년 '서울의 봄' 시기(1980년 5·17사태 이전까지)에 야권의 통합을 어렵게 하는 요인이 됩니다. 결과론적인 해석이지만, 당시 두 당의 통합을 서두른 것이 후에 신군부의 등장에 대처하여 민주화 세력들이 결집하는데 오히려 초기 균열로 작용한 것입니다. 신민당과 민주통일당의 분당은 김영삼(신민당 주류)과 김대중(민주통일당은 김대중에게 가까움)이란 두 인물을 중심으로 벌어진 정치게임의 측면에서도 해석이 가능한데, '서울의 봄' 시기에 두 정치실세는 단합하지 못하며, 신군부의 민간정치개입을 무력하게 지켜보게 됩니다.[104)]

5·17쿠데타 이후 정당경쟁구조

1980년 5·17쿠데타로 인해서 이제 '서울의 봄'은 끝나고 민주화는 다시 훗날을 기약하게 됩니다. 1980년 5월 17일 김대중은 '광주사태 배후조종과 내란음모혐의'로 자택에서 신군부에 의해서 체포됩니다.[105)] 신군부 국가보위위원회 산하 정치쇄신위원회는 대부분의 주요 야당정치인들의 정

104) '서울의 봄' 시기에 신군부의 정치개입 현실화에 대해서 다른 두 김씨와 달리 김대중은 더욱 경계하는 입장을 취하고 있었습니다. 결국 '5·17사태'와 '광주 5·18항쟁'을 거치면서 신군부가 정치 전면에 나서면서 김대중은 내란음모죄로 사형 후 감형을 받아 국외추방되고, 김영삼은 가택연금되고, 김종필은 부정축재자로 낙인되어 모든 정치활동이 중단됩니다.

105) 1981년 1월 23일 대법원에서 사형이 확정되고, 같은 날 무기로 감형됩니다. 후에 다시 징역 20년으로 감형되고(1982. 3. 3), 형집행정지로 미국으로 강제 망명시키게 됩니다(1982. 12. 23). 신군부가 미국, 영국, 프랑스, 독일, 일본 등의 거센 비판과 구명운동에 굴복하여 해외추방으로 마무리한 것입니다.

치활동을 금지시키고 난 후에, 계엄포고 15호(1980. 11. 21)를 통해서 창당활동을 허용합니다. 정당설립요건을 완화하여 많은 정당들이 창당됩니다. 5공화국 헌법은 국가에 의한 정당보조금의 지급조항을 신설하여 정당을 국가의 통제 하에 둡니다.[106] 이런 분위기 속에서 '민주정의당'(1981. 1. 15: 전두환 총재), '민주한국당'(1981. 1. 17: 유치송 총재), '한국국민당'(1981. 1. 23: 김종철 총재) '민권당'(1981. 1. 23: 김의택), '민주사회당'(고정훈 당수: 1981. 1. 20), '통일사회당'(1981. 1. 24: 김철), '안민당'(1981. 1. 28: 김현국, 용태영), '신정당'(김갑수 총재: 1981. 1. 27) 등이 창당됩니다.

정치활동을 금지시키는 와중에도 정당 창당을 서둘러 허용한 것은 '제12대 대통령선거'(1981. 2. 25)에서 과거처럼 단독후보 대통령선출이란 좋지 못한 인식을 없애려는 것이었습니다. 말하자면, 전두환 정권은 들러리 야당이 필요했던 것입니다. 대통령후보에 나선 야당이 들러리일수밖에 없는 이유는 5공화국 헌법에서는 정당활동을 하는 정당인들은 대통령선거인단에 참여할 수 없도록 한 규정 때문에 야당세력이 원천적으로 봉쇄된 가운데 행해지는 대통령선거이기 때문입니다.[107]

신군부는 주요 정치인들의 정치활동을 통제하면서도 야당이 난립하는 것은 그대로 방치하고 조장합니다.[108] 이런 가운데 실시된 '제11대 국회의

---

106) 정당보조금제도란 국가가 정당운영을 위한 비용을 지급해 주는 제도입니다. 정당보조금제도의 본래 취지는 정당이 재력가 위주로 운영되는 것을 막아, 정당이 '금권정치'(金權政治)로 흐르지 않도록 하는 것입니다. 5공화국과 같은 권위주의 체제하에서는 해당 제도가 정부의 정당 길들이기적 제도로 이용될 가능성을 배제할 수 없습니다. 정당보조금제도는 의석수가 많은 큰 규모의 '주요 정당'(major parties)에게 유리하며, 주요 정당이 계속 주요 정당의 위치에 머물도록 하는 제도로 기능하는 측면이 있어, 상대적으로 '군소 정당'(minor parties)에게는 불리합니다. 메어(P. Mair)가 주장하는 '카르텔 정당'(cartel party)이란 그런 맥락에서 이해할 수 있습니다.

107) 선거인단 총 5,227표, 투표수 5,271표, 민주정의당 전두환(4,755표), 민주한국당 유치송(404표), 한국국민당 김종철(85표)

108) 당시 국가안전기획부의 대야당정치전략이 공개되었는데, 그 핵심은 야당세력의 결

원선거'의 결과는 총 276석(지역구 184석, 전국구 92석)중에서 민정당 151석(90석+61석), 민주한국당 81석(57석+24석), 한국국민당 25석(18석+7석), 민주사회당 2석, 민권당 2석, 신정당 2석, 민주농민당 1석, 안민당 1석, 무소속 11석으로 나타났습니다. 당시 전국구 의석 배분방식은 철저하게 지역구 선거 의석수에서 제1당을 차지한 정당에게 유리한 것이었는데, 제1당이 전국구 의석의 2/3를 우선 배정받습니다. 민정당은 지역구 의석비율은 48.9%(=90/184)이지만 전국구 의석비율을 합한 전체 의석비율은 54.7%(=151/276)로 나타납니다. 과반이 안 되는 득표율을 가지고 과반이 넘는 의석수를 차지한 것은 전적으로 선거제도에 의한 것입니다.

제도권 야당과 비공식기구 '민주화추진협의회'(1984. 5. 18-1987. 12. 31)

제5공화국 하에서 민주화 추진을 위한 야당의 역할을 기대하기 어려웠습니다. 때로는 비공식적 조직이 공식적 조직보다 더 강력할 수 있습니다. 공식적 조직은 법적 규제 속에서 존재하지만, 비공식적 조직은 그런 것에서 자유롭기 때문입니다. 제5공화국 체제에서 정당조직의 형태를 취하지 않으면서도 그에 유사한 정치활동을 한 기구가 바로 '민주화추진협의회'라는 민주화운동 단체입니다. 민주화추진협의회는 등록, 허가, 신고 절차를 거치지 않은 단체이지만 1980년대 한국민주화운동의 구심체였습니다.

제5공화국 출범 당시 '국가보위입법회의'에서 '정치풍토쇄신을위한특별조치법'(1980. 11. 5)으로 567명의 정치활동을 금지시킨바 있습니다. 제5공화국이 자리를 잡아가면서 전두환 정권은 정치활동을 규제했던 주요 정치인들을 1차 해금(1983. 2. 25)과 2차 해금(1984. 2. 25)을 통해서 완

집을 막고 분파를 위한 공작이 필요하다는 것으로 정리됩니다.

화시킵니다. 야당은 해금된 정치인들을 영입하기도 합니다. 제5공화국의 군사정권이란 구조 하에서 대다수의 시민은 야당을 지켜보지 않고, 여전히 정치규제에 묶여있는 '세 김씨'를 지켜보고 있었습니다. 1983년 5월 18일 광주민주화운동 3주기에 김영삼은 23일간의 민주화 단식투쟁을 이어오다가 전두환정권에 의해서 강제로 중단됩니다. 이런 분위기 속에서 김영삼과 미국에 체류중인 김대중은 '김영삼·김대중 8·15공동선언'(1983. 8. 15)을 발표하며 두 계파가 합세하여 민주화투쟁에 나서게 됩니다. 1984년 5월 18일 광주민주화운동 4주기에 김영삼과 김대중을 중심으로 '민주화추진협의회'(이후 '민추협')가 조직됩니다.[109]

민주화추진협의회 (1985)

민주화추진협의회 구성이후 전두환 정권은 3차해금(1983. 11. 30)을 통해서 '세 김씨'와 소수의 인원을 제외하고 과거 신민당 주요 정치인들의 활동금지를 해제합니다.[110] 이제 제도권 내의 무기력한 야당을 젖혀두고 강력한 민주투쟁을 위한 신당창당 작업이 본격화됩니다. 물론 민주화투쟁의 두 주역인 '두 김씨'가 수렴청정하면서 일이 진행됩니다.

신당 창당작업은 제도권내 민주한국당(이후 민한당) 의원들, 해금된 주요 정치인들, 민추협 인사들이 이합집산하면서 이루어집니다. 먼저 해금인사들과 민추협인사들이 만나서 신당창당에 합의합니다(1984. 12. 12). 그

109) 공동의장[김영삼, 김대중(대리 김상현)], 부의장 19명, 운영위원 452명, 16국, 32부서로 구성되어 필요하다면 언제든지 정당으로 탈바꿈할 수 있는 형세를 구축하고 있었습니다.

110) 이철승, 이민우, 신도환, 김재광, 이기택, 이충환, 박한상, 김수한, 김녹영, 정해영 등으로 이들은 모두 과거 신민당의 주요 정치세력들이었습니다.

러자 민한당 소속 주요 의원들이 탈당하여 신당에 합류를 선언합니다.[111] 반면에 해금인사들 중에 민한당으로 입당한 인사들도 있었으나,[112] 그 수에 있어서 열세였기에 대세는 신당을 중심으로 야당세력이 형성될 것 같은 분위기에 휩싸여 있었습니다. 신당추진세력들은 당명을 신한민주당으로 하여 발기인대회(1984. 12. 20)를 거쳐 창당하며(1985. 1. 18) 총재 이민우, 부총재 김녹영, 이기택, 조연하, 김수한, 노승환을 선출합니다.

신한민주당은 창당한지 한 달도 안되어 열린 '제12대 국회의원선거'(1985. 2. 12)에서 시민들의 민주화 요구를 결집시키면서 제1야당으로 득세합니다.[113] 그러자 민주한국당과의 합당논의가 주요 이슈가 됩니다. 2・12총선에서 나타난 민의는 민주화를 이루어낼 수 있는 정당에게 힘을 몰아주는 것입니다. 제3당으로 전락한 민한당은 당의 활로 모색차원에서 신한민주당과의 합당에 고심하게 되며, 민한당 고수파(유치송, 유한열)와 신한민주당과 합당파(이중재, 신상우)로 양분되는 입장이 당내에서 대립하게 됩니다. 민한당은 전당대회를 통해서 새로운 지도체제를 구축하여 당의 추진동력을 얻으려고 합니다. 이미 출범한 민추협은 두김씨의 합의성명을 통해서 민한당의 전당대회가 당권차원이 아닌 수권대표만을 선출하는 대회가 되어야 한다고 선언합니다(1985. 3. 15). 이런 분위기 속에서 민한당은 전당대회를 통해서 두 가지 주요사항을 결정합니다(1985. 3. 29). 하나는 신한민주당과의 통합원칙이며, 또 다른 하나는 새로운 당 총재의 선출입니다. 또 다른 하나는 "당 체제를 먼저 정비한 후에 야당통합"(선정비, 후통합)을 시도하기로 결의하게 됩니다. 오후에 조윤형을 새로운 총재

111) 김현규, 허경만, 박관용, 김찬우, 홍사덕, 최수환, 손정혁, 서석재, 김형래, 김한수, 유재연.

112) 조윤형, 정대철.

113) 야권득표율이 58.1%로 여당을 넘어섰습니다. 야당의 표는 5개 정당으로 분산된 것이었습니다. 지역구 총 의석수 184석 중에서 민정당 87석, 신민당 50석, 민한당 26석, 국민당 15석, 신정사회당 1석, 신민주당 1석, 무소속 4석으로 나타났습니다.

로 추대합니다.114) 전당대회를 통해 민한당이 택한 길은 합당보다는 우선적으로 민한당의 재건이었습니다.

전당대회의 결정은 오래가지 못했습니다. 체제를 정비하기도 전에 의원들이 신한민주당으로 이탈하기 시작합니다. 총재를 선출한지 3일 만에 민한당 인사들의 탈당과 신한민주당으로의 입당 봇물이 터집니다. 대세가 기울자 조윤형 총재는 민한당을 신한민주당에 무조건 합당시키겠다고 선언하며, 야권통합추진수권위원회를 발족시킵니다(1985. 4. 3).115) 이것이 소위 조윤형의 '3일 천하'라는 것입니다.

조윤형
(1932–1996)

야권통합추진수권위원회는 민한당을 해체하고 신한민주당과 합당한다고 결의하였지만, 당시 정당법상 당의 해산과 같은 중차대한 사안은 당내 대의기관의 결의를 통해서만 가능하기에 민한당의 야권통합추진수권위원회의 당 해산 결의는 법적 타당성을 결여한 정치적 선언이었습니다. 민한당은 임시전당대회를 통해서 조윤형 총재가 내세웠던 '선체제정비, 후통합'의 원칙을 무너뜨리면 해당행위를 했다고 하여 당 총재직에서 제명시키게 됩

114) 민한당은 당 체제 정비를 위해서 지도체제성격을 위한 결정과 당수 선출 선거를 분리합니다. 오전에는 지도체제성격을 위한 결정을 하는데, 현행 단일지도체제를 유지하고 부총재만 증원하는 안(조윤형, 한영수), 집단지도체제를 구성하는 안(유한열 범주류파), 신한민주당과의 합당을 위한 통합추진수권위원회 구성안(이중재, 신상우)의 3입장이 대립합니다. 투표결과 단일지도체제 유지안 238표, 집단지도체제로 변경안 201표, 통합추진수권위원회 설치안 143표로 총 대의원 609명의 과반정족수(305표)를 넘기지 못해, 단일지도체제를 유지하는 것으로 결정됩니다. 이어 오후에 열린 총재 선거에서는 대의원 577명이 투표하여, 조윤형 후보 230표, 유한열 후보 183표, 한영수 후보 127표를 얻어서 과반정족수(289표)를 넘기지 못하고 2차투표로 들어갑니다. 2차투표에서 유한열 후보와 한영수 후보가 당의 단합을 내세우면서 후보직을 포기하며, 결국 조윤형 총재 체제로 결정됩니다.

115) 조윤형, 김은하, 이중재, 신상우, 박일, 이용희, 정대철, 조세형

니다(1985. 4. 30). 민한당에는 3명의 의원을 제외한 모든 의원들이 당을 떠나게 되어 당이 해체되는 수준에 이릅니다. 민주회복이라는 거대한 흐름 앞에 분위기가 YS와 DJ란 정치거두를 중심으로 강하게 결집되고 있었습니다.

신한민주당 창당 (1985)

이제 신한민주당은 강력한 대여투쟁을 위한 제1야당으로의 입지가 분명해 지면서 새로운 입당 인사들을 포함하여 체제정비를 위한 전당대회를 개최합니다(1985. 8. 1). 당 총재에 이민우를 선출하고, 당 상임고문에 김영삼, 김대중 두 김씨를 추대함으로써 신한민주당은 사실상 수렴청정의 형태를 띠게 됩니다. 신한민주당의 창당목표는 대통령직선제의 실현을 통한 민주화였습니다. 당시 여당은 의원내각제 '개헌' 아니면 '호헌'(5공화국 헌법의 유지)이라는 협상 카드를 놓고 야당과 저울질하고 있었습니다. 김영삼과 김대중이 수렴청정하는 이민우 대표체제의 신한민주당에는 다시 미묘한 대립 기류가 형성됩니다.

신한민주당은 2·12총선 1주기를 맞아서 '직선제개헌을 위한 1천만명 서명운동'을 선언합니다(1986. 2. 12). 이를 위해서 신한민주당은 개헌추진을 위한 전국 시도지부 결성대회와 현판식을 계획합니다. 그런데, 해당 서명운동은 민주화추진세력 내부에서의 노선문제, 대여 투쟁문제들이 복합적으로 작용하면서 생각했던 것보다 복잡한 양상으로

신한민주당 개헌서명운동 (1986)

인천 5 · 3사태 (가자, 인천으로) (1986)

진행됩니다. 독자분들은 요즘도 "가자, ○○으로" 라는 표현을 간혹 사용하거나 주위에서 들어보셨을 것입니다. 이러한 표현의 원조는 4 · 19혁명 이후 혁신세력들이 통일운동을 하면서 사용한 "가자, 북으로", "가자, 판문점으로"라는 구호입니다. 1986년 한국민주화 과정에서 "가자, 인천으로" 라는 구호가 사용됩니다. '인천 5 · 3사태'(1986. 5. 3)에서는 신한민주당이 인천시민회관에 모여 인천 · 경기도 지부에서 직선제개헌 서명운동 지부를 결성하는 과정에서 발생한 사건입니다. 급진파 재야인사, 학생, 노동자들은 신한민주당의 행태를 기회주의로 규정하고, 신한민주당이 개헌의 주체가 될 수 없다고 선언하며, '국민헌법제정' 및 '국민헌법제정을 위한 민주회의 소집'등을 요구합니다.[116] 한국시민들의 대다수는 민주헌법으로

116) 서울과 인천을 중심으로 전국에서 모여든 운동세력들은 대략 4,000명에서 5,000명으로 추산되었으며, 오후 1시 이후 5시간 이상 인천에는 격렬한 시위와 경찰의 무력진압으로 해방구를 연상케 할 정도였습니다. 김대중 민추협공동의장은 "일부 소수 급진세력들의 과격한 주장에 대해 심각한 우려를 표하며 그러한 주장을 지지할

의 개헌을 소망했지만, 동시에 민주화 관련 일종의 트라우마(trauma)가 존재합니다. 사회에 혼란이 가중되면 오히려 민주화 '개헌'보다 군사정권 연장을 위한 '호헌'이란 방향으로 흐르지 않을까하는 우려가 바로 그것입니다. 많은 사람들은 군부가 사회혼란을 이유로 민간에 개입한 1960년과 1980년의 경험을 기억하고 있습니다.

신한민주당은 재야세력들과 직선제 개헌을 연대하여 추진하되 '인천 5·3사태'를 계기로 사회내의 좌익 및 급진세력과는 선을 긋고 직선제 개헌을 추진합니다. 와중에 이민우 총재는 소위 '이민우 구상'을 발표하게 되는데 '선민주화 내각제협상용의'를 발표합니다(1986. 12. 24). 신한민주당의 지도체제는 이민우 총재의 단일지도체제가 아니었으며, 김영삼, 김대중 두 김씨의 수렴청정 형식을 띠고 있었습니다. 신한민주당이 강력한 야당세력을 형성하게 된 것은, 단순히 2·12총선에서의 승리가 아니고, 민한당의 의원들을 흡수함으로써 가능했으며, 그런 현상은 김영삼과 김대중이란 두 김씨 밑으로 의원들이 모여든 것이라고 단순화시킬 수도 있습니다. 신한민주당은 당내에 '헌법개정추진위원회총본부'를 두고 있었으며 당의 제1목표는 앞서 지적했던 것처럼 '대통령직선제개헌'이었습니다. 당시 여당은 '의원내각제' 또는 '개헌불가'라는 입장을 동시에 표명하던 시기여서 이민우 총재의 독자행동은 두 김씨의 즉각적인 제재를 받게 됩니다. 두 김씨는 회동하여 내각제 협상기구를 거부하고 이는 직선제 당론의 거부라는데 합의하고 이민우 총재는 온양으로 잠적하는 상태로 발전합니다. 김영삼 고문은 이민우 총재와 회동하여 직선제 당론은 불변이라는데 합의하여 이민우 구상을 철회시킵니다(1987. 1. 15).[117] 해당 사건은 신한민주당 내부에

수 없다"고 발언합니다. 이민우 총재는 "좌익세력들의 침투에 대해서는 단호히 대처해야 한다"고 발언합니다.

117) 당시 신한민주당 의원들은 김영삼의 상도동계와 김대중의 동교동계로 나뉘어 있었는데, 이민우 총재는 중립적 성격을 견지하면서도 상대적으로 김영삼의 상도동계로

충격을 주었으며, 그것은 새로운 정당의 창당을 통해서 입증됩니다. 이제 2·12총선에서 신한민주당 바람을 일으킨지 2년도 안된 시점에 다시 신당 창당을 기획하게 된 것입니다.

신한민주당의 창당, 민한당에서 의원들의 이탈, 그리고 새로운 야당 '통일민주당'의 창당은 김영삼과 김대중 두 사람이 갖고 있던 민주화 정국에서의 영향력을 말해주는 것입니다. 인물본위 정당의 극치라고 할 수 있는데, 두 김씨의 이러한 추진력이 우리 민주발전사를 앞당겼다고 볼 수 있습니다.118) 그렇다면, '1980년 서울의 봄' 당시에 왜 두 사람이 더 협력하지 않았냐고 반문할 수도 있으나, 당시에 신군부는 '12·12사태'를 통해서 군부를 장악하고 이후 '5·17사태'를 통해서 최규하 정권하의 내각회의는 무장한 군인들에 의해서 둘러싸인 채 신군부의 제물이 됩니다. 두 김씨가 분열했다기보다는 당시 정국은 이미 신군부가 모든 것을 장악하고 있었습니다. 김영삼은 1971년 김대중의 대통령후보 지명에 승복하고 선거에서 찬조연설을 자원합니다. 김대중은 1978년 신민당 전당대회에서 김영삼을 지원하여 2차투표에서 결국 김영삼이 역전을 통해 당권을 장악하는데 기여합니다. 암울했던 5공화국 하에서 두 사람은 '민주화추진협의회'를 만들어서 군사정부를 퇴진시키려고 합니다. 김영삼은 1985년 신한민주당을 결성하여 2·12총선의 바람을 일으키며, 김대중은 신한민주당을 지원하여 결국 민한당이 소멸합니다.

분류되던 인사였습니다. 신한민주당은 이민우를 내세워서 김영삼이 구상한 정당입니다. 이민우 구상에 대한 최종 마무리는 김영삼 고문이 질 수밖에 없었습니다.

118) 만약, 이민우 구상을 받아들였다면, 대통령직선제로의 개헌은 불가능했을 것입니다. 당시 한국 시민들은 압도적으로 대통령 직선제를 선호하였습니다. 이것은 대통령제와 의원내각제의 제도적 선호논쟁이나 제도적 장단점에 대한 비교와는 다른 측면의 이야기입니다. 비록, 제도적으로 의원내각제가 더 의회민주주의와 정당정치에 유리한 제도라고 하더라도 국민들의 선호는 분명히 대통령직선제였습니다. 4공화국과 5공화국의 군부권위정권의 이미지가 대통령간접선거방식으로 대변되었기에, 국민들은 내 손으로 직접 대통령을 선출하는 것을 민주주의와 동일시하였습니다.

통일민주당 창당 1987년 7월1일 김영삼 민주당 총재와 김대중 민추협 공동의장이 당사 입주식에서 축하 테이프 커팅을 한 후 당원들에게 손을 들어 인사하고 있습니다.

결국 두 김씨는 합의하에 '신한민주당' 시절을 끝내고 '통일민주당'을 결성하게 되는데, 여기에는 두 사람의 이해관계가 맞아 떨어지는 측면이 있습니다. 김영삼은 돌발적인 '이민우 구상'으로 신한민주당내에서 자신의 리더십에 상처를 입었습니다. 김대중의 입장에서 신한민주당은 자신이 창당한 정당이 아니어서 아무래도 당내의 정치적 선제권 행사에 있어서 김영삼계보다 열세였습니다. 두 김씨는 대통령직선제 개헌에 소극적인 신한민주당내 인사들과 결별하며, 상도동계와 동교동계로 구분되는 의원 74명을 이끌고 신한민주당에서 탈당하여 '통일민주당'을 창당합니다(1987. 3. 12). 신한민주당의 의원수는 90명에서 16명으로 줄어들어 원내교섭단체 구성요건인 20인에도 못 미치는 처지가 됩니다.

통일민주당은 김영삼 총재, 김대중 상임고문 체제로 출발하면서 군사독재 종식을 위한 대통령직선제 개헌을 당의 목표로 천명합니다. 전두환 정권과 여당은 통일민주당의 대통령직선제 개헌 요구에 대해서 '4·13호헌조치'(1987. 4. 3)로 맞섭니다. 통일민주당은 당시 재야세력의 결집기관인 '민통련'과 연합하여 '민주헌법쟁취국민운동본부'를 결성하며 장외투쟁이 본격화됩니다. 정당정치는 원내 의회활동이 아닌 장외에서의 민주화투쟁이 주종을 이룰 수밖에 없었습니다. '박종철고문치사사건' (1987. 1. 14)으로 통일민주당의 장외투쟁이 본격화하고, '이한열최루탄피격사망사건'(1987. 6. 9)이 일어난 다음날 시민들이 참여하는 '6·10항쟁'으로 발전하게 됩니다. 야당의 장외투쟁이 민주시민운동으로 확산된 것입니다.

‘6 · 29선언’과 야당분열

1987년 6월 10일에 여당인 민정당은 전당대회를 통해서 대통령후보로 노태우 후보를 결정합니다. 이것은 여당이 5공화국 호헌의지를 천명한 것입니다. 국민들은 분노하였습니다. 연이어서 시민들을 자극한 박종철사건과 이한열사건으로 민주화 투쟁정국은 이제 ‘6월항쟁’으로 발전하게 됩니다. 학생, 시장상인, 노점상, 회사원들까지 합세한 민주화 세력들은 서울 중심지의 곳곳에서 함성을 같이하게 됩니다. 여당인 민정당에서 대통령후보로 선출된 노태우는 대통령직선제 개헌과 김대중 사면복권을 골자로 하는 ‘6 · 29선언’을 발표합니다(1987. 6. 29). 이제 정국은 대통령직선제를 채택하는 새로운 헌법에 의해서 대통령을 선출하고 1988년에 평화적으로 정권을 이양하는 절차에 들어갑니다.

그런데, 1987년 6 · 29선언은 민주화 세력들이 분열하는 계기가 됩니다.[119] 두 김씨 및 그 측근들 사이에 대통령을 향한 권력의지에 불을 지피게 됩니다. 대통령직선제개헌을 성취한 후 ‘통일민주당’이 분열하게 되었다는 것입니다. 김영삼의 상도동계는 당내 기득권을 내세우며 김영삼을 대통령후보로 옹립하려고 했습니다. 김대중의 동교동계는 과거 김대중의 대통령 불출마선언은 ‘4 · 13호헌조치’로 함께 무효화되었으며 6 · 29선언이 후엔 정치게임에 새판이 짜진 것이기에 대통령후보로 출마할 수 있다고 주장했습니다. 정치권내에 두 김씨의 경쟁을 말릴 세력은 없었습니다. 분열하면 안된다는 절박한 심정에도 불구하고 결국 분당의 수순에 들어갑니

119) 전두환 정권이 6 · 29선언을 통해 대통령직선제로 선회한 현실적인 이유에는 대통령직선제 정국에서 김영삼과 김대중이 대통령후보 단일화에 성공하지 못할 확률이 크다는 계산이 작용했습니다. 3자대결구도로 가는 단순다수제(plurality system)선거에선 민주주의 세력들의 표가 두 사람에게 분산되어 노태우에게 승산이 있다는 것입니다.

다. 김영삼과 김대중의 분당은 차후 김영삼의 정권창출과 김대중의 정권창출 과정에서 강력한 지역주의 정당발전형태의 시발점이 됩니다. 두 사람은 각각 영남과 호남의 맹주입니다. 이런 맥락에서, 대통령제가 한국지역주의 발현과 유지에 가장 구조적 변수라고 보는 주장도 있습니다. 같은 논리에서, 지역 맹주가 없는 경우엔 상대적으로 지역주의가 완화될 수도 있을 것입니다. '통일민주당'과 '평화민주당'의 분열을 시발점으로 하여 차후 분열된 정당이 어떻게 정착해 나가는지 하나씩 살펴보고자 합니다.

통일민주당 대 평화민주당

앞서 김영삼 세력과 김대중 세력을 주축으로 하여 통일민주당으로 재편되는 과정에서 신한민주당과 민한당이 해체되는 과정을 살펴보았습니다. 김영삼과 김대중 측근들은 후보단일화를 위한 물밑 협상을 진행하였지만 실패합니다. 1987년 6·29선언이후 김영삼 총재가 대통령후보 출마를 선언합니다(1987. 10. 10). 통일민주당의 고문이었던 김대중은 곧이어 신당 창당작업에 돌입하여 통일민주당 내에 있는 동교동계 의원 24명을 이끌고 나와서 '평화민주당'을 창당합니다(1987. 11. 12). 평화민주당은 김대중을 당총재로 선출하고, 대통령후보로 지명합니다. 정당정체성 차원에서 볼 때, 평화민주당은 통일민주당과 비교하여 상대적 좌파라는 이념적 차별성도 간과할 수 없을 것입니다.[120] 한국정

평민당 창당 (1987)

120) 이것은 평화민주당의 5대 강령에 나타나 있습니다: ① 민주주의 이념을 기반으로 진정한 민주정부 수립; ② 중소기업인, 노동자 대중, 농민의 이익대변 및 성과의 공

당사의 보다 거시적인 관점에서 보자면, 평화민주당과 통일민주당의 분당은 단순히 두 김씨의 권력투쟁이란 관점을 넘어서서 상대적 좌파와 상대적 우파라는 이념적 차별성을 지닌 정당으로의 분화가 동시에 인지됩니다.

제13대 대통령선거(1987. 12. 16)에서 통일민주당의 김영삼 후보와 평화민주당의 김대중 후보는 민주정의당의 노태우 후보에게 패합니다. 제13대 대통령선거 결과는 보다 다수의 국민들에게 실망을 안겨주었습니다. 1987년 이후 '절차적 민주주의'(procedural democracy)는 확보되었지만, '실질적 민주주의'(substantive democracy)가 확보되었는지에 대해서 확신할 수 없었습니다. 노태우 후보는 5공화국 탄생의 주역들 중의 한 명으로 소위 신군부 세력이었습니다. 1987년 헌법에서 채택한 대통령직선제가 한국정치의 민주화를 위한 최상의 수단임에도 불구하고 그 최상의 수단이 궁극적 목적을 달성할 수 없었습니다. 대통령직선제를 국민들이 열망했던 가장 궁극적 목적은 한국정치에서 1961년 이후 지속되어 온 군사정권을 끝내고 진정한 의미에서 문민정부를 탄생시키는 것이었습니다. 두 김씨가 분열되면서 민주화세력은 단합하지 못했고 대통령선거에 패했습니다. 노태우 후보의 승리는 5공화국의 정치적 비정당성에 대한 역사청산 문제에 한계를 가져올 수밖에 없어서 절차적 의미의 민주주의를 시작했으면서도 실질적 의미의 민주주의를 시작했다고 보기 어렵습니다.

YS의 통일민주당과 DJ의 평화민주당은 '제1야당'의 자리를 놓고서 제13대 총선(1988. 4. 26)에서 경쟁하게 되는데, 평화민주당이 제1야당의 자리에 섭니다. 제13대 총선의 결과 국회의 총 299석의 분포를 보면, 민주정의당 125석, 평화민주당 70석, 통일민주당 59석, 신민주공화당 35석,

---

정한 분배를 통한 정의 경제 실천; ③ 군부의 정치적 중립화; ④ 비동맹국가와의 교류를 통한 자주외교; ⑤ 3단계 통일정책(평화공존, 평화교류, 평화통일) 추진. 상위 5개 조항에서 ②번 항목은 상대적 좌파로서의 성향을 나타내고 있습니다.

한겨레민주당 1석, 무소속 9석이었습니다.[121] 김영삼과 김대중의 라이벌 의식은 이제 극단의 실험정치로 발전합니다.

'3당합당'(민주자유당)과 '통합야당'(민주당)

한국정당사에서 가장 극단적인 정치실험은 '3당합당'(1990. 1. 22)이라고 보는 사람들이 많습니다. 3당합당이란, 통일민주당이 민주정의당과 신민주공화당과 합당을 감행한 것을 말합니다. 민주화의 기수였던 김영삼이 '5·17쿠데타' 신군부세력의 연장선상에 있었던 민주정의당, 그리고 '5·16혁명' 세력인 김종필의 신민주공화당과 손을 잡는다는 것은 대다수의 국민들에게 놀라움 그 자체였습니다. 발전을 위해선 '실험정신'이 요구되지만, 당시에 민주화세력이 군부세력이나 산업화세력과 합당을 할 것이란 생각을 한 사람들은 아무도 없었을 것입니다. 실험은 성공으로 끝나기도 하고, 실패로 끝나기도 합니다. 어떤 경우엔, 결과가 원인을 정당화시켜주기도 하고, 원인이 업보로 작용하여 부정적 결과를 만들기도 합니다. 당시 많은 국민들은 3당합당이 공포되자 '실험정신'을 넘어서는 무모함으로 바라보았습니다.

3당합당 (1990)

3당합당으로 '민주자유당'(1990. 2. 9)이 창당되었습니다.

개인 정치인 김영삼에겐 일생일대의 모험이었습니다. 정치인 김영삼의 "호랑이를 잡기 위해선 호랑이 굴로 들어가야 한다"라는 주장은 듣는 사람들에 따라 다양

121) 이런 의석분포를 '여소야대'[또는 분점정부(divided government)]로 해석하기도 하지만, 개별정당 차원에서 여당인 민정당은 타 정당들에 비해서 압도적인 의석수 우위를 보이는 제1당의 지위를 갖고 있습니다. 단순히 여당의 의석수가 과반수에 미치지 못한다고 하여 '여소야대'라고 지칭하는 것에는 주의를 요합니다.

한 의미로 해석되면서 논쟁거리로 회자되었습니다. 호랑이란 5공화국의 연장선상에 있었던 민정당계를 의미합니다. 가장 큰 세력이었던 민정당계는 다소 황당해하면서도 수적으로 열세인 김영삼 세력을 당내에서 통제할 수 있으리라 생각했습니다.[122] 통일민주당에 남아서 김영삼을 바라보는 민주화세력들은 3당합당을 배신의 극단으로 규정하였습니다.

'3당합당'은 특정 정치인의 대권행보에서의 권력 획득 차원에서 해석될 수도 있지만, 한국정당정치에 지역주의 정치를 심화시키는 계기가 된 사건으로 해석할 수 있습니다. 동시에, 이념적 정당 경쟁차원에서 보자면, '중도보수'를 표방한 정당의 탄생으로 볼 수 있습니다. 3당합당으로 탄생한 민자당과 제1야당인 평민당의 상대적 위치는, 중도보수와 중도진보로 자리매김하면서 1987년 민주화이후 양당체계를 형성하는 시발점이 됩니다. 1987년 이전에는 민주화세력과 산업화세력으로 양분화되어 정당경쟁구도가 형성되었다면, 절차적의미의 민주주의가 정착하기 시작하는 1987년 이후에는 소위 '보수세력'과 '진보세력'으로 분화되면서 정당경쟁구도가 형성되기 시작합니다.[123] 그 첫 번째 분화가 야당세력들 내에서 통일민주당-

122) 민정당계는 자신들이 당내에서 가장 큰 세력이기에 향후 대권행보에서 자신들의 계파에서 대통령후보를 낼 수 있을 것으로 판단했습니다. 아니면, 다시 한 번의 헌법개정을 통해서 의원내각제로의 변경을 시도하는 것도 하나의 옵션이었습니다. 특히 의원내각제로의 변경에 적극적인 세력은 김종필의 신민주공화당계였습니다.

123) 한국정치과정에서 정치세력들간의 이념경쟁구도는 '좌'-'우'라는 용어보다는 '보수'-'진보'라는 용어가 빈번히 사용됩니다. 한국정치과정에서 '보수세력'과 '진보세력'이란 용어는 소위 유럽정치에서 나타나는 전형적인 '좌파' 및 '우파'의 경쟁구도의 성격으로 담아내기에는 보다 복잡한 양상을 띠고 있습니다. 예를 들면, 한국사회에서 '보수'란 의미는 산업화세력만을 포함하기도 하고, 민주화세력 중에서 온건중도세력을 포함하기도 합니다. '진보'란 의미는 개혁세력을 의미하는 것으로 사용되기도 합니다. 그러나, 여론조사에 따르면 보수와 진보 모두 한국사회의 개혁필요성에는 찬성하기도 합니다. 여러 가지 이슈차원에 있어서 일관적 보수, 일관적 진보를 찾기 어려울 수 있다는 의미입니다. 통일정책 및 북한과의 관계에 있어서 보수세력은 상호주의를 진보세력은 관용을 견지합니다. 그래서 북한에 우호적이면 진보, 적대적이면 보수라고 '대북관'(對北觀)으로 보수-진보를 구분하기도 합니다. 때로는 그 사람이 지지하는 정당으로 보수-진보를 구분하기도 합니다. 정당의 이념과 개인 유권자

평화민주당의 분화였음을 앞에서 지적한 바 있습니다. 연이어서 3당합당은 1987년 이후 다당체계적 경쟁구도(multi-party competition)를 다시 양당체계적 경쟁구도(two-party competition)로 바꾸면서 보수세력과 진보세력의 양당경쟁구도의 초기적 모습이 완성됩니다. 두 번에 걸친 정당간 이합집산이란 현상을 김영삼-김대중의 정치적 라이벌관계에 의해 형성된 인물본위의 정당경쟁구도로 단순화하기에는 미흡한 점이 많습니다. 일반화된 정당연합이론의 차원에서 3당합당의 성격을 분석할 필요가 있습니다.

제13대 총선(1988. 4. 26)으로 형성된 4개 정당의 상대적 이념 위치를 보면 다음과 같습니다. 이렇게 본다면, 소위 정당연합이론에서 '중간자의 역할'(또는 연계자의 역할: connector)을 하는 정당, 이념적으로 이웃한 정당이란 요건들을 모두 충족하고 있습니다.

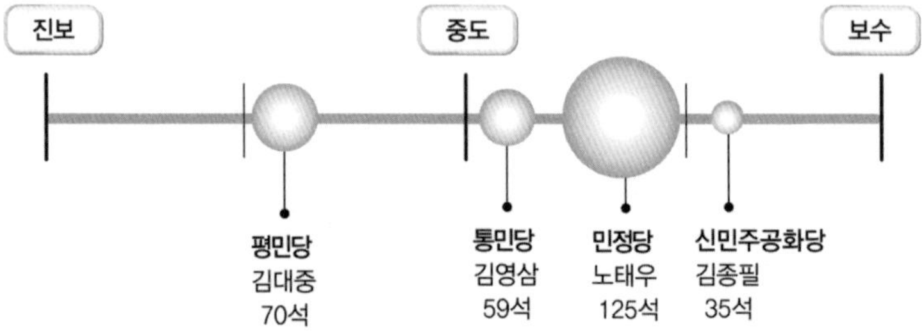

첫째, 3당합당은 이념적으로 이웃한 정당들 간의 연합이었습니다[연계승리연합(connected winning coalition)]. 이념적으로 이웃한 정당들끼리의 연합이었다는 의미입니다. 가장 보수성향의 정당에서부터 진보성향의 정당으로 나열해 보면, 신민주공화당, 민주정의당, 통일민주당, 평화민주당

의 이념은 차이가 있습니다. 그렇지만, 어떤 특정 시점에서 상대적 보수정당을 지지하는 사람들이 보수이고, 상대적 진보정당을 지지하는 사람들이 진보라고 결과론적으로 분류하기도 합니다.

으로 표시될 수 있습니다. 3당합당은 보수-중도보수-온건중도의 연합이었다는 것입니다. 한마디로, 거대 중도보수정당이 탄생한 것입니다. '최소승자연합'(minimun winning coalition)의 의미는 없었습니다.[124)]

민주당 합당 (1991)

둘째, 일반적인 연합이론에선 이념적으로 중간에 위치한 정당이 중간자 역할을 하며 연합하게 되지만, 당시 3당합당에선 가장 적은 의석수와 가장 보수였던 신민주공화당이 중간자역할을 하게 됩니다. 이것은 정당의 이념적 색채를 위주로 경쟁하는 구도라기보다는 정당 지도자의 성향과 지역기반을 중심으로 경쟁하는 당시 상황에서 김종필 총재가 중간자 역할을 한 것입니다.

3당합당으로 거대 보수여당인 민주자유당이 탄생하자, 이에 대항하여 야권세력들은 '민주당'으로 통합합니다(1991. 9. 6). 이념은 상대적으로 '중도진보'로 분류해 볼 수 있습니다. '신민당'(김대중)과 '민주당'(이기택)[125)]은 당명을 '민주당'으로 하고 지도체제는 5 : 5 동수의 집단지도체제로, 중앙당 당직배분은 6 : 4(신민 : 민주)로 하여 통합합니다. 형식적으로 보면, 신민당과 민주당의 통합이 균등한 위치에서의 통합처럼 인식될 수도

---

124) 최소승자연합이란 과반수만 되면 더 이상의 연합세력을 포함하지 않는 것을 말합니다. 당시 총의석수가 299석이니까 과반수인 150석이 최소승자연합의 기준입니다. 만약 최소승자연합에 의한 보수정당의 탄생이라면 민주정의당-신민주공화당의 2당합당(총 160석=125석+35석)으로 보수정당을 만들 수도 있습니다. 이런 경우에, 반대세력으로 평화민주당과 통일민주당의 2당합당(총 129석=70석+59석)을 대척점으로 생각할 수도 있습니다. 그러나, 통일민주당-평화민주당의 2당연합은 과반수를 가져올 수 없기에 승자연합이 될 수 없습니다.

125) 통일민주당이 3당합당을 하자 이에 반대하는 통일민주당 내 잔류세력들이 '민주당'을 형성하였는데, 차후 신민당과 합당하여 탄생한 통합 '민주당'과 구분하기 위해서 '꼬마민주당'이란 별명으로 불리기도 합니다.

있지만, 실질적인 내용은 김대중의 신민당이 이기택의 민주당을 흡수통합 한 성격에 더 가깝다고 할 것입니다. 통합된 민주당은 당의 목표로 두 가지를 내세웁니다: ① 금융실명제, 토지공개념, 세제개혁을 통한 부의 집중화현상을 저지하며 '경제민주화'를 이룬다; ② 정권교체를 이룩한다. 첫 번째 선언을 볼 때 한국정치과정에서 민주당의 정체성은 중도진보로 분류될 수 있습니다. 결론적으로, 온건보수성향의 민주자유당과 온건진보성향의 민주당이 경쟁하는 중도보수-중도진보 양당체계로 재편되고 있음을 알 수 있습니다.

민주당은 거대 여당에 대항하는 야당들의 세력결집으로 이해될 수 있기에 '여-야성향'이란 균열 축이 형성됩니다. '여당성향', '야당성향'이란 한국정치의 특색 중의 하나인데, 여당을 중심으로 한 안정희구세력, 야당을 중심으로 한 변화추구세력이란 성격으로 균열축이 형성됩니다.[126] 거대 여당인 민주자유당이 영남지역을 기반으로 한 정당인 것에 반해서, 야당 통합세력인 민주당은 호남세력이 중심이 된 정당이었습니다. 차후, 민주화과정이란 역사성때문에 '영남-보수' 대 '호남-진보'란 스테레오타입적 성향이 나타나곤 합니다. 유권자 인구수에서 영남지역은 호남, 충청, 강원, 제주를 합한 것과 유사하기에 선거정치에서 영구적 다수와 영구적 소수가 유지되는 경우엔 '영남-보수-여당' 대 '호남-진보-야당'이란 경쟁구도로 될 개연성을 지니고 있기도 합니다.[127]

---

126) 여당성향과 야당성향은 단기적 차원의 성향을 설명할 때 그 설명력이 크며, 장기적 차원에선 그 실체가 약할 수 있습니다. 예를들면, 박정희 정권하에서 김영삼의 지역텃밭인 부산과 마산은 야당성향이 강했습니다. 마찬가지로 김대중의 지역텃밭인 호남은 야당성향이었습니다. 그러나 김영삼과 김대중이 정권을 창출한 후에 부산, 마산, 호남은 오히려 여당성향이었습니다.

127) 지역주의가 고착화되고, 대통령선거에서 단순다수대표제를 유지하는 경우, 영남지역은 영구적 승리세력, 호남지역은 영구적 패배세력이 될 개연성을 배제할 수 없습니다. 특정지역이 항상 다수세력으로 선거에서 승리하는 경우엔 국가통합차원에서 부정적이라고 할 수 있습니다. 지역구도를 건강하게 극복할 필요가 있습니다.

1995년 민주화 이전 양당구도 형성과정

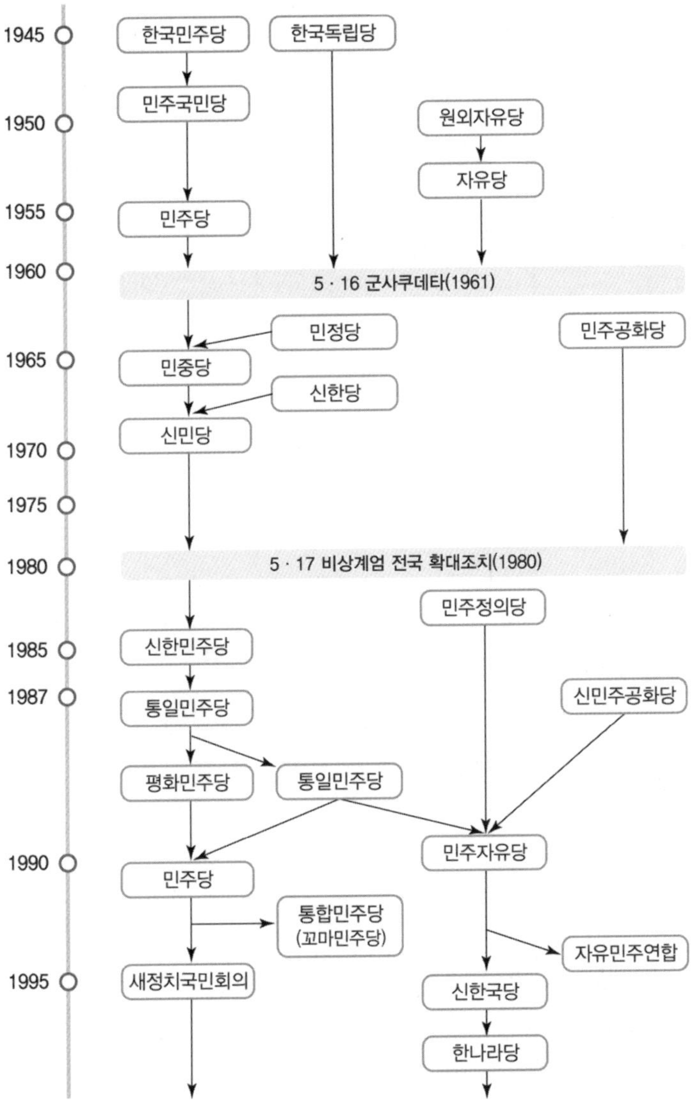

1995년 민주화 이후 양당구도 형성과정

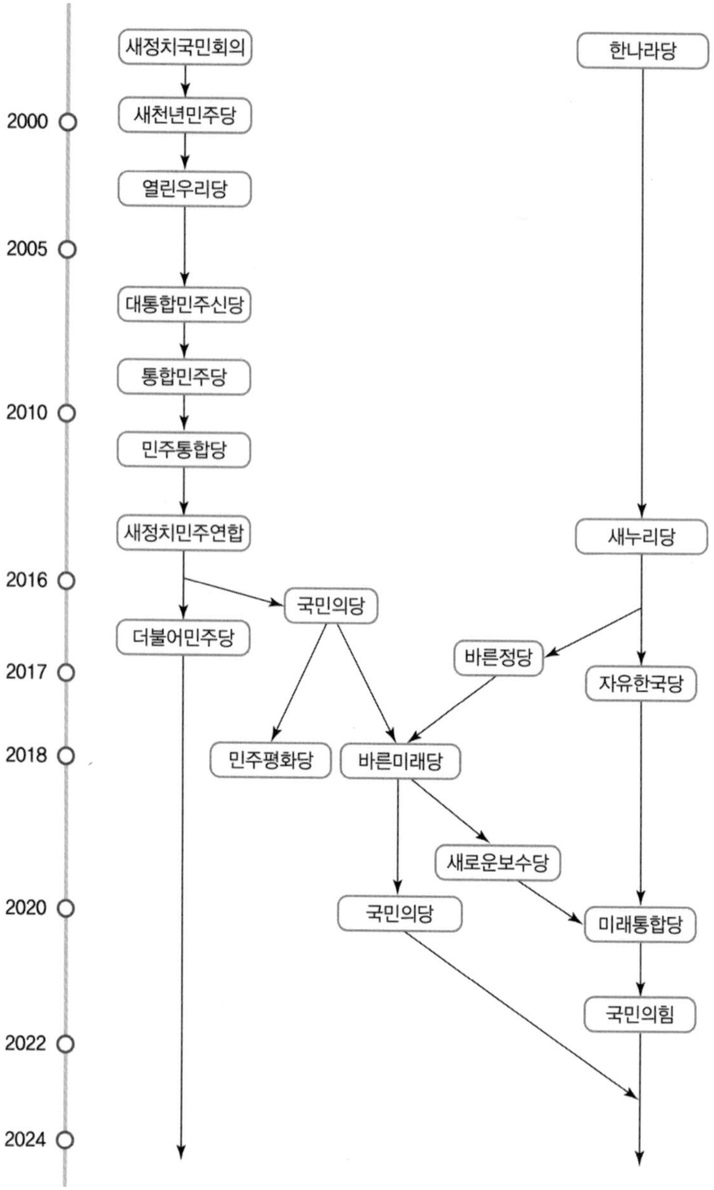

'三金時代' 이후의 정당정치(2003년 이후)

김영삼 후보가 1992년에 대통령에 당선되고, 김대중 후보가 1997년 대통령에 당선됩니다. 그 과정에서 김종필은 김영삼 후보와 김대중 후보의 대선 승리에 연합의 형태로 기여합니다. 김대중 대통령이 대통령직에서 물러난 2002년에 '3김시대'는 막을 내립니다. 60년대부터 80년대까지 집안의 가장이셨던 연배의 분들이 간혹 '三金時代' 이후의 정치를 묘사하며 "지금 정치는 송사리들의 정치야", "그 때 인물들의 정치는 선이 굵었어", "그 땐 시대적 상황도 그렇고 나름대로의 명분이 강해서 정당이 이합집산하더라도 국민들이 공감하는 측면이 있었어"라고 하시며 요즘의 정치를 평가절하 하시기도 합니다.128) 특정 사례들을 예로 들면서 현재와 비교하여 말씀하실 때, 정치학도로서 필자는 많은 부분 공감하기도 합니다.

정치현상에는 항상 양면성이 존재할 것입니다. '송사리들의 정치'라는 것을 반대로 생각해 보면, 과거처럼 정치적 거두라는 인물중심의 정치가 아니라, 정당이란 기관중심의 정치로 이전하는 과정에서 발생하는 현상일 수도 있습니다. 기관이 중심으로 작용하면, 인물은 기관의 한 부속품이 되어 상대적으로 존재감이 낮아지게 됩니다. 이론상 이런 것은 한국정당발전에 긍정적인 것입니다. 특정 인물이 기관을 좌지우지 할 수 없으며, 기관은 전체성원을 위한 최고 존재이기에 어떤 인물도 기관의 강령과 원칙을 함부로 할 수 없는 것입니다. 민주주의 이론에서 말하는 '기관 제도화'는

128) 이러한 발언은 요즘 정치가 "결과에 승복하지 않는다"는 느낌과도 연관됩니다. 1960년 민주당의 구파와 신파가 나뉘어 싸우던 때에도 조병옥을 대통령후보로 결정한 후에 그 결과에 깨끗이 승복합니다. 신민당 시절에도 1970년 김대중을 대통령 후보로 결정했을 때, 심지어 1976년 각목전당대회를 치루면서도 이철승의 '중도통합론'이란 결과에 깨끗이 승복합니다. 1978년 김영삼의 '선명야당론'을 선택한 전당대회 결과에 승복합니다. 우리정치에 이런 모습이 분명히 있었습니다. 민주주의는 "정당하게 경쟁하고, 그 결과에 깨끗이 승복"할 때 가능합니다.

민주주의 공고화에 중요한 변수입니다. 역시 정치과정이 안정성을 확보하기 위해서는 인물중심의 정치가 아닌 기관중심의 정치가 되어야만 한다는 것이 중론입니다.

그렇다면, 3김시대와 같은 강력한 카리스마를 지닌 인물중심의 정치가 끝나는 시점에서 한국정당들이 기관중심의 제도화로의 길을 가고 있는가를 반문할 때, 꼭 그렇지만은 않다는 것입니다. 한국정치과정에 보다 많은 경우의 수들이 발생하면서 어찌보면 불필요한 실험적 상황들이 발생하고 있습니다.

3김시대가 막을 내린 이후에 발생했던 '민주당'의 분당과 '열린우리당'의 창당은 그 정치적 함의가 큰 정치적 사건입니다. 선거에 지고 나서 그 후유증으로 정당이 분열하는 경우는 많지만, 선거에 승리한 정당이 특히 대통령제하에서 대통령선거에 승리하여 행정부를 장악한 정당이 분열되는 것은 아마 역사상 유례가 없다고 해도 과언이 아닐 것입니다. 열린우리당의 명분과 의도는 국민들이 납득할 만 한 부분도 있었습니다. 한국정치의 고질병인 지역주의 타파가 그 대의명분이었던 것입니다. 정치현상은 복잡합니다. 명분은 좋았지만 결과는 장기적으로 혼란인 것도 있고, 의도는 순수하지 않지만 결과는 오히려 예상치 못한 좋은 방향으로 귀결되는 경우도 있습니다.

노무현 대통령은 취임하기 이전인 대통령 당선자 시절에 "대통령 선거를 할 때 국민들의 정치권에 대한 요구 사항의 일번은 '정치개혁'이다"라는 말을 한 바 있습니다. 그리고 '정치개혁'의 가장 중요한 내용은 결국 '지역주의' 극복과 이를 위한 방안의 마련이라고 하였습니다. 방안은 정당구조나 선거법 개정을 통한 지역주의 극복이 가장 직접적인 방안이라고 생각한 듯합니다. 예를 들면, 중・대선거구제를 통한 선거법 개정을 통해서, 영남에서도 호남 정당의 후보자가 당선되고, 호남에서도 영남 정당의 후보자가 당선되는 효과를 생각한 듯합니다. 상대편의 정당은 차치하더라도, 노무현 자신을 대통령 후보를 만들었던 국민경선제의 경험을 생각하면서, 정당의 구조를 보다 열린 구조로 개혁하면서 당 지도부 보다도 당원이나 일반 국민들이 참여하는 국민참여 정당의 구조로 변화시키는 것을 생각한 듯합니다. 첫 번째 방식은 국회에서 야당의 합의가 필요했습니다. 두 번째 방식은 당내 지도부의 합의가 필요했습니다. 당내 지도부들은 "민주당이 정당의 지역기반을 포기하며 호남 지역 유권자들로부터 유리되어선 안 된다"는 주장이 대세였습니다.

결국, 노무현 대통령이 선택한 것은 지역주의에서 자유로운 신당의 창당이었습니다. 선거에 이겨 여당이 된 정당(새천년민주당)이 분당하여 신당(열린우리당)을 창당하는 일이 발생한 것입니다. 앞서 1960년 정치과정에서 국민들의 힘으로 정권교체를 이루어낸 민주당이 의원내각제 선거에서 승리하자마자 민주당의 구파와 신파가 분당했던 사건이 있습니다. 그리고 민주당은 몰락합니다. 그러한 정치과정이 2003년에 다시 발생한 것입니다.

2004년 국회의원선거에서 열린우리당의 과반수 의석 점유는 근본적으로 '대통령탄핵'에 대한 반대급부적 현상으로 설명이 되지만, 해당 선거가 한국선거과정에서 균열축을 다원화했다는 의미를 소홀히 할 수 없습니다. 김영삼이나 김대중과 달리, 노무현 대통령은 지역맹주가 아닙니다. 세김씨 시대에는 지역균열축만으로 선거과정이 이루어졌다고 해도 과언이 아닙니다. 1997년 대통령선거에서 진보-보수 이념균열축이 발현됩니다. 2002년 대통령선거에서는 이념균열축에 더하여 세대균열축이 나타납니다. 2004년 국회의원 선거에서 열린우리당이 득세하는데, 이념균열축과 세대균열축이 동시에 작동하며 정착하게 된 것입니다. 결론적으로, 21세기 이후 한국선거과정을 설명하기 위해선 이제 지역균열축만을 볼 수 없으며, 세대균열축과 이념균열축을 동시에 보아야 합니다.

특히 한국정치과정에서의 이념균열 축은 '보수진영'과 '진보진영'이라는 이름하에 극렬한 사생결단식의 '진영정치'(陣營政治)를 보여줍니다. 그리고 '단순다수-소선거구제'의 선거제도와 연계되면서 각 진영은 보수정당과 진보정당이라는 경쟁구도를 지닌 '양당체계'적 특질하에 진영간 갈등을 확대재생산 해내고 있습니다.

커다란 두 개의 정당을 중심으로 정치과정이 형성되어 왔다는 의미입니다. SNS시대이후에 사회는 더욱 파편화되고 있는 것이 현실이며, 그런 경우, 양당체계 보다는 '다당체계'로 정치과정이 형성될 때 보다 많은 사회균열 축의 목소리를 담아낼 수 있음은 자명합니다. 극단적인 다당체계의 모습이 혼란을 야기할 수 있으니, 적어도 3당체계, 4당체계 정도를 생각해 볼 수 있을 것입니다. 제6공화국의 헌법은 '대통령제'를 채택하고 있으며, 대통령제하에선 대통령을 배출할 수 있는 정당만이 정치과정에서 지속적인 생존을 할 수 있으니, 군소정당들이 정치과정에서 제도화된 정당으로 살아남기가 어렵습니다. 비록 군소정당이 대통령후보를 갖고 있다고 해도, 선거논리에 의해서 큰 정당들과 이합집산을 하게 될 개연성이 클 수밖에 없습니다. 이렇게 본다면, '대통령제'라는 정부형태는 정치과정이 작동하는데 있어서 가장 근간이 되는 '구조적 변수'라고 할 수 있을 것입니다.

양당체계적 특질을 보이는 정치시장은 마치 경제시장에 유추될 수 있습니다. 커다란 두 개의 정당은 '적대적 공생관계'를 통해서 군소정당들이 정치시장에 유입되는 것을 달가워하지 않습니다. 선거과정에서 커다란 정당들은 자신들의 정치권력을 유지하려는 생리로 인해서 군소정당들과 일시적으로 연합하거나 흡수하면서 자신들의 정치시장 기득권의 지위를 유지해 나가려 합니다. 그 대표적인 예가 군소정당을 제도권내로 유인하기 위한 2020년 국회내 정치개혁특별위원회에서 마련한 '(준)연동형비례제'가 오히려 큰 정당들의 비례구에서의 '위성정당(衛星政黨)' 만들기로 나타났습니다. 더욱이 '법적 판결'조차 '위성정당'을 적법한 절차로 사실상 인정했다는 점입니다.129) 대의민주주의를 건강하게 운영하기 위해서는 다원화된 사회균열을 담아낼 수 있도록 적당한 수의 정당들이 의회정치과정에 존재하는 것이 바람직할 것입니다.

---

129) **공직선거법 제189조 제2항 등 위헌확인 [2019헌마1443 등;** 준연동형 비례대표제 사건(종국일자: 2023년 7월 20일 / 종국결과: 기각, 각하). 2020년 1월 14일에 공직선거법의 개정으로 국회의원정수를 기존과 같이 지역구의원 253명, 비례대표의원 47명으로 유지하되, 47석의 비례대표의석을 지역구의석과 연동하여 배분하는 준연동형 비례대표제를 채택하기로 하였습니다(법률 제16864호). 해당 47석을 배분하는 방식은 제21대 국회의원선거에서만 30석에 관하여 준연동형 비례대표제를 적용하고 나머지 17석에 대해서는 기존의 병립형 제도를 적용하기로 했습니다. 이러한 공직선거법 개정 내용에 대하여 직접선거원칙이나 평등선거원칙에 위배되어 청구인들의 선거권과 피선거권 등을 침해한다고 주장하면서 헌법소원을 제기되었습니다(2019헌마1443, 2020헌마16, 2020헌마134, 2020헌마449, 2021헌마9). 헌법재판소는 헌법 제41조 제1항에 명시된 보통·평등·직접·비밀선거의 원칙과 자유선거 등 국민의 선거권이 부당하게 제한되지 않는 한, 소선거구 다수대표제나 비례대표제 등 어느 특정한 선거제도가 다른 선거제도와 비교하여 반드시 우월하거나 열등하다고 단정할 수 없고, 입법자의 광범위한 형성 재량이 인정된다고 보았습니다. 헌법재판소는 그러한 입장을 전제로 국회의원선거 사상 처음으로 도입된 준연동형 비례대표제를 규정한 공직선거법 제189조 제2항에 대하여 판단을 하여 전원일치의 의견으로 기각 결정을 내렸으며, 나머지 심판청구도 모두 각하하였습니다. 2024년 4월의 제22대 총선에 대한 위성정당 관련 헌법소원에서도 헌법재판소는 각하 판결(2024헌마254, 2024헌마255)을 내렸습니다. '녹색정의당'(녹색당과 정의당의 선거연합)은 '더불어민주연합'(더불어민주당의 위성정당)과 '국민의미래'(국민의힘의 위성정당)의 정당등록신청을 수리한 행위가 정당법에 의하여 등록된 정당, 비례대표 국회의원 후보자, 유권자인 청구인들의 기본권을 침해한다고 주장하면서, 2024년 3월 18일 정당 등록의 취소를 요구하는 헌법소원심판을 청구하였습니다. 헌법재판소는 더불어민주연합과 국민의미래가 정당법상의 정당임을 법적으로 확인받은 것 외에 기존에 등록된 정당인 청구인 녹색정의당에게 곧바로 어떠한 법적 불이익이 발생한다고 보지 않았습니다. 따라서 헌법재판소는 녹색정의당이 더불어민주연합과 국민의미래가 정당으로 등록됨으로 인하여 간접적·사실적 이해관계를 가질 뿐, 그로 말미암아 자신의 기본권을 침해받았다고 볼 수 없어 기본권 침해의 자기관련성을 갖추고 있다고 보기 어려우므로 이 부분에 대한 심판청구는 부적법하다고 판단하였습니다. 또한 녹색정의당과 함께 헌법소원을 청구한 이들도 간접적, 사실적 이해관계를 가질 뿐, 그로 인하여 자신의 기본권을 침해받았다고 볼 수 없으므로 마찬가지로 기본권 침해의 자기관련성을 갖추지 못하여 청구가 부적법하다고 보고 본 사건에 대하여 재판관 전원의 일치된 의견으로 각하 판결을 내렸습니다.

2. 선　거

각각의 선거는 모두 당시 정치적 상황 배경과 유권자들의 인식을 반영한 나름대로의 정치적 의미들을 지니고 있습니다. 그러한 선거들 중에서도 한국정치과정에서 기존 상황에 중대한 변화를 초래하면서 차후 정치발전에 의미를 지니는 선거들이 존재합니다. 이런 선거를 키(V.O. Key)가 '중대선거'(重大選擧, critical election)라는 용어로 일반화시켰습니다.

학자들마다 어떤 특정 선거를 중대선거로 인식하느냐 아니냐의 문제는 일치하지 않습니다. 중대선거들은 보통 '정당간 경쟁'(inter-party competition)을 통한 선거를 의미하지만, 한국정치과정을 보면 중대선거는 정당의 후보(또는 대표자)를 결정하기 위한 '정당내 경쟁'(intra-party competition)에도 주목할 필요가 있습니다. 당내 경선이란 선거과정 자체가 본선에서의 선거결과에 결정적 영향을 미치기도 합니다. 정당에서 어떤 후보자를 공천하거나 어떤 대표자를 정당의 대표자로 결정하는가는 일종의 '예비선거'(또는 예선)이기에 정당간 경쟁이 실현되는 '본선거'(또는 본선)와 구분하여 그 의미가 축소되기도 합니다. 정치과정에서 본선은 예선이 어떻게 형성되고 귀결되느냐에 따라서 영향 받게 됩니다. 정당공천과정이 중요한 이유입니다. 한국정치과정에서 주요한 정치선거사적 의미는 오히려 예선에서 이미 결정되었다고 해도 과언이 아닐 정도입니다. 해당 저서에서는 본선의 선거뿐만이 아니라 당내 경선과 정당간 경쟁 모두를 포괄적으로 보면서 한국정치과정에 주요한 선거로 기록될 수 있는 것들을 주어로 하여, 역대 주요 선거들을 연결시켜 설명하고자 합니다.[130]

해당 저서에서는 한국정치과정의 특성을 고려하여 '중대선거'라고 할

---

130) 주요 당내경선에 대해서는 앞의 '정당' 부분에서 설명하였으니 참조하시면 됩니다.

수 있는 선거들의 범주를 다음과 같이 정해 봅니다. 단순히 한 개 선거의 의미보다는 그러한 선거가 한국정치의 특색으로 지적되는 변수들과 연관된 선거들을 살펴보고자 합니다. 그 변수들은 대체로 다음과 같이 정리될 것입니다. 첫째, 한국정치과정의 특색은 수없이 반복되는 개헌 논의입니다. 따라서 개헌과 연관된 선거들을 살펴볼 수 있을 것입니다. 둘째, 한국정치과정에는 선거를 통한 정권교체가 드물었습니다. 소위 기능주의 정치학자들은 어떤 사회 내에 민주주의가 기능하는지 아닌지를 판단하는 시금석으로 선거를 통한 정권교체를 상정합니다. 한국선거과정에서 그러한 사건들을 살펴볼 수 있습니다. 셋째, 국민들의 투표행태에서 변화를 가져온 선거들입니다. 넷째, 한국정치과정에서 대립하는 균열축의 변화를 가져온 선거들입니다. 이상의 변수들을 중심으로 하여 한국정치과정에서 나타난 주요 선거들과 그 의미를 설명해 보고자 합니다.

선거를 통한 정권교체

한국정치과정에서 선거를 통한 최초의 정권교체는 1960년 7월 29일에 실시된 '제5대 민의원선거'와 '제1대 참의원선거'를 통해서였습니다.[131] 선거이전부터 이미 승패는 결정되어 있었습니다. 이승만 정권의 부정선거로 제1공화국이 몰락한 상태에서 제4대 단원제 국회는 의원내각제 및 양원제(민의원과 참의원)로 개헌하였습니다. 야당이었던 민주당은 내부의 신파-구파 분열에도 불구하고 민의원 175석(175/233), 참의원 58석(58/71)을 차지하여 민의원에서 2석만 차지한 여당이었던 자유당을 완전히 압도하였

131) 민의원 선거결과는 총233석 중에서 민주당(175석), 무소속(49석), 사회대중당(4석), 자유당(2석), 한국사회당(1석), 통일당(1석), 헌정동지회(1석)으로 나타났습니다. 참의원의 선거결과는 총58석 중에서 민주당(31석), 무소속(20석), 자유당(4석), 사회대중당(1석), 한국사회당(1석), 민족진보연맹(1석)으로 나타났습니다.

민주당 정권 창출 (1960) 윤보선 대통령(왼쪽)과 장면 총리(오른쪽)

습니다. 특이한 것은 민의원에서 49석을 차지하여 민주당에 이어 두 번째의 의석수 점유율을 보였던 집단은 정당이 아니라 '무소속 후보들'이었습니다. 이들 중의 대부분은 민주당 소속이었으나 신파-구파 분열의 후유증으로 무소속으로 출마한 사람들이었습니다. 혁신세력들인 정당이 있기는 했지만, 내부의 이념적 노선투쟁과 분열로 지지세력들을 결집하는데 실패했습니다.

민주당의 정권교체는 민주당 자신이 수권세력으로서의 능력을 입증한 결과물이라기보다 당시 4·19혁명의 대세에 의한 결과였습니다. 정당은 집권이전보다 집권이후가 더 중요합니다. 선거승리이후 상대적으로 다수를 확보하였던 구파는 국무총리와 대통령을 자신들이 차지하려고 했으며, 신파는 대통령직의 안배를 주장하였습니다. 구파는 분당을 통해서도 자신들이 다수 세력의 입지를 확보할 수 있다고 계산했으며, 신파는 중도파나 무소속들을 영입하여 세력의 확장을 계산하고 있었습니다. 민주당의 구파와 신파는 선거가 끝난지 1주일만에 분당하였으니 1960년 7월 29일의 여야교체 선거의 의미는 정치엘리트들끼리의 권력투쟁으로 축소될 수밖에 없었습니다.

대통령제 정부형태에서 선거를 통한 최초의 정권교체는 1997년 김대중 정권의 탄생이었습니다. 1997년의 선거를 통한 여야정권교체는 한국선거에 새로운 활력을 불어넣었습니다. 영구적 소수라는 피해의식에 있었던 지역이 선거를 통해 승리함으로써 보다 대승적인 차원에서 정치의 궁극적인 목적인 '국민통합'을 달성하는데 기여했다는 점입니다. 나아가 김대중

정부는 '남북통합'의 문제에도 대승적인 접근을 하는 계기를 마련합니다. 1997년 대통령선거에서의 여야 정권교체는 과거 1960년의 자유당과 민주당 사이의 정권교체와는 그 의미가 다릅니다. 1997년 대통령선거에서 인구의 지역간 편차가 존재하는 상태에서 지역주의가 고착화된 상황이어서 '영구적 소수'였던 호남지역의 후보자는 '영구적 다수'였던 영남지역의 후보자를 이기기 어려웠습니다.132) 영구적 소수가 영구적 다수를 이긴 해당 선거는 세 가지 차원에서 가능했습니다.

첫째는 지역연합입니다. 영구적 소수인 두 개 지역, 호남과 충청이 연합하였습니다. 이것이 바로 'DJP연합'입니다. 호남지역을 기반으로 한 김대중과 충청지역을 기반으로 한 김종필은 각각 '새정치국민회의'와 '자유민주연합'에서 대통령 후보로 선출된 이후, 후보단일화에 성공합니다. 이것은 필요조건이지 충분조건은 아닙니다. 둘째, 영구적 다수세력이라고 할 수 있는 영남지역의 분열입니다. 이회창 후보와 이인제 후보는 신한국당 대통령후보 경선에서 맞붙었지만 이회창 후보의 대통령후보 결정이후 이인제

DJ 선거승리 (1997)

132) 어떤 이유에서이건, 정치과정에 '영구적 다수'와 '영구적 소수'가 형성되어 고착화된다면 그 정치체계는 건강할 수 없을 것입니다. 한국의 지역주의가 심각한 이유는 지역균열이 압도적인 균열축으로 '교차균열'(cross cleavage)이 존재하지 않기 때문이라고 할 수 있습니다. 당시와 달리, 21세기에 들어서선, 한국선거과정에 '지역균열'과 함께 '이념균열'과 '세대균열'이 함께 기능하고 있음이 인지됩니다.

후보가 탈당후 대통령 후보로 출마하여 영남의 표를 분할하게 됩니다. 셋째는 이회창 후보 가족의 병역파동문제가 겹치면서 국민들의 마음이 돌아섭니다. 이런 세 가지 조건이 충족되어 이루어진 결과가 불과 40만 표의 차이로 김대중 후보의 이회창 후보에 대한 신승(辛勝)이었습니다.

부정선거와 개헌

선거 부정은 결국 권력욕에서 비롯되는 것이며 당해 선거에서의 승리를 목적하게 됩니다. 이와는 조금 다른 차원에서 입법부 선거에서의 부정이 어떤 특정 목적을 수행하기 위한 전조적 선거로서 이루어지는 경우가 있습니다. 이런 부정선거를 방치하게 되면 굴곡진 정치결과를 산출합니다.

1960년 제1공화국은 부정선거로 멸망하였습니다. 이승만 대통령은 대한민국 건국이란 큰 공에도 불구하고 부정선거로 망명하게 되면서 그 권위가 추락하고 맙니다. “대통령선거에서의 승리는 천운(天運)으로 하는 것이다”라는 말이 있습니다. 1956년 대통령선거에서 신익희 대통령후보가 그리고 1960년 대통령선거에서 조병옥 대통령후보가 도중하차하지 않았다면 대통령선거에서 승리하기 어려울 수도 있습니다. 1956년 대통령선거에서 민주당 후보로 나섰던 신익희 후보는 “못살겠다, 갈아보자”라고 외치며 당시 한강 백사장 유세에 50만명의 인파를 모았습니다. 많은 사람들은 정권교체를 예상했습니다. 그런데 유세도중 신익희 후보는 호남지방으로 내려가던 열차에서 뇌일혈로 서거합니다. 1960년 대통령선거에서 민주당 후보로 나섰던 조병옥 후보 역시 정권교체의 기대를 안고 있었습니다. 불행이 반복됩니다. 대통령선거과정에서 조병옥 후보는 신병치료차 도미하게 되나 미국육군병원에서 치료를 받던 중 심장마비로 급서합니다. 그래서 이승만대통령의 4선은 확실시되는 분위기였고, 부통령후보 이기붕의 당선이 문제였습니다. 1960년 3월 17일에 자유당의 이승만, 이기붕 후보가 80%가 넘는 득표율로 당선되었다고 했지만, 이를 믿는 국민들은 거의 없었습니다. 민주당의 선거무효운동에 호응하며 부정선거 규탄데모가 발생하고, 마산시위에서 실종된 김주열군의 얼굴에 최루탄이 박힌 채 마산앞바다에서 떠오르자, 4월혁명으로 이어지며 제1공화국은 마침표를 찍게 됩니다.

한국선거과정에서 지역구 대비 소송발생건수를 고려할 때, 최고의 제소기록이 발생한 것은 1967년 6월 8일에 있었던 '제7대 국회의원선거'라고 할 것입니다. 전국 131개 지역구에서 모두 266건의 선거소송이 발생하였습니다. 선거결과는 공정성과 투명성이 담보될 때 그 의미가 지켜집니다. 해당 선거를 살펴볼 필요가 있습니다.

당시 신민당은 야권 통합세력이었지만 100일 정도의 준비기간 속에서 제6대 대통령 선거(1967. 5. 3)와 제7대 국회의원 선거(1967. 6. 8)에 임했습니다. 신민당은 부정으로 얼룩진 제7대 국회의원 선거에 대해서 전면적인 재선거를 주장하였으며, 국회개원에도 참여하지 않았습니다(1967. 7. 10). 대통령 선거가 끝난지 한 달 만에 열린 국회의원 선거는 밀월선거여서 여당에 유리한 측면이 있었는데 여당은 과도한 무리수를 둔 나머지 부정선거 시비가 그 극에 달했습니다.[133] 대통령 선거 지역구는 전국 단일 광역구이지만, 국회의원 선거의 경우 소지역구별로 나뉘어 후보자와 유권자간에 밀착 가능성이 높아 금권, 관권, 동원 등의 선거부정이 극에 달했습니다. 131개 지역구에서 266건의 선거소송으로 이전에도 없었고 앞으로도 없을 부정선거 소송건수가 발생합니다. 1967년 6월 16일에 박정희 대통령이 직접 국회의원 부정선거 규탄 성명을 발표할 정도였고, 이어서 민

133) 선거결과 의석수 배분을 보면 지역구 131석 중에서 민주공화당(102) 신민당(28), 대중당(1)로 나타났습니다. 전국구 배분은 민주공화당(27), 신민당(17)로 총 44석이었습니다. 지역구와 전국구 의석수를 종합하여 총 175석이며, 민주공화당(129), 신민당(45), 대중당(1)입니다.

주공화당이 8개 선거구의 당선자를 제명 조치합니다. 이것은 상징적인 조치였습니다. 신민당은 전면적 재선거를 요구합니다. 박정희 대통령이 8월 1일에 다시 한 번 부정선거 사과 입장을 밝히면서, 신민당은 131개 지역구 선거관리위원장에게 제출했던 선거무효 일괄제소를 일단 취하합니다.

신민당 의원들의 등원 거부가 이어지는 가운데, 1967년 11월 2일에 김종필 공화당 의장과 신민당 유진오 총재는 정국 돌파구를 만들기 위해 '여・야전권대표회담'[민주공화당(백남억, 김진만), 신민당(윤제술, 김의택)]이란 기구를 구성하는데 합의합니다. 여야전권대표회담의 결과 '6・8선거부정조사특별위원회법제정을 위한 특별위원회 구성', '선거관계법등 정치관계법 개정 특별위원회 구성'에 합의합니다. 신민당의 국회의원 당선자 44명은 11월 27일에 일괄 의원등록을 합니다. 선거가 끝나고 150일이 다 된 시점에 국회가 시작되는 것입니다.

그러면, 어떤 이유로 박정희 정권은 자신들이 부정선거를 인정할 정도로 무리수를 둔 부정선거를 감행했을까하는 것인데, 해당 국회의원 선거에서 민주공화당이 무리한 이유는 바로 개헌선의 확보입니다. 박정희 정권은 7대국회의원 선거이후 '3선개헌'을 추진하여 다시 한 번 정권연장을 꾀하게 됩니다. 국회의 개헌이라는 것은 여당과 야당이 합의하면서 국회 의석수 2/3의 찬성을 얻어내면서 이루어지는 것이지, 아예 개헌을 염두에 두고 의석수 2/3를 차지하겠다는 발상은 그릇된 것입니다. 2007년 12월 대통령선거와 2008년 4월 국회의원선거도 밀월선거로 치뤄졌는데, 그 당시에도 2/3 개헌선 확보라는 화두가 등장했었습니다. 개헌을 화두로 특정정당이 다수의 의석수 확보를 명분화할 수는 없는 것이며, 개헌은 여러 정당의 합의로 2/3를 구성할 때만 가능한 것입니다.

40대 기수론과 1971년 대통령 선거

1969년 9월 14일에 있었던 '3선 개헌'의 변칙처리는 오히려 우리 선거·정당사에 새로운 동력을 제공하는 전환점이 됩니다. 신민당에서 '40대 기수론'이 제창되면서 산업화 세력 민주공화당에게 번번이 당하던 민주화 세력 신민당은 새로운 동력을 찾게 됩니다. 신민당은 개헌안 저지에 실패하면서 새로운 당수선출에 관심이 집중됩니다. 민주공화당과의 경쟁구도 속에서 무엇인지 새로운 동력을 찾아야만 하기 때문입니다. 이런 와중에 1969년 11월 8일 김영삼 원내총무가 '40대 기수론'을 주창하며, "빈사상태의 민주주의를 회생시키기 위해서 1971년 대통령 선거에 신민당 후보로 나설 것을 밝힌다"고 하여 새로운 돌풍을 일으킵니다. 신민당의 대통령후보 지명전에서 김대중 후보가 승리하여 신민당 대통령후보가 되어 박정희 후보와 경쟁하게 됩니다.

1971 박정희 선거유세

1971 DJ 선거유세

김대중 대통령 후보는 "만약 이번 대통령 선거에서 야당이 승리하지 못하고, 박정희가 재집권한다면 총통제를 만들어 영구집권할 것"이라고 주장하며, 민주주의를 위한 중요한 선거임을 강조합니다. 김대중 후보의 예지력이 정확했습니다. 선거에서 승리한 박정희 후보는 곧바로 '유신헌법'을 만들어서 6년 연임제 영구집권의 총통제로 전환합니다. 1971년은 선거사에 중요한 해인 것은 바로 이 대통령 선거에서 나타난 특색들과 더불어서

1971년 선거에서 야당이 패하고 바로 '10월 유신'으로 이어져 민주주의의 암흑시대가 시작되었다는 점입니다. 그리고 한국유권자들의 투표행태에 있어서 지역주의가 나타나게 됩니다. 1971년 해당 선거를 기점으로 표의 '동서현상'(東西現象)이 더욱 심화됩니다. 1963년의 제5대 대통령선거(박정희 대 윤보선), 1967년의 제6대 대통령선거(박정희 대 윤보선), 1971년의 제7대 대통령선거(박정희 대 김대중)를 비교해 봅시다.

1963년 대통령선거를 보면 당시 윤보선 후보는 서울지역에서 우세하고 나머지 지역에선 박정희 후보가 우세하여, 거시적 차원에서 보자면, 소위 표의 '남북현상'(南北現象)이 나타납니다. 그런데, 1967년 대통령선거에서 윤보선 후보는 서울·경기·충청에서 박빙의 앞서는 승부를 펼쳤지만, 영남·강원에서 박정희 후보에게 일방적 패배를 당했습니다. 1963년 표의 '남북현상'이 1967년 표의 '동서현상'으로 변경되며 표의 '지역주의'가 나타난 것입니다. 1967년 대통령선거에서는 도시의 지식층과 근로층에서도 안정지향성향과 박정희 후보의 경제치적에 대한 인정이 결합하면서 소위 '여촌야도'(與村野都: 도시에서는 야당지지, 농·어·산촌에서는 여당지지) 현상이 1963년 대통령선거와 비교해서 완화되는 경향을 보인 반면에, 박정희 정권의 영남우대론 등이 결합하면서 표가 동·서로 갈리게 된 것입니다.

1971년 대통령선거에서 영남의 박정희 후보와 호남의 김대중 후보가 대결하면서 표의 '동서현상'은 그 이전 선거와 비교하여 더욱 가시화됩니다. 동시에 '여촌야도' 현상도 다시 부활됩니다. 이것은 1967년 당시 도시인들이 박정희 후보에게 보냈던 지지가 '3선개헌'으로 인해 훼손되었음을 의미합니다. 일반적으로 식자층이 많이 분포하는 도시지역에는 비판의식이 강한 유권자들이 다수 분포하게 되고, 이런 도시인들의 투표행태를 고려하면 야당성향을 지닌 야당지지자들이 다수 분포할 것이 예상됩니다.

민주화 세력 결집의 가시화(1978. 12. 12)

선거에서 야당이 여당을 앞서면서 처음 정권 교체를 한 선거는 1960년 7월 29일 민의원과 참의원선거였으며 그 야당은 민주당임을 알고 있습니다. 문제는 선거경쟁에서 이겼다기보다 이승만 정권의 몰락과 함께 이미 여당인 자유당이 사실상 해체된 상태에서 일어난 일이기에 큰 의미를 찾기 어렵습니다. 반면에 여당이 득의만만한 상태에서 야당이 여당의 득표를 넘어선 선거는 제10대 국회의원선거(1978. 12. 12)에서의 지역구 선거입니다. 유신체제 말기였던 해당 선거는 국민들에게 민주화의 분위기를 각성시키는 계기가 됩니다. 단일 야당이 득표수에서 여당을 앞선 것은 아니어도 야당들의 득표율이 여당의 득표를 1.1%차로 넘어선 선거였습니다. 여당이 과반수 득표에 실패한 것입니다.

득표율과 상관없이 여전히 의석수는 여당이 압도적입니다. 국회의원 전체의석수는 231석으로 그 중 지역구가 154석이었으며, 대통령이 지명하는 유정회 국회의원이 77명이었습니다. 지역구 154석의 분포를 보면 민주공화당(68석), 신민당(61석), 민주통일당(3석), 무소속(22석)으로 나타났습니다. 신민당보다 민주공화당의 의석수가 많았지만, 적어도 득표율을 보면 야당인 신민당이 32.8%를 얻었고, 여당인 민주공화당이 31.7%를 얻어 야당이 여당보다 1.1% 많은 득표를 기록하는 상황이 벌어졌습니다. 유권자들의 인구분포에서 산업화 세력의 크기를 민주화 세력의 크기가 넘어섰음을 가시적으로 보여준 최초의 선거라고 할 수 있습니다. 당시, 한국정치에는 "선거를 해봤자 또 여당이 승리할 것이다"라는 일종의 매너리즘과 거대여당에 대한 무력감이 크게 형성되어 있었기에 해당 선거는 유신체제에 충격을 주기에 충분했습니다.

1970년대 한국정치에서 커다란 균열축은 '산업화 세력'과 '민주화 세력'의 대립이었습니다. 사회안정을 이룩한 가운데 경제발전에 주력할 것을 희망하는 산업화 세력과 진정한 국가와 사회발전은 민주화를 통해서만이 가능하다는 민주화 세력의 대립은 제3공화국 박정희 정권 출범과 함께 시작되었습니다. 유신헌법을 통과시키면서 제4공화국을 출범시킨 1972년 당시에는 산업화 세력의 규모를 민주화 세력의 규모가 넘어서지 못했습니다. 1970년대 중반에 유가급등과 소위 '스태그플레이션'(stagflation)으로 대변되는 세계경제 위기가 찾아오면서 한국경제가 어려워짐과 동시에, 드디어 1978년 국회의원 선거에선 민주화 지지세력의 규모가 산업화 지지세력의 규모를 넘어섰음을 명시적으로 보여주게 된 것입니다.

그럼에도 불구하고, 득표율이 아닌 의석수 기준에서 볼 때 여당은 여전히 공룡이었습니다. 제10대 국회의원 선거 당시 전체 의석수는 231석으로 이중에서 77석은 대통령이 지명하는 유정회 의원이었습니다. 따라서 여당은 득표율에서 뒤졌음에도 불구하고 총 231석에서 145석을 차지하여 국회의석수의 약 2/3에 근접한 62.8%를 차지하고 있었습니다. 덧붙여서, 무소속 의원 22명 전부는 아니어도 일부를 여당의 공작에 의해서 친여세력으로 동원할 수도 있었기에 의석수를 기준으로 한 여당세력은 군건했다고 볼 수 있습니다. 하지만, 민주화 추진이라는 민의가 선거를 통해서 분명히 표출된 이상 이제 그 흐름은 역행할 수 없게 됩니다. 1978년의 국회의원선거는 보다 근본적으로 유신체제의 근간을 흔들게 되는 선거로 작용합니다. 민주화를 추진하던 신민당은 해당 선거에서의 득세를 바탕으로 전당대회에서 보다 선명야당으로 대여 강경투쟁을 주장하는 김영삼 체제로 환원하며 유신체제와 맞서게 됩니다.

민주화추진협의회(1984. 5. 18; 약칭 '민추협')와 2.12총선(1985)

한국선거에서 1985년 2.12총선은 한국민주화의 기폭제였습니다. 1987년의 대통령직선제 쟁취로 절차의 의미의 민주주의를 한국정치에 정착시키게 된 시발점이라고 할 것입니다. 그런데, 당시 2.12총선은 기존에 존재하던 제도권 내의 야당이 중심이 되어 진행된 것이 아니고, 비제도권적 성격의 '민주화추진협의회'가 중심이 되어 진행된 것입니다. 비제도권적 기구가 비제도권적인 투쟁에 머무르지 않고, 제도권 내에서의 선거승리로 훌륭히 연결했다는 점을 분명히 기억하여야 할 것입니다.[134]

당시 김영삼과 김대중은 모두 정치적으로 복권된 상태가 아니었습니다. 두 사람은 민주화추진협의회를 중심으로 한국 민주화를 추진합니다. 당시 김영삼은 얼마전 복권된 이민우씨를 내세워서 신당을 창당하며 여당과의 일전을 기획합니다. 1985년 2월 8일에 미국에 망명 중이던 김대중이 입국하면서 국민들은 군사정권 하에서도 2.12총선을 통해서 민주화의 불씨를 살리려는 분위기를 감지합니다. 당시 필리핀의 마르코스 독재정권하에선 정적인 아퀴노(Benigno Aquino)가 입국하다가 마닐라 공항에서 피살당하는 사건이 발생한 직후여서 김대중의 입국에 긴장이 고조됩니다.[135]

입법부 선거는 여러 지역구에서 승리해야하는 총(總)선거입니다. 총선

134) 민주화된 최근의 시점에 오히려 반대로 행동하는 흐름이 있습니다. 제도권적인 의회활동을 도외시하고 거리로 나가서 비제도권적 성격의 투쟁을 강조하는 의원들의 모습은 긍정적으로 평가될 수 없습니다.

135) 마르코스 정권은 아퀴노가 입국해서는 안된다는 경고를 보내지만, 아퀴노는 개의치 않고 입국을 감행합니다. 아퀴노가 비행기 트랩에서 내리자마자 공항을 지키고 있던 군인들이 그를 사살하고 맙니다. 당시 미국정부는 이런 사건을 보면서, 김대중의 입국에 미국하원의원 에드워드 페이든, 토머스 폴리에타를 위시하여 외신기자 20명을 동행시켜서 전두환 정권의 무모한 행동을 예방하고자 합니다. 김포공항에는 일반 국민들의 환영영접이 봉쇄된 삼엄한 경비가 쳐지고 김대중은 김포공항에 도착하자마자 미니버스에 창문을 모두 가린채로 동교동 자택으로 이송됩니다.

거에서 어떤 특정 정당이 승리했음을 국민에게 인지시키는 방법에는 두 가지가 있습니다. 그 하나는 전체 의석수에서 다수를 차지하는 방식입니다. 또 다른 하나는 정치적 상징성이 큰 특정 지역에서 세몰이를 하면서 승리하는 방식입니다.[136] 2.12총선에서 신한민주당은 전체 의석수에서 민주정의당의 과반수도 안되는 의석수에 그쳤지만, 해당선거는 민주화의 기폭제로서 역할을 충분히 하게 됩니다.[137] 왜냐하면 당시 군사정권하에 갑자기 정당을 만들어 경쟁할 수밖에 없는 불평등한 선거게임에서 두 번째 전략이 빛을 발했기 때문입니다. 당시 '정치 1번지'는 종로였는데, 종로에서의 선거 열기와 표심은 전국에서의 표심의 대표값으로 인지되는 상황이었습니다. 만약 이제 막 창당된 신한민주당이 당시 정치1번지 종로에서 패한다면 한국민주화의 불씨는 더 많은 시간이 흘러서야 되살릴 수 있는 상황이었습니다. 세태를 반영하듯 중구합동연설회의장에는 수많은 인파가 몰려들었으며, 신한민주당은 이민우 총재, 민정당은 이종찬 원내대표, 민한당은 정대철을 내세워 이곳에서의 승리가 정국을 좌우하는 효과를 지닐 수밖에 없었는데, 이민우 총재가 승리하게 됩니다. 신한민주당의 승리는 야당이 신한민주당과 민한당으로 분리된 상태에서도 여당의 텃세를 극복한 것이어서 선거결과에 대한 해석은 국민의 민주화열망이 대세임을 알리고 이를 실천해 나갈 수 있는 힘을 결집시키게 된 것입니다. 민주화의 작은 초기 불씨와 이를 살려서 민주화를 이룩해 낸 역량은 2.12총선에서 지펴진 것

136) 독일 나찌정당의 책략가였던 괴벨스가 사용하여 유명해진 선거전략입니다. 총선에서 제1당이 되지 못했을 경우에도 차후 실시된 재선거나 보궐선거의 특정 몇 개 지역에서 확실히 세몰이를 하면서 승리하는 방식입니다. 괴벨스는 몇 개 지역에서 세몰이에 집착하면서 승리하여 마치 나치정당이 전체적 승리를 차지한 것과 같은 인식을 독일국민에게 심어주게 됩니다.

137) 국회의원 총의석수는 276석(지역구 184석, 전국구 92석)이었는데, 제12대 국회의원 선거(2・12총선) 결과는 다음과 같이 나타났습니다. 민주정의당 148석(87석, 61석), 신한민주당 67석(50석, 17석), 민주한국당 35석(26석, 9석), 한국국민당 20석(15석, 5석), 신정사회당 1석(1, 0), 신민주당 1석(1, 0), 무소속 4석으로 나타났습니다.

으로 해석될 수 있습니다.

절차적 민주주의의 완성

"민주주의는 풀뿌리 민주주의로 완성된다"라는 말이 있습니다. 이것은 민주주의가 도입되어 성숙되어가는 초기 및 중기 과정에서는 정치 리더들의 역할이 강조되지만, 결국 민주주의가 공고화되어 가는 마지막 단계에서는 시민들의 성숙한 의식 속에서 시민들의 풀뿌리 자치성향이 강조된다는 의미입니다. 민주주의의 실천 과정에는 정치 지도자와 민초 어느 한 가지만 중요한 것이 아니고 이들 두 가지 모두 중요한 요소임에 틀림없습니다. 풀뿌리 민주주의는 지방자치선거를 통해서 절차적으로 보장됩니다.

1990년 12월 15일 정기국회 회기 말에 여당과 야당은 지방자치법개정안, 지방의회의원선거법개정안에 만장일치로 합의하면서 지방선거를 부활시킵니다. 1961년 5·16군사혁명으로 중단되었다가 30년만에 4,304명의 '기초의회(구·시·군)의원선거'(1991. 3. 26)와 866명의 '광역의회(시·도)의원선거'(1991. 6. 20)를 통해서 '지방자치선거'가 부활하게 된 것입니다. 당시 선거법에서는 정당은 기초의원선거에서는 후보자를 공천할 수 없었으며, 광역의원만 공천할 수 있었습니다. '지방의회의원'만 선출직으로 정하고 '지방자치단체장'은 여전히 중앙정부에서 임명하였습니다. 김영삼 정부가 들어서면서 1994년 이후엔 광역과 기초단위 모두에서 의회의원뿐만이 아니라 자치단체장을 선출하는 '전국동시지방선거'를 4년 간극으로 실시하게 됩니다. 다시 말해서, 지방자치를 위한 입법부(기초의회, 광역의회), 행정부(기초자치단체장, 광역자치단체장) 모두를 국민들이 선출하게 된 것입니다. 풀뿌리 민주주의를 실행하기 위한 지방자치선거로 1948년 이후 대략 50년만에 절차적 의미의 민주주의가 한국정치과정에서 완성된

것입니다.[138)]

○ 지방선거 변천사

1공화국 지방선거	제1회 1952년(시 · 읍 · 면의회의원선거; 도의회의원선거) 제2회 1956년(시 · 읍 · 면의회의원선거; 시 · 읍 · 면장선거; 도의회의원선거)
2공화국 지방선거	제3회 1960년(서울시, 도의회의원선거; 시 · 읍 · 면의회의원선거; 시 · 읍 · 면장선거, 서울시장, 도지사선거)
제6공화국 지방선거 부활	1991. 3. 26 구.시.군의회의원선거 실시(정당참여금지) 1991. 6. 20 시.도의회의원선거(정당참여)
1994. 3. 16 통합선거법 제정	
제1회 전국동시지방선거 (1995. 6. 27)	- 광역단체장/기초단체장/광역의원 : 정당공천 선거 - 기초의원 : 정당공천 없음 / 무소속 선거
제2회 전국동시지방선거 (1998. 6. 4)	- 광역단체장/기초단체장/광역의원 : 정당공천 선거 - 기초의원 : 정당공천 없음 / 무소속 선거
제3회 전국동시지방선거 (2002. 6. 13)	- 광역단체장/기초단체장/광역의원 : 정당공천 선거 - 기초의원 : 정당공천 없음 / 무소속 선거 - 광역의회 비례대표 도입

138) 지방자치선거는 기초의회의원선거, 기초자치단체장선거, 광역의회의원선거, 광역자치단체장선거로 모두 4개의 영역으로 구성되어 있습니다. 현재에는 이들 4개 영역의 선거를 한날 한시에 '동시선거'로 치르고 있습니다. 이들 각기 다른 영역의 선거들을 한날 한시에 동시선거로 하느냐, 아니면 서로 다른 시기에 '분리선거'로 하느냐에 따라서 선거결과는 달라질 수 있습니다. 1991년 당시엔 기초의회의원선거와 광역의회의원선거로 2개 영역의 선거가 있었는데, 선거정국과 시대상황에 맞물린 당리당략에 따라 여당인 민자당은 각급지방선거의 분리선거를 주장하고 야당인 신민당과 민주당은 동시선거를 요구하면서 대립하였고, 결국 분리선거로 광역의회의원과 기초의회의원을 선출하였습니다. 현재에는 4개 영역 모두를 동시선거로 진행하고 있음은 주지의 사실입니다. 혹자는 동시지방선거라는 제도가 한국정치과정에서 나타나는 지역주의를 지방단위에서도 고착화시키는 효과가 있다고 주장하기도 합니다.

제4회 전국동시지방선거 (2006. 5. 31)	- 광역단체장/기초단체장/광역의원/기초의원 : 정당공천 선거 - 기초의회 정당공천 및 비례대표 도입 - 교육의원 선거 부분도입(제주도)
제5회 전국동시지방선거 (2010. 5. 31)	- 광역단체장/기초단체장/광역의원/기초의원 : 정당공천 선거 - 교육의원 선거 전면도입 - 교육감 선거 도입
제6회 전국동시지방선거 (2014. 6. 4)	- 광역단체장/기초단체장/광역의원/기초의원 : 정당공천 선거 - 교육의원 선거 폐지(제주도만 유지)

실질적 민주주의의 시작

금융실명제 (1992)

해당 선거가 중대선거인지 아닌지를 결정할 때엔 특히 선거 후에 국가적으로 어떤 특정 정책이 시행되어 그 선거에서 특정 정당이나 후보의 승리가 민주화에 걸맞는 국가정책이나 방향의 전환점이 되는 계기를 마련했는가를 보는 것으로 판단할 수도 있습니다. '절차적 민주주의'는 1987년 대통령선거로 시작되었지만, '실질적 민주주의'를 위한 첫 단추는 1992년 대통령선거에서 시작되었다고 해석할 수 있습니다.139) 한국정치과정에서 1987년 대통령선거는 절차적 의미의 민주주의를 다시 시작하게 된 계기가 되었지만, 절차적 의미의 민주주의는 1994년에 '전국동시지방선거'의 실시

139) 1992년 제14대 대통령선거 결과를 보면, 총 선거인수 29,422,658표, 투표수 24.095,170표, 민주자유당 김영삼 후보(9,977332표), 민주당 김대중 후보(8,041,284표), 통일국민당 정주영 후보(3,880,067표), 신정치개혁당 박찬종 후보(1,516,047표), 대한정의당 이병호 후보(35,739표), 무소속 백기완 후보(238,648표), 무소속 김옥선 후보(86,292표)로 나타났습니다.

를 통해서 광역과 기초 모든 단위에서 의회의원(입법부)과 자치단체장(행정부)을 국민이 직접 선출하게 되면서 완성됩니다. 이를 바탕으로 실질적 의미의 민주주의가 우리에게 가시적으로 다가 선 것은 1992년과 1997년의 대통령 선거를 통해서였습니다. 민주주의에 완성은 없으며 항시 현재진행형이라고 할 것입니다. 하나씩 살펴보도록 하겠습니다.

1992년 대통령선거에서 실질적인 문민정부로 탄생한 김영삼 정부의 군부세력 '하나회 척결'과 함께 '투명사회' 건설로 실질적 의미의 민주주의가 가시화됩니다. 투명사회 건설이란 슬로건은 보다 구체적으로 두 가지 정책으로 현실화됩니다. 하나는 '금융실명제'이며, 또 다른 하나는 '공직자재산공개'입니다. 이 두 가지 정책은 한국의 실질적 민주주의를 시작하는 커다란 전환점이 됩니다.

21세기 이후 현재까지도 정치개혁의 중요한 내용은 '돈 안드는 정치, 돈 안쓰는 선거'입니다. 관권선거, 금권선거는 모두 근본적으로 검은 돈과 연결되어 있습니다. 부패 연구가인 액커맨(Susan Rose Ackerman)도 결국 돈의 흐름이 투명한 사회가 부패 없는 사회라고 규정합니다. '금융실명제'는 김영삼 정부였기에 가능한 국가정책이었습니다. 금융실명제는 전두환 정권아래서 시도하려고 했지만 1982년 7월 3일 공식적으로 금융실명제 유보를 발표한 바 있습니다. 이것은 군사정권이 자신의 권력정당성을 극복하거나 유지하고자하는 딜레마 속에서 불가피한 현상이었습니다. 주요 정치세력이나 기업인들을 길들이기 하려고 하면서도 자신들의 세력으로 하기 위해선 할 수 없이 '검은 돈'을 인정해야만 했기 때문입니다.

김영삼 정부에서 소위 '무혈혁명'(無血革命)으로 기록되는 '공직자재산공개파동'(1993. 3. 5)은 또 다른 실질적 의미의 민주주의를 시작하는 계기가 됩니다. 당시 김영삼 대통령은 자신과 가족의 재산을 공개하면서(1993. 2. 27), 이후 총리, 장관, 수석비서관, 국회의원, 자치단체장들의 재산공개를 시작합니다(1993. 3. 6). 고위 공직자 사회에서 해당 재산공개가 대통령의 인치에 의한 것이라는 이의가 제기되자, 제161회 임시국회에서 1급이상의 공직자 재산공개를 의무화하는 '공직자윤리법개정안'을 통과시킵니다(1993. 5. 20). 이에 따라서 입법, 사법, 행정부, 헌법재판소, 중앙선거관리위원회 1급이상 공직자와 국영기업체 상근임원 등을 포함하여 모두 1,167명이 재산공개를 하게 됩니다(1993. 9. 7). 공직자윤리법개정안은 허위 등록이나 신고의 경우 사안에 따라 경고, 시정조치, 2천만원 이하의 과태료 부과, 일간지에 광고를 통한 허위사실 공포, 징계요구 등으로 구체적이고 실질적인 제제방안을 동반하는 것이었습니다.

앞서서 기능주의 정치학자들은 민주주의가 제대로 작동하는지 아닌지를 아는 하나의 지표로서 반복되는 선거와 선거에서 여당과 야당이 번갈아 그 임무를 교대하는 것을 지적한다고 언급한 바 있습니다. 1997년 제15대 대통령선거에서 김대중 후보가 승리를 거둠에 따라서 실질적 의미의 민주주의는 다시 한 번 심화됩니다. "고인 물은 썩는다"라는 격언이 있습니다. 특정 세력의 장기집권은 아무리 절차적 의미의 민주주의에서 문제가 없다고 하더라도 실질적 의미의 민주주의 실현에 부정적입니다. 만약 선거는 반복되는데 한 정당이 계속 여당의 역할만 맡는다면 그것은 실질적 의미의 민주주의라고 해석하기 어렵다는 의미입니다. 선거를 통한 여당과 야당의 정권교체를 이루어냄으로써 이제 비정상적이거나 변칙적인 방식을 통하지 않고 제도권내의 선거를 통해서 정권이 교체된 것입니다. 1997년 대통령선거에서 김대중 후보가 승리함으로써 대통령제하에서 선거를 통해서 야당이 정권을 잡으며, 김영삼 정부에서 충족하지 못했던 실질적 의미의 민주주의의 한 요소를 채우게 됩니다. 한국정치과정의 전체적 연대기를 보자면, 1960년의 의원내각제하의 민의원, 참의원 선거를 기준으로는 37년이지만, 의원내각제를 제외하고 따져보면 1948년 해방이후 50년만에 처음입니다.

김대중 후보가 호남지역기반이 영구소수라는 한계에 무릎을 꿇고서 대권 도전을 포기했더라면 선거를 통한 정권교체를 통해 영구소수를 극복하기 어려웠을 것입니다. 1997년 대통령선거에서 DJP연합과 여당의 분열이 승리의 요소였더라도 가장 근본적인 승리의 요인은 김대중이란 정치인의 40년 가까운 민주화 투쟁에서의 일관적 노력과 끈기라고 보아야 합니다. 한국민들에게 김대중과 김영삼이란 두 정치인이 있었다는 것은 커다란 긍정적 의미를 갖고 있는 것입니다.

2000년 남북정상회담에서 김대중 대통령(우)과 김정일 국방위원장(좌)

실질적 의미의 민주주의 추구라는 면에서 김대중 정부가 갖는 또 하나의 업적은 '남북정상회담'의 성사일 것입니다. 앞서 국내적으로 투명사회 건설이 김영삼이란 정치인이어서 가능한 것이라면, 대외적으로 남북통일의 문제를 '햇볕정책'(engagement policy)으로 다룬 것은 김대중이란 정치인이어서 가능한 것입니다.[140] 우파 진영논리로 볼 때, 김대중 정부의 '햇볕정책'은 북한에 대한 남한의 상호주의 결여 및 북한에 대한 잘못된 인식이란 비판이 존재하지만, 대승적인 차원에서 '남북통일'이 우리 한민족의 역사적 사명이라면 김대중 정부의 북한에 대한 입장은 소위 '종북세력들'에게 통일논의를 빼기지 않고 제도권내로 흡수하는 시초적인 역할을 마련했다는 해석이 가능할 것입니다. 제도권 내로 다

140) 김대중 정부의 최대 공헌으로 'IMF사태 극복'을 언급하기도 하지만, 필자는 이것을 실질적 의미의 민주주의 수행업적으로 분류하지 않았습니다. IMF사태 발생과 극복이란 그 효과성에 상관없이 국내정치상의 내생적 문제가 아닌 국외경제상의 외생적 문제로 해석하였습니다.

양한 이념들을 흡수하는 것은 실질적 의미의 민주주의를 심화시키는 일입니다. 남북분단 상황 하에서 이념논쟁은 제한될 수밖에 없었고 김대중 정부 이전에는 그런 경향이 더욱 강했습니다. 김대중 정부이후 이념논쟁은 보다 제도권 내에 흡수되면서 이루어지게 되며, 이념적 논쟁의 자유성이 실질적 의미의 민주주의를 정착시키는데 주요한 요소였다는 해석을 내려봅니다.[141] 남북분단상황 하에서 금기사항이나 다름없었던 북한문제나 이념문제를 보다 제도권내의 문제로 흡수한 것은 김대중 정부였기에 가능한 것이었습니다.

2000년 낙천낙선운동과 '탄핵풍'

로슨과 머클(K. Lawson and P. Merkl)은 제도권의 정당정치가 실패하는 곳엔 항상 비제도권적인 정치로서 시민단체(또는 NGOs)가 그 역할을 일부 담당하면서 정치과정이 이루어짐을 지적한 바 있습니다. 2000년 제16대 국회의원선거에서 한국유권자들은 자신들의 역량을 정당공천과정에 집결하게 됩니다. 정당이 공천을 제대로 하지 못한다는 시민들의 불만은 결국 시민단체가 중심이 되어 낙천낙선운동을 전개하기에 이르렀습니다. 아마도 이러한 움직임은 그러한 운동에 대한 찬반 논쟁을 떠나서 그 강도와 규모를 볼 때, 세계 정치사에서 발생한 초유의 사건이라고 할 수 있을 것이어서 세계의 이목이 집중되기도 하였고, 차후 일본에서도 이러한

141) 한국정치에서 여전히 진보정당 또는 노동자정당이 그 세력을 키우는데 한계가 있는 이유로서 국가보안법이나 종북세력몰이라고 주장하는 사람들도 있습니다. 필자는 이러한 주장이 적합하지 않다고 생각합니다. 국가안위와 보안의 문제는 진보, 보수등의 이념과는 상관없는 국가존립 기본의 요소입니다. 문제는 진보정당이나 노동자정당을 과연 탁월한 정당리더십에 의해서 이끌고 있는가 입니다. 노동자 정당이 득세하는 길은 노동자들의 복지를 위해서 성과를 낼 때입니다. 현재 정치과정에서 노동자 정당이 과연 노동자 국민들을 위한 리더십에 발휘하고 있는지 단순히 북한과의 관계에 대한 이념논쟁에 집착하고 있는지에 대한 냉철한 반성이 필요합니다. 선드퀴스트(J. Sundquist)가 지적하였듯이 정당리더십이 정당존립에 가장 큰 변수 중의 하나입니다.

운동이 이어지게 됩니다. 운동의 강도와 규모가 그렇게 된 또 다른 보조적인 이유는 한국사회에 활성화된 인터넷의 역할 때문입니다.

한국정치과정에서 유권자들의 정당에 대한 정치적 불만족을 해결하며 장기적으로 기관 중심의 정당정치를 하기 위해서 중요한 것은 선거에서 '후보 공천 심사권'을 유권자들에게 돌려주는 일입니다. 한국정당발전 모델의 핵심이 유권자 중심의 정당구조를 만드는 것이라고 한다면, 그렇게 하는데 있어서 정당공천권을 정당 구성원들에게 돌려주는 것은 가장 직접적이고 효과적인 변수일 것입니다.[142] 공천 심사권을 당원이나 지지자들에게 돌려준다면 유권자들의 정치 혐오감이나 정당 불만족감은 상당히 해소될 수 있을 것입니다.

한국선거과정에서 후보에 대한 정당공천제를 채택하여 선거경쟁을 하게 된 것은 제3대 국회의원선거(1954. 5. 20)에서 여당인 자유당과 야당인 민주국민당이 그 시초로 기록되고 있습니다. 정당공천제를 채택하는 경우 정당중심의 정치과정을 제도화할 수 있습니다. 공천과정의 핵심은 어떤 사람을 어떤 방식을 통해서 공천하는가에 달려 있습니다. 16대 총선과정에서 있었던 '낙천낙선운동'은 한국정당발전 모델에서 가장 중요하게 고려하여야 할 변수가 '유권자들이 후보자 공천에 관여할 수 있는 권한'이

낙천낙선운동 (2000)

142) 메어(P. Mair)는 정당발전의 모델로 이념정당적 성향의 대중정당만을 상정할 수 없으며, 포괄정당, 선거전문가정당, 심지어 '카르텔정당'의 형태까지를 다양하게 상정합니다. 그러면서도 메어는 정당발전경로의 가장 기본적인 모델이 이념적 정체성을 지닌 대중정당임을 동시에 인정합니다.

란 것을 보여준 사례일 것입니다.[143] 정당의 후보자 공천과 선거과정에 시민운동단체가 개입하여 영향력을 행사한 초유의 사건이기도 하였습니다. 이것은 미국에서 후보들의 지역구별로 진행되는 소위 '네거티브 캠페인'(negative campaign)과는 그 강도가 다른 전국적 규모의 운동이었습니다. 공천부적격자를 선정하여 그 명단을 발표하는 낙천운동이 먼저 일어났고, 공천부적격자로 언급된 후보자가 정당의 공천을 받아낸 경우 낙선운동이 계속되었습니다. 16대 총선에서 후보자의 당락과 득표율에 낙천낙선운동의 영향력은 일정 수준 존재하게 됩니다. 선거가 끝나고 한참 후에야 헌법재판소는 시민운동단체의 낙천낙선운동을 위헌으로 규정했으나, 16대 총선 직전에는 시민운동단체가 '정치적 주도권'을 나름대로 행사하고 있었습니다. 선거정치과정에서 정당이란 기관을 앞서서 시민운동단체가 정치적 주도권을 행사한 것은 혼란일 수 있지만, 정당이 어떻게 행동해야 하는지에 대해 판단할 수 있는 사례로 기록될 것입니다.

'총선시민연대'는 16대 총선을 몇 달 앞둔 2000년 1월 18일 전국의 교수 147명으로 구성된 정책자문교수단을 발족, 선거법 개정과 낙천낙선운동에 대한 이론적 근거를 마련하고 향후 선거법 개정을 위한 토론회와 여론조사, 외국시민단체와의 연대지원 등을 구체화하기로 합니다. '시민불복종운동'을 선언했던 '경제정의실천시민연합'(경실련)도 1월 19일 오후 서울 중구 명동 한빛은행 앞에서 불복종운동의 정당성을 알리는 거리 캠페인을 벌이고 시민들의 동참을 호소합니다. 경실련은 "단체의 선거운동을 금지한 선거법 87조의 폐지와 사전선거운동에 관해 규정한 58조 등의 개

143) 최근에는 외국의 많은 선거연구들도 민주주의 실행에 있어서 선거제도보다 공천제도가 더 중요할 수 있음을 일깨우고 있습니다. 예를 들면, 비례성을 강조하는 정당명부식비례대표제도 명부를 누가 개입하여 어떻게 만들 것인가(즉, 공천과정을 어떻게 할 것인가)가 핵심이라면, 단순히 정당명부식비례대표제와 단순다수대표제간의 비교우위논쟁은 사상누각일 수 있다는 의미입니다. 단순다수대표제를 채택하건, 정당명부식비례대표제를 채택하건 공천과정이 중요하다는 의미로 해석됩니다.

정을 위해 불복종운동을 계속 전개할 것"이라고 밝혔습니다. '공명선거실천운동협의회'(공선협)도 19일 오후 정기총회 겸 대표자회의를 갖고 선거운동기간 중 불법타락선거를 일삼는 후보를 추적, 검찰에 고발하는 등 적극적인 선거감시활동을 펼치겠다고 밝혔습니다.

주요 정당들은 전반적으로 이러한 시민운동단체의 정당에 대한 정치적 간섭에 반발하면서도 새천년민주당이 총선시민연대의 공천부적격자 명단을 조직책 선정, 공천 작업에 참고 자료로 활용할 방침을 공론화하기 시작하면서 시민운동단체의 정치적 주도권이 사실상 인정된 셈이 됩니다. 여권(민주당) 인사들은 거의 대부분 시민단체들의 공천부적격자 명단이 민주당의 중요한 공천 참고자료가 될 것임을 부인하지 않습니다. 여권의 이 같은 움직임은 시민단체의 낙천낙선운동을 중심으로 한 정치적 활동에 대해 여당이 공인해주는 결과로 이어지게 됩니다.

총선연대는 2000년 1월 24일 전·현직의원 329명을 대상으로 심사를 거쳐 66명의 낙천운동대상자 1차 명단을 발표하였습니다. 총선연대는 명단 발표이후 정치권의 항의가 잇따른 데 대해 "정치권이 명단공개에도 불구하고 자숙하지 않을 경우 1차 명단에 오른 66명에 관한 세부 추가자료를 언론에 공개할 것"이라고 경고합니다. 이에 그치지 않고 총선연대는 추가로 20명 안팎의 2차 명단 발표를 계획하였고, 한국노총과 민주노총, 정치전문 시민단체인 정치개혁시민연대(정개련)도 독자적인 명단을 작성하고 공개하려는 시도를 지속하였습니다. 총선연대는 25일 기자회견에서 "1차 명단에서 누락됐으나 국회의원으로서 함량미달인 인사를 20명가량 선정, 정치권에 추가 전달한 뒤 기자회견 등을 통해 이를 공개할 방침"이라며 "이것 역시 명백히 공천반대 명단이지만 가장 문제가 많다고 판단되는 66명과 변별성을 두기 위해 분리해서 공개하는 것"이라고 주장합니다. 정개련도 1월 27일 현역의원들을 대상으로 범법행위, 지역감정 조장, 철새정치인, 폭언 폭력 전력 등 6가지 기준으로 60-70명의 공천부적격자 명단을 선정하여 발표할 계획을 공언하였습니다. 정개련 명단에는 총선연대 명단과 일치하지 않는 새로운 인물이 절반가량 선정될 것으로 알려지면서 정치권에 대한 시민운동단체의 낙천운동은 확실한 정치적 주도권을 갖고 있었습니다. 그런가 하면 이미 독자적으로 4명의 공천부적격자를 선정한 인천행동연대를 비롯, 상당수 지역단체들이 별도의 낙천낙선운동을 추진하기도 합니다.

검찰은 선거법 개정안이 국회에서 통과된 직후인 2000년 2월 9일 시민단체 등이 개정 선거법에서 불허하고 있는 낙선운동을 강행할 경우 엄중대처하기로 합니다. 중앙선거관리위원회도 이날 시민단체가 계획하고 있는 일반유권자 대상의 거리캠페인, 옐로카드, 유권자 행동지침, 낙천낙선운동 동참 안내문 등 배부 행위에 대해 강력한 단속에 나서겠다고 밝혔습니다. 정당도 이러한 분위기 하에서 다시 정치적 주도권을 찾겠다는 입장을 천명하며 공천부적격자를 공천하고 안하고는 전적으로 정당의 고유 권한임을 내세웠습니다. 후보자가 공천부적격자인지 아닌지는 궁극적으로 선거에서 유권자들이 판단해야지 시민단체가 판단할 문제는 아니라고 공언했습니다. 논리는 적절했으나 정치권에 대한 혐오감 때문에 유권자들의 반응은 냉랭하였습니다.

총선시민연대의 낙천낙선운동이 "민주주의 이행기의 시민반란"이라는 학자들의 평가가 주종을 이루는 가운데, 정치권의 공천 부적격자 공천 움직임에 대한 시민단체들의 규탄과 실력행사가 이어지게 됩니다. "낙천낙선운동은 민주주의 이행기인 한국에서 정당이 시민사회의 대의기구로서 역할을 수행하지 못하자 시민단체들이 직접 시민사회의 의견을 반영하는 '대의의 대행' 현상"이라는 입장이었습니다. 낙천낙선운동이 있었던 16대 총선에서 돌풍을 일으킨 시민단체의 낙천낙선운동은 일정 수준에서 소기의 성과를 거둔 것으로 평가될 수 있습니다. 세계적으로도 전례 없는 낙천낙선운동을 통해 시민단체가 한국정치사회에 새로운 정치 견제세력으로 등장했다는 평가가 나오기도 하였습니다. 86명의 전체 낙선대상자 가운데 낙선자는 59명(68.6%), 22명의 집중낙선대상자 중의 낙선자는 15명(68.2%)으로 나타났습니다. 유권자들의 상당수는 시민단체가 적어도 낡은 정치권보다는 훨씬 믿을 만하다고 생각했기 때문에 낙선운동에 동참했다고 보여집니다. 이같은 현상은 보스정치, 지역정치에 식상해 있던 수도권 유권자들에게 특히 두드러져 수도권 20명의 낙선대상자 중 19명이 무더기로 낙마하게 됩니다. 총선연대 관계자들조차 "우리도 놀랐다"는 반응을 보였을 정도로 낙천낙선운동은 일정 부분에 있어서 분명한 효과를 거두었습니다. 이같은 성과는 유권자들과 유리된 정당 후보자 공천과정의 문제점에서 비롯된 것이지만, 근본적으로 유권자들의 정치의식이 변했다는 것을 보여준 것입니다.

당시 시민운동단체의 낙천낙선운동은 대의민주주의의 핵심 기구인 정당의 입장에서 기관 발전의 계기를 이룰 수 있는 정당구조 개혁으로 나갈 것인지를 고민할 계기를 마련해 주었습니다. 이것은 단순히 낙천낙선운동의 대상자가 되었던 정치인들이 당선되지 않는 것뿐 아니라 앞으로 한국정치과정에서 지역주의 극복, 공천 과정에서의 유권자 참여의 활성화, 밀실정치 극복 등의 문제를 어떻게 지속적으로 역량화시킬 것인가의 문제를 제기하였습니다. 낙천낙선운동의 존재는 16대 총선기간에만 나타났다가 사라졌지만 그러한 역량과 열기를 정당발전의 원동력으로 삼아야 할 충분한 이유가 될 것입니다.

21세기, 세대균열, 전자균열, 이념균열

한국의 선거를 설명하는 여러 변수들 중에서 가장 큰 공룡변수는 '지역주의'입니다. 1987년 민주화이후 한국정치 제1의 균열축은 영호남 지역균열입니다. 그런데 21세기 들어서 첫 대통령선거인 제16대 대통령선거(2002. 12. 17)는 지역균열과 함께 '세대균열축', '전자(電子)균열축', '이념균열축'이 복합화되어 나타난 선거였습니다. 이렇게 본다면, 적어도 앞으로 미래의 한국선거과정을 설명할 수 있는 새로운 변수들이 복합적으로 작동했다는 점에서 제16대 대통령선거는 중대선거 중에서도 중대선거라고 할 수 있습니다.

세대균열은 '젊은 세대'와 '나이든 세대'로 나뉘었으며, 전자균열은 'on-line 세력'과 'off-line 세력'으로 나뉘었습니다. 2002년 당시에는 젊은세대가 주로 on-line 세력이고, 나이든 세대가 주로 off-line 세력이어서 사실상 두 축이 상당히 일치하는 성향이 있었지만, 2010년 이후에 나이에 따른 on-line세력과 off-line세력의 구분은 무의미하게 되어 전자균열축은 세대균열과는 구분되어 인식되는 것이 당분간은 유효할 것입니다. On-line 세대인 젊은 세대도 시간이 흘러 나이가 들기에 결국 나이든 세대도 on-line세대로 분류될 수 있지만, 사람들이 장수하면서 과거 off-line세대의 인구분포가 단기간에 급격히 줄 것이라는 예상에는 한계가 있습니다. 잉글하트(Inglehart)가 지적했듯이, 어떤 세대이건 '또래집단효과'(cohort effect)와 '시대효과'(period effect)가 있습니다. 현재 60대 이상의 세대는 '산업화'에 대한 향수를 지니면서 상대적으로 보수-세력입니다.

제16대 대통령선거(2002) 구도를 보면, 지역주의를 제외한다면, 젊은 세대와 on-line이용세대는 노무현후보를 지지하였고, 나이든 세대와 off-line세대는 이회창후보를 지지하는 것으로 스테레오타입화됩니다. 후보자의 스타일과 이미지, 출신배경 등이 시대상황과 맞물려서 세대균열축과 전자균열축을 발생시키게 되었는데, 지역균열축으로 모든 것이 설명되던 선거정치에 복합 균열축이 발생하게 된 것입니다.

2002년 대통령선거에선 이전의 제15대 대통령선거(1997)에서 나타났던 '보수-진보' 균열축이 명확히 인지됩니다. 1997년 대통령선거에서 김대중-이회창 경쟁구도에도 김대중진보, 이회창보수라는 균열구도가 있었음에도, DJP지역연합효과(호남-충청연합)와 지역분열효과(영남표가 이회창과 이인제로 분산)란 큰 그림 속에서 김대중이란 인물효과와 이회창 후보 가족의 병역비리파동을 주요이슈로 치뤄진 선거였습니다. 비교관점에서, 2002년 대통령선거에서 노무현-이회창 경쟁구도를 보면 노무현진보-이회창보수 이념논쟁이 두드러집니다. 노무현 후보 당선의 일등공신으로 진보시민단체들로 규정하기도 합니다.

종합적으로, 노무현 후보의 대통령 당선이 한국선거정치에 가져온 의미는 균열축이 다양화되었던 계기의 결과물이라는 것입니다. 이것은 이전에 김대중 후보의 대통령 당선은 지역연합인 DJP 연합에 의한 것이어서 큰 차별성이 있습니다. 김대중 후보의 당선이 여러 가지 지엽적인 변수들을 넘어서서 지역연합과 지역분열로 설명되기에 '지역균열'이라는 하나의 축으로 환원하여 설명할 수 있습니다. 반면에, 노무현 후보의 당선은 지역균열이라는 하나의 축으로 설명될 수 없으며, 세대균열, 이념균열, on-line 정치균열등이 부각되어 설명된다는 것입니다. 세대균열, 이념균열, on-line 정치균열과 같은 다양한 균열축은 2002년 대통령선거에서 나타났다가 사라진 것이 아니며, 2004년 국회의원선거에서 정착하는 모습을 보여줍니다.

선거과정에서 균열축이 다양화되면서 생기는 문제는 바로 선거에서 승자와 패자의 '동결'(凍結)을 극복할 수 있다는 점입니다. 2002년 선거이전에는 단순다수대표제의 대통령제를 시행하는 한 인구분포 격차에 따라서 영남에 의한 '영구다수'와 호남에 의한 '영구소수'가 고착되어 있었습니다. 이른바 여-야의 정권교체 가능성이 희박한 '동결'(凍結) 현상이 나타나게 됩니다. 하지만, 만약 균열축이 다양화된다면, 여-야의 정권교체는 '주기효과'(cyclical effect)가 앞으로 나타날 가능성이 큽니다. 1987년부터 2012년까지 30년 동안의 선거승자주기를 보면 '노태우 / 김영삼' - '김대중 / 노무현'-'이명박 / 박근혜'으로 나타납니다. 10년을 주기로 여당과 야당이 교체하는 주기효과가 있음을 알 수 있습니다. 이것을 '시계추이론'이라는 용어로 설명하는 분도 계십니다. 선거과정에서 선거결과를 파악함에 있어서 '주기효과'와 '동결효과'는 서로 대조되는 명제입니다. 선거과정에서 균열축의 다양화는 상대적으로 '주기효과'와 이론적 친화력이 있습니다.

오픈프라이머리 논쟁

한국정치과정에서 가장 취약한 부분 중의 하나가 '제도화된 정당'의 부재 현상이라고 지적하는 것에 대다수의 정치학자들이 동감할 것입니다. 이것을 달리 표현하자면, 한 정당이 오랜 세월동안 존재하면서 국민들에게 뿌리내리지 못하고 분당, 합당, 창당 등을 통해 이합집산을 거듭하며 정당의 생명력이 짧다는 것입니다. 그 이유는 다각적으로 살펴볼 수 있지만, 가장 중요한 이유는 정당에 '진성당원'의 수가 절대적으로 부족하다는 것입니다.[144] 진성당원이 절대적으로 부족한 한국정당이 상향식 공천제를 실천하기 위한 방식은 사실상 '국민참여경선제'로 제한될런지도 모릅니다. 특정 정당의 당원이 아니어도 그 정당의 선거후보자를 공천하는데 참여하는 것입니다.

여기서 우리는 정당발전방향에 대해서 보다 조심스러운 논의가 필요합니다. 메어(Peter Mair)는 시대가 발전하면서 유럽의 주요정당들이 '대중

144) '기간당원'이라는 명칭으로도 쓰입니다. 진성당원의 기준에는 여러 가지가 있고 그 수준도 다양하지만 가장 중요한 기준은 그 당에 '정당일체감'(party identification)을 지니고 당비를 내는 것입니다.

정당'(mass party)의 성향은 약화되는 경향이 있으며, 이와 대비해서 '카르텔정당'(cartel party)의 성향이 상대적으로 강화되고 있다고 설파하였습니다. 20세기말 이후 진성당원이 주축이 되는 대중정당 모델에서 소수의 선거전략가에 의존하는 카르텔정당 모델로 형태변화가 감지된다는 것입니다. 이것은 메어가 카르텔정당으로의 정당발전방향에 동의했다는 의미가 아니라 현실적 및 경험적 차원에서 그러한 경향성이 나타난다는 것을 지적한 것입니다. 이렇게 본다면, 한국정당들의 진성당원 수를 늘려야 한다는 논의는 결국 대중정당모델을 정당발전방향으로 삼는 것이어서 현실적으론 시대착오적인 것이라는 해석도 가능할 것입니다. 동시에, 경험적으로 '카르텔정당'의 속성이 나타나더라도 규범적으로 정당발전의 방향성은 '대중정당' 모델일 수밖에 없지 않느냐고 한다면 역시 시간이 걸리더라도 진성당원이 중심이 된 대중정당모델을 정당발전방향으로 생각할 수밖에 없다는 해석도 가능합니다.

대중정당 모델을 쉽게 포기할 수 없는 이유는 바로 실질적의미의 민주주의를 성취해가는 과정이 궁극적으로 '당내민주주의'를 구현해 나가는 것을 의미하기 때문입니다. 카르텔정당은 소수의 당지도부, 공직에 진출한 자들, 선거전략가들 등을 중심으로 기능하는 정당입니다. 과거의 계급분화와 달리 '신중산층'(new middle class)이 생기고 새로운 사회이슈를 통한 '정체성의 정치'(identity politics)가 발생한 현대사회에서 '카르텔정당'을 통해서 정당정치를 구현하는 것이 더 효율적이고 사회혼란을 막을 수 있는 길일런지도 모릅니다. 그럼에도 불구하고, 시대정신이 보다 다수의 당원들이 참여하는 '상향식 공천'을 요구하고 있다면 다수의 진성당원에 의한 '대중정당' 모델이 적합하며, '카르텔정당'은 '하향식 공천'(전적으로 하향식은 아니더라도)과 더 친화력이 있습니다. 동시에, 정당정치란 역시 '사회균열'을 정치균열화하는데 의미가 있는 것이지, '정치균열'을 사회균열화하는 것은 아니란 의미 때문입니다. 사회에서 대변하고 싶은 이익을 정치화하여 그것을 정책으로 만들어 내는 것이 정치이지, 정치인들이 그들을 중심으로 사회균열을 창출해내는 것은 아니기 때문입니다. 아무튼 필자로서 주장하고 싶은 것은, 역시 정당에는 '진성당원'이 필요하다는 주장을 어떤 상황에서도 그렇게 쉽게 포기할 수가 없다는 것입니다.

그러면 진성당원이 취약한(소위, 당내 기반구조가 취약한) 정당에서 상향식 공천이란 시대정신을 구현하는 길이 무엇일까요? 한국에서 유행하고 있는 '오픈프라이머리'(open primary)에 대한 논쟁이 바로 그것입니다. '오픈프라이머리'란 당원들이 아닌 일반인들이 당내에서 후보를 공천하는 데 참여하는 것을 말합니다. 소위 '국민참여경선제'라는 것도 같은 맥락입니다. 당원과 비교하여 상대적으로 일반인들이 어떤 비율로 참여하느냐의 문제로 '완전개방형'과 '부분개방형'으로 구분됩니다.[145] 정당에서 후보자를 공천하는데, 당지도부나 당원들 이외에 일반인들이 참여하여 결정한다는 것입니다. 우리의 생각은 또다시 복잡해집니다. 한국정당의 당원구조를 보면, 진성당원이 전혀 없는 것은 아니지만 '대중정당'(당원중심으로 운영되는 정당의 형태)의 역사를 경험한 적이 없기에 너무도 취약합니다. 만약 오픈프라이머리를 하게 되면, 누가 당비를 내고 진성당원을 하겠습니까? 그리고 소수의 진성당원마저도 그 존재의 의미가 약화됩니다. 많은 비용이 아니어도 정기적으로 당비를 내고 당에 대한 충성도를 바탕으로 한 일반

145) '부분개방형'이란 당원 70% 일반국민 30%등으로 선거인단을 구성하는 것을 말합니다. 반면에 '완전개방형'이란 당원과 일반국민 구분없이 '일반전체유권자들'을 대상으로 선거인단을 구성하는 것을 말합니다. 따라서, '완전개방형'을 실시하여 선거인단을 구성하는 경우엔 사실상 여론조사에서의 '표본집단'으로 수렴하게 됩니다. 완전개방형을 표방하면서도, 선거인단에 참여하기를 희망하는 사람들을 모집하여 구성하는 경우엔, 한국의 현실 하에선, 사실상 일반국민이 아니라 당원, 유사당원, 당에서 동원된 사람들로 채워지게 되어 또 다른 부분개방형으로 작용할 뿐입니다. 결론적으로, 완전개방형이 순수하게(또는 제대로) 시행되었다면, 사실상 여론조사와 같은 결과로 귀결될 수밖에 없습니다.

당원들이 정당에서 권리를 갖게 될 때, 그리고 정당이 그런 모습을 지속적으로 보여줄 때, 진성당원 구조는 장기적으로 강화될 것입니다. 그런데, 만약, 기존에 존재하는 소위 진성당원이라는 사람들도 실제로는 정당의 일부 정치인들에 의해서 동원된 사람들이 대부분이고(다시 말해서, 무늬만 진성당원이지 내용은 허당이고), 또한 일반국민들이 아무리 정당에서 어떤 권리를 준다고 해도 아예 정치에도 무관심하고 정당에도 무관심하다면 이 역시 진성당원 구조를 강화하자고 외쳐본들 공허하기만 합니다.

한국정치발전과정에서 이상에 언급된 문제의식들이 현실정치에서 복합적으로 나타나고 시험된 시초는 2002년 새천년민주당의 '국민참여경선제'로 당시 세계 최초로 인터넷 투표가 논의되는 등 한국정치과정에서 그 함의가 큽니다. 국민참여경선제는 여러 종류의 각급 선거들 중에서도 대통령선거를 통해서 시작되고 구현되는 과정에 있습니다. 현실적으로 후보공천과정에서 군소정당들은 국민참여경선제를 시행하기 쉽지 않습니다. 또한 지방선거나 국회의원선거와 같이 소지역 중심으로 후보를 공천하는 경우보다는 전국규모의 후보공천에 해당하는 대통령선거에서 도입하기 용이합니다. 2002년 및 2007년 대통령선거를 앞두고 새천년민주당과 한나라당이 도입하였던 국민참여경선제를 구체적으로 살펴볼 필요가 있습니다.

2002년 12월 제16대 대통령선거에 나갈 대선후보자를 결정하기 위하여 새천년민주당은 2002년 3월 9일 이후 4월 28일까지 대략 한 달 반의 기간동안 전국 16개 시도를 순회하면서 7명의 대선후보자들에 대한 경선을 진행하였습니다. 경선방식은 16개 시도별로 당원(50%)과 일반국민(50%)의 조합으로 구성된 선거인단을 구성하고 시도별 투표를 전국 단위에서 합산하는 것이었습니다. 구체적으로 보면, 전체 선거인단 70,000명을 당원선거인단 35,000명, 일반국민선거인단 35,000명으로 50%:50%로 배분하였습니다. 그리고 당원선거인단은 다시 전국대의원선거인단 15,000

명과 대의원이 아닌 일반당원선거인단 20,000명으로 43%:57%로 배분하였습니다. 그런데 여기서 일반국민선거인단은 공모당원으로 하여 충원하였습니다.[146] 그리고 일반국민선거인단의 5%에 해당하는 1,750표는 '인터넷투표선거인단'으로 규정하였습니다.

국민선거인단 구성 70,000명 중에서 50%인 35,000명은 성별, 연령별, 인구비례 원칙에 따라 선출하였습니다. 2002년 12월 7일부터 서울선거인단 공모 마감일인 4월 9일까지 190만 1천여명이 국민선거인단에 응모하였습니다. 나머지 50% 중 대의원을 제외한 20,800명도 지구당별로 선출하였습니다. 가장 논란이 되었던 것은 인터넷선거의 도입부분이었습니다. 세계적으로 유례가 없어 시행착오의 위험성이 크고 보통, 평등, 직접, 비밀투표의 원칙에도 일부 어긋난다고 보아 여러 차례 결정이 무산되었으나 전 국민에게 참여기회를 제공함으로써 직접 민주주의 발전 도모, 젊은층의 참여율 제고를 통한 정치불신 극복, IT선진국으로서의 상징성 등을 감안하여 2002년 1월 7일 당무회의에서 법적, 기술적 타당성을 전제로 도입하기로 결정합니다.[147] 그러나, 전체 선거인단의 2.5% 범위 내에서, 국민선거인단에서는 5% 범위 내에서 도입하기로 합니다. 즉 1,750명의 비율만

146) 공모로 일반국민의 선거인단을 구성하는 경우 '역선택'을 우려하는 목소리도 있습니다. 역선택이란 본선거에서 경쟁력이 없는 후보를 예비선거에서 당선시켜 본선거에서 패배할 가능성이 높도록 하는 것을 말합니다. 이것은 일반국민으로 공모된 선거인단에 경쟁상대 정당 지지자가 들어올 가능성을 말하는 것입니다. 일반국민에 대한 공모제도가 갖는 더 우려스러운 문제는 '공모하는 사람들'이 대부분 동원된 사람들일 가능성입니다. 일반국민선거인단이 후보자들이나 당지도부에 의해서 경쟁적으로 동원될 가능성이 농후하단 의미입니다.

147) 당시 인터넷선거 도입과정을 보면, 당원만이 공직자 후보 선출을 위한 투표권을 행사할 수 있도록 되어 있던 선거법 제243조와 당원은 반드시 서면으로 입당원서를 제출해야 한다는 정당법 제20조항의 규정에 따른 불법성 부분이 문제가 됩니다. 이에 정당은 중앙선관위에 유권해석을 의뢰하게 되고, 중앙선관위는 2002년 2월 5일자로 국민참여 경선제는 당내 행사이며 인터넷상에서 본인의 신원 확인이 공신력 있는 기관을 통해 가능하다는 점을 인정함으로써 당원이 아닌 일반 국민에 대해서도 인터넷을 통한 경선참여가 가능하다는 유권해석을 내립니다.

반영하는 것입니다. 인터넷투표 결과 41,018명이 투표에 참여하였으며 득표율 비율에 따라 1,750명의 선거인단의 표를 계산하여 배정하였습니다. 경선 결과는 다음과 같이 정리됩니다.

새천년민주당 16대 대통령선거 후보경선 결과

지역 (시간순)	김중권	노무현	정동영	김근태	이인제	한화갑	유종근	지역 1위	누적 1위
제주 3.9	55	125	110	16	172	175	18	한화갑	한화갑
울산 3.10	281 (336)	298 (423)	65 (175)	10 (26)	22 2(394)	116 (291)	20 (38)	노무현	노무현
광주 3.16	148 (484)	595 (1,018)	54 (229)	사퇴	491 (885)	280 (571)	사퇴	노무현	노무현
대전 3.17	81 (565)	219 (1,237)	54 (283)		894 (1,779)	77 (648)		이인제	이인제
충남 3.23	196 (761)	277 (1,514)	39 (322)		1,432 (3,211)	사퇴		이인제	이인제
강원 3.24	159 (920)	630 (2,144)	71 (393)		623 (3,834)			노무현	이인제
경남 3.30	사퇴	1,713 (3,857)	191 (584)		468 (4,302)			노무현	이인제
전북 3.31		756 (4,613)	738 (1,322)		710 (5,012)			노무현	이인제
대구 4.5		1,137 (5,750)	181 (1,503)		506 (5,518)			노무현	노무현
인천 4.6		1,022 (6,772)	131 (1,634)		816 (6,334)			노무현	노무현
경북 4.7		1,246 (8,018)	183 (1,817)		668 (7,002)			노무현	노무현
충북 4.14		387 (8,405)	83 (1,900)		734 (7,736)			이인제	노무현
전남 4.15		1,297 (9,702)	340 (2,240)		454 (8,190)			노무현	노무현
부산 4.20		1,328 (11,030)	796 (3,036)		사퇴			노무현	노무현
경기 4.21		1,191 (12,221)	1,426 (4,462)					노무현	노무현
서울 4.28		3,924 (16,145)	1,978 (6,440)					노무현	노무현
총계		16,145	6,440					노무현	노무현

	노무현	정동영	비 고
국민 선거인단	16,145(71.5%)	6,440(28.5%)	1위 노무현
인터넷 선거	1,423(81.3%)	327(18.7%)	1위 노무현
총 득표	17,568(72.2%)	6.767(27.8%)	총 득표 1위 노무현

* 인터넷선거는 41,018명이 참여한 결과를 선거인단의 2.5%인 1,750명으로 환산한 수치

새천년민주당 16대 대선후보경선과 한나라당 17대 대선후보경선 비교

새천년민주당의 국민참여경선제는 자당의 대선후보에 국민들의 관심을 집중시키는 계기가 되었음은 분명하며, 대선 승리로 이어지는 시발점이 되었습니다. 첫술에 배부를 수는 없습니다. 국민참여경선제라는 것 자체가 '상향식공천'이라는 정신을 구현하기 위한 것 이전에 자당의 대선후보를 결정하는 과정에서 국민들의 이목을 집중시키고 본선 경쟁력을 지닌 후보자를 중심으로 세몰이를 하겠다는 보다 선거전략의 목적 하에 수행되었기에 해당 제도는 해당 정당에서 지속적으로 유지되지 못했습니다.[148] 70,000명이 동시에 선거하지 않고, 지역별로 순차적으로 시행되면서 앞서 진행된 선거결과가 그

새천년민주당 국민참여경선제에서의 노무현 후보 (2002)

148) 지역주의 투표행태하에서 김대중 정부는 다시 한 번 정권창출에 어려움을 인식합니다. 선거전략 차원에서, 영남출신의 노무현 후보를 새천년민주당의 후보자로 하면 본선거에서 경쟁력을 가질 수 있다는 것입니다. 노무현 후보는 3당합당시 민주당에 잔류하였으며, 낙선을 무릅쓰고서 호남기반의 정당에서 영남에 출마하는 등의 전력을 배경으로 개인적인 매력을 전체 유권자들에게 어필하고 있었습니다.

다음에 진행되는 선거결과에 영향을 미칠 수밖에 없었습니다. 선거 초반에 이미 노무현 후보로 대세가 결정되면서 후보들의 사퇴가 줄을 잇게 되었습니다. 경쟁 정당인 한나라당도 '국민참여경선제'를 흉내냈지만 흉내내는 차원에 머물렀으며, 후보자로 이미 낙점되다시피 한 이회창 후보는 이미 이전 대선에서 '아들 병역비리 문제'로 발목이 잡혀 있었습니다.

예비선거에서 '국민참여선거인단' 구성은 한국정치체계내 기존 정당조직의 한계(진성당원이 없는 상태)에 대해서 많은 생각을 하였습니다. 한국정당의 또 다른 한계는 예비선거에서 노무현 후보를 새천년민주당의 대통령후보로 결정한 후에서도 나타났습니다. 정당이 중심이 되어 본 선거를 치른 것이 아니고 '노무현을 사랑하는 사람들의 모임'(노사모)이 선거과정에서 정당을 제치고 중심에 있었다는 것입니다. 노무현 후보가 대통령이 되어 새천년 민주당이 김대중 대통령에 연이어 정권을 재창출하였음에도 당선 1년만에 정당이 분당되고 '열린우리당'이 창당되는 이것이 '노사모'란 모임 자체의 부정적 의미를 말하는 것이 아닙니다. '노사모'란 모임은 지지후보를 대통령으로 만드는 과정에서 자연스러운 것일 수 있습니다. 문제는 '노사모'가 주요 정당의 문제점을 치유하는 방식으로 작동하였다기 보다는 정권창출에 성공한 정당을 분당시키는 원천으로 작용하였다는 것입니다. 정당에게는 아무런 문제점이 없다는 것이 아닙니다. 이때 '노사모'는 '정당'의 대체기구적 역할이 아니라, 어찌보면 정당파괴의 역할을 한 것입니다. 한국정당들이 인물중심의 정당이며 기관중심의 정당이 아니란 지적은 많았지만, 정권창출에 성공한 정당이 분당하는 사태는 한국정치체계 및 한국정당체계에 대해서 '의회정치 대 참여정치'라는 논점을 남겨 놓았습니다.

2002년 제16대 대통령선거에 출마할 대선후보 결정과정에서 국민의 관심을 집중시키지 못했던 한나라당은 2007년 12월 제17대 대통령선거에 보낼 자당의 대선후보자 결정을 위해서 국민참여경선제를 도입합니다. 한

나라당은 2007년 7월 22일부터 8월 17일까지 전국 13개 시·도 지역에서 대선후보선출 합동연설회를 개최하여, 8월 19일에 국민참여선거인단이 투표하고, 8월 20일에 대략 한달의 기간동안 전국 16개 시도를 순회하면서 7명의 대선후보자들에 대한 경선을 진행하였습니다.

한나라당 대선후보경선에서 이명박 후보(좌)와 박근혜 후보(우) (2007)

경선방식을 살펴봅시다. 우선 '국민참여선거인단'의 규모와 구성을 보면, 그 규모는 대통령선거 전체 유권자수의 0.5%이상으로 하되, 그 구성 비율은 전당대회 대의원 2/8, 전당대회 대의원이 아닌 당원 3/8, 전화면접 방식으로 공모된 일반국민 3/8으로 합니다.[149] 이렇게 하여, '국민참여선거인단'의 유효투표수가 결정되면, 해당 유효투표수를 80%로 하고 여론조사를 20%의 비율로 하여 최종 득표수를 산정하는 방식입니다. 실제 숫자로 환산하면서 생각해 봅시다. 국민참여선거인단은 대통령선거 전체유권자의 0.5%이상이어야 하니까(또는, 0.5%로 하면), 대통령선거 전체유권자의 수가 4천만명인 경우에 국민참여선거인단의 규모는 20만명이 됩니다. 그리고, 20만명의 1/4에 해당하는 5만명은 여론조사를 통해서 환산됩니다. 이렇게 총 25만명의 투표 결과로 대선후보를 결정하게 되는 것입니다. 그런데, 국민참여선거인단의 1표는 현장투표로 말 그대로 1표입니다. 여론조

149) 전화면접조사로 일반유권자를 공모하는 경우는 면접조사없이 일반유권자를 공모하는 절차와 구분됩니다. 적어도 역선택을 막을 가능성이 커진다고 할 수 있을 것입니다. 유권자가 진실된 대답을 하지 않을 경우(비표본오차)도 있습니다. 더 근본적으로, 전화면접을 통해서 유권자들을 솎아낸다면 진정한 의미의 '일반유권자'에 의한 국민선거인단이라고 하기 어려울 수도 있습니다. 현실적으로 자당을 지지하는 사람들, 자당에 대해서 반감이 없는 사람들은 구분됩니다. 후자는 타당에 대해서도 반감이 없을 수도 있고, 또한 타당을 지지할 수도 있습니다.

사의 결과는 표본의 크기와 오차범위에 따라서 다르게 나타나며, 보통 1,000명에서 많아야 3,000명을 조사합니다. 3,000명을 조사한다고 해도 이는 유효투표수에 의한 최종 득표수 산정을 왜곡하게 됩니다. '국민참여선거인단' 80%, 여론조사 20%의 비율로 하여 최고 득표자를 대선후보로 결정하다보니, 사실상 여론조사에 나타난 1표의 가치가 국민참여선거인단의 1표 가치보다 5배 이상으로 확대되어 나타나는 기형적인 선거결과를 도출하게 됩니다. 더욱 심각한 것은, 두 경선후보가 박빙의 승부를 벌이고 있다면 신뢰수준과 오차범위에 따른 표본의 크기가 결정적 영향을 미칠 수도 있습니다.

한나라당 17대 대통령선거 후보경선 결과

	이명박	박근혜	원희룡	홍준표	총계	비 고
여론조사	16,868 (51.54%)	13,986 (42.74%)	1,079 (3.30%)	793 (2.42%)	32,726	여론조사 1위 이명박
선거인단	64,216 (49.06%)	64,648 (49.39%)	1,319 (1.01%)	710 (0.54%)	130,893	선거인단 1위 박근혜
총득표	81,084 (49.56%)	78,634 (48.06%)	2,398 (1.47%)	1,503 (0.92%)	163,619	총 득표 1위 이명박

* 여론조사 샘플 수는 5,490개, 위 표에서는 '선거인단 결과 80%+여론조사 결과 20%'원칙에 따라 환산한 수치

이상에 나타난 표에서 알 수 있듯이, 20%만 차지하는 여론조사결과가 사실상 대선후보결정에 결정적 영향을 미쳤음을 알 수 있습니다. 앞서 언급한 바와 같이, 여론조사란 오픈프라이머리제도의 극단적 형태라고 할 수 있습니다. 여론조사 방식을 섞어서 사용하는 것은 바람직하지 않다고 봅니다. 국민참여선거인단에 이미 당원 이외의 일반유권자가 섞여 있기에 선거인단투표로 충분한 것입니다. 그렇다고 여론조사 방식 그 자체가 부정적이

란 것은 아닙니다. 여론조사 방식을 도입하는 경우엔, 그 자체가 가장 극단의 오픈프라이머리 형식이므로 다른 방식에 혼합하여 사용하는 것은 그다지 바람직한 제도 조합은 아니라는 의미입니다.

정당공천관련 시대정신은 '상향식 공천'입니다. 당원구조가 취약한 한국정당정치의 특성상 당원과 대의원이 모여서 공천 후보자를 정하는 경우, 이를 진정한 의미에서 상향식 공천이라고 생각하는 사람들이 현 단계에선 많지 않을 듯합니다. 현 단계에서 오픈프라이머리제도는 분명 취약한 당원구조하에서의 후보공천의 문제점을 보완하며, 현직자(incumbents)에게 절대적으로 유리한 선거구도 속에서 능력있는 정치지망생들(challengers)을 정치권에 유입할 수 있는 최소한의 통로라고 보는 사람들이 많습니다.

현 단계에서 오픈프라이머리를 도입하는 경우, 몇 가지 유의할 점으로 생각되는 것들을 다시 한 번 정리해 보면 다음과 같을 것입니다. ① 일반유권자, 당원, 대의원을 조합한 공천선거인단 구성 시에 일반유권자의 비율이 50%를 넘어서는 것은 정당정치의 근간일 수밖에 없는 당원제도와 역행하기에 주의가 요망됩니다. ② 당원구조가 너무 취약하거나 선거공정성에 문제가 있다고 판단된 경우에, 일반유권자들이 참여하는 공천선거인단과 여론조사를 병행하는 것에도 주의를 요합니다. 왜냐하면, 공천선거인단에도 일반유권자가 포함되고, 여론조사도 일반유권자들을 대상으로 하는 것이어서 상호배타성이 없기 때문입니다. 이런 경우엔, 100% 여론조사로 하는 것이 단순명료하여 공정성에 도움이 될 것으로 판단됩니다. ③ 공천참고자료가 아닌 최종 결과자료로 여론조사를 활용할 때, 사전에 신뢰수준과 오차범위를 정해놓아야 할 것입니다. 다시 말해서 조사표본의 크기를 미리 확정해야 한다는 것입니다. 특히 여론조사에서 조사된 투표수보다 할당된 투표수가 커서 환산되어 확대되는 경우엔 1인 다수표에 해당되는 상황으로 해석될 수 있어 주의를 요할 것입니다. ④ 당원구조가 취약한 곳에서 대의원이 상향식 공천의 기제인지에 대해서 확인이 필요합니다. 대의원이 사실상 당지도부나 주요 당직자들과 연계되었거나 동원된 사람들일 가능성이 크기 때문입니다. ⑤ 현 단계에서 오픈프라이머리의 성공적 운영은 대통령선거와 같은 전국단위의 선거가 아닌, 당원구조가 취약한 소지역 단위의 지방선거단위에서 적절한 시행여부에 달려있습니다. 전국단위의 선거인 대통령선거에서는 오픈프라이머리를 상대적으로 도입하기가 용이하지만, 과연, 국회의원선거, 더 나아가 지방선거의 소지역 단위에서 과연 오픈프라이머리를 정당이 채택할 수 있는지에 대해서 논의가 필요합니다.

오픈프라이머리는 당원기반이 옹색한 한국정당들이 선택한 차선책일런지도 모릅니다. 이를 채택하더라도, "정당이 처해있는 현재의 상황만 넘기면 그만이다"라는 식의 접근법은 곤란합니다. 긴 호흡을 통하여 정당이 다수의 건강한 당원들을 확보하는 노력을 게을리 할 수 없습니다.[150] 정당의 당원 조직기반이 일정 수준에 이른다면, 다수의 당원과 대의원만으로 정당이 후보공천을 긍정적 측면에서 수행해 나갈 수 있을 것입니다. 정당은 오픈프라이머리를 채택하는 상황에서도 건전한 당원조직 구축 사업에 소홀할 수 없습니다. 당내의 작고 다양한 정책결정과정에 참여하도록 하여 당원들이 주인의식과 책임의식을 갖도록 하여야 할 것입니다. 당원에 참여하려는 사람들이 늘어나도록 하는 정책을 통해서 선순환 구조를 만들어야 합니다. 일정수준의 건전한 당원조직이 있는 상태에서 오픈프라이머리를 채택하는 것과 부실한 당원조직의 상태에서 할 수 없이 오픈프라이머리를

---

150) 정당에 대한 '국고보조금제도'도 논란거리입니다. 극단적으로 정당이 당원들의 당비만으로 운영될 수 있다면 국민의 세금도 절약하고 최선일 것입니다. 문제가 복잡한 것이, 정당이 자체 당비만으로 당을 운영하는 경우엔, 당비를 많이 낼수 있는 사람들이 정당 권력관계의 상위에 서게 되는 '금권정치'가 나타날 수도 있습니다. 결국 당비를 내는 당원들의 수가 일정 수준 이상으로 충분히 많아야 하며, 이들에게 공천에 관한 최소한의 권한이 주어져야만 정당의 당원충원은 선순환 구조로 돌아서게 될 것입니다.

채택하는 것에는 큰 차이가 있습니다.

예상컨대 다양한 조합의 공천제도가 존재하기에 그리고 어떤 공천제도가 항상 여타의 공천제도보다 좋다고 주장할 수 없기에 현재 한국의 주요 정당들에서 채택된 공천제도 상에 나타난 변수들에서 유의할 사항들을 반성해 보는 것이 유익할 것입니다. 공천제도의 정당성은 어떤 제도이냐 보다는 특정 공천규칙을 채택하는 과정에서의 공정성과 그러한 공천제도를 집행하는 과정에서의 공정성이 요체입니다. 큰 그림에서 볼 때 오픈프라이머리는 공천과정에서의 하향식 공천에 대해서 균형을 위한 것입니다. 국민들은 정당의 후보공천 결과가 국민의 상식과 눈높이에서 거리가 먼 상황을 종종 목도하며, 정당혐오감은 증가될 수 있습니다. 오픈프라이머리제도는 그런 차원에서 국민의 상식과 눈높이를 후보공천에 이용하려는 제도로 활용될 때, 당분간 그 의미가 가장 크게 부각될 것입니다.

약술: 국회의원선거제도 변천사

현재 한국선거과정을 보면 한국에 거주하고 있으면서 선거일 현재 19세 이상인 사람들에게 투표권을 부여합니다. 그런데, 국내부재자들이 국외에서 투표할 수 있는 선거가 2012년 4월 11일에 실시된 제19대 국회의원 선거를 계기로 하여 시작되었습니다. 이후 유권자에 재외한국인들을 포함시키고 있습니다. 이것은 한국정치체계에서 더 포괄적으로 한국민들을 해석하고 선거과정에 포함시킨다는 의미입니다. 민주주의 이론에서 달(R. Dahl)이 언급한 다수의 지배를 위한 '포괄성'(inclusiveness)이 증대되는 것입니다. 더 구체적으로 보면, '재외선거인'과 '국외부재자신고인'으로 나뉩니다. 재외선거인이란 국내에 주민등록이 되어 있지 않으며 국내거소신고도 하지 아니한 사람을 말합니다. 국외부재자신고인이란 국내에 주민등록 또는 국내거소신고가 되어 있는 사람 중에서 외국에서 투표하고자 하는 사람들(국외여행자, 유학생, 상사원, 주재원 등)을 말합니다.[151] 그런데, 재외선거인, 국외부재자신고인, 그리고 국내거소신고 및 주민등록 여부에 따라서 참여할 수 있는 선거는 구분됩니다. 다음과 같습니다.

<table>
<tr><th colspan="2">선거권자</th><th>참여할 수 있는 선거</th></tr>
<tr><td colspan="2">재외선거인</td><td>• 대통령선거
• 임기만료에 따른 비례대표국회의원선거</td></tr>
<tr><td rowspan="2">국외부재자
선거인</td><td>국내거소
신고자</td><td>• 대통령선거
• 임기만료에 따른 비례대표국회의원선거</td></tr>
<tr><td>국내주민등록
보유자</td><td>• 대통령선거
• 임기만료에 따른 국회의원선거</td></tr>
</table>

그러니까, 전국민의 대표인 국가원수 대통령을 선출하는 선거에는 포괄적으로 해석된 한국민 모두가 투표에 참여하는 것입니다. 국회의원선거도 전국구의 의미인 비례대표 투표권에는 모두가 투표에 참여합니다. 국회의원선거의 경우 주민등록증 보유자에 한해서 지역구 투표권을 부여하고 있습니다. 국회의원 재·보궐선거, 지방선거, 국민투표, 주민투표는 국외거주자를 대상으로 실시하지 않으며 따라서 해당 선거에 참여할 수 없습니다. 외국국적을 취득한 자는 외국국적 취득시 국적선택기간 경과후 대한민국 국적을 상실하므로 선거권이 없습니다.[152] 종합적으로 한국의 공화국별 국회의원 선거제도 변천을 정리해보면 다음과 같습니다.

151) 해외 영주권자 중에서 국내거소신고를 한 사람은 국외에서 투표하고자 할 때에는 국외부재자 신고대상자로 분류됩니다.

152) 참고로, 국적선택기간중에 있는 복수국적자는 대한민국 국적도 보유하므로 선거권을 갖게 됩니다. 결국, 이중국적허용여부는 앞으로 선거권에 또 다른 중요한 변수가 될 것입니다.

한국 국회의원 선거제도 변천사

시기	지역구	전국구 배분방식
1공화국 1948, 1950, 1954, 1958	단원제 단순다수대표소선거구제(1구1인) 무소속 출마가능	없음
2공화국 1960	양원제 민의원: 단순다수대표소선거구제(1구 1인) 참의원: 제한연기대선거구제(1구 2~8인) 무소속 출마가능	없음
3공화국 1963, 1967, 1971	<전체의석의 3/4> 단순다수대표소선거구제 (1구 1인) 무소속 출마금지	<전체의석의 1/4> 지역구의석수 1당은 1/2이상 2/3미만 의석보장 지역구의석수 2당은 1당배분후 나머지의 2/3의석배분 지역구의석수 3당이 하는 나머지의석을 득표율로 배분 지역구득표율 5%미만, 지역구의석 3석 이하는 배분제외
4공화국 1973, 1978	<전체의석의 2/3> 단순다수대표 중선거구제(1구 2인) 무소속 출마허용	<전체의석의 1/3> 간접선거방식 (대통령 추천명단에 대해서 통일주체국민회의에서 선출; 과반수의 출석과 과반수의 찬성)
5공화국 1981, 1985	<전체의석의 2/3> 단순다수대표 중선거구제(1구 2인) 무소속 출마허용	<전체의석의 1/3> 지역구의석수 1당은 2/3의석 배분 나머지 1/3의석수는 정당의 지역구의석수비율로 배분
6공화국 1988	<전체의석의 2/3> 단순다수대표제 소선거구제(1구 1인)	<전체의석의 1/3> 지역구의석수 1당에 1/2의석 배분 나머지 1/2은 1당포함 5명이상의 의석정당에 비율배분
6공화국 1992, 1996	<전체의석의 4/5> 단순다수대표제 소선거구제(1구 1인)	<전체의석의 1/5> 지역구의석 5석 미만이어도 전국 3% 득표 시 1석 우선배분 지역구의석수 5석 이상 정당에 의석비율로 배분
6공화국 2000	<전체의석의 5/6> 단순다수대표제 소선거구제(1구 1인)	<전체의석의 1/6> 지역구투표의 정당별 전국득표율로 배분
6공화국 2004, 2008, 2012, 2016	<전체의석의 5/6> 1인 2표제 도입 (지역구투표 1표, 전국구투표 1표) 단순다수대표제 소선거구제(1구 1인)	<전체의석의 1/6> 전국구투표에 의한 정당별 전국득표비율로 배분
6공화국 2020	<전체의석의 5/6> 1인 2표제 도입 (지역구투표 1표, 전	<전체의석의 1/6> 1. 전국구 비례대표 47석 중 17석은 이전 총선과 동일하게 전국구 투표에 의한 정당별 전국득표비율에 따

	국구투표 1표) 단순다수대표제 소선거구제 (1구 1인)	라 병립형 방식으로 배분 2. 전국구 비례대표 47석 중 30석에는 준연동형비례대표제 도입 (연동률 50%) 각 정당별 연동배분 의석수 = [(국회의원 정수 - 의석할당정당이 추천하지 않은 지역구 국회의원 당선인수) × 해당 정당의 비례대표 국회의원 선거 득표 비율 - 해당 정당의 지역구 국회의원 당선인 수] / 2 해당 산식을 통해 계산 후 소수점 첫째 자리에서 반올림
6공화국 2024	<전체의석의 5/6> 1인 2표제 도입 (지역구투표 1표, 전국구투표 1표) 단순다수대표제 소선거구제 (1구 1인)	<전체의석의 1/6> 전국구 비례대표 46석 전체에 준연동형비례대표제 시행 (연동률 50%) 이전 선거에서 사용하였던 동일한 산식 유지

3. 결론과 예상

많은 한국민들은 “왜 우리나라 정치는 이정도 수준밖에 안될까?” “어떻게 하면 한국의 정치도 잘 될 수 있을까?”하는 질문을 하곤 합니다. 한국정치에 대한 이러한 의문을 보다 일반화된 버전으로 바꾼다면 “정치가 잘되기 위해서 가장 중요한 요인은 무엇일까?”하는 것입니다. 많은 정치학도들은 이에 대해서 “정치가 제대로 되기 위해선 정당정치가 잘 되어야 한다”는 명제에 동의할 것입니다. 그렇다면 정당정치가 제대로 된다는 것은 어떤 의미일까요?

개별 정당 내부의 문제로서 ‘당내 민주주의’가 제대로 되어 각급 선거 후보자 결정과정인 후보자 공천과 당내 지도부 선출이 민주적으로 운영되는 것입니다. 둘째, 정당간의 문제로서 정치과정에서 ‘정당간 민주주의’가 제대로 기능하는 것입니다. 정당들은 각각 상대적인 이념 정체성을 지니고 있습니다. 상대적 이념 정체성을 지닐 수밖에 없는 정당들이 의회에서 만나 국정을 운영하는 경우 정당간 갈등은 불가피합니다. 단, 국가 운영의 차원에서 정당들은 협조할 것을 협조하고 견제할 것은 견제하여야 하며 국민에게 쓸데없는 싸움을 하고 있다는 인식을 주지 말아야 합니다. 정당들이 자신의 이념적 정체성을 포기할 수 없지만, 적어도 집권당은 다시 야당이 될 것을 생각하고, 야당은 다시 집권당이 된다는 생각을 하면서 정치를 해야 합니다. 선거에서 승자는 패자를 포용해야 합니다. 패자가 승자를 포용할 수는 없습니다. 집권하는 경우, 집권당의 테두리 속에서만 생각하고 말한다면 정치의 목적인 '국민통합'은 물건너가게 됩니다. 그런 의미에서 정국은 권력을 차지한 집권당의 책임이 더 크다고 할 수 있습니다.[153)]

한국의 민주주의 지수는 이코노미스트지가 평가하듯이 세계 20위권, 인구 5천만 이상의 대국일 경우 세계 10위권입니다. 선진 정당정치를 하는 곳과 비교한 것이며, 일반적으로 한국의 정치수준이 세계 수준에서 낙후된 것을 의미하는 것은 아닙니다. 한국의 정치는 선진민주주의국가로 평가됩니다. 영국의 이코노미스트지(紙)는 매년 말에 5개의 지수를 가지고 국가의 민주주의 실천 여부를 평가하는데, 한국은 현재 세계 20위권입니다. 아시아 국가 중에서 민주주의 세계 20위권 안에 있는 나라는 한국과 일본뿐입니다. 등위는 매년 두 나라가 한 등수 차이로 바뀌기도 합니다(2011년 한국 19위 일본 20위; 2012년 한국 20위 일본 19위...). 인구 5,000만명 이상의 대국만 대상으로 하는 경우 한국은 10위 정도에 해당됩니다. 한국이 짧은 시기에 경제만 급격히 발전한 것이 아니고, 정치도 괄목할 만한 발전을 이루었음을 세계가 평가하고 있습니다. 한국민은 자신들의 정치 수준에 대해서 지나치게 자조적인 분위기는 극복되어야 할 것이

---

153) 국민통합을 위해선 승자와 패자 모두에게 의식이 필요합니다. 시민들은 자신의 선호와 다른 결과가 나왔더라도, 자신의 선호와 상관없이 그 결과를 존중하여야 합니다. 정치과정에서 야당이 여당에게 궁극적인 정치적 책임을 묻기 위해선 선거결과에 대한 승복이 있은 후에 가능한 것입니다. 여당이 여당일 수 있는 것은 선거결과를 통해서이며, 야당이 여당을 만들어 준 것이 아니고 국민이 여당을 만들어 준 것입니다. 정당의 입장에서 볼 때, 선거결과에 승복하는 것은 결국 국민들에게 승복하는 것입니다.

며, 주체적이고 건강한 시민의식을 함양해야 할 것입니다.

헌법은 국가가 운영되는 대강이 규정되어 있습니다. 2014년 12월에 있었던 헌법재판소의 '통합진보당' 정당해산 판결은 한국정치과정에서 하나의 이정표로 기록될 것입니다.[154] 324쪽에 이르는 판결문의 정신을 한마디로 표현한다면, "모든 정치행위는 헌법의 테두리 내에서 하여야 한다"는 것으로 환원된다고 봅니다.[155] 달리 표현하면, 한국정치과정에서 '이념논쟁'이 '체제논쟁'을 넘어설 수 없다는 것입니다.

한국정치과정에서 '이념논쟁'은 1919년 임시정부시절에도 있었고, 그래서 이념적 분파성을 띤 다양한 규모의 임시정부들이 생겼습니다. 1945년 해방과 함께 이념논쟁은 남한과 북한으로 한반도를 분열시켰습니다. 1960년 제2공화국의 수립과 함께, 다수의 좌익 정당들이 창당되기도 하였습니다. 그리고 1987년 민주화와 함께 다시 좌파 정당들이 활성화되기 시작하였습니다. 장(長)주기적(long-cyclical) 측면에서 볼 때, 한국정치과정에서 이념논쟁이 머리를 든 것은 항상 과도기를 통해서 였습니다. 눈을 돌려서, 지구적인 차원에서 보자면, 극우세력이나 극좌세력은 사실상 이념논쟁

154) 참고로 헌법재판소의 판결이 있었을 동시기의 한국 정당법(제17-18조, 제44-47조)를 참조하면, '정당의 소멸'에 대한 3가지 경우의 수를 규정해 놓았습니다. ① 성립요건 흠결로 인한 등록취소가 발생할 때(등록된 시·도당이 5개 미만인 때; 시·도당의 법정당원수가 1천인에 미달된 경우; 최근 4년간 임기만료에 의한 국회의원선거 또는 지방자치단체장선거나 시·도의회의원선거에 참여하지 아니한 때; 정당합당등록신청시 120일 이내에 보완하여야 할 사항을 동 기간내에 보완하지 아니하여 2회이상 보완을 명하였으나 그 기간내에 보완이 없을 때) 해산됩니다. ② 정당 내 대의기관의 결의로써 정당이 자진해산을 할 수 있습니다. ③ 정당은 헌법과 법률이 정하는 바에 의하여 국가의 보호를 받지만 그 목적이나 활동이 민주적 기본질서에 위배될 때에는 정부의 제소에 의하여 헌법재판소의 결정으로 해산됩니다.

155) 9명의 헌법재판관이 심사하여 8:1로 '통합진보당'의 해산을 결정하였습니다. 1명의 소수의견의 논점은 두 가지인데, 정당의 해산은 궁극적으로 선거에 맡겨야 한다는 것과, 통진당내의 RO(혁명조직: Revolutionary Organization)이 통진당 당원들의 모임이라기보다, 통진당과 격리된 일부 사람들의 모임이어서 RO모임을 통진당 해산에 근거로 할 수 없다는 것입니다.

의 테두리에 있기 보다는 체제논쟁의 테두리에 있는 경우가 대부분입니다. "왜 하필이면 이 체제인가?"라는 철학적 논제는 "왜 이 체제에서 다른 체제로의 체제이행이어야만 하는가?"라는 철학적 논제와의 균형감 속에서 다루어져야만 합니다. 현재 지구상에서 민주주의를 성공적으로 운영하는 나라들의 역사적 교훈은 상대적으로 '온건좌파' - '중도파' - '온건우파'라는 형식의 정당구도를 통해서 실질적 의미의 민주주의를 추구하고 있음을 보여줍니다. 국민을 위한 정책을 수립함에 있어서 당시 선거에 나타난 민의에 따라서 온건좌파는 중도파와 연합하기도 하고 온건우파도 중도파와 연합하기도 합니다. 극좌파나 극우파는 생각이 다른 상대방을 인정하지 않으며, 온건좌파와 온건우파는 생각이 다른 상대방을 인정합니다. 그래서 극좌나 극우가 체제에 편입된 경우, 그 체제는 '실질적 의미의 민주주의'를 구현하는 정치과정상에 피로감이나 위기감이 증폭되기 마련입니다. 여기서 이념이 실질적 민주주의를 구현하는 과정이란 이념이 국민의 '일상생활의 삶의 정치'와 깊숙이 연계되어 있음을 의미합니다.[156] 이것이 유럽정치과정에서 정당정치의 교훈입니다. 물론 이러한 형태가 정착되기까지 극우나 극좌가 배제되는 과정에서 우여곡절이 있었습니다. 정당해산심판이 한국 초유의 일은 아니란 것입니다. 독일과 이탈리아에서의 경험은 우리에게도 깊은 의미를 지닌 사건입니다. 실질적 의미의 민주주의를 추구하기 위한

156) 통합진보당이 '종북(從北)논란'에 휩싸이는 것은 누구의 책임도 아니고 당 지도부의 책임일 것입니다. 당 지도부가 과연 노동자들의 삶의 문제, 복지문제, 고용문제 등에 관련된 정책활동을 하였는지, 그리고 그런 모습으로 국민들에게 인식되었는지, 아니면, 체제부정의 모습으로 국민들에게 인식되었는지에 대한 성찰이 필요합니다. 정당이론가인 선드퀴스트(J. Sundquist)는 정당이 새로운 조직으로서 발생하고 모습을 갖추는데 5가지 요소를 지목하였는데, 특히 이 중에 정당지도자의 역할을 강조합니다. 참고로 그 5대 요소는 다음과 같습니다. ① 사회체제내에 불평이나 불만의 넓이와 깊이, ② 새로운 정당으로의 변화(또는 탄생)에 저항하는 힘, ③ 정당지도자의 기술과 능력, ④ 기존의 사회균열구조에서 새로운 이슈로 인한 갈등 축의 형성 가능성, ⑤ 기존 정당들의 국민들과의 친밀도 입니다. 한국사회에서 진정한 의미의 진보정당을 이끌 지망자들은 참고해 볼 만한 내용이라고 생각합니다.

정치과정상에서 국민들의 '일상생활의 정치'와 연계된 이념논쟁이어야 이념논쟁이 진정한 의미를 지니게 됩니다.

한국은 짧은 역사에도 불구하고 인구 5천만 이상의 국가를 대상으로 할 때 선진민주주의 구현 10위의 정치대국입니다. 국민들과 위정자들이 마음을 합해야 합니다. 현실적인 최상의 대안은 체제의 테두리 내에서 서로 다른 다양한 생각들을 수렴하고 통합해야만 합니다. 쉽지 않을 것입니다. 이를 위해서 가장 중요한 것은 위정자들이 자신을 뽑아준 국민들의 마음을 헤아리는 것입니다.

국민들의 정치혐오감이 커지면, 국민들이 이를 해소할 수 있는 길은 정치 관행에 때가 묻지 않은 새롭고 참신한 인물에 대한 관심을 갖게 됩니다. 한국정치에서 인물중심 정치로 인한 정당이합집산 반복의 가장 큰 원인으로 '대통령제'라는 정부형태를 지적하는 학자들도 있습니다. 대통령 선거에서 승리할 가능성이 큰 인물을 중심으로 정당정치가 요동치게된다는 의미입니다. 8 : 2 또는 9 : 1의 승리는 예상하기 어렵습니다. 선거결과에 나타난 후보자 지지율은 7 : 3, 6 : 4, 5.5 : 4.5 등으로 나타납니다. 승자는 패자의 지지자들을 끌어안아야만 정치의 최종 목표인 '국민통합'이 실현됩니다. '측근정치'로는 결코 국민들 마음의 대푯값을 읽을 수 없습니다. 현대민주주의에서 선거정치의 후유증을 극복하는 상식적이고 효과적인 방안은 인사 '탕평책'(蕩平策)이 근간입니다. 야당도 선거에 패배한 경우 다음을 기약하여야 하며, 여당의 주도권을 인정한 상태에서 여당이 될 준비를 해야 합니다. 여당은 야당이 될 준비를 하고, 야당은 여당이 될 준비를 할 때 한국정치과정은 선순환 구조를 만들어 나가게 될 것입니다.

21세기에 들어서 한국선거과정의 특질은 보수·진보 진영간의 이념갈등으로 대변된다고 해도 과언이 아닙니다. 모든 사회내의 다원화된 이슈가 보수, 진보의 진영경쟁으로 함몰되는 현상이 선거정치과정에서 승리지상주의(특히 단순다수 1인대표제)와 조합되면서, '포퓰리즘'이 양산되고 있습니다. 선거직전에 득표의 유불리에 따라서 많은 정책들이 조변석개(朝變夕改)하게 된다면, 작금에 발생하는 재정적 부담을 미래의 세대가 떠 맡게 되어, 그렇지 않아도 저출산의 사회위기 속에 국가의 미래는 암울해질 것입니다. 1987년 제6공화국 민주주의 체제가 출범한지 30년 시점인 2016~2017년에는 대통령탄핵정국이라는 초유의 사태를 맞게 되면서 '진영갈등'이 더욱 확대재생산되고 있습니다.

다음의 도표는 선거정치가 다양한 국민의견들을 수렴하는 장이 아니며, '단순다수 - 소선거구제'의 제도도입의도와 장점에도 불구하고, 많은 유권자들의 사표(死票)를 양산하면서 이념갈등에 의한 선거결과가 유권자들의 분포와 별개로 존재할 수 있음을 보여줍니다. 2020년 21대 총선의 1당과 2당의 지역구 의석수는 각각 163석:84석으로 두 배가량의 차이였지만, 실제 두 당의 지역구 후보자들이 얻은 득표율의 합계 차이는 49.9%: 41.5%였습니다. 2024년 22대 총선의 경우에도 (득표율: 의석률)을 보면, 1당(50.5%: 64.6%); 2당(46.6%: 35.4%)으로 나타나며, 득표 대비 의석률의 왜곡현상이 극단으로 치닫고 있습니다. 1당과 2당의 지역구유효투표수를 보면, 총 2,923만4,129만 표였고, 제1당 1,475만8,083표, 제2당 1,316만9,698표로 집계되었습니다.

	더불어민주당	국민의힘	제3당	당대표
20대 총선 결과(2016. 4)	110 + 13	105 + 17	25 + 13	김종인 vs 김무성 vs 안철수
21대 총선 결과(2020. 4)	163 + 17	84 + 19		이해찬 vs 황교안
22대 총선 결과(2024. 4)	161 + 14	90 + 18	0 + 12	이재명 vs 한동훈 vs 조국

* 괄호 안의 숫자는 총 300석 중에서 제1당, 제2당, 제3당이 얻은 (지역구 의석수) + (비례구 의석수)

앞으로 개헌 논의가 있는 경우, 사회균열의 의석수 반영을 위해 '중·대선거구제' 도입이 좀 더 비중 있게 논의될 수 있습니다. 현행 제도를 유지하는 경우엔 지역구 대비 '비례대표제도'의 의석수 및 명부작성의 문제 등에 대한 균형적 보완이 논의될 필요가 있습니다. 현재의 제도가 유권자들의 의사를 제대로 담아내기 어렵기 때문입니다. 앞으로 개헌논의에서 국회의원 선거제도 개혁의 문제는 가장 주요한 항목이 되어야 할 것으로 예상합니다. 현행 헌법에서처럼 선거제도개혁의 결정권에 국회의원들이 직접 개입하지 말고, 유권자들에 의한 '국민투표'를 포함하여 중립적인 제3의 기관으로 넘어오는 것이 필요할 것입니다.

제 3 장

이슈중심으로 비교관점에서 본 한국정치

| 개요 |

앞서 두 개의 장에서 헌법을 통해서 행정부-입법부간의 관계와 의회정치를 살펴보고, 이후 정당정치와 선거정치를 중심으로 한국정치과정을 살펴보았습니다. 현장 강의시간은 교수와 학생 사이의 열린 토론을 통해 활자가 갖는 한계를 넘어설 수 있어 직관을 형성하는데 유리합니다. 현장 강의에선 앞서 2개의 장에 언급된 현상과 이론들을 논하는 과정에서 또 다른 연관 주제들이 다양하게 파생됩니다. 그 중에서 주요한 연관 주제들을 통치구조, 정당정치, 선거정치와 구분하여 비교관점에서 이슈중심으로 정리해 보았습니다. 한국정치라는 총체적인 주제에 대하여 독자들의 입체적 사고방식과 비판의식에 도움이 되기를 기대합니다.

1. ‘한국인’은 누구인가?: 한국인의 근원과 범위

한국 사회에서 ‘세계화’(globalization)가 주요 화두가 되기 시작한 것은 1990년대 초인 김영삼 정부에서 부터라고 할 수 있습니다. 그 직전에 ‘88 올림픽’에서 종합성적 4위라는 경이적인 결과물을 통해서 한국인들은 자신감에 충만해 있었습니다. 이제 세계화는 선택이 아니라 필수입니다. 그럼에도 불구하고, 20세기말이후 세계화가 급속히 진행되면서 동시에 푸코(M. Foucault)의 영향으로 ‘다문화주의’(multiculturalism)에 대한 관심도가 증가되고 1990년대 이후엔 ‘정체성’(identity)에 대한 연구가 급격히 증가한다는 보고가 있습니다. 세계화를 추진해 나갈수록 역으로 ‘한국인’이라는 정체성에 대해서 반추하게 됩니다. ‘아’(我)와 ‘피아’(彼我)를 구분하듯, ‘우리’와 ‘남’을 구분하듯, ‘우리 한국인’을 구분하게 된다는 의미입니다.[1] 한국정치를 논하는 것도, 국제정치를 논하는 것도 주어는 바로 ‘우리 한국인’입니다. ‘우리 한국인’의 정체성은 무엇일까요?

한국의 제도발전을 논할 때, 한국의 문화 변수를 도외시하면서 제도논쟁을 하는 것은 아무래도 가벼워 보입니다. 이것은 마치 역사에 대한 인식이 없이 현재의 현상만을 논하는 가벼움에 비유할 수 있다고 봅니다. 제도주의자들은 으레 ‘*ceteris paribus*’(다른 모든 조건이 일정하다고 가정한다면)를 외치면서 제도논쟁이 중요하다고 하는데, 그러한 전제의 현실성은 차치하고라도, 제도가 바뀌어도 실제 변화하는 동력을 제공하는 것은

1) 한글사전에 따르면, ‘우리’는 “말하는 이가 스스로 자기가 딸린 무리를 대표하여 일컫는 말”이라고 정의되어 있습니다. 필자가 딸린 무리인 ‘한국인’이 어떤 근원과 범위를 갖고 있는지 공부하는 상태에서 필자가 해당 글을 서술하고 있기에 ‘한국인’이라는 용어와 함께 추상성이 있는 ‘우리 한국인’이라는 용어를 사용하였습니다.

문화일 가능성이 큽니다. 제도 도입 시 의도나 기대처럼 제도 도입이후 운영의 결과가 산출되지 않는다는 것입니다. 그러니 '*ceteris paribus*'란 말 자체가 비현실적이라는 의미로도 확대될 수 있습니다. 제도논쟁을 하더라도 기존의 관행 및 전통(또는 역사적 배경) 등의 문화적 요인을 입체적으로 고려하면서 제도 도입을 상정하는 것과, 그렇지 않은 것에는 많은 차이가 있습니다. 제도는 그 제도를 채택하는 사회의 정치문화 또는 사회문화와의 조합 속에서 작동할 수밖에 없기에 서로 다른 문화 속에서 동일한 제도를 채택하면 서로 다른 결과물을 낳게 되는 것입니다. 한국정치를 논하는데, 문화적 차원에서 그 제도를 만들고 운영하는 '한국인'이라는 집단의 행태 정향성(disposition)이 중요하다는 것입니다.

아몬드(G. Almond)와 버바(S. Verba)의 문화 설명 변수는 결국 집단의 '정체성'(identity)으로 환원됩니다. 어떤 집단의 문화를 설명하기 위해선 그 집단의 정체성을 알아야 합니다. 집단의 정체성은 그 집단의 '시민의식', 또는 좀 더 추상성을 높이자면, '국민성'(國民性)으로 표현될 것입니다. 어떤 국가의 국민성은 그 국가의 정치과정이 순기능하는지 아닌지에 결정적인 영향을 미치는 변수일런지도 모릅니다. 국민성이란 교육을 통해서 형성됩니다. 교육과 교육자의 위상이 중요한 이유입니다.

정치철학적 차원에서, 국가정체성의 문제는 한국의 국가성격이나 헌정이념 또는 정치이념 등과 연관지어 찾아볼 수도 있겠지만, 보다 근본적 차원에서, 그러한 국가성격과 헌법을 만든 사람들이 과연 어떤 '족속'(族屬)인지 궁금해지기도 합니다. 한국정치를 논하는 '우리 한국인'의 정체성은 역사적, 인류적 차원이 혼합되어 있어, 그 시대의 국가성격이나 헌정이념을 논하는 것만으론 해결될 수 없습니다. 우리가 어떤 특정한 방식으로 생각한다는 것이 과거 우리가 어떤 정향을 지닌 어떤 족속이라는 것과 무관하지 않을 것입니다. 현행 헌법 제9조에는 "국가는 전통문화의 계승발전과 민족문화의 창달에 노력하여야 한다”라고 규정하고 있는데 먼저 우리가 어떤 족속이고 어떤 민족인지 알아야 민족문화의 전통적 성격을 규정할 수 있으며 그런 후에야 민족문화의 창달에 노력할 수 있지 않겠습니까?

‘한국정치’의 집필을 기획하면서부터, 학생들의 질문들을 진지하게 반추하게 되면서, 어찌보면 정치학적 주제를 넘어서는 매우 복합적인 주제인, “한민족은 도대체 누구인가?, 한민족은 어디서 왔으며, 언제부터 한민족이라는 정체성을 갖게 된 것인가?, ‘우리 한국인’이라는 족속의 범위는 과거와 현재가 다른가?” 등에 대해서도 고민해 왔습니다. 간단히 답할 수 없는 무거운 주제라고 봅니다.

대한민국은 10월 3일 개천절(開天節)을 국가의 생일을 규정하며, 당일을 국경일로 하고 있습니다. 기원 연도는 BC.2333[단군조선; 1대 단군왕검이후 47대가 즉위함]니다. 기록물에 대한 실증 논란을 불러일으키기도 하지만, '한'민족의 역사를 더 거슬러 올려 BC.3898[신시배달국으로 18대가 즉위함] 까지 올리기도 하고, 여기서 더 거슬러 올려 BC. 7199 환국[桓國, 7대가 즉위함]으로 보는 것도 대한민국의 국민이라면 경솔히 대할 수 없을 것입니다. 통시적으로 한반도와 만주평원이라는 지리적 요건에 기반하여, 고조선시대[말조선, 번조선, 신조선], 북부여, 동부여, 고구려, 삼국시대(고구려, 백제, 신라), 남북국시대(신라, 발해), 고려시대, 조선시대, 대한제국, 임시정부, 대한민국공화국으로 정리해 볼 수 있습니다.

역사학자 권오영 교수는 “한민족은 어떻게 만들어졌나?”라는 주제에 대한 EBS강연(2022년 5월 18일)에서 민족형성 및 국가형성에 ‘통일전쟁’이 주요한 원인이라고 봅니다. ‘통일전쟁’을 통해서 씨족, 부족, 국가 등으로 그 범위가 확장되고, 인종융합과 문화융합이 일어나면서 구성원들의 의식이 재정리됩니다. 통일전쟁을 통해서 이주, 유입, 이동, 융합이 발생하게 되는 것입니다. 하나의 ‘민족’이란 다양한 이질적 소집단(부족들, 인종들)

이 더 큰 규모의 단위에서 동질화를 이루어내는 과정이 될 것입니다. 소위, '위만조선'이라는 존재도 토착민과 중국계 이주민이 융합된 것입니다. '민족'이나 '국가'라는 것이 과거에는 지금과 동일한 개념이 아니었고, 계속 변화해 온 개념이자 과정(유입, 이주, 교역 등)이었다고 본다면, 현재 대한민국의 습속과 문화와 "큰 차이가 없는 과거의 시점"의 대략적인 범위를 추론하게 됩니다. 권오영 교수의 시각에 따르면, 현재 우리가 체감하는 '한국인'이란 의식의 형성은 최초의 완전한 통일국가인 고려시대 이후와 유사한 형식과 내용을 지니고 있습니다. 하나의 국가이자 그 국가내의 구성원이란 의식은 구성원들 내부의 자체노력도 필요하고, 외부충격을 흡수하면서 국가를 유지할 수 있는 최소한의 내부역량이 필요할 것입니다.

한국정치를 1897년 대한제국 이후로 할 것인지, 1945년 해방이후로 할 것인지, 1948년 제1공화국 수립이후의 헌정사를 중심으로 쓸 것인지, 아니면, 고려·조선시대 이후로 할 것인지, 고구려, 백제, 신라 삼국시대 이후로 할 것인지, 고조선 이후로 할 것인지에 따라서 한국정치를 논하는 '우리 한국인'이라는 주어의 범위와 국가정체성은 전혀 다른 속성을 띠게 됩니다. 위에 언급한 다양한 질문들과 관련해서, 적어도 우리민족이라는 족속의 인류적 원류(源流)에 대해서만큼은 토론과정을 통해서 필자 나름대로 생각을 정리했던 적이 있는데, 독자들과 그 생각을 공유해 보고자 합니다.

우리는 과거부터 '동이족'(東夷族)이라는 추상성이 높은 명칭으로 지칭되어 왔습니다. 해당 명칭은 동쪽이란 지명을 포함하고 있는데, 그러면 그 동쪽이란 어디를 말하는 것입니까? 우리가 누구인지를 추리하는 가장 좋은 방법은 우리가 활동하던 주요 지역이 어디인지 생각해 보는 것이 아닐까요? 우리는 현재 '한반도'에 귀속되어 있는데, 아무래도 과거의 기록들을 참조하면 만주(滿洲)와 요서(遼西)가 우리의 주요 활동무대였고, 아니

이곳을 제외하고는 우리의 기원을 언급할 수 없을 정도로 핵심 지역이라고 생각합니다. 많은 역사 기록들은 만주를 비롯해서 요동반도는 물론 나아가 산동반도까지도 소위 '동이족'의 활동 무대로 기록하고 있습니다.

먼 과거 활동무대에서 바다는 오히려 육지보다 편리한 이동 통로로 작용했음을 다른 역사도 증명하고 있습니다. 유럽사에서 지중해(Mediterranean Sea)는 유럽지역에서 일종의 호수처럼 '내해'(內海)로 작용한 바 있습니다. 그래서 현 시점에서의 아프리카, 유럽남부, 소아시아 지역은 사실상 지금의 유럽내부인 영국보다 더 가까운 이웃으로 작용하였음을 알 수 있습니다. 크레타 문명, 미케네 문명, 페니키아의 해상무역, 동방과 서방의 페르시아 전쟁, 그리스 도시 국가들끼리의 수많은 교역과 전쟁, 카르타고와 로마의 포에니 전쟁 등 이 모두 지중해가 있었기에 가능했던 존재와 사건들입니다. 우리 서해(西海)를 떠 올리면, 시계 반대방향으로 가면서 동쪽에 한반도, 북쪽에 요동반도, 서쪽에 산동반도, 그리고 일본의 남부가 서해를 에워싸고 있음을 알 수 있습니다. 요동반도가 고구려의

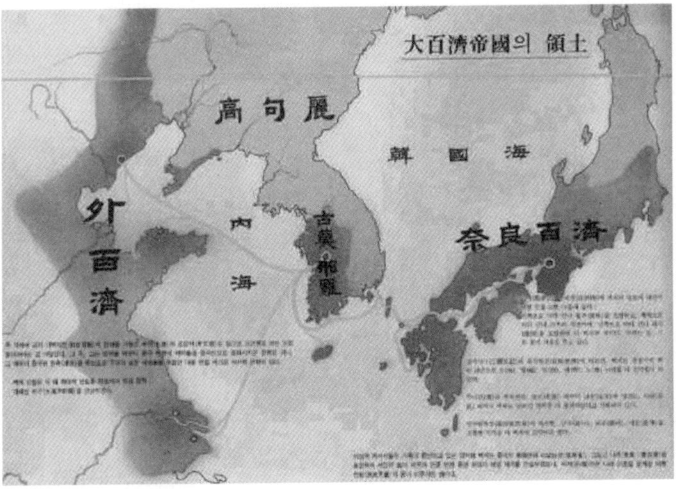

내해(서해)를 중심으로 한 문명권 (출처: 김산호, 1994. 「대쥬신제국사」 2권)

주요 거점이라는 사실과 함께 산동반도에 신라방(新羅坊)이 설치되었다는 것이 어떤 특정인물이 특정시점에 갑자기 만들었다기보다는 과거부터 동이족이 다수 거주하고 있었기에 가능했다는 것입니다. 일본에 장보고 신사가 있다는 것도 지극히 자연스러운 일이라고 생각합니다. 과거에 서해가 어떤 주요 세력들의 '내해'로 작용했다는 것은 결코 무리한 추론이 아닐 것입니다. 현재의 서해가 '내해'로 작용할 수밖에 없었다면, 그 내해의 활동 주역은 누구였을까요? 당연히 동이족일 수밖에 없으며, 동이족 중에서도 주요 세력이 있었을 것입니다.

동이족은 추상성이 높은 낱말이기에 당연히 여러 족속들이 포괄되어 있었을 것입니다. 문제는 누가 동이족의 주체 세력으로서 활동해 왔고, 과거 역사의 기록물들이 동이족의 구심점을 어느 족속으로 보고 있는가가 핵심일 것입니다. 동이족이란 다른 사람들이(즉, 중화족들이) 타 민족을 지칭한 포괄적 용어입니다. 그러면, 우리는 우리를 무엇이라고 불렀을까요? 현재 우리는 우리를 '한민족', '배달민족'이라고 하니까 한족속, 배달족속임이 분명합니다. 그러면 왜 족속의 이름을 '한'이나 '배달'이라고 불렀을까요? 이것이 우리 민족이 일정수준 조직화된 정치체계를 통해서 무리를 이루어 온 과거 시점에 대한 실마리를 제공한다고 생각합니다. 그런데, '배달'이란 명칭의 족속을 추적하면, 단순히 '단군시대'(檀君時代)로 거슬러 올라가는 문제를 넘어서서 단군시대 이전의 '환웅시대'(桓雄時代)로 거슬러 올라가게 되는 듯합니다. 환웅시대를 'ᄇᆞᆰᄃᆞᆯᄂᆞᄅᆞ'라고 부르기도 하기 때문입니다. 배달민족이란 'ᄇᆞᆰᄃᆞᆯᄂᆞᄅᆞ'의 'ᄇᆞᆰᄃᆞᆯ민족'일 것입니다.

우리가 어떤 세력을 이루어서 나름대로의 사회체계를 지닌 족속으로 살게 된 그 기원으로 '단군조선', '고조선'을 이야기 하며, 그래서 대한민국의 나이로 '단기'(檀紀)를 사용하며, 대한민국의 생일은 10월 3일입니다. 정리하면, 단기 연원은 B.C. 2333이며 단군의 탄생일은 10월 3일입니다.

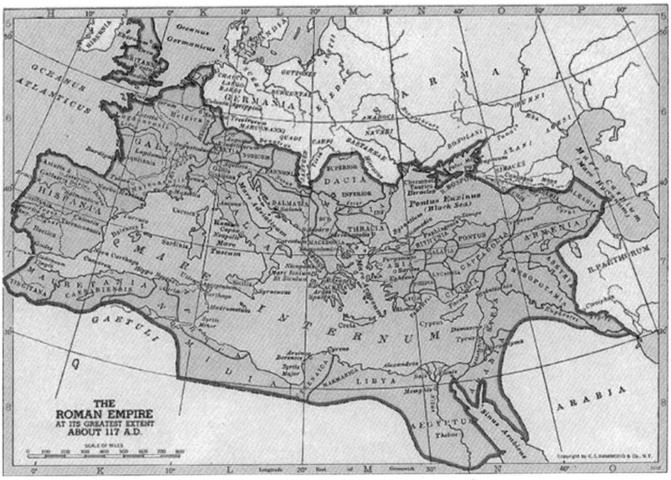

지중해(Mediterranean Sea) 지중해를 중심으로 한 문명권

현재 ‘서기’(西紀) 연원에 2333을 더하면 대한민국의 나이가 되는 것입니다. 배달민족의 문자 ‘ᄒᆞᆫ글’은 민족의 유산이란 수준을 넘어 세계의 유산으로 인정되고 있습니다. ‘ᄒᆞᆫ글’의 기원을 단군시대의 ‘ᄀᆞ림토 문자’까지 거슬러 올리기도 합니다(B.C.2183).

‘단군조선’도 하늘에서 갑자기 떨어져 생겨나지 않았을 테니 단군시대 이전을 ‘환웅시대’(B.C. 3898 – B.C. 2333)라고 합니다. 환웅시대는 ‘ᄇᆞᆰᄃᆞᆯᄂᆞᄅᆞ’로서 이것이 현재의 발음으로 ‘배달나라’라는 것도 일치합니다. ‘ᄂᆞᄅᆞ’라는 의미는 나루, 물가입니다. 그러니까 ‘밝은 해가 비추는 물가에 자리잡은 집단’이라는 의미가 됩니다. 적어도 단군조선을 이야기 하려면 그 이전의 어떤 시대의 존재 여부는 당연한 것입니다. 더욱이 현재 우리가 가장 많이 사용하는 ‘한국’(韓國)이라는 명칭이 ‘ᄒᆞᆫ국’이고, 사전에서도 언급하듯이 ‘ᄒᆞᆫ’은 ‘환’(桓)의 정자(正字)입니다. 그러니까 환웅(桓雄: ᄒᆞᆫ웅)시대 ‘환국’(桓國)은 ‘ᄒᆞᆫ국’이요 지금 ‘한국’인 것입니다. ‘ᄒᆞᆫ’은 “크다, 높다, 하늘”의 뜻으로 “임금 또는 왕”을 뜻하는 ‘한(汗), 간, 칸’을 뜻합니다. 정

단군 원래 대종교에서 사용하는 공식적인 단군 진영은 왼쪽 것이며, 대한민국 정부에서도 1949년, 초대 문광부장관 안호상 박사의 청원을 받아들여 대종교 진영을 단군의 공식적인 진영으로 인정하였습니다. 하지만 1977년에 사단법인 현정회(現正會)에서 오른쪽 단군 진영을 승인해달라고 정부에 요청, 승인받았습니다. 둘 다 국가공인 단군 진영이지만, 대종교에서는 현정회 측 단군 진영을 인정하지 않습니다. 대종교 측 설명에 따르면 왼쪽 단군 진영은 나철 선생에게 어떤 노인이 홀연히 나타나 신라 시대 솔거가 그렸던 단군 진영이라면서 그림 한 장을 넘겨준 바, 다른 화가를 시켜 모사한 것이라고 합니다.

리하면, 한(韓)은 고유어 'ᄒᆞᆫ'의 음차(音借: 음을 빌어서 비슷한 용어를 쓰는 것)이며, 배달(倍達)은 고유어 'ᄇᆞᆰᄃᆞᆯ'의 음차로 이두(吏讀: 한자의 음과 뜻을 빌어 우리말을 적는 것)표기인 것입니다.[2] 우리가 우리를 배달민족이라고 지칭하는 한 배달나라의 존재에 대해서 긍정적 의미에서의 강박관념은 오히려 우리의 정체성 파악에 도움이 되리라고 생각해 봅니다. 현재의 '한국' '대한민국'이란 어원은 단군시대를 넘어선 'ᄒᆞᆫ인시대'를 지칭하고 있기 때문입니다.

동이족이란 것이 여러 족속들을 포괄하여 지칭하는 용어이고 그런 경우 이를 동호(東胡), 오환(烏桓), 선비(鮮卑), 거란(契丹), 실위(室韋), 예맥(濊貊), 발해(渤海), 여진(女眞) 등의 보다 세분화된 족속들로 나누

2) 이렇게 본다면 '환웅'이나 '환단고기'(桓檀古記)는 '한웅'이나 '한단고기'라고 발음해야 합니다.

어서 각각의 원류를 별도로 살펴보는 연구도 있습니다. 같은 족속의 기준을 '어족'(語族)으로도 할 수 있음은 주지의 사실입니다. 처음부터 이들을 다른 민족으로 볼 지 아니면 동일하지는 않더라도 사실상 하나의 틀 속에서 존재하는 동일한 족속으로 볼 지 다양한 시각이 존재할 것입니다. 이들 세분화된 족속들이 '족내혼'(族內婚)보다는 '족외혼'(族外婚)을 했다는 증거는 빈번히 발견되고 있습니다. 어떤 특정 명칭이나 분류를 사용할 때의 시점도 더 이전의 시점에서 보면 과거를 잃어버린 현재의 시점에 불과할 수 있습니다. 과거에 같은 민족이었어도 현재에는 다른 민족으로 인식될 수도 있습니다.

우리를 부를 때 '한민족' 및 '배달민족' 이상으로 많이 사용하는 단어가 있는데 바로 '조선민족'이란 용어입니다. 남과 북이 나뉘어 있는 지금 현실에선 특히 북한에서 '조선'이란 말을 사용합니다. '단군조선'이나 '고조선'은 나중에 조선왕조였던 '조선'과 구분하기 위해서 현재 시점에서 과거를 규정한 명칭일 뿐입니다. 기록에는 분명히 단군왕검이 '조선'을 건국했다고 했으니 그냥 '조선'일 뿐입니다. 우리 족속이 어떤 족속인지를 아는데 '조선'이란 용어를 음미해야만 하는 이유입니다. 고종황제는 대한제국을 시작하며 국호를 '조선'에서 '대한'으로 개칭하면서, "조선은 옛날에 기자(箕子)가 봉(封)해졌을 때의 이름이니 당당한 제국의 이름으로 합당하지 않다"라고 하였는데, 오히려, 여기서 중요한 것은 왜 기자를 봉할 때 하필이면 '조선'이라고 하였을까 하는 점입니다. 단순히 그곳이 쥬신족의 땅이기 때문에 '조선'이라고 했음이 자명합니다.

'조선'이란 단어 역시 '쥬신'의 이두(吏讀)입니다. 조선이란 말 자체는 한자어의 음독일 뿐이고 '쥬신'이 우리의 발음인데, 이를 한자로 음차한 것뿐이란 이야기입니다. 쥬신족이란 중화족들이 '쑤우신'(肅愼)으로 말하는 족속들인데, 나중에 '주신'(珠申, 州愼)으로 음차되어 발음되기도 합니다.

연개소문이 통합시킨 부족들을 언급하면서 자주 등장하는 '여진족'의 '여진'(女眞)도 '쥬신' 및 '주리진'이 번어화(飜語化: 구전되면서 변화된 발음)된 것에 불과하다는 것입니다. '말갈'(믈걸)은 '물가'의 한자어 음차입니다. 말갈족은 물가에 사는 부족을 나타내는 일반명사가 고유명사화 한 것입니다. 간혹 말갈이란 어감이 선입견을 일으키는데, '물가'를 음차한 후에 발음하니 그런 것뿐입니다. 당시 부족들은 필연적으로 물가 부근에 자리잡고 발전하게 됩니다. 필자의 고등학교 시절 국사 교과서 등에 고구려 멸망 후 고구려 상류층의 유민 대조영이 미개한 말갈족을 복속하여 발해를 건국했다고 써있었는데, 사실 말갈족은 미개한 것도 아니고 결국 분화되어 있었던 또 다른 우리 부족이라고 보는 것이 상식에 더 합당하다고 생각합니다. '여진', '말갈', '숙신', 이 모두 같은 족속에 대한 다른 용어인 것입니다. 하나의 민족을 여러 가지 지칭어로 부를 수 있습니다. 정리하면, '쥬신족'이란 만주대륙을 중심으로 송화강, 압록강, 요하, 요동, 심지어 황하의 하류까지 항상 물과 강을 끼고서 그 주변에 활동했던 민족이라는 것입니다. 이렇게 본다면 지금의 서해바다는 분명 '쥬신족'의 내해였을 것으로 추정하는데 큰 무리가 없을 것입니다. 동이족을 이루는 다양한 부족들 중에서도 '쥬신족'이 우리 민족입니다.

그러면, 일연의 삼국유사에서 고구려와 백제는 '부여족'이 중심이 되어 설립했는데, 부여족은 무엇입니까? 부여족도 동이족의 한 족속입니다. 부여족의 '부여'는 '부리' '벌' '부리야트'의 음차일 뿐입니다. '부루'(夫婁) '읍루'(挹婁)도 번어화 과정에서 생긴 단어로 해석됩니다. 부리는 벌판, 넓은 땅을 이야기하는 순수 우리말 입니다. 단군조선 말기 제사장 정치체계가 지리멸렬해 가던 시기에 쥬신족의 위기를 추스르면서 스스로 대단군의 지위에 올라선 해모수(解慕漱)는 비류江의 졸본강가를 중심으로 국가체계(대부여, 북부여)를 정비합니다(B.C. 238). '부리'는 대개 크게 보아 요동반도에서 가까운 요하지방과 더 내륙에 가까운 졸본(卒本)지방으로 구성되는데, 요동반도의 요하(遼河; 랴오허)는 '구려하'(句麗河)였고 '구려'는 순수 우리말 '가우리'를 음차한 것입니다. 고구려는 동명왕으로부터 시작됩니다(B.C.206). 동명왕은 해모수의 동생으로 과거 불쥬신(지금의 요서, 요동지방) 땅을 전쟁으로 회복하면서 해모수에 의해서 '고구려후'(高句麗侯)에 봉해진 것이니까 부여국과 고구려국은 형제국입니다. 그리고, 고주몽은 '졸본부여'(B.C. 108)를 건설합니다. 결론적으로, 현재 배달민족으로 표기되는 '밝돌민족'이 보다 포괄적인 용어이며, 배달민족들이 지역별로 일정 수준 분화되었지만 '쥬신족'과 '부리족'이 만든 부여국과 고구려는 배달민족의 고대 국가일 수밖에 없습니다. 종합적으로, 우리는 동이족 중에서도 '쥬신족'과 '부리족'으로 정체화되는 '밝돌민족'일 것입니다.

삼족오(三足烏) 집안시 고구려 고분벽화 5회분 4호묘 / 천정 밑 층급 받침돌 벽화

쥬신족과 부리족이 같은 전통을 공유하는 하나의 민족(즉, 배달민족)이라는 점은 그들의 정치제도에 명확하게 남아 있습니다. 쥬신족과 가우리족은 모두 국가조직체계로 '3왕5부제'란 형식을 채택하는데, 이것은 문화와

전통을 공유하는 배달민족의 큰 틀 속에 있기에 가능한 것으로 해석될 수 있습니다. 단군조선은 3한 5부제를 두었습니다. 신쥬신[진한(辰韓), 진(眞)의 순수 우리말 발음]을 중심으로 말쥬신[마한馬韓), 막(莫)], 불쥬신[변한(弁韓), 번(番)]이 3칸(한, 汗)을 이룹니다. 3한의 각 지역수도는 상경, 중경, 남경[펴라(平壤)]이며 각 지역을 동, 서, 남, 북, 중앙의 5가로 구분하여 마가(馬加), 우가(牛加), 구가(狗加), 저가(豬加), 대가(大加: 황제)를 두고 변방을 다스립니다. 부여족속 가우리는 신가를 중심으로 팔치, 발치의 3왕을 두고 가우리, 술라, 불라, 열라, 줄라 5부를 둡니다. 정치과정으로 보자면, 3개로 나뉘었던 쥬신족의 소위 지역 국가들(신쥬신, 말쥬신, 불쥬신) 중에서 대단군(즉, 여러 세력들을 행사를 통해 하나로 묶는 제사장으로 신쥬신에서 배출됨)을 배출하는 최고 중심 국가였던 '신쥬신'의 힘이 약해지고 결국 단군쥬신의 힘이 약해지니까 부리족이 그 힘의 공백을 대신한 것입니다. 어떤 족속이고 힘이 약해지면 그 힘의 공백을 강한 세력이 대신하는 것을 반복하는 것입니다. 더 나아가, 비록 타민족이 우리 한민족의 주요 활동 지역에 세력을 진출시켜도 장기적 관점에서 우리 한민족으로 동화될 수도 있는 것입니다.

'기자 조선', '위만 조선', '낙랑군', '외백제', '비류 백제', '온조 백제', '나라(奈良) 백제' '목지국', '가야', '신라' '왜'(倭)등은 무엇인지 궁금해집니다. 필자는 이러한 다양한 고대국가들은 한반도를 비롯하여 만주, 요동, 요서, 심지어 산동지방까지 포함하여 하나의 '내해'(內海)로 작용할 때 '중화족'과 '동이족', 그리고 동이족 내부에서 '쥬신족'과 '부리족'을 중심으로 세력 확장을 위한 상호행위의 결과물로 해석해 봅니다. 단군조선이 힘이 약해졌을 때, 그 자리를 북부여가 계승하였듯이, 서해 내해를 중심으로 쥬신족들과 부여족들이 경쟁하며, 패한 세력들은 계속 이동하면서 서해 내해 주변에 지속적으로 국가를 건설한 것입니다. 백제가 해양 국가를 건설했다는 것은 바로 백제 왕가의 동생, 누나, 아들, 딸이 퍼지면서 비류백제, 외백제, 그리고 일본에 진출하여 나라백제까지 건설한 것입니다. 지리적으로 떨어져 있는 국가들의 연합체 이름은 '남부여'라고도 부릅니다. 과거에 있었던 '북부여'가 요동반도와 만주를 중심으로 한 북쪽에 있었던 것과 비교하여 남쪽에 다시 건설된 부여니까 '남부여'인 셈입니다. 나라백제는 현재 일본천황의 뿌리가 되었는데, 백제계와 신라계가 모두 관여했습니다. 먼저 관여한 것은 백제계인데 보황녀[寶皇女: 황극천황(皇極天皇)]는 백제 무왕의 딸이고, 효덕천황(孝德天皇)은 황극천황의 동생입니다. 그들이 불러들인 신라의 장수 대해인(大海人)은 천무천황(天武天皇)이라는 설도 있습니다.

대한민국은 지리적으로 과거의 선조들이 활동하던 영역이 매우 좁혀져서 한반도로 국한되고 있습니다. 현재의 지리적 공간 속에서의 '우리'는 상당한 과거 속 선조를 떠 올리면서 그리는 '우리'와는 다르다는 것을 알 수 있습니다.

마지막 의문은 여전히 남습니다. 그렇다면 현재시간 중심으로 볼 때 현재의 우리는 어떻게 규정하여야 할까요? 국가체계를 생각한다면, 같은 헌법의 체계 아래에서 살고 있는 사람들끼리 우리라고 할 수 있을 것입니다. 우리라는 테두리에 있으려면, 대한민국 헌법 정신의 정체성을 존중하고 준수하여야 합니다. 현재 헌법이 문제가 있다면 합의를 통해서 변경하도록 노력해야 할 것입니다. 현시점에서의 '삶의 정치'를 중시하는 경우엔 '민족'이란 테두리가 약해지기도 합니다. 다민족의 다문화를 존중하면서도 'ᄒᆞᆫ민족', 'ᄇᆞᆰ돌민족'의 뿌리를 통한 정체성을 유지하는데 게을리 하지 않는 두 가지 일을 동시에 해내야 할 것입니다.

- 참 고 문 헌 -

김문조(외). 「한국인은 누구인가: 38가지 코드로 읽는 우리의 정체성」 (파주: 21세기북스, 2013).

김부식. 「三國史記 (上), (下)」 이병도(역) (서울: 을유문화사, 1983).

김산호. 「대쥬신제국사」 1권, 2권, 3권 (서울: 동아출판사, 1994).

김주미. 「한민족과 해속의 삼족오」 (서울: 학연문화사, 2010).

김학노. "정치, 아와 비아의 헤게모니 투쟁" 「한국정치학회보」 44집 1호 (2010), pp.31-57.

손진기. 「東北民族源流」. 임동석(역) (서울: 동문선, 1992).

심백강(편). 「잃어버린 상고사: 되찾은 고조선」 (서울: 바른역사, 2014).

양승태. 「대한민국이란 무엇인가」 (서울: 이화여자대학교출판부, 2010).

이병도, 최태영. 「한국상고사입문」 (서울: 고려원, 1989).

일연. 「사진과 함께 읽는 삼국유사」 리상호 옮김, 조운찬 교열, 강운구 사진 (서울: 까치, 1999).

정인보. 「朝鮮史硏究」 (上), (下) (서울: 연세대학교 출판부, 1983[1946, 1947]).

진단학회(편). 「한국사」 고대편. 증보판 (서울: 을유문화사, 1974).

천관우(편). 「韓國史大系」 1권[上古] (서울: 아카데미, 1984).

최인호. 「잃어버린 왕국」 (전5권) (서울: 우석, 1986).

최인호. 「왕도의 비밀」 (전3권) (서울: 샘터, 1995).

Brubaker, Rogers and Frederick Cooper. "Beyond Identity" *Theory and Society*. Vol. 29, No.1 (2000), pp. 1-47.

Foucault, Michel. *Discipline and Punish: the Birth of the Prison*. translated by Alan Sheridan (New York: Vintage Books, 1995).

2. 근대화 과정에 나타난 국제정치와 국내정치의 복합성: 인도, 중국, 그리고 한국

'근대화'(modernization)란 경제변수와 '민주주의'란 정치변수는 상호작용을 합니다. 두 변수의 관계에 대하여 다양한 이론이 존재하지만, 일정 수준의 근대화가 이루어져야 민주주의가 제대로 정착해 나간다는 립셋(S. M. Lipset) 류(類)의 주장이 경험적으로 더 설득력이 있음이 입증되고 있습니다. 동양의 여러 국가에서 자발적으로 민주주의가 정착되기 이전에 서구열강들에 의한 강제 개항을 통해서 근대화가 진행되었으며, 이런 과정에서 도탄에 빠진 백성들은 중앙정부의 권위에 대항하는 일종의 '혁명세력'이 됩니다. 동양의 여타 주요 국가들과 한국을 비교시각에서 살펴보도록 하겠습니다.

19세기 이후의 시기는 많은 동양의 국가들이 서양 열강들에 의해서 강제로 세계질서에 편입되던 시기였습니다. 동양의 중심국가라는 인식 속에 있었던 중국도 예외는 아니었습니다. 여기서, 강제로 세계질서에 편입된다는 의미는 동양 국가들이 서구 열강들과 맺는 조약이 불평등 조약이란 의미입니다. 불평등 조약의 형식은 특히 조계(租界), 조차지(租借地), 영사재판권, 관세관리권, 자원개발권, 국토개발권 등으로 구체화됩니다.

조선왕조는 일본과 1876년 병자수호조약을 필두로, 경부선 철도 부설권(1898), 충북의 직산 금광채굴권(1900) 계약을 맺습니다. 러시아와는 함북 경원 및 종성의 광산채굴권(1896), 압록강 및 울릉도 삼림 채벌권(1896) 계약을 맺습니다. 미국과는 경인선 철도부설권(1896), 평북의 운산 금광 채굴권(1896), 서울시 전차 부설권(1898) 계약을 맺습니다. 프랑스와는 경의선 철도 부설권(1896) 계약을 맺습니다. 독일과는 강원도 금성의 금광 채굴권(1897) 계약을 맺습니다. 심지어 일본과 미국은 자기네들끼리 경인철도 부설권을 서로 교환하며 1899년엔 미국이 그 권한을 일본에게 넘깁니다.

제국주의에 앞장섰던 영국이 동양에서 가장 집중한 나라는 인도였습니다. 세계질서에 편입되는 형식은 '개항'(開港)을 통해서 이루어집니다. 개항이란 국가가 항구를 열어서 외국과 통상하는 일을 말합니다. 말이 개항일뿐 강자의 약자에 대한 침략입니다. 외부로부터의 침략이 시작될 때, 국내 정치과정에선 대개 세 가지의 대응전략이 있습니다. 하나는 '그냥 개국(開國)하여 문호(門戶)를 개방하는 것'이고, 하나는 '쇄국(鎖國)하여 문호를 걸어 잠그는 것'이며, 나머지는 '무조건 문호를 개방하는 것이 아니고 자신의 자강을 도모하면서 문호를 개방하는 것'입니다. 이 세 가지 방식은 한 개의 방식이 지속되는 것이 아니고 시간이 흐르면서 그 방식들이 다양하게 조합되기도 합니다.

비교정치 및 통시적 관점에서 보자면, 인도의 무굴왕조, 중국의 청왕조, 한국의 조선왕조는 국제질서에 편입되는 과정에서 유사점과 상이점이 발견되며 그것이 현재 한국정치과정에 정치적 함의를 제공하기에, 중국, 인도, 한국을 비교해 보고자합니다. 한국이 세계질서 속에 편입되는 과정에 대한 비교 시각적 이해는 현재 우리의 모습에 또 다른 평가 기준을 제시한다고 보기 때문입니다.

인도는 서양의 뱃길에서 가까운 지리적 위치때문에 이미 17C 말에는 영국의 '동인도회사'(East India Company: 1600년 레반트 상인들이 만들고 얼마 후 엘리자베스 여왕으로부터 동인도 무역의 독점권을 획득한 회사)를 통해서 반 강제로 개항되며, 국가의 부가 영국으로 유출되고 있었습니다. 동인도회사는 1765년에 인도 벵골지방의 조세징수권을 무굴제국의 황제로부터 이양 받아, 벵골지방의 영토 지배자이자 정치권력자가 됩니다. 국가로부터 독점권을 인정받아 인도에 진출한 동인도회사의 인도에서의 횡포가 본국에 보고되면서 영국의 의회는 1814년에 독점권을 다시 환수하고, 1933년에 통치권한을 국가에 이양합니다. 이상은 영국의 입장인데, 이렇게 영국의 결정이 움직이게 된 결정적인 요인은 '세포이 반란'(Sepoy Mutiny: 1857-1859)때문이었습니다. '세포이'란 영국 동인도회사가 인도인들로부터 차출한 토착 용병을 말합니다.

1850년은 영국이 인도 무굴왕조의 다양한 지역 영토들에 대한 모든 통치권을 확립하면서 거의 완성에 이른 시기였습니다. 세포이의 '난'(亂)의 이유는 인도 토착용병들에 대한 대우문제도 있었지만, 근본적인 이유는 새로운 외세가 인도의 전통적 가치를 무너뜨렸기 때문입니다. 서구식 교육이나 문화의 인도 유입은 여성해방, 기독교의 유입 등의 문제로 정통 힌두교와 이슬람교에 커다란 위협이 되고 있었습니다. 이런 와중에, 벵골지역 세포이에게 엔필드 총과 탄약통이 지급되었는데, 입으로 물어뜯어서 열게 되어있는 윤기 나는 탄약통에 소기름이나 돼지기름이 묻어있다는 정보가 확

세포이의 난 (1857-1858)

산되면서 난이 시작됩니다. 소기름과 돼지기름이라니, 도대체 힌두교도와 이슬람교도에게는 용납할 수 없는 일입니다. 문화적 요인이 반란의 기폭제가 된 것입니다.

세포이의 난은 벵골지방에서 시작되었는데, 토착 용병과 지역 농민들은 반란의 점화 세력에 불과했고, 난이 확산되면서 불과 4개월 후에 인도 인구의 2/3가 참여하는 범(汎)국민운동으로 확장됩니다. 세포이의 난이 확산된 주요 원인은 처음의 종교적 이유와는 달리, 지배계층에 대한 반발, 백성들의 생활도탄, 배외(拜外)감정이 주요 요인들이었다는 것입니다. 북인도 대부분의 지역민들과 남인도 일부 지역민들은 지주나 관리들의 고리대금업에 시달리고 있었으며, 도시 수공업자들은 영국 물품 때문에 타격이 컸습니다. 상대적으로 자작농이 많았고, 조세경감 조치가 효과를 발휘하는 남인도 지역들로는 난이 확산되지 않았습니다. 세포이의 난이 일어났을 때, 영국 정부는 이를 계기로 1859년 4월에 인도를 국가가 직접 통치하는 체제로 변경합니다. 동인도회사는 인도에 대한 통치권한을 모두 엘리자베스 여왕에게 헌납하고 회사는 해산합니다. 인도에서 범국민적으로 최초이자 최대의 민란이라고 하는 세포이의 난은 실패로 끝납니다. 단적으로, 군주 및 일반 위정자들은 이에 참가하지 않았기 때문인데, 결국 영국 정부가 직접 통치를 선택하면서 무굴왕조는 망합니다. 이 사건은 청왕조에서의 '태평천국의 난'이나 조선왕조의 '갑오농민혁명'을 생각하게 합니다.

동이족의 일파인 여진족의 추장 누르하치가 1616년 '후금'(後金)을 세우고 홍타이지가 1636년 '대청'(大淸)으로 국호를 변경한 후에 명나라를 1644년 멸망시킨 후, 19C 중엽 청나라는 건국이후 최대의 위기에 직면해 있었습니다. 청나라에 대한 유럽 열강들의 외세 침입이 본격적으로 가중되어 나타난 사건은 19C 중반의 '아편전쟁'(Opium War: 1840-1842; 또는 '제1차 중・영전쟁'이라고도 함)입니다. 이런 국가존립의 위기 상황 속에서 '태평천국의 난'(1851-1864)이 일어나 혼란이 극에 달합니다. 인도에 동인도회사의 침입과 이로 인한 세포이의 난과 비견하여 그 내용을 음미해 볼 필요가 있습니다.

18C 후반 청나라는 '쇄국'(鎖國)제도를 시행하고 있었으며, 외국과의 통상은 '공행'(公行)이란 특권 상인단체를 통해서 광둥(廣東)의 광저우항(廣州港)으로 한정하고 있었습니다. 영국은, 앞서 이야기했듯이, 국가로부터 무역권을 위임받은 동인도회사가 중국과의 통상에 임하고 있었습니다. 중국의 외국 통상에서 가장 큰 세력이었던 영국은 은(銀)을 주고서 중국으로부터 차, 비단, 도자기를 구입하였습니다. 중국은 영국으로부터 모직물과 향료를 구입하고 있었는데, 영국의 수입량이 워낙 커서, 대량의 은이 중국으로 유입되고 있었습니다. 영국에서 차의 수요가 급증하자, 동인도회사는 인도에서 생산한 아편과 목화를 중국에 판매합니다. 중국의 아편 수요는 폭발적이어서 결국 1830년대에는 대량의 은이 영국으로 유입됩니다. 청나라는 아편판매 금지에 강경론자로 유명한 린쩌쉬(林則徐)를 파견하여 영국 상인으로부터 아편을 몰수하고 이를 소각해 버립니다. 영국은 외국의 비난을 무릅쓰고 중국과의 전쟁에 돌입합니다. 영국은 그럴만한 이유가 있었는데, 우선 아편의 중국 판매망을 안정시킴과 동시에 인도의 아편전매는 인도재정에 영향을 주어 영국의 인도경영을 수월하게 할 수 있었습니다. 아편밀수를 통해서 영국에 유입되는 은은 미국, 호주, 중국, 인도를 연결시키는 세계 자유무역망을 형성하는데 자본이 되었습니다. 산업혁명에 가장 먼저 성공한 국가인 영국은 자유무역체제를 형성하는데 적극적이었습니다.

아편전쟁이 본격적으로 있기 전인 1839년 11월 3일 촨비(川鼻)에서 청나라 해군과 영국 해군이 소위 예선전을 했는데, 결과는 중국의 참패였습니다. 봉건구습에 물들어 있던 우물 안 개구리 청나라가 당시 세계에서 가장 강대한 해양세력 영국과 싸운 것은 단순히 자존심의 발로 그 이상도 그 이하도 아니었습니다. 당시 영국과 중국의 선박기술은 너무도 차이가 컸습니다. 중국은 명(明)나라 시절 당시 최고의 해상력을 갖고 있었습니다. 명나라 제독 정화(鄭和)는 영락제의 명령으로 1405년부터 1433년까지 7차례에 걸쳐 북아메리카, 마젤란해협, 뉴질란드, 그린란드를 포괄하며 전 세계를 누볐습니다. 명나라의 해상력과 선박기술은 청나라 이후 해군력을 약화시키고 육군만을 강조하며 쇠퇴하였습니다. 영국의 무역 상업자본가들이 의회에 전쟁을 종용하는 가운데, 1840년 6월에 아편전쟁이 본격화합니다. 청나라에 진출한 영국 해군은 우선 홍콩을 강점하고 영국의 영토임을 선언합니다. 이에 청나라가 반발하자 다시 한 번 선제공격을 가해 양쯔강(揚子江) 요지와 전장(鎭江)을 함락시키며 1842년 8월 29일 '난징조약'(南京條約)을 맺으면서 아편전쟁은 막을 내립니다. 불평등조약일 수밖에 없는 난징조약의 내용은 홍콩을 영국에 할양하고, 광저우를 포함하여 추가로 4개 항구의 개항[상하이(上海), 샤먼 (廈門), 닝보(寧波), 푸저우(福州)], 협정관세적용, 영사재판권, 최혜국 대우 등이었습니다. 중국의 반(半)식민지화가 시작된 것입니다.

청나라의 외부적 위기와 내부적 위기는 동시에 발생하였습니다. 청나라가 세계질서에 편입되던 그 시기와 일치하여 국내에서는 대규모 민란이 발생합니다. 앞서 아편전쟁에서 청나라는 민중들이 무장하여 외세를 배격하는 게릴라전에 임하는 것 자체를 두려워하였습니다. 왜냐하면 청나라는 소수 이민족인 여진족이 통치하는 왕조이기에 민중들의 무장이 오히려 청조에 위협이 될 수 있었기 때문입니다. 청조의 군대도 부패하였으며 기강이나 무기체계도 영국의 수준과는 너무도 거리가 먼 것이었습니다. 청조가 아편전쟁에서 민중들이 무장하는 것 자체를 두려워 한 것은 아편전쟁이 있기 얼마 전에 '백련교의 난'(1796-1804)을 경험했기 때문입니다. 백련교(白蓮敎)의 난은 전체적인 조직이나 통일된 슬로건을 지닌 난이 아니고,

아편전쟁 (해상전)

단지 게릴라들의 정부에 대한 반항으로 이해될 수 있는 측면이 강했습니다. 실제로 청왕조가 난의 진압에 개입했다기보다 지방 지주층의 의용군인 향용(鄕勇)들이 그 난을 평정할 수 있는 수준의 것이었습니다. 원나라나 명나라 말기에도 백련교의 난이 있었으나 청나라에서는 더 다양한 지역에서 백련교의 난이 일어나는 정도였습니다.

홍슈취안(洪秀全)과 농민세력을 중심으로 1851년 시작되어 14년간 지속된 '태평천국의 난'(太平天國의 亂)은 성격이 전혀 다릅니다. 이것은 새로운 이상향의 국가인 '태평천국'(평화롭고 평등한 지상천국)을 건설하는 차원의 것으로 옥새를 만들고 주화를 발행하기까지 합니다. 1843년 홍슈취안이 광둥성 화현(花縣)에서 '배상제회'(拜上帝會)를 창시하고, 금욕계율, 유교에 대한 비판, 우상 부정을 주장하였습니다. 1851년 초에 광시성(廣西省)에서 마을 지주들과 관헌들과의 대립 속에 박해가 시작되자 홍슈취안과 1만명가량의 상제회 신도들은 '태평천국'이란 호(號)를 내세우며

홍슈취안
(1814-1864)

궐기합니다. 1853년 난징을 점령하고 이를 '천경'(天京)이라고 하는데 1856년 지도층의 내분이 있기까지 향후 3년간 중국의 북부까지 세력을 넓히며 전성기를 이룹니다. 난이 있었던 14년간 중국에는 사실상 청왕조와 태평천국이란 두 개의 국가가 있었던 셈입니다. 태평천국은 남녀, 빈부, 계급차별과 대립이 없는 평등한 사회란 이상향을 건설하기 위한 수단으로 '천조전무제도'(天朝田畝制度: 토지공유사상)를 내세웁니다. 베이징 조약이후 국가의 공권력이 지방에 미치지 못하고 무너지면서, 지방 탐관오리의 학정과 지방 토호들의 고리대금업 속에 유민(流民)과 빈농(貧農)이 증가하며 이들 '갖지 못한 자' 들이 태평천국의 주요 세력이 됩니다. 태평천국이 발생한지 10년이 되었을 때 양자강 주변의 지역을 폭넓게 흡수하며 중국 대륙의 서남부를 장악하여 대륙의 1/4에 해당하는 넓이로 세력이 확산됩니다. 그러나 태평천국은 지도부 내분으로 그 세력이 약화되고, 결국 영국, 프랑스, 쩡궈판(曾國藩)이 이끄는 상군(湘軍) 연합군에 의해서 제압됩니다. 1864년 난징이 함락되면서 홍슈취안은 자살합니다, 태평천국의 난은 쑨원(孫文)의 '한(漢)민족주의'로 연결됩니다.

태평천국의 난으로 어려움에 처해있던 청나라는 1856년에는 '애로우(Arrow)호 사건'을 계기로 영국과 다시 전쟁을 치르게 됩니다(애로우 전쟁, 또는 제2차 아편전쟁, 또는 '제2차 중·영전쟁': 1856-1860). 영국 상선인 애로우 호는 홍콩 선적(船籍)의 배였는데, 당시 홍콩은 영국에 할양된 상태였고 영국기를 달고 있었습니다. 1856년 10월 8일에 애로우 호가 광저우시 주장(珠江)에 정박 중이었는데 이 배는 사실상 밀수선이어서 중국 관원들에게 애로우호의 중국 승무원들이 체포되고 그 와중에 영국기가 불살라지게 됩니다. 영국은 이를 트집 잡아서 배상금과 사과문을 요구하나 거절되자 총독 관아를 포격합니다. 후에 프랑스 선교사 살해사건을 계기로 영국과 프랑스는 연합군의 형태로 베이징에 진출하여 원명원(圓明園)을 불태웁니다. 1860년 10월에 청나라는 영국, 프랑스, 러시아 3개국을 포함하여 서구 열강들과 각각 조약을 체결하는데 해당 조약들을 종합하여 '베이징 조약'(北京條約)이라고 합니다. 영국에 주룽(九龍)반도를 할양하고, 베이징에 영구적인 영국공사관을 설치하는 조약을 맺습니다. 프랑스와는 청이 과거에 몰수했던 가톨릭 재산을 전부 반환한다는 조약을 맺습니다. 그리고 양국에 톈진(天津)항 개항과 배상금 지급을 약속합니다. 심지어 러시아는 영국, 프랑스와 강화조약을 중재해 주었다는 명분으로 우수리강 이동의 연해지방을 자국의 영토로 편입합니다. 베이징 조약이후 중국은 베이징의 입구 격인 톈진을 개항하여 중국 해안의 남쪽에서 북쪽까지 모두 개항하게 됩니다. 중국의 반(半)식민지화가 심화된 것입니다.

영국과 프랑스의 도움을 받아서 태평천국의 난은 수습됩니다. 영국은 태평천국의 난을 수습하는 과정에서 중국의 전 영토에 대한 완전 식민지화는 불가능하다는 판단을 하게 됩니다. 태평천국의 난은 오히려 청왕조가 서구 열강의 식민지가 되는 것을 막아 준 아이러니한 사건으로도 해석이 가능합니다. 서구 열강의 세계질서 속에 편입되면서 청나라의 경우는 과거 자신들이 종주권을 행사하던 주변 나라들을 지키랴, 자기 나라를 지키랴 양면적인 상황에 처했다는 점에서 인도와는 다릅니다. 청나라는 태평천국의 난을 영국과 프랑스의 도움으로 진압하였지만, 베트남에 대한 종주권을 놓고서 청·불전쟁(1884-1885)을 벌이게 되고, 전쟁에서 패배하여, 이제 베트남 종주권을 뺏깁니다. 중국이 주장하던 중화질서는 무너졌고 이제 자기 영토를 지키기도 버거운 상태가 된 것입니다.

청왕조가 외세의 침입과 내부 민란으로 곤욕을 치렀던 그 시기에 조선왕조도 유사한 과정을 겪고 있었습니다. 조선말기 국가재정의 3대축은 '전정'(田政), '군정'(軍政), '환곡'(還穀)이었습니다. 전정, 군정, 환곡에서의 문제는 모두 관리와 토호들의 부정과 그 부담을 모두 백성들이 안고 있었다는 것으로 요약됩니다. 관리와 토호들은 자신들 소유의 땅을 조세 대장에 올리지 않고[은결(隱結)] 탈세를 일삼게 됩니다. 이를 상쇄하기 위해서 관리들은 국가가 정한 조세항목 이외에 황무지에도 세금을 부과하거나 심지어 장부에 기재되지 않은 빈 땅에 세금을 물려서[백지징세(白地徵稅)] 백성을 착취합니다. 군정이란 장정들이 직접 병역(兵役)을 치루지 않는 대신에 세금을 추가로 내던 것[군포(軍布)]를 말하는데, 양반들과 연결된 사람들은 면제해 주고, 무력한 농민들이 그 부담을 떠안게 됩니다. 어린아이를 장정으로 변경시켜 세금을 걷거나[황구첨정(黃口簽丁)], 죽은 사람에게서도 세금을 물리는 것[백골징포(白骨徵布)]들이 그 예입니다. 환곡은 정부가 흉년이나 춘궁기에 빈민들에게 곡식을 제공하고 풍년이나 추수기에 갚게 하는 빈민구호제도입니다. 원래 조선이 출범하던 시기에는 '의창'(義倉)에서 빈민들에게 이자 없이 대여한 제도입니다. 조선말에 환곡은 빈민구호제도가 아니라 백성수탈제도이자, 삼정의 문란 중에서 가장 큰 폐해를 보입니다. 고리대금업으로 바뀐 것입니다. 조선왕조 말기의 가장 큰 국가위기 요소는 외세의 침략이 아니라 내부의 탐관오리들과 이를 관리하고 통제하지 못하는 국가 권력의 붕괴였던 것입니다.

1860년에 '동학'(東學)이 창시됩니다. 최제우(1823-1864)는 조선내부에선 민중들이 도탄에 빠지고, 외부에선 영국과 프랑스의 연합군이 베이징을 점령했다는 소식을 들으며, 조선의 장래를 걱정합니다. 피폐한 백성들에게 '서학'(西學)의 한 형태로 천주교가 급속히 퍼져 나가는 상황을 보면서, 최제우는 백성들에게 서학이 널리 퍼지게 되면 결국 서양 세력이 조선을 지배하게 될 것을 걱정합니다. 원래 유학자였던 최제우는 1856년 양산

(梁山) 천성산(千聖山)에서 수도 끝에 조선에 존재하던 다양한 종교와 사상들(유교, 불교, 도교, 도참사상, 무속신앙)을 결합하여 '인내천'(人乃天: 백성이 곧 하느님)과 '후천개벽'(後天開闢)을 내세우며 1860년 포덕문(布德文: 시국을 걱정하며 나라를 돕고 백성을 편하게 하겠다는 내용)을 통해서 동학 창시를 선언합니다. '동학'은 신흥 종교로서 창시된 것이지만, 그 내용이 모든 백성들은 하느님과 동등하다는 평등사상과 세상이 바뀐다는 개벽사상은 결국 계급사회인 조선왕조를 무너뜨리고 새로운 국가 건설을 주창한 '혁명'을 의미하기에 1864년에 최제우는 체포되어 처형됩니다. 최제우가 처형되기 전후의 1860년대 조선은 소위 '민란의 시대'라 할 만큼 그 횟수는 40여회에 이르며, 경상도, 전라도, 충청도, 경기도, 황해도, 함경도, 제주도를 망라하고 있었습니다. 동학은 이제 더 이상 종교에 머무르지 않고 새로운 국가혁명세력으로 발전합니다.

최제우
(1824–1864)

2대 교주인 최시형(1827-1898)은 동학이 삼남지방(영남, 호남, 충청)으로 퍼지면서, 듀베르제(M. Duverger)의 용어를 빌리자면, '지하세포조직'(cell party)의 정당형태로 동학을 운영합니다. 동학을 포교하는 장소인 '접소'(接所)를 정하고 그 장소마다 조직책인 '접주'(接主)를 정합니다. 동학의 교육과 조직의 세포 단위를 '포'(包)로 하여 포주(包主)를 둡니다. 포주 밑에는 교장(教長), 교수(教授), 도집강(都執綱), 집강(執綱), 대정(大正), 중정(中正)으로 육임(六任)을 두어서 조직 내에서의 역할과 기능을 분화시키

최시형
(1827–1898)

전봉준
(1854–1895)

면서 민중들 속으로 파고듭니다.

1894년에 '갑오농민혁명'이 발생합니다. 1894년 3월 21일 고부접주인 별명 녹두장군 전봉준은 고부군수 조병갑의 학정을 척결하고자 농민 1,000여명과 함께 1차로 거병하여 관아를 습격, 세곡을 탈취하여 농민들에게 나눠주고, 부패 관리들을 옥에 가둡니다. 정부는 난의 내용을 보고받고 조병갑을 위시한 부패관리들을 처벌합니다. 이런 와중에 정부에서 안핵사로 파견된 이용태가 다시 농민 혁명군을 탄압하자, 농민혁명군은 다시 백산(白山)으로 진출하고 이에 부근에서 합세하며 그 인원이 10,000여명으로 불어납니다. 이들은 총대장에 전봉준, 장령에 김개남·손화중을 정하고 '폐정(弊政)개혁안 12개조'를 정하며 이를 실천하기 위해서 전라도 53개 지역에 농민자치기관 격인 '집강소'(執綱所)를 설치합니다. 4월 말 이후 농민혁명군은 전주성을 점령하고 조정과 '전주화약'을 맺고 소강상태에 있었는데, 조정은 청나라와 일본에 지원군을 요청하여 청군과 일군이 들어옵니다. 일본은 갑신정변에서의 실패로 오히려 청나라의 조선에서의 실권을 강화시켜준 것을 만회하기 위해서 갑오농민전쟁을 빌미로 입국하자마자 6월말에 조선 땅에서 청·일전쟁을 벌입니다.

갑오농민군은 서울로 쳐들어가서 외세를 몰아내고 부패한 위정자들을 척결하기 위해 2차로 거병합니다. 그들 구호의 핵심은 '제폭구민'(除暴救民: 위정자의 폭행에서 백성을 구한다), '축멸왜이'(逐滅倭夷: 일본과 서양세력을 물리친다), '진멸권귀'(盡滅權貴: 권세와 귀족 차별을 없앤다)였습니다. '동학'의 내부를 보면 노선투쟁이 있었습니다. 북접의 대표자인 최시형은 포교에 집중하며 거병에 소극적이었으나, 남접의 지도자인 김개남과 손화중은 거병에 적극적이었습니다. 북접은 1차 거병에는 참여하지 않았지만, 2차 거병에는 참여하게 됩니다. 남도접주 전봉준은 대략 12만 명의 세력을, 북도접주 최시형은 10만 명의 세력을 갖고 있었습니다. 총사령관은 최시형이 맡아서 지휘하였습니다. 무기력하고 부패한 정부를 척결하고자 전봉준과 지도부는 9월 12일 거병을 원하지만 한 달이 지난 10월 9일에 북접이 참여하게 되고, 11월 9일 거병하여 처음에는 중부, 남부, 함남, 평남에서 그 세력이 발기하였으나, 최후엔 공주성 일대로 쫓기게 됩니다. 정부와 일본 신식군대를 상대하기에 너무도 역부족이었지만, 역시 내부 분란이 문제였습니다. 남원의 김개남 부대는 전봉준 부대와 독자행동을 했으며, 결국 12월 2일에는 전봉준이 옛 동료의 배신으로 밀고를 당해 순창에서 붙잡혀 1895년 3월에 서울로 압송 처형됩니다.

인도의 무굴왕조, 중국의 청왕조, 한국의 조선왕조는 모두 외세의 침입에 임해서 계급사회의 모순구조나 국내 탐관오리들의 부패구조를 안고 있었습니다. 정부의 공권력이 지방 관리들에 미치지 못하여 백성에 대한 학정을 방치하고, 국가 조세제도가 흔들리면서 지주 및 토호들의 고리대금업이 활개를 치는 국내정치의 한계 상황이 극에 달하고 있었습니다. 무굴제국은 위정자나 정부관리들이 세포이의 난을 피하면서 영국의 눈치를 보며 자신의 입지를 현상유지 하려고 하다가 오히려 제국이 망하는 결과를 초래합니다. 청왕조는 아편전쟁에 백성들이 무장하면 오히려 자신들에게 화살을 겨눌까봐 두려워 백성들이 무장하는 것 자체를 두려워하다가 외세에 자멸합니다. 조선왕조는 동학농민전쟁을 다스리기 위해 청나라 군대와 일본 군대를 불러들여 조선 땅에서 청일전쟁이 벌어지는 것을 보고 있어야만 했습니다. 어떤 외부세력이 침입할 때, 그러한 침입이 국익을 침해할 때, 문제 해결책은 우선 내부로부터 찾아야 할 것입니다. 국가가 내부 모순구조를 없애며 사회 정의를 실현할 수 있는 힘이 있을 때, 국가는 유지됩니다. 위정자, 국가관료, '가진 자'의 행태는 건실한 국가를 유지하는데 가장 중요한 요소임을 알 수 있습니다.

산업혁명에 성공한 영국은 동인도회사를 앞세워서 인도, 중국, 조선에 진출합니다. 조선에 최초로 통상을 요구한 것도 영국 동인도회사 소속의 상선인 '로드 암허스트'(Lord Amherst)호가 황해도 몽금포에 들어왔던 1832년(순조 32년)이었습니다. 영국이란 나라가 외세 침입의 중심에 서 있었던 것입니다. 젱아스(Dieter Senghass)는 유럽정치에서 '자유무역'과 '보호무역'의 역사를 개괄하면서 영국의 경제사에 주목합니다. 영국이 자유무역을 주장한 것은 다른 유럽국가들 보다 먼저 '산업혁명'에 성공하여 여타 유럽국가들에 대한 경제적 비교우위를 가진 상태에서 다른 국가들과의 무역을 시작하였다는 것입니다. 따라서 유럽 내에서 많은 국가들이 처음에는 영국과의 무역에서 보호무역으로 일관하다가 나중에 어느 정도 국내 산업을 견고히 한 다음에 유럽 내부 및 유럽 외부에서 자유무역 정책으로 이행한다고 주장합니다. 이렇게 본다면, 개국도 어느 정도 개국을 할 수 있는 국내의 힘이 있을 때 하는 것이며, 이런 입장에선, 흥선 대원군의 쇄국정책도 부정 일변도의 해석보다는 양면적 해석이 가능할 것입니다.

- 참 고 문 헌 -

노태구(편). 「동학혁명의 연구」 (서울: 백산서당, 1982).

디이터 젱아스(저), 한상진, 유팔무(공역). 「유럽의 교훈과 제3세계」 (서울: 나남, 1990). [Dieter Senghaas. 「Von Europa Lernen Entwicklungsgeschichtliche Betrachtungen」 (Frankfurt am Main: Suhrkamp Verlag, 1982), Edition Surkamp 1134, Neue Folge Band 134].

Waley, Arthur. *The Opium WarThough Chinese Eyes* (Stanford:

Stanford University Press, 1958).
「브리태니커(Britanica World Enclopedia)」(서울: 동아일보사, 1994).
Britanica Encyclopedia (Chicago: University of Chicago Press, 1997).

3. 왕조, 의회정치, '의원내각제'

일본의 조선 침략으로 조선왕조 계보는 27대 순종으로 끊기게 됩니다. 지금도 유럽의 일부 선진 민주주의 국가들에는 '왕조'가 존재하고 있습니다. 유럽의 영국, 벨기에, 스페인, 스웨덴 등과 이웃나라 일본은 왕가를 유지하며 '의원내각제'를 채택하고 있습니다. 조선왕조는 일본에 의해서 강제로 단절되었습니다. 일본이 조선을 침략하여 왕조 계보를 끊어 놓았더라도, 한국이 해방된 1945년에도 한국에 왕조가 여전히 그 계보를 유지했다면, 대한민국의 정부형태는 '의회정치'를 통한 '의원내각제'를 취했을 가능성이 매우 높습니다. 아니, 의원내각제를 취할 수밖에 없었을 것입니다. 대한민국 임시정부가 출범하던 임시헌장(1919년 4월 11일)의 제8조에서 대한민국은 구황실을 우대한다고 규정하며 이런 분위기를 전하고 있습니다. 황제와 국가원수인 대통령이 동시에 존재하는 것은 아무래도 부자연스럽습니다.

현재 지구촌에서 민주주의를 구현하는데 가장 보편적인 형식은 '의회정치'입니다. 현재 우리가 말하는 의회정치란 것의 형식과 내용은 하루아침에 이루어진 것이 아니며 수백년을 통해서 영국에서 정착된 것입니다. 민주시민이라면 의회정치의 정착과정을 단순히 영국정치사라고 생각하지 말고, 한국정치과정에서 일반화할 수 있는 정치적 함의도 음미해 본다면 바람직할 것입니다.

과거에 귀족세력들 및 성직자세력들이 군주의 독단을 막고 견제해 나가는 과정에서 발생한 것이 의회정치입니다. 그리고 그러한 사회세력들이 모인 곳이 의회입니다. 의회정치가 정착되는 과정에서 기능적으로 행정부(군주)와 입법부(군주를 견제하는 계층집단들)가 분리됩니다. 영국에서 의회가 국민의 대표기관으로 정착되어가는 과정을 보면 거의 500년의 시간이 소요되었습니다.

ⓐ 1215년에 존(John)왕의 실정(失政)에 대항하여 성직자 및 대귀족이 징세에 관한 국왕의 권리를 제한하고 자유민의 생명, 재산, 신체의 자유를 보장하는 내용의 '대헌장'(Magna Carta)을 만들어 왕으로 하여금 서명하게 하였습니다. 왕은 개인의 수익과 국가의 수익을 구분하지 않고 모두 자신의 수입으로 하였는데, 국왕에게 '조세동의권'이란 부담이 생긴 것입니다. 하지만, 이는 어디까지나 특권층의 봉건적 특권을 존중하는 것이었으며, 현대적 의미에서 일반국민들의 자유를 보장하는 것은 아니었습니다.

ⓑ 1265년에 헨리 3세(Henry III)가 대헌장을 무시하자, 1265년에 시몽 드 몽포르(Simon de Monfort)가 왕을 무력으로 굴복시키고 '의회'(Parliament)를 소집합니다.

ⓒ 1295년 에드워드 1세(Edward I)때 국회운영이 정상화되는데 후일 이를 '전형의회'(Model Parliament)라고 지칭합니다.

ⓓ 1340년 에드워드3세(Edward III) 이후 모든 종류의 과세는 국회의 동의를 필요로 하게 됩니다. 1341년 고승과 귀족에 의한 '귀족원'과 기사와 일부 시민들에 의한 '서민원'으로 양원제의 형식이 도입됩니다.[3]

---

3) 성직자 계층은 이전부터 '성직자회의'(Conviction)를 별도로 개최하고 있었습니다. 성직자 계층은 내부에서 '고위성직자'와 '일반성직자'로 분리되어 있었는데, 고위성직

ⓔ 1628년 의회에 진출한 중산계층(자영농민, 소상인, 수공업자 등)이 찰스 1세(Charles I)의 중세(重稅)에 반발하고, 왕은 의회권리를 부인하자 의회는 '권리청원'을 통과시키며 이후 의회가 해산됩니다(1629-1640). 권리청원이란 의회의 국왕에 대한 '발안권'(發案權)을 의미하는 것이어서 의회 '입법권'(立法權)의 시발점이 됩니다. 의회의 청원제도가 시작되면서 이후 '입법발안권'이 정착되는 계기가 됩니다. 최종 과세권은 국왕이 갖고 있었지만, 의회는 과세에 대한 동의권을 무기로 하여 의회가 청원하는 입법발의안을 효과적으로 처리 할 수 있었습니다.

시몽 드 몽포르
(1208(?)–1265)

크롬웰
(1599–1658)

ⓕ 1640년에 다시 국왕의 실정을 규탄하고 3주만에 해산됩니다. 1642년엔 '왕당파'(귀족, 성직자, 지주, 대상인, 국교도, 북-서부 농촌지대)와 '의회파'(중소상인, 자영농민, 청교도, 도시, 직물업 공업지, 남-동부 공업지대)가 대립하고, 자영농민 중심의 철기군(Ironside)을 인솔하는 크롬웰(Cromwell)의 혁명세력이 왕당파를 격파하는데, 이것이 '청교도혁명'(Puritan Revolution: 1642-1649)입니다. 청교도혁명을 계기로 국왕의 기세는 크게 꺾이게 되고, 의회가 '입법권'과 '재정권'을 갖는 계기가 됩니다. 1649년에 왕권신수설(王權神授說)을 부정하는 크롬웰(O. Cromwell)이 군주이던 찰스1세에 대항하여 제출한 '국민협약'(The Agreement of the People)에서 "의회는

자는 귀족들과 함께 '귀족원'을 구성하고, 일반성직자는 탈퇴하게 됩니다.

전 국민에 의해서 구성되어야 한다"고 주창합니다. 연이어 1653년 '정부기구법'(The Instrument of Government)에서 "주권은 정부의 각 장관과 의회에 참여한 국민의 대표자에게 있어야 한다"고 규정하여 의회가 명실상부 국민을 대표하는 기관으로 완성됩니다.

ⓖ '의회정치'의 정착은 쉽지 않았습니다. 다시 한 번 왕정복고가 이루어지면서 왕과 의회가 대립하게 됩니다. 1660년 찰스 2세(Charles II)의 즉위로 왕정이 복고되자 의회는 '심사율'(1673)과 '인신보호율'(1679)를 제정하며 왕의 전제정치를 견제합니다. 결국 제임스 2세(James II)의 즉위를 둘러싸고 찬성하는 토리(Tory)당파와 반대하는 휘그(Whigs)당파가 대립하여 양당체계적 정치형태를 보입니다.

ⓗ 제임스2세의 즉위 이후 그의 구교보호와 전제정치에 실망한 의회는 '권리선언'(1688)을 통해 그를 퇴위시키기로 하고 국왕의 서명을 얻어냅니다. 그리고 네덜란드 총독 윌리엄과 메리를 공동 통치방식으로 추대하는데 이것이 바로 '명예혁명'(Glorious Revolution, 1688)입니다. 곧이어 의회는 권리선언에 기초한 '권리장전'(Bill of Rights, 1689)을 의결하는데 이로써 명예혁명이라는 민주주의 혁명이 완성됩니다.

근대적 의미에서의 의회권한은 대개 명예혁명이후에 확립되었다고 보면 됩니다. 명예혁명이후 입법부와 행정부의 기능분화라는 커다란 그림 속에 의회는 '세출예산에 관한 의결권'을 보유하게 됩니다. '왕위계승법'(Act of Settlement, 1701)을 통해서 영어를 모르는 독일인들이 왕위를 계승하는 일이 반복되어 실질적인 정치과정에서 "왕은 군림하되 통치하지 않는다"(The Kings reign, but do not govern)이라는 불문율이 정착됩니다. 앞서 토리와 휘그라는 당파의 전통 속에 정당이 발달하게 되고, 내각은 의회를 지배하는 정당과 연계하지 않고서는 정치를 할 수 없게 되니 이러한 형태가 바로 '의원내각제'(parliamentary system)로 굳어지게 됩니다. 1832년 선거법의 개정이후 정당의 조직이 정비되고, 다수당이 정부당(또는 내각)을 조직하면 반대당은 이에 대립하고, 내각이 국민의 신뢰를 받지 못하면 반대당에 의해서 교체된다는 형식이 정착되어 갑니다.

대립하는 정치세력 간에 다수세력이 내각(또는 여당)을 형성하여 정치하고, 법을 집행하되, 집행하기 전에 동의를 구하거나 집행하라고 규정한 것만을 집행하는 등의 행정과 입법의 분리라는 '의회정치'를 단기간 동안에 한국정치문화의 특수성 속에서 성공적으로 정착시키는 것은 어려운 일이었습니다.

1948년 대한민국 제1공화국이 출범할 때 헌법 초안은 의원내각제의 성향이 강한 안이었지만, 제헌국회에서의 입법과정에서 정치 계파간의 타협의 결과 대통령제를 채택하였습니다. 그 당시에 왕가의 계보가 계속 유지되고 있었다면 당연히 의원내각제를 채택했을 것으로 생각합니다. 왕의 존재를 두고서 민주주의를 시행하는 국가들의 체제는 왕은 국가의 원수로서의 역할은 하되 직접 통치행위를 하지는 않습니다. "왕은 군림하나 통치하지 않는다"라는 것인데, 의원내각제의 원형인 영국식 의원내각제의 큰 특징 중의 하나입니다. 왕의 존재가 없는 경우엔 국가원수의 역할을 하는 '대통령'을 국가기관이나 국민들이 따로 선출하되, 수상이 정치적 실권을 갖는 의원내각제를 실시하는데, 독일이나 이탈리아가 그 대표적인 예입니다. 이런 경우, 영국의 의원내각제는 '입헌군주제'(立憲君主制: constitutional monarchy)로 분류가 가능하지만, 독일이나 이탈리아는 입헌군주제로 분류하지 않습니다.

조선왕조의 고종 임금 시절과 대한제국의 고종 황제 시절에 나름대로 '입헌군주제'의 모습을 보인 적이 있습니다. 입헌군주제란 군주가 권력을 무제한적으로 행사하는 것이 아니라, 군주가 행사하는 권력의 내용을 헌법에 명시하는 것입니다. 입헌군주제는 헌법에 의하여 군주의 권력을 제한해 놓은 방향을 의미합니다. 입헌군주제는 군주제와 자유주의를 결합한 것이며, 현대에는 '입헌주의'(立憲主義, constitutionalism)라고 하면 결국 '자유민주주의'가 그 연장선상에 있음을 알 수 있습니다.

역사적 경험에 따른 입헌군주제는 두 가지 형태로 정리되는데, 하나는 영국형 입헌군주제이고 또 다른 하나는 프로이센형 입헌군주제입니다. 영국형 입헌군주제는 앞서 언급한 "군주는 군림하나 직접 통치하지는 않는다"라는 권력구조 원칙을 반영하며, 영국식 의원내각제로 대표되어 '의회제적 군주제'라고도 불립니다. 반면에 프로이센형 입헌군주제는 군주의 권력을 명시한 헌법 규정을 두어, 직접 지배하는 강력한 지배자입니다. 헌법에는 형식적으로 권력분립(2권분립 내지 3권분립) 규정을 두고 있지만, 군대 통수권 및 관료 임명권을 지니고 있습니다. 반면에 의회는 통치의 주체가 아니고 군주에 대한 자문기관의 역할로 제한됩니다. 19세기 말에 한국은 이 두 가지 형태의 입헌군주제에 비견되는 경험을 모두 하였습니다.

영국형 입헌군주제와 유사한 경험은 조선왕조 고종 31년인 1894년 12월 12일에 '14조홍범'(14條洪範; 1894년; 보통 '홍범14조'라고 함)의 선포를 말합니다. 프로이센형 입헌군주제와 유사한 경험은 대한제국 고종황제 광무 3년(1899년) 8월 17일에 선포된 '대한국국제'(大韓國國制)의 선포를 말합니다. 고종은 1897년 '대한제국'을 선포하고 난 후 2년 후인 1899년(광무3년)에 대한제국의 헌법인 '대한국국제'를 선포합니다. 이렇게 본다면, 조선왕조에서 선포된 한국 최초의 헌법은 '14조홍범'이라고 할 수 있고, 대한제국에서 선포된 한국 최초의 헌법은 '대한국국제'라고 할 것입니다. '14조홍범'은 김홍집 내각이 근대국가의 기초를 다지기 위해서 제정한 국가 기본법인데, 왕조체제를 유지한 상황에서 고종이 선포하였습니다. '대한국국제'는 대한제국이 수립된 이후에 왕권을 강화하고 통치권을 집중시키려는 목적으로 법규 교정소 총재 윤용선과 의정관 서정순 등이 기초하고 왕의 재가를 받아서 확정한 헌법입니다. 하나씩 살펴보도록 하겠습니다.

김홍집
(1842–1896)

1894년의 '14조홍범'을 보면, ① 청나라에 의존한다는 생각을 버리고 자주독립의 기초를 세운다. ② 왕실전범(王室典範)을 제정하여 왕족만이 왕위계승을 하며, 왕족과 친척은 구분한다. ③ 왕은 국가사무를 각 대신들의 재가를 통하여 결정하며, 종실과 외척의 정치간섭을 용납하지 않는다. ④ 왕실사무와 국정사무를 분리하며 혼합하지 않는다. ⑤ 의정부 및 각 아문(衙門)의 직무와 권한을 분명하게 정한다. ⑥ 인민들이 내는 세금은 모두 법으로 정하며, 세금징수를 남용할 수 없다. ⑦ 조세징수 및 경비지출은 탁지아문에서 관장한다. ⑧ 왕실은 경비 절감을 솔선하여 각 아문과 지방관에게 모범을 보인다. ⑨ 왕실과 각 관부(官府)는 1년 예산을 미리 정하여 재정의 기초를 확립한다. ⑩ 지방관제를 개정하여 지방관리들의 직권을 제한한다. ⑪ 우수한 젊은이들을 해외에 파견하여 학술과 기예를 배우고 전한다. ⑫ 장교를 교육하고 징병제를 실시하여 군사제도의 기초를 확립한다. ⑬ 징벌을 남용하지 못하도록 민법과 형법을 제정하여 인민의 생명과 재산을 보전한다. ⑭ 사람을 씀에 문벌, 지역, 조야(朝野)를 가리지 않고 폭 넓게 인재를 등용한다.

이상의 14개 조항 중에서, ③, ④, ⑤번 조항을 참고하면, 14조홍범은 군주가 존재하고, 내각이 존재하며, 국가 정책결정은 군주가 내각 대신들의 재가를 통하여 하도록 되어 있습니다. ⑥, ⑦, ⑧, ⑨번 조항을 참고하면, 국민의 혈세를 관리 감독하는 조세 징수권과 집행권도 탁지아문으로 일원화하며, 왕실 마음대로 세금을 징수할 수 없습니다. 현대 민주주의에서도 국민의 혈세로 예산을 할당하고 결산을 집행하여 재정을 관리감독하는 권한은 국민들의 대표기관인 의회만의 고유 권한입니다. '14조홍범'을 유형분류하자면, 프로이센형 입헌군주제보다는 상대적으로 영국형 입헌군주제와 유사한 것으로 해석될 수 있을 것입니다.

대한제국이 수립되고 3년만인 1899년에 선포된 '대한국국제'를 보면 모두 9개 조항으로 구성되어 있습니다. ① 대한국(大韓國)은 세계만국에 공인된 자주독립 제국이니라. ② 대한제국의 정치는 이전부터 5백년간 전래되어온바 앞으로 만세에 불변할 전제정치(專制政治)이니라. ③ 대한국 대황제께옵서는 무한한 군권을 향유하시니 공법에 이르는 바 자주정체(自主政體)이니라. ④ 대한국 신민이 대황제께옵서 향유하는 군권을 침해하는 행위가 있으면 그 행위의 전과 후를 막론하고, 신민의 도리를 잃어버린 자로 할지니라. ⑤ 대한국 대황제께옵서는 육군과 해군을 통솔하시며 계엄(戒嚴)과 해엄(解嚴)을 명하옵시니라. ⑥ 대한국 대황제께옵서는 법률을 제정하옵시고, 이의 반포와 집행을 명하옵시며, 만국의 공공한 법률을 효방(效倣)하사 국내법률도 개정하시고, 대사(大赦), 특사(特赦), 감형(減刑), 복권(復權)을 명하옵시니 공법에 이른 바 자정율례(自定律例)이니라. ⑦ 대한국 대황제께옵서는 행정 각부의 관제와 문무관의 봉급을 제정 또는 개정하옵시고, 행정상 필요한 칙령을 발하옵시니 공법에 이른 바 자행치리(自行治理)이니라. ⑧ 대한국 대황제께옵서는 문무관의 출척, 임명을 행하옵시고 작위, 훈장 및 기타 영전을 수여 혹은 체탈(遞奪)하옵시니 공법에 이른 바 자선신공(自選臣工)이니라. ⑨ 대한국 대황제께옵서는 조약을 맺은 각 국가들에 사신을 파송하며, 전쟁을 선포하거나 강화하는 제반 조약들을 체결하옵시니 공법에 이른 바 자유사신(自遣使臣)이니라.

조선왕조에서는 과거 고려 충렬왕 시절 이후부터 짐, 황제, 태자 등의 용어를 사용하지 못하고 있었는데, 대한제국을 선포하면서 이제 고종은 황제란 명칭을 사용하며 대한제국의 국가 독립성을 대내외에 강조합니다. 따라서 명실상부한 독립국가로서의 최초 헌법은 대한제국 선포 이후인 '대한국국제'라고 할 수 있습니다. 대한국국제는 한국의 자주독립을 세계에 고하며 고종 임금을 고종 황제로 격상시키는 분위기 속에서 황제의 절대권을 선언하고 있습니다. 프로이센형 입헌군주제와 유사하며, 오히려 더 강력하다는 느낌도 듭니다. 프로이센의 입헌군주제는 형식적으로라도 입법부-행정부나 입법부-행정부-사법부의 권력분립을 규정하고 있지만, 대한국국제는 권력분립 조항이 없는 상태에서 군주는 모든 관리 임명권, 법률 제정권, 사면권, 군통수권 및 전쟁선포·강화권을 모두 지닌 절대 권력의 소유자입니다.

'14조홍범'이 발표될 당시 조선의 위정자들은 친청세력과 친일세력이 힘겨루기를 하고 있었습니다. 갑오경장 후에 근대화를 위한 국가기본법으로 선포된 14조홍범은 일본 세력을 배경으로 하여 민씨 일파를 몰아낸 김홍집 내각이 주도한 헌법입니다. 따라서 그 생명력은 조선에서 외부 세력들의 힘겨루기 속에서 유지될 수밖에 없는 한계가 있습니다. 만약 친일세력이 다시 권력을 잃고 친청(親淸)세력이 들어선다면 그 법적 효력은 중지될 수밖에 없는 것입니다. 마찬가지로 '대한국국제'도 군주의 절대 권력을 강조하였지만, 외세 앞에서 무기력한 한국의 황제는 실효적 권력지배를 할 수 없었습니다. 헌법이란 것은 단순히 선포하는 것으로 끝이 아니라 실효가 있어야 할 것입니다. 따라서 어떤 시점에 갑자기 부과되는 헌법의 내용은 국가와 국민 모두에게 체화되기에는 역부족이었습니다.

현대적 의미의 민주주의에서 보자면, 영국식 입헌군주제는 정치적으로 더욱 진화하면서 소위 영국식 '의회주의'[parliamentarism; 또는 '웨스트민스터 모델'(Westminster model); 또는 '의회통치'(parliamentary sovereignty)]로 발전합니다. 이것이 바로 영국식 의원내각제입니다. 현재 의원내각제적 권력구조(또는 정부형태)의 역사적 원형을 제공하는 영국정치의 발전 과정은 500년에 이르는 말 그대로 국가와 국민들에게 체화되는 기간을 갖고 있습니다. 영국은 산업혁명에도 성공하여 자유무역 주창과 함께 경제물품들을 타국에 수출했지만, 영국의 가장 빛나는 수출품은 정치상품으로서 의원내각제일런지도 모릅니다.

앞서 의회정치 정착과정에서 자연발생적인 통치형태로 '의원내각제'에 관하여 간단히 언급한 바 있습니다. 우리가 현재 말하는 웨스터민스터 권력구조의 가장 초기형태는 존왕 시절의 대헌장까지 거슬러 올릴 수 있습니다. 대헌장은 왕을 견제하는 세력들의 존재를 인정하고 이를 법으로 규정한 것인데, 여전히 그 형식은 견제세력들이 왕에게 책임을 졌습니다. 이것은 수상과 내각이 왕에게 책임을 지는 정치형태에 비견될 수 있습니다. 현대적 기준에서 볼 때, 일반 국민들이 참여한 것은 아니지만, 왕권이 견제되었다는데 그 의미가 있습니다. 여기서 왕에게 책임을 진다는 의미는 왕이 정치에 불만이 있으면 자신을 견제하는 세력들(또는 내각의 수장이나 내각 구성원들)에게 불만을 이야기하고 이에 대해서 왕을 견제하는 세력들이 책임 있는 답변을 한다는 것입니다. 여전히 왕의 권력은 그 견제세력으로부터 상대적 우위가 확실했지만, 언제부턴가 이런 분위기가 무너집니다.

ⓐ 국왕과 의회의 관계가 역전된 계기는 '명예혁명'(1688- 1689)으로부터 입니다. 제임스 2세(James II)가 퇴위하고 윌리엄 3세(William III)가 왕위에 오르는데, 법률에 구애받지 않는 국왕의 특권을 폐지하고 의회의 빈번한 소집의 필요성 및 어떤 집단 내에서 자유로운 선거를 통한 대표자 선출의 필요성이 논의됩니다.

ⓑ 왕은 군림하나 통치하지 않는다는 현대적 의원내각제의 형식은 조지 1세(George I: 1714-27)와 조지 2세(1727-1760) 기간 동안에 정립됩니다. 독일 하노버 왕가 출신의 조지 1세 및 조지 2세는 정치 무관심으로 일관했으며, 임명된 월포올(Robert Walpole, 1st Earl of Orford) 내각(1721-1742)이 국가정책 결정의 주체로 등장합니다. 월포올은 자신과 정치적으로 이견을 지닌 각료들을 파면하여 수상의 내각 내에서의 권한이 일반 각료들 위에 있음을 보여줍니다. 동시에 내각이 정치적으로 동질적이어야 하며, 동질적인 한 집단이기에 결국 연대책임을 져야 한다는 원칙을 세우게 됩니다. 내각이 동질적이어야 하는 기준은 각료들이 모여서 함께 결정하며, 함께 결정한 사안에 대해서 어긋나는 각료가 있을 때 수상이 해임하는 것이고, 만약, 수상과 내각 구성원 모두가 책임질 일이 있으면 함께 책임진다는 것입니다. 그러니까, 현대 의원내각제의 골간은 월포올에 의해서 시작된 것입니다. 현재 의원내각제의 골간이 되는 내용은 국민들이 대표자들을 뽑아서 의회를 구성하면, 의회에서 다수를 차지한 정당이 중심이 되어 내각을 구성하는데 이것은 바로 동질적 집단을 중심으로 내각을 구성한다는 원칙을 수행하고 있는 것입니다.

ⓒ 내각 구성원들 내에서 수상의 권한이 더 우월함을 확립한 시기는

월포올
(1676–1745)

아버지 피트(윌리엄 피트)
(1708–1778)

아들 피트(윌리엄 피트 주니어)
(1759–1806)

아버지 피트(William Pitt, the Elder) 수상 시절(1766-1768)과 아들 피트(William Pitt, the Younger) 수상 시절(1783-1801)이라고 하며, 연대책임제도는 일명 록킹햄(Rockingham: 본명 Charles Watson-Wentworth)의 2차 내각에서(1782년 이후) 분명해 졌다고 합니다. 정치적 동질성에 기반한 연대책임의 의미는 내각의 의회의 다수당 또는 정당 세력을 배후로 하여 형성됩니다. 왜냐하면 책임정치를 수행하기 위한 정치적 동질성 확보를 위해선 의회에 지지자가 있어야 하며(그래야 정책을 만들어 통과시킬 수 있음), 그것은 결국 의회 내에서 내각이 지지를 받는 이상 집권하는 것이고, 불신임 결의가 있으면 내각이 사임한다는 의미입니다. 월포올은 국왕의 지지에도 불구하고 하원에서 불신임을 결의했던 1742년 사임합니다. 그런데, 정치란 서로 대립하는 세력들 간의 권력 싸움이 일정 수준 전제될 수밖에 없기에, 의회의 내각에 대한 일방적 불신임으로는 '책임진다'라는 말이 균형을 잃습니다. 특히 아들 피트 수상은 하원의 불신임 결의에 대항하여 하원을 해산하여 1784년에 내각 재구성을 통해서 책임정치를 시행합니다.

ⓓ 종합하자면, 웨스터민스터 의원내각제의 현재 모습은 아들 피트 시절에 완성된 것입니다. 참고로, 앞서 언급한 윌리엄 3세 초반기에는 정당(정파)와 상관없이 인물 위주로 내각의 각료들을 선발하였으나, 중반기로 오면서 정당의 다수파(하원의 의석수)가 중심이 된 내각이 형성되는데 그것이 1695년의 휘그 내각입니다. 보다 많은 수의 국민들이 정치에 관여하는 계기가 된 것은 '1832년 개혁법'(The Reform Act of 1832)에서부터입니다.

한국에서 권력구조 논쟁은 해방이후 70년이 다 된 지금도 현재진행형입니다. 통일시대를 맞이하여 권력구조를 개편해야 한다는 필요성을 주장하는 사람들도 있고, 현행 한국의 대통령제가 너무 대통령에게 과도한 힘이 집중되는 체제여서 시대의 흐름에 맞지 않으니, 책임총리제, 이원집정부제로 바꾸자는 논의도 있습니다. 대통령제를 유지하되 대통령의 임기를 단임제에서 중임제로 바꾸어야 한다는 주장도 있습니다. 그러면 '의원내각제'는 어떻습니까? 한국은 비록 1년의 기간이지만 의원내각제를 채택한 적도 있고, 아니 의원내각제를 채택할 수밖에 없었던 상황도 있습니다. 어떤 제도건 상황에 맞추어서 도입할 수 있지만, 의원내각제는 그 독특한 권력구조의 형식 때문에 의원내각제를 채택하는 경우 어떤 상황에서 제도가 순기능할 지를 논할 필요가 있습니다. 한마디로, 의원내각제의 전형을 보면 국가 원수 역할을 하는 존재가 따로 있어서 그 제도적 완성미를 더하고 있습니다. 내각제하에선 실질적 권력 분포 상황에서 입법부의 수장 격인 수상이 국가 원수의 역할과 행정부 수반의 역할을 모두 한다면 이것은 대통령제보다도 더 강한 권력자를 양산하는 제도가 될 수도 있습니다. 그러니까, 의원내각제가 순기능하는데는, 상징적으로 정신적으로 국가의 원수 역할을 하는 정치적 어른의 존재와 실권을 지닌 정치적 권력자가 동시에 존재하기에 영국에서의 의원내각제가 안정적일 것이라는 생각도 해봅니다. 제도만으로는 전체를 이야기할 수 없으며, 역사성을 반영하는 문화변수가 너무도 크게 자리잡고 있음에 대해서 다시 한 번 생각해 봅니다.

민주주의를 하는 나라들에서 왕조체제가 유지되는 경우는 그다지 낯선 일이 아닙니다. 영국, 벨기에, 스웨덴, 스페인, 일본 등 소위 선진민주주의 국가들은 왕조체제를 유지하면서도 민주주의를 성공적으로 운영하고 있습니다. 19세기 말까지 조선은 왕조체제를 이어오고 있었는데, 만약 왕조체제가 그대로 유지되었다면 한국도 '입헌군주제'를 실시했을 수 있으며, 이런 경우, "왕은 군림하나 통치하지 않는다"라는 원칙아래 '입헌군주제'를 실시했을 것이고, 그 정부형태는 거의 확실하게 '의원내각제'일 수밖에 없다는 것입니다. 분명한 것은 우리가 입헌군주제를 포기한 것이 아니고, 일본에 의해서 조선왕조와 대한제국이 막을 내리면서 입헌군주제가 파기되었다는 점입니다. 우리에게도 임금이 있었고 황제가 있었는데, 우리가 왕조를 포기한 것이 아니라 다른 나라가 우리의 왕조를 없앴다는 것은 불행이 아닐 수 없습니다. 1970년 5월 1일 영친왕이 서거하면서 조선왕조 500년의 직계는 완전히 막을 내리게 됩니다.

- 참 고 문 헌 -

김영수. 「韓國憲法史」 (서울: 학문사, 2000).

서정갑. 「부조화의 정치: 미국의 경험」 (서울: 법문사, 1989).

정종섭. 「한국헌법사문류」 (서울: 박영사, 2002).

조의설(편). 「세계사대사전」 (서울: 민중서림, 1984).

Flinders, Matthew et al (eds). *The Oxford Handbook of British Politics* (Oxford: Oxford University Press, 2009).

Samuels, David J. *Comparative Politics* (Boston: Pearson, 2013).

Shugart, Matthew Soberg. and John M. Carey. *Presidents and Assemblies: Constitutional Design and electoral Dynamics* (Cambridge: Cambridge University Press, 1992).

4. 영토문제

지구촌은 국가를 단위로 이루어져 있습니다. 우리는 '영토'(領土), '국민', '주권'을 국가의 3대 요소라고 합니다. 국가 간에는 영토 분쟁이 발생합니다. 영토문제에는 당연히 분쟁 당사국들이 존재하며, 분쟁이 없다면 더 이상 영토문제가 아닙니다. 국민의 감정을 가장 크게 건드리는 것이 바로 영토문제입니다. 여러분들은 왜 독도문제가 발생했다고 보십니까? 왜 간도지방은 우리에게서 멀어졌으며, 백두산정계비가 실종되었을까요? 2012년 대통령 선거 전후를 뜨겁게 달구었던 북방한계선[NLL(Northern Limit Line)] 이슈에 대해서 여러분들은 어떻게 생각하십니까? 영토문제라는 주제는 국제정치라는 영역뿐만이 아니라, 한국정치과정을 토론하는데 주요 주제가 되곤 합니다. NLL문제는 이념적 정향에 의한 진영논리와 연계되곤 하는데 이것은 결코 바람직한 일이 아닐 것입니다. 독도문제, 간도문제, 그리고 NLL 문제 세 가지에 대해서 하나씩 논의해 보고자 합니다.

원초적 기준에서, 일본에서와 달리 독도는 우리 땅에서 맑은 날이면 눈으로 관찰할 수 있는 곳으로 한반도에 족속들이 살기 시작한 이래 한반도 부속 도서입니다. 대한민국이 실효 지배를 하고 있는 '독도'(獨島)는 한국민들에게는 영토문제일 수 없습니다. 앞서 영토문제를 정의했듯이, 일본이 독도는 자신들의 것이라고 주장하기에 영토문제로 존재하는 것입니다. 그들은 독도를 '다케시마'(竹島)라고 부릅니다. 독도가 일본 영토로 둔갑하게 된 것은 야마자 엔지로(山座圓次郎)라는 일본 관리의 노력의 결과였습니다. 미시적 차원에서 보자면, 독도가 일본 땅으로 둔갑하게 된 사건의 주연은 국가관이 투철한 어떤 일본 관료였다는 이야기입니다. 일본의 입장에서만 본다면, 일본의 팽창주의 정책을 받들어 일본의 국익을 실천하

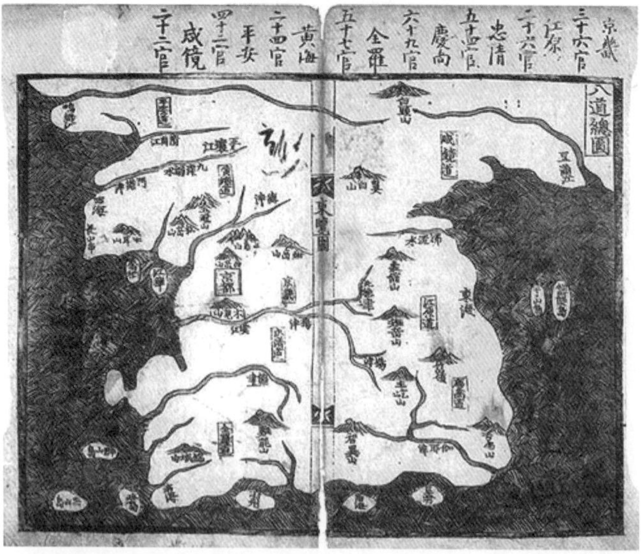

울릉도, 울릉해도 1531년(중종 25)에 완성된 『신증동국여지승람』의 동람도(東覽圖)에 수록된 팔도총도입니다. 전체 모양이 동서로는 부풀려져 있고 남북으로는 압축되어 있는 모습입니다. 독도는 강원도의 동쪽 바다 가운데에 우산도(于山島)로 표기되어 있습니다. 현존하는 인쇄본 단독 지도 중에 독도(우산도)가 등장하는 최초의 지도입니다.

기 위해서 노심초사한 국가 관료가 있었다는 것은 행복한 일이었을 겁니다. 야마자 엔지로는 능력과 충성심을 겸비한 일본 국가 관료였던 것입니다. 그 밖의 조연으로는 나카이 요자부로(中井養三郎), 기모쓰키 가네유키(肝付兼行), 마키 나오마사(牧朴眞, 일명 마키 보쿠신) 등이 있습니다.

독도는 사람이 살던 땅이 아니며 강치(Zalophus)가 살던 곳입니다. 사람이 사는 울릉도가 모도(母島)이고 독도는 일종의 바위 군으로서 자도(子島)의 성격이 강하기에 '울릉열도(鬱陵列島)'의 성격이 강합니다. 그런데, 독도 주변에 서식하는 독도강치는 그 어떤 다른 지역의 강치보다도 그 가죽의 질이 좋아 특히 에도 시대 이후 일본 상인들은 이를 가죽제품으로 만들어 비싼 값에 팔아 왔습니다. 강치의 기름, 뼈, 고기 등의 모든 부위는 버릴 것이 없어서 등불, 비누, 아교, 비료 등으로 활용하였습니다.

어부들의 강치잡이

강치는 동작이 기민하여 육지에 올라와 있을 때 잡는 것이 상책이었는데, 당시 일본 어부들은 강치를 잡으러 갈 때, 일본에서 출발하는 것이 아니고, 울릉도에서 출발하였습니다. 독도에 상륙해 있는 강치를 잡으러 갈 때 울릉도에서 출발했다는 사실만으로도 독도의 영토 부속 여부는 충분한 정황 증거가 될 것입니다. 그래서 강치잡이철에는 울릉도에 불법으로 거주하는 일본인들의 수만도 200명에 이를 정도였다는 기록도 있습니다.

시마네현의 나카이 요자부로라는 어부는 러시아의 블라디보스톡 연안까지 진출해 어업을 생계 이상의 사업으로 하던, 소위 사업마인드를 가진, 평범한 어부가 아니었습니다. 아예 독도강치를 자신만이 포획할 수 있는 강치 포획권을 독점하기 위해서 독도에서 어업 독점권을 정부로부터 얻어야겠다고 생각합니다. 나카이 요자부로는 당시 독도가 대한제국에 속해 있었기 때문에, 행정적 절차상 어업 독점권은 일본의 농상무성 수산국이 아닌 대한제국(더 구체적으로는 조선총독부)에서 얻어야 한다는 것을 알고 있었다는 점입니다. 나카이 요자부로의 인식은 개인적 차원의 것이라고 할 수도 있지만, 독도가 누구의 땅인지 너무도 확실한 증거일 수밖에 없습니다. 나카이 요자부로는 독도에서 어업 독점권을 얻기 위한 행정 절차를 우선 일본의 농상무성에서 시작할 수밖에 없었으며, 결국 일본의 영토가 아니라는 일본 관리들의 내부 결론 때문에, 내무성과 외무성까지 접촉하게 되는 상황으로 발전합니다. 일본의 영토라면 단순히 농상무성에서 처리하면 될 일이지만, 영토 편입을 위해서 내무성과 나아가 외무성의 협조가 필요했던 것입니다. 나카이 요자부로란 사업마인드를 지닌 야심에 찬 어부는 당연히 독도가 대한제국의 영토이기에 대한제국에서의 행정절차의 시작을 위해 농상무국의 일본 관리를 만나러 갔을 뿐입니다. 나카이 요자부로가 처음 만난 농상무성의 마키 나오마사 수산국장은 독도의 소유가 어느 곳인지 확인할 필요를 제안합니다. 그래서 다시 만나러간 해군성의 기모쓰키 가네유키 수로부장은 독도를 일본 영토로 편입하자고 건의합니다. 대한제국의 독도 부근 해상에서 어업 독점권을 따내려던 한 어부의 계획이 결국 일본정부에 대한 독도의 영토 편입원을 제출하려는 계획으로 확대 재생산된 것입니다.

나카이 요자부로
(1864–1934)

야마자 엔지로
(1866–1914)

나카이 요자부로는 내무성 지방국 이노우에(井上) 서기관을 만나서 독도의 일본 영토편입원을 제출합니다. 그런데 이노우에 서기관은 1904년 당시 일본이 러시아와 전쟁 상황 중이라는 이유로 나카이의 영토편입 청원이 일본 외무성이나 타국의 외무성과의 분란을 일으킬 수 있다는 이유로 난색을 표하며 기각합니다. 여기서 일이 끝났으면 말 그대로 아무 일도 아닌 것입니다. 그런데, 여러 사람들과 상의하던 나카이 요자부로는 일본의 대한제국에 대한 영토 확장 정책에 많은 열강들이 주의하고 있으며, 결코 용인하지 않을 것이라는 분위기를 감지한 후에, 구와타 구마조(桑田熊藏)가 써준 소개 편지를 들고서 직접 외무성 정무국장인 야마자 엔지로를 만나게 됩니다. 야마자 엔지로라는 관리는 독도를 일본의 영토로 편입하기 위한 작업을 집요하게 수행해 나갑니다. 야마자 엔지로는 이노우에를 역으로 설득하여 영토편입원에 동의를 얻어냅니다. 야마자 엔지로는 시국으로 보아 독도의 일본 영토로의 편입은 대단한 이익이 있다고 공언하였는데, 그곳에 무선망루나 해저전신을 설치하는 것이 요망된다고 기록하고 있습니다. 여기서 시국이란 1904년 이후 러・일전쟁을 감행하는 과정을 말하는 것임은 두 말할 나위가 없습니다. 일본은 러시아와 해전을 벌이기 위해서 독도가 군사기지로서 중요하기에 영토로 편입할 필요가 있었고(당시 대한제국은 무력한 나라였습니다), 그래서 일본 외무성의 한 관리가 지략을 동원하여 독도를 일본 영토로 편입시키는 형식을 완성한 것입니다. 일본에게 독도란 군사상 일본함대들이 상호간에 무전송신을 할 수 있는 무전중계소 설치 기획의 선상에 있었습니다. 해전에서 무전의 중요성은 이미 미국 해군이 스페인의 해군을 무찌른 '미・서(美・西)전쟁'(또는 아메리카・에스파니아 전쟁: 1898년 4월에 시작하여 7월에 끝난 전쟁으로 미국이 동아시아로의 진출등 세계 강국으로 발돋움한 계기가 된 전쟁)에서 입증된 바 있습니다. 미국이 스페인을 이긴 것은 마닐라 만(灣)에서의 해전이 큰 요인이었는데, 이 때, 미국은 무선으로 연결된 함대 작전을 통해서 적의 함대를 거점별로 미리 확인하면서 선제공격을 통해서 스페인 함대를 궤멸시키게 됩니다.

외교관 야마자 엔지로는 군무에도 관심을 갖고 정보를 수집했는데(러일전쟁 총지휘부 대본영과도 긴밀히 연락하는 등) 그의 인맥에는 주요 직책의 군인들이 많았습니다. 야마자 엔지로는 일본 해군이 러시아 발틱함대를 상대함에 적의 함대 상황을 파악할 수 있는 거점 별 통신지휘소격인 망루 건설이나, 거점 간 해저 전선 및 무선 전신을 통한 연계망 구축이 러일 해전에서의 승리에 긴요하다고 보았습니다. 이에 독도는 일본에게 더없이 중요한 군사 요충지였던 것입니다. 실제로 일본은 동해안의 죽변, 울산, 남해의 거문도, 제주도 등 전략적 거점에 망루를 세워서 해전에 대비하고 있었는데, 동해안과 울릉도의 망루만으론 불완전하며, 독도라는 망루가 필요했던 것입니다.

농상무성과 내무성은 물론이고, 결국 외무성까지 어업 독점권 및 나아가서는 영토편입원에 관여했다면 그것이야 말로 그 이전에는 일본의 영토가 아니었다는 확실한 증거입니다. 자신들의 영토라고 주장하는 일본을 충분히 설득할 수 있는 능력을 지녀야만 독도라는 영토문제는 더 이상 영토문제가 아닐 것입니다. 감정이 앞선 주의와 주장이 사태를 그르칠 수 있습니다. 예를 들어, 해병대가 독도를 지켜야 한다거나, 우리가 실효지배를 하는 땅에 비석을 세운다거나 등의 '공적 퍼포먼스'는 불필요한 행위입니다. 군대가 지키는 지역은 국내치안(國內治安) 지역이 아니라 국제분쟁(國際紛爭) 지역임을 세계에 선포하는 것입니다. 국내치안 지역은 경찰이 지키는 것이며, 경찰이 지켜야 우리가 실효지배하는 우리 영토임을 우리 스스로 인정하는 것입니다. 한국은 이미 1954년 1월 18일 독도에 영토표지를 설치하며 실효지배를 공언한 바 있습니다. 1964년 한일협정 당시엔 독도문제를 국제사법재판소로 가져간다는 밀실거래가 있었다고 하여 말썽이 되기도 했습니다. 이미 영토표식이 존재하는 그 곳에서 특정 위정자가 자신의 이름이 들어간 비석을 세우는 행위는 불필요한 아니 외교적으로 위험한 행위에 불과하며, 국익을 크게 침해하는 어리석은 행동입니다. 이것은 흥선 대원군이 19세기 말 '척화비'를 세운 것과는 다른 차원의 것입니다. 독도에 비석이 선 후 일본은 '내각관방'(內閣官房; Cabinet

Secritariat)' 산하에 '영토·주권대책기획조정실'을 신설합니다. 독도는 '조어도'나 '북방4개도서'와 동일하게 중요한 의제로 굳어지게 됩니다. 위정자들의 포퓰리즘(populism)이 국가 간 외교 문제와 연계되어 있을 때 의도와 달리 국익을 해치는 결과를 초래할 수 있습니다. "한국이 실효지배를 하고 있는 곳에 한국정부가 비석을 세운다?!" 정치과정에서 무책임한 인기영합주의가 어떤 분란을 초래하는지에 대해서 유념해야 할 것입니다.

일본에게 영토문제의 핵심엔 독도 문제가 존재하지 않습니다. 일본도 독도가 그들의 영토라고 주장하기에 무리수가 따른다는 것을 잘 알고 있는 듯한 행보도 보여줍니다. 그들이 독도에 대해서 자기네 땅이 아니라고 공개적으로 이야기 못하는 근본 속사정은 홋카이도 동쪽의 섬으로 쿠릴열도에 속하는 '북방4개도서'[하보마이(齒舞), 시코탄(色丹), 구나시리(國後島), 에토로후(擇捉)] 문제 때문입니다. 이들 북방4개도서를 포함한 여러 섬이 캄차카 반도까지 이어져 있으며, 쿠릴 열도를 일본에서는 치시마(千島)열도라고 부릅니다. 둘째가 '조어도'[釣魚島, Diaoyu Islands; 일본명 센카쿠제도(尖閣諸島)] 문제입니다. 독도문제에 매달리는 것은 북방4개도서 문제 때문에도 다른 영토 문제들은 모두 연관되어 있을 수밖에 없다고 보는 것이 일본의 영토문제를 이해하는데 더 본령에 접근하는 것입니다. 2차세계대전의 패전국인 일본은 승전국인 러시아(당시 소련)에게 일본 열도 북단의 4개 섬을 빼기게 됩니다. 몇 번의 조약 속에서 불명확한 측면을 감안하더라도 러시아가 실효지배하고 있으며, 이들 4개 섬은 군사적으로 매우 중요한 요충지입니다. 일본이 독도에 집착하는 것은, 큰 그림에서 볼 때, 독도를 포기하면 마치 북방 4개도서를 동시에 포기하는 것처럼 인식되는 상황을 초래하는 것이 두렵기 때문입니다. 독도문제를 다루는 일본의 속마음은 북방 4개도서를 반환받겠다는 의지의 또 다른 표현인 것입니

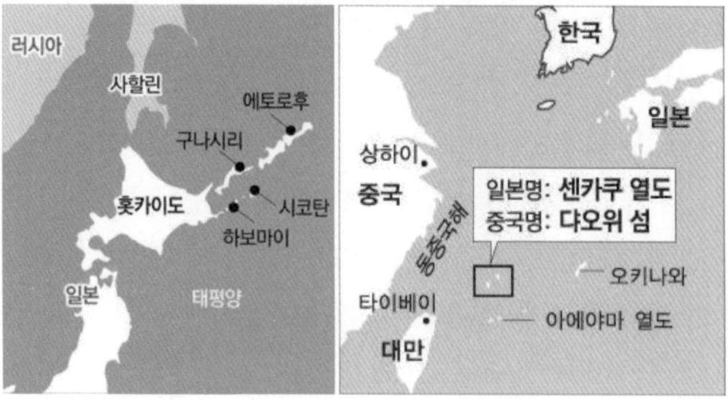

북방 4개 영토(일본)와 조어도

다. 일본은 독도문제를 국제사법재판소(ICJ)로 가자고 주장하면서 국제법의 중요성을 언급하지만, 그네들의 다른 영토문제인 북방4개도서나 조어도 문제는 그렇지도 않습니다. 일본은 북방 4개도서의 소유권 주장으로 샌프란시스코 조약을 말하기도 하지만 이것은 미국과의 조약이며 러시아는 참여하지 않았습니다. 또한 그 곳에서 옛날부터 거주하던 아이누족이 일본인이라고 했지만 아이누족이 반발하자 다른 민족임을 일본의회는 공식화하였습니다. 이런 상황 하에서 국제사법재판소로 가는 것은 국제법상 유리할 것이 없음을 일본은 잘 알고 있습니다. 따라서 일본은 북방4개도서 문제해결을 위해선 당사국인 러시아와의 합의해결을 강조합니다. 조어도 문제는 중국과 경쟁관계인 미국의 협력 하에 해결하려고 하는 등의 일관성을 결여한 행태를 보입니다. 동북아 지역에서 일본은 그들의 19세기말 20세기초 제국주의 유산으로 이웃의 모든 국가들과 영토분란을 발생시키고 있습니다.

과거 청나라와 조선의 관계를 인정한다고 하더라도, 이제 잊혀져 가는 '백두산정계비'의 문제는 더욱 안타까운 역사적 경험입니다. '백두산정계비'는 조선과 청나라 사이의 경계를 정하기 위해 숙종 38년(1712)에 세운 국경비입니다. 백두산을 청왕조의 발상지로 생각하는 청나라는 백두산을 자신들의 발원지로 생각하기에 분명히 그들의 영토로 하기 위해서 오라총관(烏喇總管) 목극등(穆克登)을 보내서 조선 관리인 이의복, 조태상, 허량, 박도상, 김응헌, 김경문 등이 지켜보는 앞에서 조선과 청나라의 국경을 정하는 경계비를 세웁니다 [청나라는 동이족의 한 족속인 여진족이 세운 나라이기에 백두산을 자신들의 원류지로 생각하는 것은 어찌보면 너무도 당연한 일입니다. 족외혼(族外婚)이 대세인 상황에선, 여진(우리말 '주리진'), 숙신(우리말 '쥬신'), 말갈(우리말 '물가'), 읍루(우리말 '부루')는 사실상 같은 민족으로 분류가 가능합니다]. 경계비를 세운 장소는 압록강(鴨綠江)과 토문강(土門江) 두 강의 발원지인 백두산 정상에서 동남방으로 약 4km, 해발 2200m 지점입니다. 비문에는 "오라총관목극등 봉지사변 지차심시 서위압록 동위토문 고어분수령상 근석위기(烏喇總管 穆克登 奉旨查邊 至此審視 西爲鴨綠 東爲土門 故於分水嶺上 勒石爲記)라고 새깁니다. 뜻은 청나라의 오라총관 목극등이 황제의 뜻을 받들어서 주변을 조사한 결과 서쪽은 압록강이고, 동쪽은 토문강으로 경계를 정하며, 경계상에 비석을 세워 기록으로 남긴다"라는 뜻입니다.

백두산정계비

그런데 1881년 청나라는 명난과 오대징을 보내서 간도개척에 착수하게 되며, 조선은 어윤중과 김우식 등을 보내어 정계비를 조사하고, 그 후 이중하, 조창식 등을 보내어 간도는 1712년 이후 조선의 영토임을 주장하나 서로의 이견을 좁히지 못합니다. 당시 청나라는 토문이 두만강을 의미하는 것이라고 했지만, 분명히 토문강은 쑹화강[송화강(松花江)]의 지류로서 남북으로 흐르는 강이기에 동서로 흐르는 두만강과는 확연히 구분이 됩니다. 상대적 시각에서 보자면, 두만강으로 하는 것보다 토문강으로 하는 경우엔 백두산은 중국 측으로 더 많이 흡수됩니다. 토문강으로 하는 경우엔 간도지역이 우리의 영토가 되지만, 두만강으로 하는 경우엔 간도지역은 우리의 영토가 아닌 것입니다. 토문강은 토문강일 뿐이며, 두만강과 혼동될 이유도 없습니다. 당시 목극등은 백두산을 청나라의 영토로 해야 한다는 목적의식 속에서 실제 조선족의 생활 무대의 하나였던 간도지역은 상대적으로 관심이 없었을 것이라는 추측도 가능할 것입니다. 즉 목극등의 입장에서 당시의 지형상 두만강으로 하는 경우보다 토문강으로 하는 것이 백두산 지역의 보다 많은 지역을 청나라의 영토로 할 수 있었기에 토문강으로 한 것이 아닐까요? 백두산을 청나라에 편입시키는 것에만 집중한 것으로 추측해 봅니다. 설혹, 청나라 입장에서 '토문강'이라는 기록이 '두만강'의 오기(誤記)여도 그러한 실수는 상식적으로 용납될 수 없으며, 다시 그러한 오기를 정정하는 공식절차를 밟았어야만 할 것입니다. 선조이후 숙종 시기는 조정의 자리를 놓고서 당쟁이 과열되었던 시기입니다. 조선에서는 간도지역이 별반 중요치 않은 오지에 불과했는지도 모릅니다.

조선 조정은 백두산정계비의 설치이후 간도지역을 실제로는 전혀 관리하고 있지 않았으며, 거의 200년이 되어서야 청나라의 간도개발 소식에 놀라서 이에 대처했으나, 이미 1881년은 조선의 서구 열강과 주변 열강들의 역학관계 속에서 주권이 상실되기 시작하던 시기입니다. 1880년대 초에 청나라는 간도에 개간사업을 구실로 한민족의 철수를 요구하여 간도 귀속 문제를 제기합니다. 정부는 1885년에 이중하를 토문감계사로 파견하여 토문강이 쑹화강 상류인 것을 재확인하고, 어윤중을 서북경략사로 임명하여 이를 관리하게 합니다. 대한제국 광무4년(1900)엔 러시아가 간도를 점령합니다. 이에 조정에서는 이범윤을 파견하고 그를 간도관리사로 임명하며 현지에서 포병 양성과 함께 거주민들로부터 조세를 받도록 합니다. 동시에 간도를 함경도의 행정구역에 편입시키고 군·면제를 정리하여 행정관리체계를 세웁니다. 그러나, 조선왕조말엽 대한제국초기 조정의 통치권이 그 실효적 영토 지배를 이루어 내기에는 너무도 역부족이었습니다.

1880년부터 20년간 진행되는 간도문제는 러·일 전쟁을 계기로 러시아가 이 지역에 관심을 집중시키지 못하면서 중단됩니다. 러·일 전쟁에서 승리한 일본은 전쟁이 끝나자 일본 통감부는 간도 용정촌(龍井村)에 간도파출소를 두어서 조선의 영토로서 관리합니다. 군대를 주둔시키지 않고 파출소를 두었다는 의미는 이 지역이 분쟁지역이 아니라 치안지역에 불과하다는 의미입니다. 이는 당시에 청나라, 러시아, 일본 모두 간도는 숙종이후 백두산정계비에 의해서 조선의 영토라는 인식을 하고 있었다는 의미가 아닐까요? 그러나, 1909년 일본은 남만주 철도의 개발권 문제를 청나라와 협의하는 과정에서 남만주 철도 부설권과 간도지방에 대한 청의 관할 인정문제를 교환하고 맙니다. 이런 와중에 시간이 흘러 1931년 9월 만주사변이후엔 백두산정계비 자체가 소실되었습니다. 간도지방이 조선인들의 활동무대를 벗어나게 된 것은 결국 조선과 청나라의 협약이 아닌 일본과 청나라의 교환에 의한 것이었습니다. 과거 역사 속에서 일본이 한국의 분국(分國)이었다면 악연인 셈입니다. 대한제국이 주권을 지키지 못하고 허둥대던 시절 일제침략의 역사가 단순히 독도문제를 넘어서 이렇게 크고 어두운 그림자를 갖고 있음은 우리를 쎈티멘탈리즘에 빠지게까지 합니다. 2014년 연구 및 보도자료에 따르면, 1958년 11월에 마오쩌둥(毛澤東)이 북한의 김일성을 만난 자리에서 "당신 선조들의 영토가 요하(遼河)를 경계로 동쪽[요동(遼東)]이며 현재 당신들은 압록강변까지 밀려서 쫓겨왔다"고 언급한 것이 중국외교부 기록에 있음이 밝혀졌습니다.

NLL 경계

NLL(북방한계선) 문제는 서해 바다 상에서 발생한 남과 북의 경계 논쟁입니다. 한반도에서 1950년 6월 25일 북한의 도발로 시작된 전쟁은 1953년 7월 27일 휴전협정과 함께 남북한이 휴전상태에 돌입하여 지금에 이르고 있습니다. 서해에서 남과 북의 휴전선인 NLL은 1953년 8월 30일 주한 UN군 사령관 클라크(Mark Wayne Clark) 장군에 의해서 선포됩니다. 북한은 이에 대해서 이의가 없었는데, 이것은 해상만큼은 미군을 주축으로 한 연합국에 의해서 지배되었기 때문입니다. 육지에서의 휴전선은 개전 상황에 거의 유사한 형태로 되돌아갔지만, 해상에서의 휴전선은 획일적으로 그렇게 할 수 없었던 것입니다. 따라서 해상에서 남과 북의 경계선인 NLL은 서해 5도(백령도, 대청도, 소청도, 연평도, 우도)를 남한의 영토안에 두고 북쪽으로 올라간 모습을 하고 있는 것입니다.

이를 두고서 UN이 북한과 상의없이 일방적으로 휴전선을 정했기에 실효성이 의문시 된다는 이의 제기는 사실관계에 부합하지 않는다고 봅니다. 첫째, 북한은 휴전 당시 해상에서의 절대적인 약세에도 불구하고 지금의 상황에 이르는 해상 경계선을 갖게 된 것 자체가 북한에게는 다행인지도 모릅니다. 북한도 1953년 휴전 당시에 해상에서의 절대 불리성을 인지하였기에 UN군 사령관의 선포에 이의 없이 응했으며, 오히려 그 정도로 해상 경계선이 획정된 것을 다행으로 여겼을런지도 모릅니다. 또는, 당시 육지에선 전쟁 전에 남한의 지역이었던 개성지방이 전쟁 후에 북한의 지역이 된 것에 만족하였는지도 모릅니다. 영토와 국경분쟁에는 어떤 경우에도 분쟁 당사자 서로에게 입장이 있기 마련입니다. 둘째, 그렇기에 북한은 1972년에 들어서야 비로소 이의를 제기하기 시작합니다. 당시엔 바다의 자원이 강조되면서 여러 국가들이 자신의 영토에서 일정 거리 이내의 해상 수역을 자신의 영토로 선포하던 시기와 일치합니다. 북한은 과거 정전협정에서 결정되고 유지되어 온 북방한계선을 부정하고, 상식적으로 받아들이기 어려운 해상 경계선을 제시합니다.

한국민들은 스스로를 '평화를 사랑하는 백의민족' '아침의 고요한 나라'로 표현합니다. 한국역사의 대강을 볼 때 영토에 관한한 수비형이었지 공격형이 아니었습니다. 한국민들에게도 414년 광개토대왕비(廣開土大王碑)를 볼 때 영토 확장의 역사가 있었습니다. 광개토대왕은 391년 18세에 왕에 올라 22년간 영토를 확장한 고구려 19대 왕입니다. 광개토대왕비는 지안현(集安縣) 퉁코우(通溝)에 세워져 있는 높이 6.39m, 비석의 4각형 단면에서 각 변의 길이는 1.48m, 1.46m, 2.00m, 1.35m인 천연 화강암 비석입니다. 총 44행 1,755자가 새겨져 있는데 이중에서 140여자는 그 판독이 불가능할 정도로 훼손되었습니다. 고구려의 독자적 예서체로 기록된 광개토대왕비의 핵

광개토대왕비 1905년 황성신문이 광개토대왕비 발견을 대대적으로 보도하면서 광개토대왕은 민족의 영웅으로 추앙되기 시작했습니다. 눈이 내린 산야를 배경으로 한 조선인이 광개토대왕비 옆에 서 있는 모습입니다.

심적 내용은 고구려 건국신화를 비롯하여 고구려가 요동지방의 부여족 및 요하(遼河) 일대의 거란족 복속 및 통치, 한반도에서 백제, 가야, 신라에 대한 원조 및 조공국가로 삼은 내용 등을 포함하고 있는데, 결국 광개토대왕비가 대왕을 기리고자 하는 내용은 연해주, 내몽고, 요동, 요하 지방, 한반도에서의 대왕의 영토 확장과 통치권을 기리고 있는 것입니다. 당시 기준에서 영토 확장보다 영토회복이 더 정확한 용어일 수 있습니다. 고구려의 초기 연호(年號)는 다물(多勿)이었는데, 다물의 의미는 "과거 소유하고 있던 것을 회복한다"는 의미입니다. 고구려의 건국이념이나 정치이념 자체가 다물하는 것, 즉, 과거의 영토회복이란 의미입니다. 다물가(多勿歌)라는 노래에 고구려 국가 이념이 담겨 있으며 이를 훌륭히 실천한 광개토왕을 기려서 장수왕이 비석을 세운 것입니다.

일본은 대륙침략의 근거를 찾기 위해 광개토대왕비의 일부 불완전문장[…倭以辛卯年來渡海破百殘□□□新羅以爲臣民…]을 인용하여 '임나일본부설'[任那日本府說 또는 남선경영설(南鮮經營說): 왜(倭)가 임나가야(任那伽倻) 지역의 신라를 치고 이를 신민으로 삼았다는 설]을 주장하기도 했지만, 정인보(鄭寅普)는 광개토대왕비에 각인된 모든 글들의 주어(主語)는 고구려(또는 광개토대왕)일 수밖에 없으며 결코 왜가 될 수 없다고 봅니다. 당시 왜에는 백제의 지도층 유민들인 부여족이 이주한 분국(分國)의 성격이 존재합니다. 백제의 아우국인 왜는 백제와 군사적 연합을 하여 신라를 공격하기도 하였습니다. 고구려가 신라의 도움 요청에 왜(또는 왜와 백제의 연합군)를 격퇴해주고 이에 대한 대가로 신라로 부터 조공을 받는 신민 관계를 유지했다는 것입니다.

- 참 고 문 헌 -

예영준. 「독도실록 1905」 (서울: 책밭, 2012).

이종석. 「북한 · 중국 국경획정에 관한 연구」 (성남: 세종연구소, 2014).

정인보. 「朝鮮史硏究」 (上), (下) (서울: 연세대학교 출판부, 1983[1946, 1947]).

진단학회(편). 「한국사」. 고대편. 증보판. (서울: 을유문화사, 1974).

천관우(편). 「韓國史大系」 1권(上古) (서울: 아카데미, 1984).

최서면. 구술면접 (2014. 10. 14, 17:00-19:00, 연세대학교 연세-삼성학술정보관 국가관리연구원 711호; 면접자 진영재).

조선일보. "일본, 광개토대왕비 비문조작 또 있다" (2014. 10. 14일자 A25).

Hori, Kazuo. "Japan's Incorporation of Takeshima into Its Territory in 1905." *Korea Observer*. Vol. 28, No. 3 (Autumn 1997). pp. 477-525.

Kajimura, Hideki. "The Question of Takeshima/Dokdo." *Korea Observer*. Vol. 28, No. 3 (Autumn 1997). pp. 423-475.

Park, Joonwoo. "Territoral Disputes in East Asia and the Role of the United States," *Shorenstein APARC, KSP Seminar Series*. Hoover Institution, Stanford University, Manuscipt (November 11, 2011).

5. 안중근의 '동양평화론'과 유럽연합(EU)

1909년 10월 26일 중국 하얼빈 역에서 한국의병 참모중장 안중근(安重根, 1879-1910) 의사(義士)는 이토오 히로부미(伊藤博文)를 역사와 민족의 이름으로 처단합니다. 안중근 의사는 1907년 일본이 '정미7조약'을 통해서 대한제국의 내정권을 장악하자 무장투쟁을 통한 구국을 결심합니다. 1909년 3월 2일 노브키에프스크에서 의병활동을 함께 하던 지사들과 함께 '단지회'(斷指會)라는 비밀결사를 조직하며, 민족의 원흉 이토오 히로부미를 3년 이내에 처단하겠다는 목표를 세웁니다. 1909년 9월엔 이토오 히로부미가 러시아의 코콥쩨프(V.N. Kokovtsev)와 회견하러 북만주에 온다는 정보를 입수합니다. 안중근 의사는 우덕순, 조도선, 유동하 동지와 함께 거사를 준비합니다.

4인은 채가구역과 하얼빈역 두 군데를 거사 장소로 정합니다. 거사 전날 그들은 사진관에 들러서 사진을 찍습니다. 안중근 의사가 양복을 입고 넥타이를 매고 찍은 사진이 있는데 이것은 바로 거사 전에 찍은 사진입니다. 그 당시 사진관에는 양복을 준비하고 있다가 사진을 찍을 때 빌려 주었다고 합니다. 채가구역은 철도가 교차하는 곳이어서 기차가 잠시 머물게 되며, 작은 역으로 오가는 사람들이 많지 않아 거사 장소로 좋을 것으로 예상합니다. 안중근 의사는 채가구역에서 기차가 정차하지 않는 경우를 가정합니다. 채가구역에서 일차 행동에 옮기되, 만약 이 곳에서 실패한다면 (아니면, 기차가 역을 그대로 통과한다면), 이차로 하얼빈역에서 결말을 짓겠다는 계획입니다. 거사 하루 전에 안 의사는 채가구역에 우덕순과 조도선 동지를 배치하고 자신은 유동하 동지와 함께 하얼빈역에서 기다립니다. 그리고 거사 시에는 유동하 동지는 남겨 놓고 자신만 혼자서 갑니다. 그 당시 하얼빈역은 러시아 헌병 관할이었습니다. 러시아 헌병대장은 이토오가 온다는 소식에 당일 보안을 위하여 하얼빈역에서 의장대 사열과 행사에 입장하는 일본인들에게 비표를 발행하겠다고 일본 총영사에게 전합니다. 그러나, 일본 총영사는 많은 사람들이 입장할수록 좋다고 하면서 비표 발행이 필요 없다고 응답합니다. 안중근 의사가 하얼빈 역에 아무런 제재 없이 입장할 수 있었던 것은 천우신조(天佑神助)라 하겠습니다.

안중근은 하얼빈에 도착한 기차를 보면서 채가구 역에서 아무 일도 없었다는 것을 알아채고 하늘이 자신에게 준 기회를 받아들입니다. 이토오가

코콥쩨프와 30분 정도의 열차 내 회담을 가진 후 하차하여 러시아 영사 및 중국 영사의 영접을 받으며 러시아 군인들을 사열하고 일본인 환영군중 쪽으로 발길을 옮기는 순간 안중근 의사가 뛰어 나오면서 권총을 발사합니다. 안중근 의사는 7발이 장전된 브로닝 권총을 갖고 4발을 이토오에게 발사하여 이토오를 단죄합니다. 시간은 오전 9시 30분경이었고 이토오는 10시에 사망이 확인됩니다. 어느 정도 확신은 있었지만, 혹시 자신이 쏜 사람이 이토오가 아닐 가능성을 생각하며 본능적으로 주위에 2발을 더 발사하여 하얼빈 총영사 가와카미(川上俊彦), 궁내대신 비서관 모리(森泰二郎), 만주철도 이사 다나카(田中清太郎)에게도 부상을 입혔습니다. 혼란스런 순간에 한 발도 헛되이 쏘지 않은 안 의사의 침착성과 대담성은 안의사가 평소에 품었던 대의명분에 대한 천우신조가 아니면 가능치 않은 일이라 생각해 봅니다. 안 의사가 이토오 히로부미에게 명했던 죄상은 명성황후 살해, 1905년 한일협약 5개조와 1907년 한일협약 7개조 체결한 일, 양민 학살, 이권 침탈, 그리고 동양평화를 교란한 일입니다.

1910년 2월 14일 여순 관동도독부 고등법원은 안중근 의사에게 사형을 선고합니다. 우덕순 징역 2년, 조도선과 유동하에게 징역 1년 6개월을 선고합니다. 일본은 3월 26일 뤼순 감옥에서 사형을 집행합니다. 그리고 5개월 후에 한일합병이 이루어집니다. 안중근 의사는 체포되어 심문받으며 "나머지 한 발은 자살을 위한 것이냐?"고 추궁 받게 됩니다. 안중근 의사는 "내가 죽기 전에 왜 이토오가 죽어야만 하는지 알리는 것이 중요하기에 자살과 같은 것은 있을 수 없다"고 밝힙니다. 권총에 남아있던 1발은 거사에 성공했다는 확신에서 결국 나머지 한 발은 더 이상 쏠 필요가 없어서 그냥 남게 된 한 발이라고 해석하는 것이 더 정확할 것입니다.

많은 사람들은 안중근 의사를 독립운동가로만 기억하나 안중근 의사의 위대성은 '동양평화론'이란 사상을 제시했다는 것에서 찾을 수 있습니다.

이토오 히로부미
(1841–1909)

리훙장
(1823–1901)

안중근 의사는 법정에서 "…나 일개인을 위해서 이토오를 처단한 것이 아니라 '동양평화'를 위해서 한 것이다."라고 밝힌 바 있습니다. 이러한 사상은 현재 EU 설립 사상과도 일맥상통합니다. 이토오 히로부미와 리훙장(李鴻章) 역시 '동양평화론'이라 할 수 있는 것을 주창했지만, 안중근 의사의 '동양평화론'은 스케일과 차원이 다릅니다. 이토오 히로부미의 동양평화론은 사실상 일본이 만주를 점령하겠다는 것입니다. "만주가 소란스러우면, 동양평화에 위협이 되니 만주의 치안을 담당할 능력이 있는 일본이 만주를 다스려야 한다"는 것입니다. 리훙장의 동양평화론 역시 시대상황적 논리로 한정됩니다. "일본이 중국보다 강하면 평화가 깨진다. 중국이 일본보다 강해도 평화가 깨진다. 그러니 두 나라가 호혜평등(互惠平等, reciprocity)한 사이가 되어야만 한다"는 것입니다. 국가들 사이에는 현실적 국력에 차이가 있으며, 시대적 배경 속에서 '호혜평등'이란 제한적일 수밖에 없습니다. 사실상 두 나라의 입장은 동양평화론이 아니라 자국의 입장만 강조한 '감성적 제국주의론'의 성격이 강합니다.

반면에 안중근 의사의 동양평화론은 두 사람의 "동양평화론"과는 차원이 다릅니다. 현재 유럽연합(European Union)을 보면 안중근 의사의 동양평화론이 구현된 것이라고 해도 과언이 아닙니다. 천주교 신자였던 안중근 의사도 유럽의 알사스-로렌지방에서 수학한 신부의 영향을 받았습니다. 안중근 의사의 동양평화론은 "동양이 다른 나라의 독립을 존중하지 않고 이를 집어삼키겠다고 싸우면 안된다. 서로의 독립 국권을 인정함으로써 전쟁을 없애야 한다"고 하여 국가 상호 간에 독립을 인정하는 상태가 궁극적으로 영구평화를 가져온다는 주장입니다. 러일전쟁에서 한국이 일본의 편을 든 것은 일본이 서양제국주의를 막아 "동양평화를 유지하고 한국의 독립을 분명히 한다"고 내세운 명분을 받아들일 수 있는 것이기에 지원한 것이나, 그 후 일본이 한국의 독립과 국권을 무시하고 침탈하였기에 독립전쟁을 벌일 수밖에 없다고 주장합니다. "동양평화를 실현하는 길은 결국 자주 독립국의 지위를 유지한 상태에서 청, 일, 한 3국이 동맹하여 서구의 세력을 막고 세계 국가들과 더불어 평화에 진력해야 한다"고 주장합니다. 안 의사는 한국도 차후 강대국이 될 때, 중국과 일본을 대등하게 대해야 한다고 말합니다. 동양의 삼국 모두는 서로의 독립 국권을 소중히 여겨야 한다는 것입니다. 유럽연합 역시 특정 국가 입장에서 연합을 만들려 했다면 가능하지 않았을 것입니다. 비록 국가마다 처한 형편이 다르지만, 모든 구성원이 서로의 국권을 존중하며 유럽의 평화를 위한 유럽연합을 만들어 가려는 실천 정신이 있기에 가능한 것입니다.

안중근
(1879–1910)

안중근 의사의 주장에 따르면, 평화론의 가장 근본적인 요소는 한 국가의 독립적 지위에 대한 상호간의 존중을 통한 국권 독립이라는 것을 알 수 있습니다. 이토오 히로부미나 리훙장은 사상가가 아니기에 그들과 비교하여 안중근 의사를 위대한 사상가라고 할 수는 없을 것입니다. 안중근 의사의 평화론을 칸트(Immanuel Kant)의 평화론과 비교해 볼 수 있습니다. 칸

칸트
(1723–1804)

트에 따르면, '영구 세계평화'는 "강자와 약자가 조약을 맺는 경우, 대등한 권리발현으로 동등한 위치에 머물러야만 영구평화가 가능하다"는 것입니다. 그런데 동등한 입장에서 조약을 맺는다고 하여도 동등한 권리발현이라는 것은 현실적으로 불가능한 측면이 강합니다. 조약을 맺는 시점에 국가 서로 간에 평등하게 시작해도 시간이 지나면 여러 가지 변수들이 영향을 미치면서 자연스럽게 불평등해지며, 이런 경우 영구평화의 실현에 영향을 미치게 될 것입니다. 일시평화는 가능하나 영구평화는 쉽지 않을 것입니다. 국제사회는 제1차 세계대전(1914-1918)이 끝난 후 칸트의 영구평화론 사상을 반영한 '국제연맹'을 조직하기도 하였으나 평화는 일시적이었고, 다시 제2차 세계대전(1939-1945)이 발발하였습니다.

안중근 의사는 동양평화를 이루기 위한 매우 구체적인 프로그램을 제시합니다. ①'동양평화의회'를 두고 국제문제를 해결해야 한다(현재 유럽연합도 '유럽의회'를 두고 있습니다). ②'동양평화유지군'을 운영해야 한다. 특히 상대방 국가 언어에 능통해야만 서로의 소통에서 오해가 생기지 않

유럽의회 (European Parliament) 프랑스 스트라스부르에 소재

으니 이런 사람들로 구성된 동양평화유지군을 두어야 한다. ③'동양평화은행'을 설립하여 삼국이 공동의 화폐를 발행해야 한다 (현재 유럽연합은 '유로화'란 공통의 화폐를 발행하고 있습니다. 우리는 유로화로 유럽여행을 하면서 어떠한 불편도 없습니다). 현재의 유럽연합이 나름대로 순기능하는 것을 보면서 안중근 의사의 동양평화론을 다시 한 번 되돌아보게 됩니다.

- 참 고 문 헌 -

최서면, 구술면접 (2014. 9. 17, 17:00-19:00, 연세대학교 연세-삼성학술정보관 국가관리연구원 711호; 면접자 진영재)

6. 프랑스와 한국의 정치과정 비교: 임시정부 및 이원집정부제

'임시정부'(provisional government; interim government; government de facto)란 것은 정부가 설립될 당시의 헌법이 정한 절차에 따라서 성립하지 않은 정부를 말합니다. '망명정부'(government in exile)는 정통성을 지닌 정부가 전쟁이나 타국에 병합된 상황 속에서 외국으로 망명하여 원상회복을 시도하는 정부를 말합니다. 정리하면, 정부가 탄생할 당시 헌법이 정한 절차에 의하지 않은 정부는 임시정부이며, 헌법이 정한 절차에 의해서 탄생한 정부가 전쟁 등의 사유로 외국에 망명하여 원상회복을 시도하는 정부는 망명정부입니다. 이런 이유로 제2차 세계대전 당시 런던에는 폴란드 망명정부와 프랑스 임시정부가 있었던 셈입니다.

정부는 국제사회로 부터 정부 승인을 받을 요건을 갖춘 뒤에 이를 외국의 국가들로 부터 인정받은 후에야 국제법상 주체가 될 수 있습니다. 특정 정부가 국제법상 주체가 되기 위해선 국제법을 준수할 의사와 능력뿐만이 아니라 실질적 정치권력(즉, 국가통치권)을 획득해야 합니다. 대한민국임시정부의 경우 1945년 11월에도 국제적으로 정부 승인을 얻지 못했기 때문에, 대한민국임시정부의 김구 주석이 귀국할 때, 정부자격이 아닌 개인자격으로 입국하게 됩니다.

그런데 한국 임시정부의 특성을 입헌민주주의란 측면이 아니라 무장투쟁이란 측면에서 볼 때 빼놓을 수 없는 것이 1920년 당시 서북간도 지역에서의 '군(軍)정부'입니다.4) 상식적으로 생각해 볼 때, 주권 없는 국가가 그 주권을 찾기 위한 전쟁의 상황에 있다면 '군정부'가 오히려 더 자연스러운 임시정부의 형태일 것입니다. '군정부'라는 형식의 임시정부를 소홀히 할 수 없는 이유입니다. 서북간도에는 당시 다양한 독립군 세력들이 있었습니다.5) 서북간도 지역의 독립군 세력들이 치명상을 입었던 '경신참변'

---

4) 독립군 정부는 말 그대로 군정기관이 근간이 된 조직이었음에도 민정기관을 동시에 마련하여 관할 구역에서 치안과 교육 사업 등을 통한 지역민치에도 신경을 썼다는 측면에서 원시적인 '정부'형태로도 해석이 가능할 것입니다. 서북간도 지역엔 당시 최소 1만 5천호(戶) 이상에 달했던 한인들이 거주했습니다. 그 내용은 입법, 행정, 사법의 3권 분립체계를 마련하고, 이에 대한 헌장을 제정하기도 하였습니다. 무장투쟁과 자치운동을 병행한 대표적인 자치기관들은 다음과 같습니다. ㉠ 간도국민회[일명 대한국민회로서 무장투쟁과 자치운동을 병행하였음, 간도지역에서 가장 초기에 발족될 당시의 명칭은 '재간도대한민회'(在間島大韓民會)로서 회장 구춘선, 고문 김규찬, 총무 한상규; 대한독립군(홍범도) 및 도독부군(최진동)과 통합한 후에는 사령관 최진동, 연대장 홍범도]. ㉡ 한족회[1919년 4월 남만주의 유하(柳河), 통화(通化), 흥경(興京), 집안(集安), 환인(桓仁)에 흩어진 세력들이 부민단(扶民團)을 중심으로 유하현 삼원보(三源堡)에 모여서 조직한 동포들의 자치단체; 중앙에 총장을 두고 각 구역에 총관을 설치하고 한족신보(韓族新報) 발행과 군정부 재정을 위한 의연금을 동포들에게 부담시킴; 총장 이탁, 서무부장 김동삼, 법무부장 이진산, 학무부장 윤기섭, 재무부장 안동원; 후에 광복군사령부에 통합됨].

5) 주요 세력들과 지도자들은 다음과 같습니다. ㉠ 북로군정서[北路軍政署; 1911년 만주에서 조직된 의병조직인 '중광단'(重光團)이 1919년 3월 '정의단'(正義團)으로 개칭한 후 12월에 길림성을 중심으로 한 '북로군정서'로 최종 개칭; 총재 서일, 총사령관 김좌진, 연성대장 이범석]. ㉡ 서로군정서[西路軍政署, 1919년 4월에 남만주 지역에서

(1920년 10월)과 '자유시 사변'(1921년)의 두 사건을 계기로 여러 독립군 세력들이 크게 '참의부'(參議府)[6], '정의부'(正義府)[7], '신민부'(新民府)[8]의 3부로 재정리 된 것이 소위 '군(軍)정부'입니다. 특히 신민부의 부서 명칭을 보면, 외교, 재무, 홍보, 치안, 군사 등의 손색없는 정부 체계를 지니고 있습니다. 그러나, 1928년 5월에 이들 3부통일협의회 운동은 실패로 돌아갔으며 3부가 통합된 군정부는 실현되지 못합니다.[9] '만주사변'(1931) 이후에 중국 본토나 연해주로 흩어져 갔으며, 특히 중국 본토로 흘러들어간 세력은 '대한민국임시정부' 휘하의 '광복군'으로 편입됩니다.[10]

결론적으로 군정부는 무장투쟁에 중심을 둔 몇몇의 기관들이며, 통합

조직되었으며 임시정부 통할 하에 서로군정서로 개칭; 독판(督辦) 이상룡, 부독판 여준, 정무청장 이탁, 군정청장 양규열, 참모장 김동삼, 교관 지청천; 1923년 이후엔 '참의부'에 통합됨]. ⓒ 대한정의군정사[大韓正義軍政司: 1919년 3월 간도의 안도현(안도현) 지역에서 처음에는 '대한정의단임시정부'라고 했으나 상해임시정부의 권고로 대한정의군정사로 개칭; 총재 이규]. ⓡ 광복군사령부[1920년 남만주 일대의 독립군 통합단체; 사령장 조맹선, 부관 여순군, 참모장 이탁; 후일 임시정부의 군무부 직할이 됨]. ⓜ 대한독립군단[1920년 남만주 일대의 독립군 통합단체; 총재 서일, 부총재 김좌진 · 홍범도 · 조성환].

6) 1922년 남만주일대의 독립운동세력을 통합하며 조직된 통의부(統義府)에서 분파되어 1924년 만주 통화현에서 재조직하며 집안현, 압록강 지역을 담당함; 참의장 백광운, 중앙의회의장 백시관, 민사부장 김소하, 훈련대장 박응백.

7) 1925년 1월 길림성 화전(樺甸)에 본부를 두고 길림, 봉천 지역을 담당함; 중앙집행위원장 이탁, 총무위원장 김이대, 군사위원장 지청천, 재무위원장 오동진, 민사위원장 김호, 법무위원장 이진산, 외무위원장 현익철; 이들 간부 중에서 이탁과 김이대는 일본의 영향력이 만주에서 극대화되기 시작한 1931년 9월 '만주사변' 직후에 변절합니다. 만주사변은 '유조구'(柳條溝)사건을 계기로 일본의 중국침략이 노골화된 사건으로 일본의 철도폭파 자작극 사건입니다.

8) 1925년 3월 북만주 영안(寧安)에 본부를 두고 조직됨; 위원장 김혁, 군사 김좌진, 외교 조성환, 재무 최정호, 실업 이영백, 교통 유헌, 선전 허백도, 교육 정신, 보안대장 박두희.

9) 3부 통합운동이 실패한 것을 계기로 두 개의 대립하는 집단이 형성됩니다. 하나는 김동삼, 지청천, 김좌진이 중심이된 '민족유일당책진회'이고, 또 다른 집단은 현익철, 이동림, 이교원, 임병무, 심용준이 중심이된 '국민부'입니다. 전자가 중심이 되어 '한국독립당'과 '한국혁명군'을 조직하며, 후자는 '조선혁명당'과 '조선혁명군'을 조직합니다. 이상의 일들이 1928년 5월에서 1929년 9월 사이에 일어납니다.

10) 378쪽 '광복군'은 대한민국 국군의 시작으로 해석되기도 합니다.

된 하나의 조직으로 하나의 헌장 아래 존재한 것이 아닙니다. 큰 그림에서 본다면, 한성정부나 군정부(그 중 일부)는 모두 대한민국 임시정부에 흡수되었다고 볼 수 있을 것입니다. 대한민국임시정부와 비교하여 한성정부나 군정부들은 헌법의 유무 및 내용의 수준, 해방후까지의 지속성의 차원 등에서 차이가 있습니다. 따라서 이들 모든 임시정부를 하나의 시각으로 동일시할 수는 없으며 구분할 필요가 있습니다. 입헌민주주의의 형식을 최대한 발휘하고 있었던 조직은 바로 상해에 있었던 '대한민국임시정부'입니다.

한국의 정치과정을 이해하는데 프랑스 정치과정에서의 경험들을 비교할 경우 많은 시사점을 얻게 됩니다. 정치문화적으로도 한국인의 기질이 과거를 부정하기보다는 수정하면서 발전하는 누적적 과정을 존중하는 것으로 스테레오타입화되는 영국 기질보다 단절적이고 혁명을 선호하는 프랑스의 기질에 가까운 것으로 비유되곤 합니다. 한국과 프랑스는 모두 20세기 초반과 중반에 임시정부를 경험한 바 있습니다. 대한민국은 1919년부터 1945년까지 26년간 임시정부 시절을 경험했는데, 프랑스 역시 임시정부를 경험하였습니다. 프랑스의 경우엔, 시기는 짧지만 조금 더 복잡한 형태를 띠고 있었는데, 프랑스에 비시 괴뢰정부와 영국 런던에 드골 임시정부가 대치하였으며, 1944년 연합군이 파리를 수복한 이후에 다시 드골 임시정부가 있었습니다. 한국은 처음 상해에 임시정부가 있었으나, 결국 충칭으로 이전하면서 투쟁을 계속합니다. 프랑스도 처음에는 런던에 있었으나 알제리로 임시정부를 옮겨 투쟁을 지속합니다.

제2차 세계대전 중인 1940년 6월 13일에 나치(Nazi) 독일이 파리에 입성하자 프랑스는 항복하며 정전협정을 맺게 됩니다. 레이노 총리는 사임하고, 페탱(Henry Phillipe Pétain; 레이노 내각에서 부수상이었음) 원수를 수반으로 하는 친(親)독일정부가 들어서게 됩니다. 페탱 정부는 오베르뉴의 온천 도시 비시(Vichy)에 주재하기에 '비시정부'라고 부르며, 독일의 친위대 내지 꼭두각시 같은 성격의 정권이어서 '비시 괴뢰정부(puppet government)'라고도 합니다. 비시정부는 프랑스 전역을 통치한 것이 아니고, 프랑스의 1/3에 해당하는 남부 지역만을 다스리고, 2/3는 독일이 직접 지배하였습니다. 드골(Charles De Gaulle) 장군은 런던으로 망명하여 대독일 항전을 선언하며 '자유프랑스전국위원회'를 조직하며, 이를 기초로 런던 주재 프랑스 임시정부를 수립합니다.

드골
(1890–1970)

과거 페탱의 부관으로 근무한 적인 있는 드골은 이로 인해 비시정부로 부터 사형을 선고받습니다. 그러나 1943년엔 다시 알제리로 이동하여 '국민해방프랑스위원회'를 결성하여 위원장을 맡으며 임시정부 활동을 이어갑니다. 결국, 1944년 8월에 연합군이 파리를 수복하면서부터 1946년 10월에 새 헌법인 제4공화국헌법에 의해 새로운 대통령과 내각이 출범할 때까지 조직된 프랑스 임시정부의 수석이 됩니다. 제4공화국에선 오리올, 코티가 이어가면서 대통령직을 수행합니다. 프랑스는 당시 대외적으로 인도차이나반도 식민지에서의 전쟁과 알제리 전쟁이 장기화되었으며, 대내적으로 군소정당들이 난립하여 정국이 극도로 불안하였습니다. 이런 상황에서 1956년 정계 은퇴를 선언한 드골은 정계에 복귀하여 1958년 5월 알제리 폭동 발생 직후인 1958년 6월에는 수상으로 취임합니다. 프랑스는 1958년 10월에 대통령의 권한을 획기적으로 강화한 '제5공화국헌법'을 공포하며, 1959년 1월에 드골이 대통령으로 취임합니다.

프랑스는 제2차 세계대전 속에서의 혼란에 대한 반작용으로 혼란한 의원내각제를 극복하기 위해서 대통령의 권한을 강화시키는 이른바 이원집정부제의 5공화국헌법을 만듭니다. 프랑스와 한국의 정치과정은 연관성이 있는데, 한국의 제4공화국 헌법이 프랑스 제5공화국 헌법에 나타난 대통령의 강력한 권한을 참고하여 만들어졌다는 점 때문입니다. 흥미로운 것은, 한국의 대통령제가 '제왕적 대통령제'에 가깝다고 하여, 대통령의 권한을 총리와 나누어 갖는 형태의 책임총리제나 이원집정부제를 거론하면서 다시 프랑스 제5공화국 헌법을 참조하고 있다는 점입니다. 앞으로 통일한국을 이끌어 갈 권력구조 개편논의에서 이원집정부제, 책임총리제의 형태는 분명 하나의 옵션인데 그 내용에 대해서 더 자세히 살펴볼 필요가 있습니다. 권력구조의 옵션은 다양한 변종들에도 불구하고 크게 의원내각제, 대통령제, 이원집정부제의 3가지로 구분됩니다. 가끔 스위스식 집정부제(collegial system)를 논하기도 하는데, 그것도 이론적 분류상에선 의원내각제의 또 다른 변종일 뿐입니다. 입법부가 행정부를 구성하되 행정부의 권한을 보호하기 위해서 함부로 해산하지 못하도록 정해진 임기를 준다는 것이 집정부제의 핵심입니다. 의원내각제의 역사적 원형(proto type)이 영국식 웨스트민스터모델이어서 의원내각제를 논하는 것은 결국 영국 의원내각제도와 그 변종들을 논하는 것입니다.

'대통령제'의 역사적 원형은 미국식 대통령제여서 대통령제를 논하는 것은 미국 대통령제도와 그 변종들을 논하는 것입니다. 1781년부터 1789년까지의 미국은 13개 주가 모여서 '연맹규약'(Articles of Confederation and Perpetual Union)으로 통치하였습니다. 하지만 중앙정부가 없었고 입법부의 의회만 존재하였습니다. 중앙정부 차원의 행정업무가 필요한 경우엔 의회가 공무원을 임명하고 일을 처리하였습니다. 연맹규약하의 공화국은 공화국 내의 군사적, 경제적, 정치적 문제에 신속히 효율적으로 대응할 수 없었으며, 매디슨(J. Madison)과 해밀턴(A. Hamilton)은 '페더럴리스트 페이퍼'(The Federalist Papers)를 통해 연맹규약 이상의 공화국 헌법이 필요함을 반복적으로 제기합니다. 1787년 5월 25일부터 9월 17일까지 열렸던 '필라델피아 회의'의 목적은 주들 상호간에 더욱 완벽한 연합체를 형성하는 것이었기에, 결국 "어떤 형태의 중앙정부를 세울 것인가"의 문제를 다루며 헌법을 제정하게 됩니다.[11] 각 주들이 갖는 권한 및 대표권과 상응하여 연방정부의 권력이 필요하였는데 그 결과물이 미국의 연방대통령제인 것입니다. 미국대통령의 권력과 미국연방정부의 권력은 동의어라고 말하는 이유입니다. 해밀턴은 종신직이며, 의회의 법률을 거부할 수 있고, 주지사를 임명할 수 있는 강력한 대통령의 존재를 원했습니다. 주 의회의 권한에 휘둘리지 않는 행정부 독립의 필요성이 제기된 것입니다. 필라델피아회의를 통해서 삼권의 분립(입법, 행정, 사법)과 상·하 양원제(상원은 모든 주가 2명의 의원선출, 하원은 인구비례로 의원 선출)를 채택합니다. 대통령은 상·하 양원을 합친 수의 선거인단이 선거하되 가장 많은 표를 얻되 과반수 이상의 표를 얻은 자를 대통령으로 결정합니다. 대통령의 임기는 4년이되, 재선에 제한은 없었습니다.[12]

제임스 매디슨
(1751–1836)

알렉산더 해밀턴
(1755(?)–1804)

마찬가지로 현재 언급되는 이원집정부제의 역사적 원형은 프랑스식 이

11) 연방국가체가 강력하게 되었을 때 침해될 잠재성이 큰 개인의 자유는 추가로 1791년에 열개의 수정 조항인 권리장전이 비준됨으로써 완성됩니다.

12) 초대 대통령인 워싱턴(G. Washington)이 세 번째 출마를 거절함으로써 임기는 재선까지라는 암묵적 관행이 정해진 것입니다. 루즈벨트(F. Roosevelt)는 4선을 하였는데(1933-1947), 이후 1951년 수정헌법 21조를 통해서 두 번의 재임만이 가능한 것으로 규정합니다.

원집정부제이기에 이원집정부제를 논하기 위해서 프랑스 이원집정부제도와 그의 변종들을 논하는 것입니다. 그리고 현재 권력구조의 형태로 논의되는 '책임총리제' 역시 프랑스식 이원집정부제를 참고하면서 그 변종을 논의할 수밖에 없습니다.

프랑스식 제5공화국 헌법은 '이원집정부제'란 용어가 갖는 느낌 때문에 그 내용을 예단하는 단점이 있습니다. 영어로는 'semi-presidentialism'이라고 하는데, 정확히 말하면, 대통령제의 특성과 의원내각제의 특성을 혼합해 놓은 혼합형 권력구조이며, 한 시점에 내각회의(council of ministers)의 수반인 총리와 내각회의를 주재하는 의장격인 대통령이 동시에 존재합니다. 의회의 다수당이 대통령의 정당과 일치하면 대통령 중심의 일원집정부제적 성격이 강합니다 (또는 의원내각제보다는 대통령제처럼 기능합니다). 프랑스 이원집정부제는 결코 약한 대통령제가 아닙니다. 오히려 입법부와 행정부를 같은 정당이 장악할 경우 이보다 더 강한 대통령제는 없다고 할 정도입니다. 만약, 의회의 다수당과 대통령의 정당이 일치하지 않는 경우엔 행정부에 대통령과 더불어 총리의 존재감이 부각되어 대통령제보다는 의원내각제처럼 기능합니다. 1990년대 초에 개정된 현행 프랑스 헌법에 나타난 권력구조의 핵심 사안을 정리하면 다음과 같습니다.

① 대통령이 총리를 임명하고, 총리가 사직서 제출에 따라 면직하며, 총리의 추천으로 대통령이 내각의 각료를 임명하고 면직한다(제8조).
② 대통령이 국무회의를 주재한다(The President of the Republic shall preside over the Council of Ministers)(제9조).
③ 대통령은 총리 및 의회의장과의 협의 후 의회를 해산할 수 있으며, 단, 의회 해산은 해산 후 선거일 기준으로 일 년 안에는 다시 반복될 수 없다(제12조).

④ 대통령은 주요 각료 임명 시에 양원의 관련 상임위원회와 공개 협의하며, 양원 위원회의 3/5 이상이 반대하면 임명할 수 없다(제13조, 헌법 개정으로 도입됨).

⑤ 의회의 내각에 대한 불신임 결정이나, 정부의 정책방향이 의회의 동의를 얻지 못할 때 총리는 대통령에게 사직서를 제출해야 한다(제50조).

행정부와 입법부의 선출기반이 분리된 대통령제에선 대통령이 임명한 총리와 각료는 대통령이 해임시키지만, 의원내각제에선 입법부가 행정부를 구성하기에 의회의 내각에 대한 신임이나 불신임에 따라서 행정부가 해산됩니다. 이원집정부제를 보면, 국민으로 부터 선출된 행정부 수반 대통령이 임명한 총리와 내각이 입법부의 신임이나 불신임의 대상이 되니 한마디로 혼합형 제도입니다. 왜 이렇게 됐을까요? 프랑스는 원래 의원내각제를 하고 있었는데, 제3공화국과 제4공화국에서 의회의 불신임 남발로 행정부 내각의 평균 임기가 6개월 정도라는 극단의 현상이 나타나면서, 그리고, 앞서 언급한 제5공화국 출범직전에 프랑스 대내외 혼란상황이 복합적으로 작용하면서, 이를 극복할 제도는 결국 대통령의 권한을, 해당 시점의 상황에서 볼 때, 획기적으로 강하게 하는 것이었습니다. 그러니까, 현재 프랑스의 권력구조는 의원내각제를 기반으로 하되 그 이후 대통령의 권한을 강하게 한 제도로 이해하는 것이 역사적 사실에 부합합니다. 대통령제를 운영하다가 대통령의 권한이 제왕적인 형태에서 권력을 총리와 이원화시키기 위해서 만든 제도가 아니라는 것입니다. 한국에서 이원집정부제도 채택을 고려하는 경우에 주의해야 할 점은 무엇일까요?

프랑스 헌법이 외정을 맡는 대통령과 내정을 맡는 총리를 구분한다고 하지만 이것은 행정부 내부의 미묘한 상황을 정확히 표현하는 말이 아닙니다. 대통령은 국가원수인 동시에 내각회의를 주재하는 의장

(chairmanship of the Council of Minsters)이기에(헌법9조), 내각회의 수반(head of the Council of Ministers)인 총리와 여전히 내정을 함께 합니다. 헌법에는 대통령의 지위만 규정되어 있고, 총리의 지위는 규정되어 있지 않습니다. 내각회의에서 회의를 주재하는 의장이 대통령인 한 총리는 여소야대 정국에서만 책임총리에 근접할 수 있습니다. 이런 이유로 이원집정부제는 대통령 개인의 리더십 성향에 영향을 많이 받게 됩니다. 결론적으로, 내각의 수반이 총리여도, 내각회의(또는 각료회의, 국무회의: 장관들이 모여서 하는 회의)의 의장을 대통령이 맡는지 아니면 총리가 맡는지에 따라서 이원집정부제의 내용은 판이하게 달라집니다. 대통령제로 하건, 이원집정부제로 하건, 대통령을 국민 직선제로 선출하는 한, 각료회의의 의장은 대통령이 될 수밖에 없습니다. 프랑스 헌법은 각료회의의 의장을 대통령이 맡고 있습니다. 여소야대 정국에서 야당의 대표를 총리로 지명하더라도 종합적으로 행정부의 수반은 대통령입니다. 헌법에서 총리를 국무회의의 의장으로 하면 되지 않느냐고 반문할 수도 있습니다. 국민은 행정부의 수반을 뽑기 위한 선거로 대통령 선거를 한 것이지, 단순히 상징적이고 외치에 집중하는 대통령을 뽑으려고 대통령을 전 국민이 선출한 것이 아닙니다. 단순히 상징적 국가원수에 머무는 대통령은 의회에서 선출합니다. 독일이 그 대표적인 예입니다.

이원집정부제를 선택한다고 하여 총리가 책임총리가 되는 것도 아닙니다. 국민이 직접 선출하는 직위가 대통령 한 사람으로 국한되는 한, 책임총리제는 실질적으로 구현되기 어려우며, 보다 복잡한 상황 속에서만 존재합니다. 프랑스 이원집정부제 하의 책임총리는 '여소야대' 정국 하에서 가시화된다는 것입니다. 책임총리제란 의미와 범위에 대해서 고민이 있어야 합니다. 의원내각제 하에서 총리는 당연히 책임총리가 됩니다. 대통령제 하에서 총리는 책임총리가 되기 어렵습니다. 헌법에서 권한을 나누도록 규정하면 될 것 아니냐고 반문할 수 있지만, 그렇다면, 선출직인 대통령과 임명직인 총리의 권한을 나누도록 규정하는 헌법이 과연 적합할까요? 민주주의 사회에서 정치과정의 최종 정책 결정자들은 모두가 선출직입니다. 민주사회에서 선출직과 임명직은 그 중량감이 전혀 다른 것입니다. 적어도, 한국의 현행 제6공화국 헌법 하에서 대통령에게 책임총리를 요구하는 것은 반(反)헌법적인 것으로 해석될 수도 있습니다. 선출직인 대통령이 그의 임명자인 총리와 권한을 나누어 갖는다는 것 자체가 어불성설입니다. 그렇다고 해서, 국민이 대통령을 선출한 상황에서 총리까지 선출할 수는 없습니다. 국민은 행정부의 수반만 선출하면 됩니다. 현행 제6공화국 헌법은 총리에 대한 임명권과 해임권 모두 대통령이 갖고 있으며, 분명히 국무회의의 의장은 국무총리가 아닌 대통령입니다.

국정운영의 책임총리제가 되려면, 프랑스와 같이 총리가 되는 순간 의원직을 겸직하지 않는다는 형식을 취하는 것이 바람직할 것입니다. 이원집정부제 하에서 특히 내각이 의회의 신임과 불신임의 대상이 되는 상황에서 내각 구성원들이 의원직을 유지할 수 있도록 제도가 되어 있다면, 의회의원들에 대하여 의회가 불신임을 행사하게 되는 다소 모순된 상황이 연출될 수 있습니다. 또한 프랑스 대통령은 의회 해산을 명할 수 있는데, 다수의 각료들이 의원직을 겸한다면, 내각의 해산을 명하는 효과로 확대 해석될 여지도 있습니다. 한국의 제6공화국 헌법은 장관과 국회의원 겸직을 허용하고 있습니다. 만약 한국의 권력구조를 이원집정부제로 변경하려 한다면, 정당을 중심으로 하는 전통적 의회주의를 유지할 것인가 아닌가의 문제에 대해서 고민해야 합니다. 현재 프랑스 헌법은 각료는 국회의원 및 기타의 공직을 갖지 못하며 당적(黨籍)을 가져서는 안 된다고 규정하고 있습니다. 이원집정부제를 채택하면서 각료 구성원들이 의원직과 당적을 갖는 경우엔 여대야소 및 여소야대의 경우와 맞물려서 불필요하게 복잡한 정치적 상황들이 연출될 가능성이 큽니다.

프랑스식 이원집정부제가 한국의 제4공화국에서는 강력한 대통령제를 뒷받침하는 제도로 참고 된 후에, 다시 한 번 한국의 제6공화국 헌법이 제왕적 대통령제에 가깝다고 하여 대통령과 국무총리가 권한을 나누어 갖는 이원집정부제의 논의에 참고 되는 것은 아이러니입니다. 왜 이렇게 아이러니한 현상이 생겼을까요? 이렇게 된 이유는 프랑스의 이원집정부제는 과거 프랑스 제4공화국의 의원내각제(즉, 입법부 권한 중심 제도에서)를 기반으로 하여 대통령이 강력한 권한을 갖도록 수정 보완한(즉, 행정부의 권한이 과거보다 강화된) 제도가 소위 제5공화국 헌법이기 때문입니다. 프랑스 이원집정부제는 보는 시각이나 상황에 따라서 대통령의 권한이 막강하기도 하고, 반면에 그러한 대통령의 권한도 총리를 통해서 제어될 수 있어 대통령도 총리에 의해서 제어되기에 생긴 현상입니다.

우리는 이원집정부제라고 하면 프랑스를 연상하게 되지만, 오스트리아도 이원집정부제의 형태를 띠고 있으며, 우리의 정치문화를 고려할 때 참

오스트리아 빈의 국회의사당

고해야 할 점이 오히려 더 많다고 봅니다. 오스트리아는 면적이 남한보다 조금 좁으며, 9개의 행정구역(Land)으로 이루어진 연방국가입니다. 행정부는 '연방대통령'과 '연방정부'(수상 및 장관)로 구성되고 입법부는 양원제로 하원격인 '국민의회'와 상원격인 '연방의회'로 구성되어 있습니다. 대통령은 국민직선제로 선출되며, 임기 6년에 2번까지 할 수 있는 중임제를 채택합니다. 대통령선거제도는 프랑스와 마찬가지로 결선투표제를 도입하여 1차투표에서 절대다수득표자가 없을 때에 상위 득표자 2인을 대상으로 결선투표를 진행합니다. 대통령과 총리가 공존하는 상황에서 프랑스 이원집정부제는 정치과정에서 대통령에게 방점(傍點)이 있는 반면에, 오스트리아 이원집정부제는 총리에게 방점이 있습니다. 달리 표현해서, 프랑스에서 정치권력의 궁극적인 정점은 대통령이고, 오스트리아에서는 총리라는 의미입니다. 프랑스에서는 총리를 지냈던 사람이 대통령을 꿈꾸지만, 오스트리아에서는 총리를 지냈던 사람은 대통령을 꿈꾸지 않습니다. 입법부에서도 내각불신임권이나 법률안 제정권을 지닌 국민의회 중심으로 정치가 기능하며, 연방의회는 법률안 동의권만을 갖고 있습니다. 오스트리아 이원집정부제는 제2차 세계대전 이후 국가적 존립의 필요성에서 좌-우세력간의 '대연정'(grand coalition)의 역사적 전통을 배경으로 기능하고 있기에, 오스트리아에서 합의제적으로 기능하는 민주주의를 단순히 제도적 효과의 결과물로서 평가할 수는 없습니다. 분명히 헌법 문구대로 보자면 대통령은 내각 임명권을 갖고 있습니다. 대통령은 정국을 보다 '합의제적 형태'로 이끌기 위해서, 자신의 대내외적인 헌법상 권력을 남용하기 보다는 '역할포기'(rollenverzicht)라 할 만치 매우 제한적으로 내각 임명권을 조심스럽게 사용하는 관행이 이어져오고 있습니다. 국민의회의 다수 세력인 수상이 내각의 진용을 구성하면 그 원안대로 그대로 임명하는 것입니다. 간혹, 대통령은 국민의회의 다수세력의 편을 존중하면서도 과격한 소수에 의해서

'대연정'이란 분위기가 추락하는 것을 막기 위해서 특정 세력들을 내각 구성에서 제외시켰는데, 그것이 바로 2000년 초의 내각구성 때입니다. 원래 오스트리아는 중도좌파의 사민당과 중도우파의 국민당이 가장 큰 양대 세력이었지만, 2000년대를 전후하여 국민의회는 근소한 차이로 사민당, 자유당, 국민당 차례대로 3당 경쟁체제였던 적이 있습니다. 이때, 클레스틸(Thomas Klestil: 1992-2004 재직) 대통령은 내각 명부에서 극우적이거나 포퓰리즘적 성향의 자유당 출신 각료 몇 사람을 거부한 적이 있습니다. 오스트리아 대통령은 대외적으로 국가를 대표하는 역할도 포기합니다. EU 정상회의에서 오스트리아 공화국은 수상이 이끄는 연방정부에 의해서 대표되어 왔습니다. 오스트리아는 이원집정부제라는 제도 속에서 좌-우세력이 갈등하지 않고 연합적 분위기를 형성하며, 대통령은 헌법적 권한을 역할포기라고 할만치 남용하지 않고 일상적인 정치에는 관여하지 않습니다. 과거 오스트리아-합스부르크 왕가의 영화가 무너진 상태에서 이제 작은 국가로 전락한 오스트리아의 국가존립을 위한 정치문화적 분위기는 오스트리아 정치를 순기능화하는 정치세력간의 대연정을 성립시키는 힘일 것입니다.

대한제국 시절 일제의 침략으로 인해 대한민국임시정부가 조직되어, 대통령제, 국무령제, 주석제를 경험하였습니다. 제1공화국에서 대통령제를 채택하였으며, 제2공화국에서 잠시 의원내각제를 하였으나 제3공화국 이후 다시 대통령제로 회귀하여 현재에 이르고 있습니다. 한국에서의 대통령제는 역사적 원형으로서의 미국 대통령제와는 달리 의원내각제적 요소가 가미된(예를 들면, 장관의 의원 겸직 허용, 행정부의 법안 발의 등) 혼합형 대통령제입니다. 현행 한국의 대통령제를 제왕적 대통령제로 규정하는 사람들은 이원집정부제를 선호합니다. 그런데, 제도라는 형식과 그 제도가 운영되는 내용은 정치과정에서 국가마다 동일하게 나타나기도 하고,

상이하게 나타나기도 합니다. 더욱이, 이원집정부제는 대통령의 성격(또는 리더십 스타일)에 크게 영향을 받는 제도입니다. 미테랑(François Mitterand) 대통령의 "5공화국 헌법은 나를 마음에 두고 만든 제도가 아닌데, 나한테 정말 잘 맞네"라는 말이 회자되는 이유입니다. 역으로, 미테랑은 1960년대와 1970년대 좌파 연합을 이끌면서 드골 대통령에 반대하여 왔습니다. 그런데, 막상 대통령이 되고 난 후엔 가장 드골을 흉내 내면서 드골처럼 행동할 수 있었습니다. 종합하면, 프랑스 이원집정부제에 관한 한, 제도가 사람을 운영한 것이 아니라 사람이 제도를 운영한다는 측면이 강하게 부각된다는 것입니다. 프랑스의 축구를 종종 아트 사커(art soccer)라고 하는데, 긍정적으로 보자면, 프랑스의 이원집정부제 정치를 '아트 정치'(art politics)라고 부를 수도 있을 것입니다. 분명한 것은 프랑스에서 다소 복잡한 정치 상황을 연출하는 이원집정부제가 아트 정치로 기능하는 것에는 그 이전에 프랑스가 의원내각제를 경험하면서 그 단점에 대해서 반성했던 역사성과 이를 반영하는 정치문화가 중요하게 작용하고 있다는 점입니다. 한국에서 이원집정부제가 아트 정치로 기능할 지 보장할 수 없기에 프랑스식 이원집정부제를 채택하는 데는 면밀한 검토가 필요합니다. 의원내각제에 대한 경험과 이해가 부족한 경우 이원집정부제를 채택하기 위해선 숙고가 필요하다는 의미입니다. 물론 국민적 합의가 이원집정부제라면 그렇게 해야 할 것입니다.

- 참 고 문 헌 -

김영수. 「韓國憲法史」(서울: 학문사, 2000).
안병영. 「왜 오스트리아 모델인가」(서울: 문학과지성사, 2013).

한국사사전편찬회(편).「한국근현대사사전, 1860-1990」 개정판 (서울: 가람, 1995).
Kesselman, Mark. "France," *Introduction to Comparative Politics*. Mark Kesselman, Joel Krieger and William A. Joseph (eds.).6th edition. (MA: Wadsworth, 2013). pp.90-137.

7. 한국정치과정에서의 '정치테러'

미국의 정치학자인 이스턴(D. Easton)은 정치를 "가치의 '권위적' 배분"이라고 정의했습니다. 시민들은 현실의 '정치과정'이란 것이 이스턴의 정치에 대한 정의와는 거리감이 있다고 체감하는 경우가 많습니다. 현대사회의 국내정치과정이나 국제정치과정에서 나타나는 '정치테러'라는 것은 '가치의 권위적 배분'이란 분위기 속에서는 생각할 수 없는 전혀 다른 차원의 사건들인데, 그 횟수는 적어도 그 파급효과는 매우 큽니다. 윌킨슨(Paul Wilkinson)에 따르면, '정치테러'는 정치적으로 주요한 인물이나 상징성이 있는 물건들에 대해서 행해지면서 집단 구성원들에게 심리적 불안감을 조성하게 됩니다.

정치테러와 관련하여 정치지도자의 저격 및 암살은 정국의 흐름에 영향을 미칠 수밖에 없습니다. 정치지도자에 대한 암살 및 미수사건은 정치과정에서 정국의 흐름을 뒤바꾸게 되는 어떤 힘으로 작용합니다. 정치란 것은 궁극적으로 '권력현상'과 관련된 것이자 '권력투쟁'으로 환원되는 것이기에 특정

율리우스 케사르
(기원전 100–기원전 44)

링컨
(1809–1865)

세력이 특정 세력을 제거하는 시도가 주종을 이룹니다. 경쟁 세력을 제거하는 가장 극단적인 방식은 그 세력의 우두머리를 제거하는 것인데, 그래서 정치지도자들은 항상 암살의 대상이 됩니다. 기원전 로마의 케사르, 미국의 링컨 대통령, 케네디 대통령, 일본 개항기의 사카모토 료마(坂本龍馬), 인도의 인디라 간디(Indira Gandhi) 수상, 이집트의 안와르 사다트(Anwar El Sadat) 대통령, 필리핀의 재야지도자 베니그노 아퀴노(Benigno Simeon Aquino) 등은 일부에 불과합니다. 포사이드의 재칼의 날(The Day of the Jackal)도 정치 암살을 다루고 있는 소설입니다. 정치암살사건은 한국정치과정에서도 예외가 아닙니다.

사카모토 료마
(1836–1867)

케네디
(1917–1963)

간디
(1869–1948)

사다트
(1918–1981)

베니그노 아퀴노
(1932–1983)

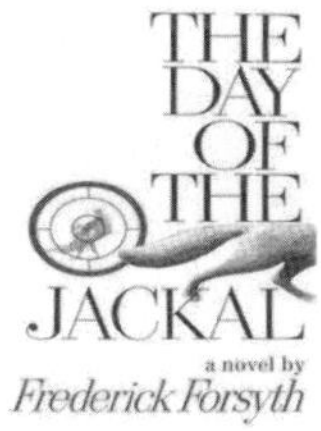

the day of the jackal

한국의 근대화 과정에서 개화세력를 이끌었으며 '갑신정변과 삼일천하'(1884. 10. 17 - 10. 20)를 주도했던 김옥균(1851-1894)은 홍종우의 저격으로 일생을 마칩니다. 홍종우는 프랑스 유학을 다녀온 군주제 옹호자로 '근왕주의(勤王主義)개화파'였으며, 김옥균은 '공화제개화파'로 비교될 것입니다. 김옥균은 일본 망명시절 두 번의 암살기도를 피했으나, 청나라

김옥균
(1851–1894)

로 건너간 후 암살의도를 철저히 숨기고 마치 급진(공화제)개화파인 것처럼 접근한 홍종우에게 암살됩니다. 1894년 3월 8일 상하이의 동화양행호텔에서 홍종우는 리볼버 권총으로 김옥균을 저격합니다. 홍종우(1850-1913)는 조선 최초의 프랑스 유학생으로 청나라 경찰에게 김옥균을 암살한 이유로 두 가지 변론을 하였는데, 첫째는 어명을 받들어 공무를 수행한 것이며, 둘째는 김옥균이 동양평화에 위협적인 인물이라는 것이었습니다. 당시 명성황후는 갑신정변으로 정치적 곤경에 몰렸으며 이에 대한 보복의 기회를 노리고 있었습니다.

김좌진
(1889–1930)

항일독립운동가로서 청산리전투를 승리로 이끈 김좌진 장군(1889- 1930)은 항일독립운동과정에서 '민족주의계열'과 '공산주의계열' 사이의 갈등으로 인해 희생됩니다. 김좌진 장군은 1930년 1월 24일 하얼빈 중동로 산시참 근처의 집 앞에서 공산당의 분파인 화요파 소속인 무장공작대원 박상실(이복림, 공도진의 또 다른 이름)에게 피살됩니다. 박상실은 1년동안이나 김좌진 장군이 운영하던 정미소의 직원으로 일하던 인물이었습니다. 당시 만주지역의 공산당은 화요파, 서울·상해파, ML파로 나뉘어서 대립하고 있었으며, 공산당 내 주도권 갈등이 심한 상황이어서 어떤 특정 사건을 발생시켜 공산당 내에서 주도권을 잡으려는 시도로 이해됩니다. 김좌진 장군은 "할 일이…할 일이 너무도 많은 때에 내가 죽어야 하다니 그게 한스러워서…"라고 하면서 절명한 것으로 전해집니다.

대한민국의 해방정국을 주도했던 정치적 거두 김구, 여운형, 송진우,

장덕수 모두 피살됩니다. 1945년 8월 15일 이후 고하(古下) 송진우(1890-1945)는 여운형의 중도좌파(건국준비위원회)에 대항하여 우파(한국민주당: 약칭 한민당)를 이끌었던 인물입니다. 1945년 12월 28일 '모스크바 3상회의'에서 한국의 신탁통치안이 거론되자, 당시의 상황 상 미군정에 협조할 수밖에 없다는 현실인식 속에서 신탁통치불가피론을 표명하며 '반탁'을 강력히 주장하는 임시정부 요인들과 대립하게 됩니다. 한국민주당 내에서도 반탁의 김성수와 의견이 대립됩니다. 송진우는 해방정국에서 미군정을 거스르는 것은 어리석은 것이며, 미국 치하의 5개년 신탁통치를 받아들이는 것이 바람직하다고 생각했습니다. 만일 신탁통치가 없이 미군이 떠나게 되면 한반도는 조직이 더 잘 정비된 공산주의자들이 권력을 잡게 될 것이라고 주장하였습니다. 결국 찬탁을 표방했다는 이유로 1945년 12월 30일 새벽에 한국민주당 당수 송진우는 원서동 자택에서 한현우와 유근배에 의해서 피살됩니다.

송진우
(1890-1945)

여운형
(1886-1947)

몽양(夢陽) 여운형(1886-1947)은 해방과정에서 조선총독부로부터 행정권과 치안권을 넘겨받으며 '건국준비위원회'를 주도하였던 인물이며, 미군정기 대중적 인기가 가장 높은 사람들 중의 한 명이었습니다. 송진우가 '임정봉대론'(臨政奉戴論; 또는 임정정통론)을 내세운 것과 반대로 여운형은 중경임시정부의 법통을 인정하지 않았습니다. 건국준비위원회가 박헌영의 주도하에 좌경화된 '조선인민공화국'(약칭 인공)으로 변질되자 여운형은 중도좌파를 표방하는 '조선인민당'을 창당합니다. 그러나 조선인민당에는 공산주의자들이 다수 참여하였고 심지어는 인공의 프락치들이 참여하여 분란을 일으킵니다. 1945년 12월 모스크바 3상회의 이후에 현실적 '찬탁'을 표방하였으며, 1946년 5월 '제1차 미소공동위원회'가 결렬된 이후 이승만의 '남한만의 단독정부수립'을 주장하는 정읍발언(1946. 6. 3)이 나오자 김규식 등과 함께 7월 이후 좌우합작운동에 돌입합니다. 1946년 10월에는 좌익세력과 우익세력 사이에서 불완전한 모습이기는 하나 '좌우합작7원칙'을 절충해 냅니다. 여운형은 1947년 4월 3일 혜화동 로타리에서 승용차 피격으로 사망하기 전까지 1945년 8월 이후 무려 9차례의 정치테러를 당했습니다. 체육부장관이었던 여운형은 한국과 영국의 친선축구경기를 관람한 후에 남조선과도입법의원 민정장관 수락 논의를 위한 선약을 잡고 옷을 갈아입기 위해 집으로 갔는데, 혜화동 로타리에서 트럭 한 대가 여운형의 차를 가로막고 한지근이 여운형의 자동차로 가서 2발을 발사했으며, 심장과 복부를 관통했습니다. 여운형은 미소 띤 얼굴로 죽었는데 마지막 남긴 말은 "조국…", "조선…"이었다고 합니다. 여운형의 암살배후는 논란이 되었는데, 우익세력에 의한 암살, 박헌영 세력에 의한 암살, 김일성 세력에 의한 암살 등입니다. 여운형의 죽음으로 좌익세력과 우익세력은 중재자를 잃었으며 통일임시정부 수립을 위한 좌우합작위원회는 사실상 구심점을 잃고 그 기능이 정지됩니다.

설산(雪山) 장덕수(1895-1947)는 한민당 당수로서 1947년 12월 2일 제기동 자택에서 배희범과 박광옥 등의 총격을 받고 사망합니다. 배후로 지목된 김석황을 비롯하여 조상항 등은 장덕수를 암살할 목적으로 1947년 8월에 '대한혁명단'을 조직한 것으로 밝혀졌습니다. 대한혁명단은 1947년 6월 발족된 '대한학생총연맹'(총재 김구; 명예위원장 조소앙, 엄항섭)의 간부들이면서 당원이었습니다. 결국 배후로 조소앙이

장덕수
(1894-1947)

추궁당하고 조소앙은 정계은퇴성명을 냅니다. 이승만은 김구를 장덕수 암살사건의 최종 배후자로 지목했으며 김구는 검찰에 연행되어 조사를 받게 됩니다. 이승만은 김구 중심의 우파세력연합인 '국민회의'와는 별도로 '한국민족대표단'을 구성하면서 한민당과 연대합니다. 한민당-김구-이승만은 삼각관계를 형성한 것입니다. 1947년의 해방정국에는 5월부터 '제2차 미소공동위원회'가 있었으며 해당 회의가 신탁통치를 추진한다고 이에 참가를 반대하는 김구나 이승만과 달리 참여하여 한국의 견해를 수렴해내야 한다고 주장하는 한민당의 장덕수는 정치갈등관계에 있었습니다. 장덕수는 한국의 독립과정에서 결코 미국이나 소련의 입김을 배제할 수 없으며, 그런 상황을 인정하면서 정국을 운영해야 한다는 입장에 있었습니다. 1947년 10월에 제2차 미소공동위원회가 결렬되면서 남한단독정부수립의 불가피성을 주장하면서 남한단정 지지로 선회합니다. 김구는 '한국독립당'(약칭 한독당) 내부 일부 세력들의 반대를 무릅쓰면서, 우파통합의 일환으로 한민당과의 통합을 적극적으로 시도하였는데, 한민당 내에서는 김성수가 찬성하였지만, 장덕수는 강력히 반대하였습니다. 임정세력이 중심인 한독당에 한민당을 통째로 바치는 격이라는 것이 장덕수의 반대 이유였습니다.

백범(白凡) 김구(1876-1949)도 1949년 6월 26일 정오경에 자택인 경교장에서 평소 안면이 있었던 육군포병소위 안두희의 방문을 받고서 면접하던 도중 4발의 총격을 받고 파란만장한 일생을 마칩니다. 제1공화국이 출범한지 채 일 년도 안 되는 시점이었습니다. 김구는 임시정부의 국무령과 주석을 역임하였으며, 이봉창의거와 윤봉길의거를 지휘한 열혈독립운동가입니다. 임정요원들이 1945년 11월 귀국하였을 때 이미 남한에는 미군정이 시행되고 있었으며 북한은 소

김구
(1876-1949)

련의 사주를 받은 김일성의 ‘조선공산당북조선분국’이 가동되고 있었습니다. 해방정국에서 김구 중심이었던 중경임정의 법통성은 여운형에 의해서 부정되고 있었으며, 이승만과는 정치적 경쟁자였으며, 조선일보사의 사주 방응모에게선 경제적 후원을 받고 있었습니다. 앞서 언급했듯이, 김구와 이승만은 장덕수암살사건을 계기로 완전히 갈라서게 됩니다. 1948년 7월 17일 제1공화국 헌법이 공포되고 이승만 정부가 출범하면서 정치권력과정에선 패자가 됩니다. 안두희는 체포된 후 초기진술에서 김구가 자신의 목적을 위해서 군대를 동원하려했다는 동료의 말을 듣고 행동을 강행하였다고 진술합니다. 안두희는 끝까지 단독범행을 주장하며 미군철수 추진 상황에서 김구가 정부를 전복하려하기에 암살했다는 주장만 되풀이합니다. 군사재판에서 무기징역을 선고받았으나 6·25 특사조치로 석방되고 복권조치이후 중령까지 승진하고, 예편 이후에도 군납업을 하여 많은 사람들의 의혹을 사게 됩니다. 많은 사람들은 정치권력가들 및 정치브로커들에 의한 정치적 음모에 대해서 짙은 의심을 하게 되지만 지금도 김구의 정확한 암살배후는 물증없는 심증차원에 머무르고 있습니다. 김구는 정오에 피살되었는데, 당일 오전 9시에는 서울 일원에 이유가 불분명한 특별경계령이 발령되어 있었습니다. 안두희의 범행이후 어떻게 알았는지 곧이어 헌병들이 들이닥치며 그를 체포해 갑니다. 피격사건 직후에는 헌병사령관이 교체됩니다. 사건과 관련된 것으로 추측되던 김성주, 장은산 등도 의문사하여 보다 큰 정치적 배후 세력을 의심케 하는 상황이 발생합니다. 안두희는 신분을 숨기고 살다가 두 번에 걸쳐 몽둥이 린치를 당하게 되면서[권중희(1987. 3. 28); 박기서(1996. 10. 23)] 사회에 노출됩니다. 세간에는 안두희가 1992년 동아일보 인터뷰에 응하며 제공한 일부 단서와 정황을 추측하여 군부 및 경찰의 권력자들, 서북청년단, 정치브로커 등의 이름들이 김구 암살의 배후세력으로 오르내리게 됩니다.

1952년엔 이승만 대통령 저격미수사건이 발생합니다. 부산정치파동을 통해 이승만 대통령의 개헌안이 통과되는 과정을 보면서 독자들은 이렇게 비이성적 과정이 중단되지 못하고 어떻게 그대로 지속되었을까라는 의문을 가질 것입니다. 군대를 동원하여 야당 의원들을 감금하거나 관제데모를 통한 강압적 분위기 형성과 함께, 이승만 대통령 저격사건은 부산정치파동이 그대로 흘러가게 되는 하나의 주요한 요인이 됩니다. 전시에 대통령에 대한 저격사건은 그 원인을 떠나서 국민들에게는 또 다른 정국의 불안으로 인식될 수밖에 없었습니다. 사건 이후 무리한 개헌과정이 그대로 흘러가게 됩니다. 1952년 6월 25일 피난수도 부산의 충무로광장에서 열린 '6·25기념행사'에서 이승만 대통령 저격미수사건이 발생합니다. 유시태는 민국당 의원인 김시현의 신분증을 빌어서 식장에 입장한 후에 연설문을 낭독하는 이승만 대통령을 저격하였으나 격발되지 않았으며 현장에서 체포됩니다. 유시태에게 모젤 권총과 신분증을 제공한 혐의로 김시현 의원도 체포되어 1심과 2심에서는 사형을 선고받았으나, 대법원에서 무기징역으로 감형되어 복역하던 중 4·19혁명을 계기로 출감합니다. 전시에 벌어진 대통령 암살미수사건을 계기로 국민들의 마음엔 불안감이 고조되고, "반민족국회를 해산하라"는 관제데모가 더욱 심해지는 계기로 발전합니다. 결과적으로 이승만 정권의 수단과 방법을 가리지 않는 정권연장 기도가 더 수월해지는 분위기가 조성된 것입니다.

1956년 9월 28일 민주당 전당대회장에서 장면 부통령 저격미수사건이 발생합니다. 당시 선거제도를 보면, 대통령과 부통령을 러닝메이트로 선출하지 않고 각각 선출하는 제도였습니다. 부통령 선거에서 장면은 자유당의 이기붕을 누르고 부통령에 당선되었습니다. 그러니까, 대통령 이승만은 자유당, 부통령 장면은 민주당 소속이었습니다. 민주당 전당대회장에서 연설을 마치고 내려오던 장면 부통령은 김상붕, 최훈 등이 쏜 총탄에 의해서 왼손 관통상을 입게 됩니다. 김상붕, 최훈 등 범행에 가담한 세력들은 "조병옥 만세", "해공 만세" 등을 외치며 마치 민주당 내의 파벌간 갈등인 것처럼 상황을 조작하려고 합니다. 1956년 10월 4일에는 국회에서 특별조사위원회가 구성되며 검찰에선 용의자들로부터 내무부가 배후에 있음을 자백받게 됩니다. 최훈은 법정에서 "치안국장 김종원을 배후로 생각한다"고 진술하였는데, 결국 4·19혁명이후 김종원은 법정에 불려 나오게 되고 서울시장 임홍순의 이름을 거명하게 되어 결국 순차적으로 배후가 밝혀집니다. 공개된 내용에 따르면 사건발생 40일전에 자유당의 2인자였던 이기붕이 최초로 임홍순에게, 그 다음엔 내무장관 이익흥에게. 그 다음엔 김종원에게 그 다음엔 장영복에게, 그 다음엔 박사일에게, 그 다음엔 오충환에게, 그 다음엔 이덕신에게 지시된 것으로 추론됩니다.

1974년 8월 15일엔 박정희 대통령 암살미수사건이 있었습니다. 당일 오전 10시에 장충동 국립극장에서 광복절기념행사가 있었습니다. 박정희 대통령이 '평화통일3단계 기본원칙'에 대해서 연설하던 도중 재일교포 출신 문세광이 대통령의 연설 단상을 향해 뛰어 나오면서 치프 스페셜 권총을 발사하였습니다. 박 대통령은 연단아래에 숨어서 총탄을 피했으나, 연단에 앉아 있던 육영수 여사가 머리에 총을 맞고 서거합니다. 와중에 불행히도 경호실장의 대응사격 오발로 당일 행사 합창단이었던 여고생 한 명이 숨졌습니다. 대통령은 다시 남은 경축사를 모두 읽고서 자리를 떠납니다. 당일엔 지하철 1호선 개통 기념 승차식이 예정되어 있던 날이기도 하였습니다. 문세광은 일본에서 극좌운동에 심취해 있었던 것으로 알려졌고, 1974년 5월경에 북한의 '만경봉호'에서 박 대통령을 저격하라

박정희
(1917–1979)

는 지령을 받은 것으로 밝혀집니다. 문세광은 일본경찰에서 훔친 권총을 사용하였으며, 일본은 조사에 미온적이었고, 또한 암살미수사건에 대한 사과 사절을 보내는데 난색을 표했습니다. 당시 박정희 정권은 일본에 무단으로 들어가 '김대중납치사건'을 벌인바 있어 일본에 대해 저자세였는데 해당 사건을 계기로 그 관계가 역전됩니다. 경호실장 박종규는 경질되고 차지철이 들어오게 되는데, 아이러니하게도 차지철의 입성이후 정치전횡은 '10 · 26사건'의 주요한 계기로 작용합니다.

육영수 여사 서거 5년 후에 박정희 대통령도 암살됩니다. 1979년 10월 26일 저녁 8시가 다돼가는 무렵에 궁정동 안가에서 중앙정보부장 김재규에 의해서 피살됩니다. 저녁 만찬 자리에는 대통령, 중앙정보부장, 대통령경호실장, 대통령비서실장이 참석한 최고 권력자들의 저녁식사 자리였습니다. 평소 전횡을 일삼던 경호실장 차지철은 중앙정보부장 김재규에게 "형님, 각하를 좀 똑바로 모십시오"라고 했고, 평소 차지철의 행태를 달가워하지 않았던 김재규는 "각하, 이 따위 버러지 같은 놈을 데리고 정치를 하니 정치가 올바로 되겠습니까?"라고 한 것으로 전해집니다. 김재규는 차지철에게 총을 발사하는 것을 시작으로 박정희 대통령과 차지철에게 각각 2발씩 발사하게 되며, 박 대통령이 서거합니다. 공교롭게도 경호실장이었던 차지철은 권총을 소지하지 않고 만찬에 참석하였습니다. 사건 직후에 전두환 보안사령관은 김재규를 대통령 살해범으로 체포합니다. 김재규는 법정에서 "유신의 심장부를 쏘았다"라고 진술합니다. 유신체제의 종말과 함께 바로 민주주의가 온 것은 아닙니다. '1980년의 봄' 상황에서 김종필은 '춘래불사춘'(春來不似春: 봄은 왔지만 봄 같지 않다)이라고 하면서 '신군부'의 등장에 대해서 경고합니다. 김종필의 예상대로 '12 · 12사태'와 '5 · 17항쟁'이 이어지면서 군부의 권위주의 정권이 다시 들어서게 됩니다.

이외에도 '조봉암 진보당사건'(1958), '김영삼 초산테러 사건'(1969),

'김대중 납치사건'(1973), '장준하 의문사'(1975), '김형욱 실종사건'(1979) 등도 주요 정치인들에게 행해진 정치테러 사건들의 예가 됩니다. '민청학련 사건'(1974)이나 '인혁당 사건'(1974)은 또 다른 종류의 정치테러로 규정할 수 있습니다. 제5공화국 초기 버마(지금의 미얀마)에서 발생한 '아웅산묘소 폭파사건'(1983) 역시 또 다른 종류의 정치테러입니다.

- 참 고 문 헌 -

한국사사전편찬회(편). 「한국근현대사사전, 1860-1990」 개정판 (서울: 가람, 1995).

한국정신문화연구원. 「한국민족문화대백과사전」 (서울: 웅진출판사, 1991).

Wilkinson, Paul. *Terrorism and the Liberal State* (New York: New York University Press, 1986).

김구 http://ko.wikipedia.org/wiki/%EA%B9%80%EA%B5%AC (2015. 1. 20).

김옥균 http://ko.wikipedia.org/wiki/%EA%B9%80%EC%98%A5%EA%B7%A0 (2015. 1. 20).

김좌진 http://ko.wikipedia.org/wiki/%EA%B9%80%EC%A2%8C%EC%A7%84 (2015. 1. 20).

여운형 http://ko.wikipedia.org/wiki/%EC%97%AC%EC%9A%B4%ED%98%95 (2015. 1. 20).

홍종우 http://ko.wikipedia.org/wiki/%ED%99%8D%EC%A2%85%EC%9A%B0 (2015. 1. 20).

8. 붕당 대 정당

필자는 조선시대의 '당쟁'[黨爭 또는 '붕당정치']을 정당정치의 또 다른 모습내지는 맹아(萌芽)로 볼 수 있는지에 대해서 고민한 적이 있으며 학생들과도 토론한 적이 있습니다. 그 답이 생각보다 단순하지 않습니다. 계급사회였던 조선왕조의 파벌을 현대사회의 정당정치와 연결시킨다는 것 자체가 어려운 일입니다. 과거 왕조나 현대 민주사회를 비교할 수 있는 연결 고리는 "정치는 백성과 '공공선'(公共善)을 위해서 하는 것"이란 명분이 과거에도 현재와 같이 존재했다는 점입니다. 현대 민주주의이론에선 '정당'(政黨, political party)은 '붕당'(朋黨)[faction, 또는 도당(徒黨)]과 그 용어를 구분합니다. 정당은 공적인 차원의 것으로 국민을 위해서 일하며, 도당이나 붕당은 상대적으로 사적인 차원의 것으로 분파된 집단 중심으로 일을 도모합니다. 물론 용어도 동양과 서양이 일치하지는 않습니다. 구양수(歐陽脩)의 '붕당론'을 보면 이익만 추구하는 부정적 붕당이 있고, 군주에게 절조와 신의를 다하는 긍정적 붕당이 있습니다. 모든 파벌들은 나름대로의 명분을 갖고 있으며, 자신들의 파벌이 주장하는 바가 공공선이라고 주장합니다. 그러나 공공선에 대한 최종 판단은 객관성을 요구합니다. 과거 조선시대를 보면 당쟁에 대한 내용을 전하고 있습니다. 당시 시대상황이 유교사회였기에 현대 민주주주의 사회와의 단순한 비교는 금물임에 유의하면서 그 내용을 반추해 보고자 합니다.

정치과정에서 어떤 특정 현안을 놓고서 정당 간에 또는 정당 내에서 반복적으로 세력이 나뉘어서 파벌 간 대립이 발생합니다. 이것은 다른 사람이 나와 다를 수 있다는 것을 인정하는 민주사회에선 자연스러운 것입니다. 문제는 그러한 파벌 간 대립의 성격인데, 국가와 ㉠ 국민을 위한 정책적 이슈인지, 아니면 사적이고 파벌적 성격이 강한 이슈인지, ㉡ 대립의 결과물이 공공선을 창출했는지, 아니면 사적 파벌의 이익을 창출했는지 ㉢ 그러한 당파 간 대립이 파벌간의 투쟁을 영속화시키거나 그 정도를 더 확대 재생산했는지, 아니면 그러한 이견을 통해서 더 발전적인 통합의 모습을 구현해 냈느냐 입니다.

조선시대에 당쟁이라는 그림이 그려진 것은 '훈구파'(勳舊派)로부터 '사림'(士林)이 권력을 잡으면서부터입니다. 훈구파는 조선왕조 창업과 관련하여 공을 세운 '훈신'(勳臣)과 지배계층과 인척관계인 '척신'(戚臣)들이 중심이 되어 구축된 세력입니다. 어떤 왕조가 창업하면 왕조의 창업에 힘쓴 개국공신들이 있습니다. 이에 반해서 '사림'은 재야의 지식인들을 포괄하여 쓰는 말인데, 소과(小科) 합격자인 생원이나 진사층을 중심으로 하여 사장(詞章: 시가와 문장을 짓는 것)보다는 경학(經學: 경서를 연구하는 것, 특히 주자학)에 치중하던 세력이었습니다. 훈구파는 조선시대 개국과 함께 줄곧 정권을 잡아온 세력이고, 사림은 정권을 잡지 못하고 재야에 있었던 세력으로 구분해 볼 수 있습니다.

사림이 조정에 들어서게 된 계기는 성종 때입니다. 태조 및 세조를 도와서 조선 개국에 공을 세웠던 훈구대신들이 그 공의 대가로 받은 대규모 농장(農莊)을 바탕으로 세력이 지나치게 커지자, 성종은 훈구파 세력의 일방적인 비대를 막기 위해서 견제세력이 필요했습니다. 그 견제세력으로 재야 세력인 사림들 가운데 덕행을 겸비한 인재를 발탁해서 쓰게 되었던 것입니다. 특히 영남지방 사람들이 삼사(三司: 사헌부, 사간원, 홍문관)에 기용되면서 훈구파와 대립하게 됩니다. 삼사는 조정의 이념과 국가 운영 방향 등에 연관된 시시비비를 판단하고 기록하는 부서여서 훈구파가 농장을 중심으로 물질적 권력을 장악한 상황에서, 사림파가 정신적 권력을 장악하기 시작한 것입니다.

성종의 뒤를 이은 연산군 시절부터 명종에 이르기까지 훈구파와 사림파의 갈등은 4번의 사화로 나타납니다: 무오사화(연산군 4년, 1498: 김종직이 단종을 항우에게 죽임을 당한 의제에 비유하고 세조의 왕위찬탈을 비난한 '조의제문'(弔義帝文)을 사초에 실은 것이 발단); 갑자사화(연산군 10년, 1504: 연산군 생모 윤씨 폐출 사건을 들춰 낸 것이 발단); 기묘사화(중종 14년, 1519: 조광조가 중종반정의 공신 중에서 실제로 공이 없는 76명을 삭제한 것이 계기); 을사사화(명종 원년, 1545: 중종 사후에 장경왕후의 아들 인종과 문정왕후의 아들 명종의 왕위계승을 둘러싼 외척간의 싸움이 계기)를 통해서 표면화됩니다.

김종직
(1431–1492)

조광조
(1482–1520)

사림파들은 선조시대이후엔 단순히 삼사에서 활동하던 초기의 범위를 벗어나 정권의 전면에 등장하게 되었는데, 사림들이 정권을 잡으면서 그만 사림 내부에서 '당쟁'이 끊이질 않습니다. '당쟁'이란 사림들 사이의 내분을 말합니다. 요즘에도 우리는 복잡하게 파벌이 얽혀서 싸우는 상황을 '사색당파'(四色黨派)라고 칭하는데, 조선 당쟁에서 사색당파는 '남인', '북인', '노론', '소론'입니다. 남인과 북인은 '동인'에서 분파된 것이고, 노론과 소론은 '서인'에서 분파된 것입니다.

조선시대 개국이후 권력에서 멀어져 있다가 선조 시대에 이르러서야 사림세력이 본격적으로 권력을 잡았으니 더 단합하여 잘 할 듯한데, 권력을 잡고는 이제 사림내부의 권력투쟁이 치열해졌습니다. 당쟁에 대한 평가는 단순할 수만은 없습니다. 항상 내부에서 파벌이 생기면서 잡은 권력을 독점하려는 성향은 정치 본래의 모습이며, 파벌이 생긴다는 것도 어찌 보면 다양한 생각들이 조율되는 과정으로 이해될 수 있기 때문입니다. 긍정적 의미에선, 두 개의 파벌이 서로 견제와 균형을 통해서 왕과 측근들의 전횡을 견제할 수 있습니다. 선조시대 동인-서인으로 시작한 대립은 광해군을 거치면서 인조반정이후에는 학파에 근거한 일종의 양대 정파로서 서인-남인 두 세력이 공존하면서 자유로이 상호 비판하는 소위 현대의 선진민주주의 국가에서 말하는 안정된 '양당체제'(또는 성공적으로 운영되는 양당체계)와 비견되는 모습이 나타나기도 합니다. 조선 말에 당쟁이 약화되면서 세도정치가 시작되었다는 시각도 있습니다.

공석이 된 '이조전랑'(吏曹銓郎)에 누구를 발령하여야 하느냐를 놓고서 '동인'(東人)과 '서인'(西人)으로 나눠집니다. 물망에 오른 사람은 김효원(집이 동대문 근처)인데, 심의겸(집이 서대문 근처)은 그를 반대하였습니다. 이조전랑(정5품)은 품계는 높지 않아도 문관 추천권, 삼사 관원 임명시 동의권, 자기 후임 추천권을 가진 실권이 있는 자리였습니다. 때문에 과거 동기들 중에서 장원급제자가 가는 자리라고 되어 있습니다. 김효원은 장원급제 출신이고 동기들 사이에서 평판도 좋아 자격이 있었습니다. 대개 김효원은 영남세력의 신진세력이 중심이었고, 인순왕후의 오라버니인 심의겸은 기성세력이 중심이었습니다. 김효원은 이조전랑에 발령된 후에, 심의겸에게 앙심을 품게 됩니다. "원수는 외나무 다리에서 만난다"라는 말이 있습니다. 마침 김효원이 임기를 마칠 때 후임으로 심의겸의 동생인 심충겸이 추천되는데 그도 장원급제한 사람으로 외척이란 배경과는 상관없이 객관적으로도 하자가 있었던 것은 아닙니다. 그러나 김효원은 "이조전랑 자리는 외척의 전유물이 되어서는 안된다"고 하면서 후임자로 이발을 추천합니다. "외척인 경우 행동을 조심해야 한다" "김효원은 사사롭게 움직이고 있다" 이렇게 두 개의 대립된 세력으로 나뉘어 싸운 것이 동인과 서인의 당쟁입니다. 이렇게 본다면 사림이 권력을 잡기 전에 훈구파와 사림 간의 경쟁이 사림내부에서 다시 반복되는 것입니다. 대한민국 제1공화국에서 민주당이 재야 세력들을 결집하여 어려운 합당을 성취하면서 제2공화국으로 정권창출을 한 후엔 과거를 잊어버리고 다시 민주당 내부에서 '구파'와 '신파'로 나뉘어서 도가 넘는 싸움을 합니다. 신파가 득세하고 난 후엔 또다시 '소장파'와 '노장파'로 다시 나누어집니다. 싸움의 어디까지가 도가 넘는 것이고 아닌 것인지는 추상적인 것인데, 서로의 감정을 상하게 되어 다시 봉합할 수 없는 수준에 이르는 것이 그 경계선이 아닐까 판단해 봅니다.

조선시대의 당쟁은 결국 사림내부의 권력 투쟁을 위한 내분인데, 이에 앞서 훈구파와 사림의 싸움은 네 차례에 걸친 '사화'로 나타납니다. 사화에선 모두 훈구파가 승리하여 사림은 적지 않은 피해를 입습니다. 그 때는 파벌끼리의 싸움은 귀양을 보내거나 목숨을 뺏는 것이어서 지금의 정당경쟁과는 성격이 다른 것이었습니다. 그러면, 거듭되는 사화에 의한 피해에도 불구하고 어떻게 사림은 그 세력을 유지할 수 있었을까요? 바로 사림들은 지역기반을 갖고 있어서 어려운 일이 있으면 낙향하여 서원(書院)을 중심으로 자신의 철학을 정립하고 심신을 다스리면서 훗날을 기약했다는 것입니다. 정치에 환멸을 느낀 경우 그냥 자연에 동화되어 살면 됩니다. 향촌에 뿌리를 내리고 서원을 중심으로 세력을 확장하던 사람이 16세기 말에는 조정의 실권을 장악하게 되는데, 이준경, 이이가 이 시기에 등용되었습니다. 앞서 말했듯이, 정권을 획득한 사림은 동과 서 양당으

이황
(1502–1571)

로 분리되었습니다. 조심스럽지만 스테레오타입화를 시켜서 비교한다면, 선조시대의 서인에는 지위가 높거나 경제력이 우세한 사람들이 많았고, 동인에는 정치력이나 경제력이 미약한 젊은 사람들이 많았습니다. 서인에는 이이와 성혼의 문인들이 많았고, 동인에는 이황과 조식의 문인들이 많았습니다. 당쟁은 단순히 두개의 파가 대립한다기 보다 시간이 흐르면서 계속 분파가 일어나면서 실제로 일어나는 경쟁구도는 '삼색'(三色) 당파 이상의 대립구도가 그 배경에 있기에 보다 복잡한 양상을 띠게 됩니다.

그런데 '동인'은 다시 '남인'과 '북인'으로 나뉘어서 대립합니다. 당시 권력을 잡고 있던 동인이 여러분들이 '관동별곡'의 저자로 기억하는 정철(서인)의 처벌문제를 놓고서 '남인'(온건한 처벌을 주장)과 '북인'(강경한 처벌 주장)으로 나뉘어 대립합니다. 이렇게 본다면 선조 시대에 서인, 남인, 북인으로 삼색(三色) 당파가 형성된 것입니다. 내용은 선조가 기축옥사(정여립 사건과 연관)의 주모자 정철이 조정의 기강을 어지럽게 했으니 파직하여 처벌하는 것(기축옥사를 선조의 서인에 대한 견제로 보면서 정철은 희생양이고 선조가 주모자라는 시각도 있습니다)을 놓고 북인이 다시 두 파벌로 갈라 선 것입니다. 북인은 정인홍을 비롯한 조식의 제자들이 주류였는데 꼬장꼬장하고 비타협적인 스승 조식을 닮은 듯합니다. 남인은 유성룡을 필두로 이황의 제자들이 주종을 이루었습니다. 세력들의 근원을 보면 원래 지역이나 학파라는 파벌이 결국 연결된다고 볼 수도 있

이이
(1537–1584)

정철
(1536–1594)

도산서원

으니 이미 선조시대 이전부터 그 뿌리는 있었다고 볼 수 있습니다. 퇴계 이후 그의 제자인 유성룡, 김성일, 조목, 기대승은 '퇴계학파'를 형성하며 '동인-남인'의 중추를 이루게 됩니다. 조식의 제자로 정인홍, 김우옹, 곽재우, 최영경은 '남명학파'를 이루며 '동인-북인'의 중추를 이루게 됩니다.

동인과 서인은 전랑 자리를 놓고 대립했지만, 이들은 국제정세에 대한 시국관에도 차이를 보이면서 임진왜란에 대처하지 못합니다. 서인의 강경파 조인이 일관되게 왜침에 대한 준비를 주장한 반면, 동인은 김성일의 주장을 받아들여 왜침이 있을리 없고 있어도 걱정 없다고 상황을 정리합니다. 사림정권이라는 세력 자체가 본래 '문'에 치우친 상황이었는데, 당시 동인이 권력을 잡고 있던 상황에서 김성일의 주장이 채택된 것입니다. 동인 내에서 허성도 조인과 같이 침략가능성을 주장하였으나 동인 파벌내의 분위기 속에 함몰됩니다. 파벌이 무서운 것은 파벌 내에서는 파벌이 갖는 전체적인 분위기가 옳건 그르건 소속원이 되면 좇아야 한다는 것입니다. 얼마 후에 '임진왜란'을 맞게 됩니다. 혹시나 하는 두려움에 이순신, 송상현 등을 전방에 배치했지만, 이순신의 지나친 발탁등용이 문제라고 임금에게 간하면서 백성들이 축성, 성곽보수 등에 동원되어 불만이 쌓이고 있다는 '시폐10조'가 상서되기도 하였습니다. 이순신 장군은 '백의종군'(白衣從軍)까지 하게 됩니다. 임진왜란 당시에는 서인-북인 당쟁 구도가 성립해 있었는데 어떤 세력도 이순신을 옹호하지 않는 것에선 일치합니다. 선조는 그 당시 백성들 사이에서 '남해왕'(南海王)으로 칭송받는 이순신을 싫어했음이 조선왕조실록에 나타나 있습니다.

선조 당시의 상황을 정리하면, 동인과 서인의 당쟁으로 출발했는데, 이율곡 사망 후에는 동인이 집권했다가, 정여립의 옥사를 계기로 서인이 복귀하면서 동인(강경파) 세력이 축소됩니다. 세자 건저 파동으로 동인은 정철 등 서인을 몰아냈으며(이때, 동인이 남인과 북인으로 갈렸음), 임진왜란이 발생하기 직전까지는 북인과 남인을 합한 동인세력이 집권하고 있었습니다. 그런데, 임진왜란이 발생하자, 왜란의 가능성을 점쳤으나 무시되었던 서인들의 목소리가 다시 커집니다. 동인의 영수였던 유성룡이 물러나면서 북인이 정권의 전면에 등장합니다. 그런데, 북인은 다시 '대북'과 '소북'으로 나뉩니다.

선조 말기에 세자책봉문제로 '대북'(정인홍, 이산해 등)과 '소북'(유영경, 남이공 등)으로 나뉘게 됩니다. 선조의 후대로 광해군(후궁 공빈 김씨의 2남)을 지지하는 '대북'과 영창대군(의인왕후 박씨 사후 인목왕후 김씨의 1남)을 지지하는 '소북'으로 나뉩니다. 광해군이 선조의 뒤를 잇게 되면서 대북이 득세하나, 시간이 흐르며 소북파는 서인과 남인에 흡수되고 광해군과 함께 득세했던 대북파도 인조반정후 실각하니 양상은 복잡합니다. 광해군의 폭정은 서인이 주도가 된 '인조반정'의 빌미가 되며, 제2세력으로 남인이 들어서면서 인조, 효종, 현종, 숙종에 이르기까지 100년 정도의 기간은 서인-남인의 경쟁구도가 형성됩니다.

인조 때, 제1세력이었던 서인 내부에선 소북과 남인에 대한 대처방안을 놓고서 '공서'(이귀: 강경파)와 '청서'(신흠: 온건파)로 나뉩니다. 남인과의 연합 문제에선 '노서'(김유, 신흠: 서인, 남인과 연합구축 주장)와 '소서'(이귀, 나만갑: 서인의 일당정권 수립 주장)로 나뉩니다. 대외적인 문제에선 '주화파'(최명길, 이경석: 주로 '소서'세력들)와 '척화파'(김상헌: 주로 '노서'세력들)로 나뉩니다. 국가위기의 시기에 대외정책을 놓고서 '주화파'와 '척화파'의 논쟁을 보면 조선당쟁이 결코 사적인 차원으로 한정될 수 있는 것은 아닙니다.

최명길
(1586–1647)

김육
(1580–1658)

광해군 1년(선조 41년) 때, 조선왕조는 주요 재정수입의 하나인 공물(貢物)을 미곡(米穀)으로 통일하여 바치게 한 '대동법'(大同法)을 1608년 이후 경기도에서 처음 시행하게 됩니다. 즉, 대동법 실시이후엔 공물을 다양한 지방특산물들로 받지 않고 쌀로 통일하여 받았다는 것입니다. 이에 대해서도 대동법의 확대 실시를 주장하는 '한당'(김육 중심)과 그렇지 않은 '산당'(김집 중심)으로 나뉘어 대립합니다.

현종 때엔 효종의 모후이자 인조의 계비(繼妃) 자의대비의 상복문제를 놓고 서인과 남인이 대립합니다. 이 문제는 효종의 왕위계승의 성격을 어떻게 볼 것인가와 연관된 것이어서 그 파급효과가 만만치 않은 것이었습니다. 상복에 교묘하게 왕위 정통성 논쟁이 혼합된 것입니다. 효종(봉림대군)은 조카와 형(소현세자)을 제치고 왕위를 물려받았습니다. 이제 그의

송시열
(1607-1689)

모후(인조의 계비인 자의대비)가 상복(喪服)을 입으면서 '기년복'(즉, 1년복)을 입어야 하는지(송시열), 아니면 '3년복'을 입어야 하는지(윤휴) 분란이 생긴 것입니다. 이것이 1차 예송논쟁(己亥禮訟)인데 국사를 무난하게 처리하려던 영의정 정태화는 과거의 국상(國喪) 관행을 중시하면서 아비입장에서 자식의 상에는 1년복을 입었음을 지적하였습니다. 예송논쟁이 확산되면서, 허목이 3년복 주장을 하고, 다시 송시열이 기년복 주장, 또다시 윤선도가 송시열을 비판하였으나, 현종은 기년복으로 하라고 명령합니다. 예송논쟁의 핵심은 효종이 서자로서 후사가 된 것인지, 아니면 상황에 따른 적자로 인정해야 되는지 입니다. 이어서 제 2차 예송논쟁(甲寅禮訟)이 뒤를 잇습니다. 효종의 비인 인선왕후가 죽자 다시 상복문제가 터지면서 남인은 기년복을, 서인은 '대공복'(9개월)을 주장합니다. 이번에는 현종이 남인의 손을 들어 주게 됩니다.

숙종 즉위이후, 숙종이 갑인예송의 문제를 처리하면서 송시열을 귀양보내기에 이릅니다. 만년 야당이었던 남인은 이를 계기로 정권을 잡게 되었는데, 임금의 뜻이 자신들에게 있다고 판단한 남인은 송시열에 대한 처리문제를 놓고서 '청남'(윤휴, 허목 등)과 '탁남'(허적 중심)으로 나뉩니다. 허적의 '유악(기름먹인 장막)남용사건'을 계기로 숙종은 다시 송시열을 불러들입니다. 송시열의 유배과정에서 남인을 견제하였던 김석주(김육의 손자)에 대해서 지나친 호의를 갖는데 송시열과 김석주 관계에 대한 시비문제로 서인은 '노론'(송시열, 김수항, 민유중, 김만기 등)과 '소론'(박세채, 조지겸, 유득일 등)으로 나뉩니다. 김석주가 죽고 난후엔, 다시 송시열(노론)과 윤증(소론) 사이의 논쟁이 조정에서 주요 이슈가 됩니다. 윤증의 부친인 윤선거의 과거 행적을 못마땅히 여기는 송시열은 윤증의 부친 사후 묘비명 부탁에 불성실하게 응합니다. 이런 송시열의 태도를 윤증이 속좁다고 판단하며 벌어진 어찌 보면 지극히 사적인 것이었습니다. 송시열과 윤증은 스승과 제자 사이였는데, 이들 사이의 편지 논쟁이 오가고, 이런 내용이 임금에게까지 상소되면서, 이제 송시열파와 윤증파로 정국이 나뉘어지는 주요 현안이 됩니다. 이후 송시열이 사사(賜死)당하는 '기사환국'(己巳換局)을 거쳐 남인이 득세하고 송시열의 죽음을 후회한 숙종이 다시 송시열을 사후 복권시키는 '갑술환국'(甲戌換局)을 통해서 다시 서인이 들어서면서 다시 한 번 노론과 소론의 당쟁이 격화됩니다. 송시열 사후엔 노론파에 젊은 세력들이 상당히 들어왔으며, 과거의 소론은 나이가 먹어 연령으로 보면 상대적으로 '노인'이었습니다. 소론이 정권의 요직을 차지하고 있었는데, 윤선거와 윤증이 정리하였던 「가례원류」에 노론의 정호가 발문을 넣으면서 윤증을 비난하고, 이로써 논쟁이 지나치게 과열되자, 결국 숙종이 가례원류와 같은 책은 나라에서 관여할 일이 아니라고 상황을 정리하기에 이릅니다. 숙종은 허약한 세자가 아닌 건강한 동생들에게 왕위를 물려주고 싶어 했습니다. 소론은 형인 세자를 후계자로 생각했고(더 원칙론에 충실했고), 노론은 동생이 후계자가 될 수 있다고(임금의 의중 등 상황을 유연하게) 보았습니다.

윤증
(1629–1714)

소론의 지지를 받는 경종이 들어섰지만, 정권 변동 직후의 요직은 노론이 차지하고 있었습니다. 경종이 정권을 잡고 김일경의 상소를 계기로 결국 소론이 정권을 잡게 되는데 경종은 단명하여 4년 만에 승하합니다. 영조는 경종의 동생입니다. 영조는 경종이 왕이 된 이후 생사의 살얼음판을

영조
(1694–1776)
정조
(1752–1800)

걸어왔으며, 그것이 모두 당파 간의 당쟁의 폐해와 연결된 것이라고 보았습니다. 영조는 '탕평책'(蕩平策)을 시행합니다. 탕평책이란 특정 파벌에 치우침이 없이 쓰겠다는 것입니다. 탕평책은 왕권의 강화를 가져오는 방향으로 작용합니다. 영조의 집권 배경이 되는 노론만을 등용할 경우 노론의 독주가 예상되며, 오히려 소론을 등용하여 이를 견제하는 효과가 있을 수 있기 때문입니다. 하지만, 탕평책 속에서도 여전히 노론이 주류였기에 노론 내부에선 여전히 '북당'(北堂, 홍봉한)과 '남당'(南堂, 김귀주)이라는 권력투쟁은 지속되고 있었습니다.

정조도 정조식의 탕평책을 시행하였는데 영조식의 탕평책과는 그 성격이 사뭇 달랐습니다. 정조는 할아버지인 영조의 탕평책이 먼저 파벌로 분배하여 파벌 간 수적 균형에 치중한다고 생각하였습니다. 그렇기에 정조는 탕평이란 편당을 버리고 상대와 나를 잊는 것인데 오히려 탕평의 당의 폐해가 옛날의 편당의 폐해보다 심하다고 생각합니다. 탕평당이란 어차피 다른 당파가 들어와 있는 것이어서 단순히 다른 당파를 조합해 놓은 것만으로 탕평이 실현된다는 것은 아닙니다. 정조식의 탕평책은 어떤 사안이나 현안에 대한 인물들의 옳고 그름에 대한 판단을 먼저하고 이에 합당하면 당파를 가리지 않고 요직에 배치한다는 것이었습니다. 그런데, 정조 때도 주류였던 노론은 정조의 탕평책 자체에 반대하는 '벽파'(僻派: 김종수 등)와 정조의 시책을 옹호하는 '시파'(時派: 정민시 등)로 나뉘어 당쟁을 지속합니다. 시파와 벽파라는 것은 왕의 시책에 찬성하느냐 반대하느냐의 문제이기에 어느 시절에나 있었다고 봐야 하는데, 예를 들면, 영조시대에도 영조가 아들 장헌세자(후에 사도세자)를 죽인 문제를 놓고서 이를 받아들이는 파와 이를 잘못된 것으로 여기는 파도 시파와 벽파로 구분할 수 있습니다.

탕평책은 조선 사회에 정신적 여유를 갖게 합니다. 성리학 지상주의에서 실학사상(현실 개혁사상), 양명학(주자의 설에 반대), 서학 및 정감록(현실 부정과 이상향 추구)과 같은 다양한 사상이 싹트는 계기가 됩니다. 하지만, 탕평책은 당쟁의 근본 원인을 없앨 수 없었으며, 탕평책의 시행시기와 일치하여 우연인지 필연인지 관직을 바라는 양반의 수가 많아지게 되어 사회 구성상 부정적인 그림이 형성됩니다. 탕평책에도 불구하고, 결국 서인들이 대부분 득세하였음을 알 수 있습니다. 서인이 노론과 소론으로 나뉘었을 때, 노론이 대부분 득세하였습니다. 하나의 파벌이 득세하였을 때, 항상 어떤 현안을 중심으로 다시 파벌을 재생산하며 당쟁을 이어가는 것을 알 수 있습니다. 당쟁은 양면성이 있어서 당쟁의 존재 그 자체가 '공론' 조성이라는 긍정적 측면과 당파 내에서 견제와 균형을 가져옵니다. 실제로 당쟁을 통한 공론정치라는 형식이 약화된 순조 이후에는 오히려 '세도정치'가 자리잡게 됩니다. 당쟁에서 밀려난 당파가 정치체제 내에 흡수되지 못하면 또 다른 형식으로 그 모습을 이어갑니다. 항상 권력에서 밀려나기를 반복했던 남인계열은 결국 주자학을 떠나서 '서학(西學)' 및 '실학'(實學)을 추구하며 사림세력들과 대립합니다. 서학, 천주교, 실학 등이 또다시 정치체제에서 거부되었을 때, '홍경래난'이나 '동학혁명'과 같은 민란이 발생하였습니다.

조선시대가 유교사회, 계급사회라는 사회구조를 감안하더라도, 앞서 살펴본 당쟁들의 대강적 흐름이 국민을 위한 공공선을 창출하는 국가 정책과 직접적 연관성을 지닌 것으로 파악하기는 어려울 것입니다. 물론 조선

사회가 절대중앙집권에 의한 국가도 아니었고 유교사회였기에 현대국가들의 공공선 창출체계와 비교한다는 것은 그 함의를 반추하는 것 이상으로 확대되기에는 무리가 따릅니다.

대외적으로 주전파와 주화파의 외교정책 논쟁이 있었고, 대내적으로도 정부의 효율적인 조세체계 실현을 위한 '대동법'(大同法)의 확대 실시 논쟁과 이를 확대 실시해 가는 과정은 오히려 지엽적이고 희소한 예로 나타납니다. 조선시대는 초기부터 방납(防納: 백성이 나라에 바쳐야 할 공물을 관아의 아전이나 상인이 먼저 대신 바치고, 그 값을 나중에 받는 것)의 폐단이 큰 사회였습니다. 국가 차원에서 이를 극복하기 위해서 실시된 것이 대동법이며 실제로 어느 정도의 민생안정과 국가수입 증대, 상인의 발생과 수공업의 발전, 상업도시의 성장 등 긍정적 파급효과가 있었습니다. 조선 당쟁의 대강을 볼 때, 당쟁의 성격을 국가정책 방향이나 이를 수행하기 위한 과제나 과업을 놓고서 이루어진 것으로 규정하기 어렵습니다. 그래도 왕의 정책에 찬성하거나(시파) 반대하는(벽파) 집단이 항상 존재했다고 인정한다면 포괄적 의미의 '여당'(與黨)과 '야당(野黨)'이 존재했다고 볼 수 있을 것입니다. 정당이란 어휘는 다양한 정의에도 불구하고, 그 속성상 '국민적', '국가적 정책' 이란 의미가 포함될 수밖에 없는데, 조선시대 당쟁은 공적인 정책차원의 것이라기보다는 아무래도 파벌적이고 사적인 성격이 강하게 나타납니다. 근본적으로 조선시대는 왕조체제, 유교사회, 계급사회이기 때문에 그럴 것입니다.

과거 조선시대 당쟁이 공적인 성격보다는 사적인 성격이 강했다고 한다면, 그래서 현대적 의미의 한국정당정치와 연결시키는데 한계가 있다고 받아들인다 해도 여전히 의문이 남습니다. 그렇다면 반대로, 현대의 한국정당정치는 과연 진정한 의미에서(실질적 의미의 민주주의 차원에서) '국가정책' '국민이익'이라는 공적인 성격으로 기능한다고 할 수 있을까요? 많은 사람들은 한국정치과정의 문제점을 한마디로 정리하면 '정당정치의 문제점'이라고들 합니다. 한국정당들의 공천과정을 보면 기관보다는 인물중심이어서 공적인 성격보다는 사적인 성격이 강하게 드러납니다. 여전히 의원들 개인을 위한 것인지, 정당을 위한 것인지, 당원을 위한 것인지, 지역민들을 위한 것인지에 대해서 부정적 판단을 하게 됩니다. 이런 시각에서 본다면, 조선시대 당쟁의 사적인 성격이 현재 정당정치에도 그대로 연결되고 있어 조선시대 당쟁은 현재 한국정당정치의 맹아라는 냉소적 해석도 가능합니다. 서두에서 필자가 조선시대의 당쟁을 현대 한국정당정치의 맹아 내지는 연관성을 지닌 또 다른 모습으로 볼 수 있는지에 대해서 고민하면서 "생각이 복잡해진다"고 언급한 이유입니다. 조선시대 당쟁을 서구식 정당정치의 맹아인지 아닌지를 파악하는 것보다는 조선시대의 당쟁이 당시 정치체계 속에서 어떤 기능을 했는지에 대해서 살펴보는 것이 더 의미가 있을 듯합니다.

– 참 고 문 헌 –

박시백. 「박시백의 조선왕조실록」: 선조실록(10권), 광해군일기(11권), 인조실록(12권), 효종실록・현종실록(13권), 숙종실록(14권), 경종・영조실록(15권), 정조실록(16권). (서울: 휴머니스트, 2010).

박충석. 「한국정치사상사」 (서울: 삼영사, 2010).

배종호. 「한국유학사」 (서울: 연세대학교출판부, 1974).

진영재. 「정당정치의 진화」 (서울: 연세대학교출판문화원, 2020).

최연식. 「조선의 지식계보학」 (서울: 옥당, 2015).

한국정신문화연구원. 「한국민족문화대백과사전」 (서울: 웅진출판사, 1991).

9. 헌법재판소와 '대통령제'

제2공화국의 1년 남짓한 기간을 제외하곤, 제1공화국 이후 한국의 권력구조는 대통령제를 채택하여 왔습니다. 대통령제는 원리상 행정부와 입법부의 '권력분립'을 기본으로 함에도 불구하고, 대통령에게로의 '권력집중'이 두드러지게 나타납니다. 많은 사람들은 한국의 대통령제를 '제왕적 대통령제'라고 합니다. 하지만, 미국도 예외는 아닌 듯합니다. 슐레진저(A. Schlesinger)는 미국의 대통령제에서도 특히 대외정책과 관련하여 '제왕적 대통령제'로 기능할 수 있음을 지적한 바 있습니다. 한국정치과정에서 '제왕적 대통령제'란 의미는 대통령이 독단한다는 부정적 의미로 쓰이고 있지만, 복잡다기한 국가사무를 효율적으로 처리하기 위해선 상황에 따라서 강력한 리더십이 필요하니 부정적 의미를 지닌 것만은 아닐 수도 있습니다.

대통령제를 비판하는 학자들은 대통령제 민주주의는 대통령에게로의 권력집중과 이에 대항하는 반대세력들 간의 갈등이 정치체계에 구조적인 불안정 상황을 초래하고 있다고 지적합니다. 한국정치과정에 나타나는 높은 정치갈등 수준을 보면서, 이러한 지적이 나름대로 적합하다는 생각과 함께, 그렇다면 미국의 대통령제에서는 여타의 대통령제 국가들과 달리 권력집중이 일어나지 않고 권력분립의 원리가 잘 실행되는지 그 원인이 궁금해집니다. 학자들은 미국의 대통령제가 현실정치에서 권력집중을 피하고 권력분립의 원리에 더 충실할 수 있는 이유로서 미국의 타협적 정치문화, 다양한 기관들 사이의 대화와 타협 수준의 복합화, 약한 당기율(party discipline)에 의한 정당정치의 특성, 대단히 독립적이고 권위적인 '연방대법원'의 존재 등을 제시합니다. 여기서는 바로 마지막 변수인 연방대법원의 존재에 집중하며 한국정치과정에서 '헌법재판소'의 존재를 사건들을 중심으로 논해 보고자 합니다.

린쯔(J. Linz)가 지적했듯이, 대통령제는 행정부와 입법부의 선출기반이 분리되기 때문에 태생적으로 '이원적 정통성'(dual legitimacy)을 지닌 체제여서 제도 내재적으로 행정부와 입법부의 권력분립이 발생합니다. 그렇기에, 국민들로부터 분리된 선출기반을 갖고 정치투쟁을 벌이는 행정부와 입법부의 갈등을 최종적으로 정리해 줄 수 있는 권위 있는 판정자 겸 중재자가 필요하다는 것입니다. 미국정치과정에선 연방대법원이 그런 역할을 하고 있습니다. 미국에서 연방대법원의 권위는 1803년 '마베리 대 매디슨'(Marbury vs. Madison)사건을 계기로 연방대법원이 법률의 헌법에 대한 위헌 및 합헌 여부를 판정할 수 있는 독점적 지위를 차지한 이후에 정착되어 왔습니다. 2000년 미국대통령선거에서 부시(G. W. Bush)와 고어(A. Gore)의 개표 및 득표 합산과정에서 나타난 문제와 승자결정에서도 연방대법원이 최종판정자였습니다. 한국정치과정에선 그런 역할을 맡는 기관이 대법원이 아니고 별도의 기관인 헌법재판소입니다. 헤이그(R. Hague)와 해롭(M. Harrop)의 비교정치이론에 따르면, 위헌판결에 대한 권한을 별도의 기관인 헌법재판소가 담당하는 경우엔 법원(즉, 사법기관)이 담당하는 경우와 비교하여 상대적으로 시의(時議)에 따른 '정치적 판단'을 하는 경향이 있다고 합니다.[13)]

어떤 사건이 헌법에 위배되는지 아닌지를 판결하는 방식은 몇 가지로

---

13) 헤이그와 해롭이 언급한 '정치적 판단'이란 당시 사회의 시의를 고려한다는 것을 의미합니다. 이에 반대되는 개념은 '법적 판단'으로 시의에 얽매이지 않고 법조문에 얽매이는 판단입니다. 영국 의원내각제의 경우엔 '의회통치권'(parliamentary sovereignty)으로 정치과정이 대표되며 의회가 위헌판결의 최종 장소입니다. 따라서 헤이그와 해롭은 영국형 웨스터민스터식으로 의회가 위헌판결을 하는 경우를 가장 정치적 판단을 하는 경우로 구분합니다. 그러니까, 누가 다수당으로 여당인가가 판단에 영향을 미치게 됩니다. 정리하면, 위헌판결에서 정치적 판단의 의미가 강한 경우에서 약한 경우를 차례로 나열하면, 의회판결-헌법재판소판결-법원판결이 됩니다. 결론적으로, 헌법재판소판결은 정치적 판단이란 의미에서 중간에 있는 모델입니다.

구분됩니다. ㉠ 한 가지 방식은 사법부에서 판결하는 것입니다. 사법부 내의 최고 판결기관인 대법원에서 위헌 판결을 한다는 것입니다. ㉡ 두 번째 방법은 사법부와는 별도의 위헌심판 기관을 두는 것인데, 한국과 같이 위헌 판결을 대법원과는 별도의 헌법기관으로 '헌법재판소'를 두고 그 곳에서 위헌심사와 판결을 하는 것입니다. 그런데 첫 번째 방식과 두 번째 방식은 임명직인 사람들이 헌법을 판결하는 것에 문제를 제기하기도 합니다. 왜냐하면 민주주의를 실천하는 곳에선 중요 사안들에 대한 최고 정책결정자는 항상 선출직으로 되어 있습니다. 대통령, 국회의원을 비롯하여 광역자치단체장(시장, 도지사) 기초자치단체장(구청장, 군소도시 시장), 광역의회의원, 기초의회의원 등 민주성을 반영하려는 곳엔 여지없이 선출직입니다. 임명직의 전문성은 인정하더라도 민주주의 구현이라는 측면에서 임명직과 선출직이 갖는 의미는 분명 그 무게가 다릅니다. ㉢ 그래서 세 번째 방식은, 헌법이란 것이 단순한 법이 아니라 국가운영의 정신의 총체적 결집체란 점에서 '위헌판결'을 선출직으로 국민의 대표들이 모여 있는 '의회'에서 직접 담당하는 것입니다. 위헌판결과 같은 상황은 정치적 사안이고 여당이나 야당이 연루된 정치적 사안이 많아서 여당과 야당으로 이루어진 입법부에서 판결하는 것도 문제가 있는 셈입니다. 그러나 위헌판결의 내용과 종류는 반드시 국가적 차원의 것도 아니어서(예를 들면, 간통죄 합헌여부 등) 위헌제소 사안별로 기관을 분리하기도 쉽지 않습니다.

한국정치과정에서 헌법재판소의 역할은 점점 증가하고 있으며, 그 판결 하나 하나가 한국정치의 방향을 결정해 나가고 있습니다. 2004년, 2017년 대통령탄핵소추안 판결여부, 2004년 신행정수도건설을위한특별조치법위헌확인여부, 2014년 통합진보당 해산판결여부 등은 한국정치과정에 나타난 갈등세력들의 최종 판정자 겸 중재자로서 헌법재판소가 역할하고 있음을 보여줍니다. 한국정치과정에 큰 영향을 미쳤던 몇 가지 역사적 사례들을 하나씩 살펴보겠습니다.

고려시대 '묘청(妙淸)의 난'(1135) 이후 약 900년이 흐른 시점에 다시 발생한 행정수도이전 논쟁은 21세기 한국정치과정에서 가장 큰 사건이었는지도 모릅니다. 행정수도이전 문제는 2002년 대통령선거에서 노무현 후보의 선거공약으로서 당시 대통령선거에서 가장 큰 이슈였습니다. 그 이후 이명박 대통령, 박근혜 대통령에 이르기까지 중간의 국회의원 선거, 지방선거 등은 모두 수도이전 관련 공약과 직간접적으로 연결되고, 특히, 이런 과정에서 중요했던 것은 '헌법재판소의 판결이 정치과정에 영향을 미쳤다는 것입니다. 국가의 수도를 어디로 할 것이며, 또한 수도를 두 개로 하여 행정수도를 분리 건설할 것인지의 문제는 국가대계의 중차대한 문제입니다. 국회는 '신행정수도건설을위한특별조치법'을 의결(2004. 4. 17)하였지만, 수도이전을 원하는 정치세력들과 반대하는 세력들의 갈등이 증폭되고, 이에 반대하는 세력들은 헌법재판소에 위헌소송을 제기합니다(2004. 7. 12). 이에 대해서, 헌법재판소는 위헌을 확인하는 판결을 내립니다(2004. 10. 21).

헌법재판소의 판결 내용은 '대한민국의 수도는 서울'이라는 것은 '관습헌법'으로서 이를 변경하기 위해서는 헌법의 개정이 필요하기에, 헌법개정 없이 행정수도를 건설하는 것은 위헌이라는 것으로 요약됩니다. 헌법재판소가 제시한 '관습헌법'이란 헌법적 사항에 관한 '관습법'인데, 여기서 관습법이란 일반적으로 단순한 사실로서의 '관습'과는 구분된다는 것입니다. 관습법은 일정한 관행이 반복되고 있을 뿐만 아니라, 일반국민들에게 그러한 관행이 정당한 것이라는 법적 확신이 뿌리내리고 있는 것을 말하는 것으로 규정하였습니다. 관습헌법이란 실질적 의미의 헌법인데, 실질적 의미의 헌법이 형식적 의미의 헌법과 일치된다면 더 바람직하겠지만, 현실적으로 완전히 일치하지 않을 수도 있다는 것입니다. 예를 들면, 국회법, 정부조직법, 정당법, 선거법 등은 실질적 의미의 헌법에 속한다는 것입니다. 해당 법들은 필요에 의해서 자주 개정되는데, 만약 헌법개정과 같은 절차를 거쳐서 개정할 수 있다면 그것은 사회적 비효율이며 따라서 법률의 형식을 취하는 실질적 의미의 헌법이란 것입니다. 적어도 헌법재판소의 논리를 해석해 보면, 헌법에서 오히려 실질적 의미의 헌법으로서 법률의 형식을 취하면서 형식적 헌법의 차원으로 끌어올리지 않는 것이 바람직하다는 의미일 것입니다.

2004년의 '신행정수도건설'을 위한 찬반세력의 갈등은 헌법재판소의 위헌판결이후 그 명칭을 바꾸어 '행정중심복합도시특별법'이 국회에서 의결되면서(2005. 3. 18), 행정수도이전 논쟁은 일단락됩니다. 헌법재판소의 신행정수도건설 위헌판결은 어찌보면 빛이 바랬다고 볼 수도 있습니다. 위헌판결이후 국회가 다시 '행정수도'란 용어를 사용하지 않고 '행정중심복합도시'라는 용어를 사용한 특별법을 통과시킴으로 동일하지는 않지만 유사한 성격의 법이 환생한 것입니다. 결국, '신행정수도건설'에는 반대했던 세력들도 다음번의 대통령선거에서 승리하기 위해선 충청지역의 심기를 건드리지 않으려 했기에, 최종적으론 '행정중심복합도시건설'이 국회에서 의결되었다는 것이 당시 중론이었습니다.

김부식
(1075–1151)

수도이전 관련해서 해당 사건이 한국정치과정에 나타난 초유의 사건은 아닐런지도 모릅니다. 비교시각을 위해서 시간을 거슬러 보겠습니다. 신채호 선생이 '1천년래 1대사건'으로 언급하였던 '묘청의 난'도 수도이전과 관련된 사건이었습니다. 고려시대 수도는 '개경'[開京: 지금의 개성]이었습니다. 인종 때 외척이었던 이자겸은 자신이 제거될 상황에 처하자 반란을 일으키게 됩니다. '이자겸의 난'(1126)은 곧 평정되었지만, 다시 '묘청의 난'(1135)이 발생합니다. 묘청은 서경(西京: 지금의 평양) 출신의 승려이며, 1127년에 왕의 고문이 된 자입니다. 이자겸의 난으로 궁궐이 불타고 민심이 흉흉해지자 수도를 이전해야 한다는 묘청 일파(백수한, 정지상 등)를 중심으로 '서경천도론'(西京遷都論)이 주장됩니다. 묘청은 고려 왕조가 중국의 연호가 아닌 독자적 연호를 사용해야 하며, 풍수지리설(風水地理說)에 입각하여 지세가 다한 개경을 떠나서 서경의 대화궁(大花宮)터를 중심으로 도읍을 정하면 주변국들이 고려에 머리를 조아릴 것이라고 주장합니다. 김부식 일파(김인존 등)의 반대로 서경 천도가 불가능하게 되자, 묘청 일파(조광, 유담 등)는 서경에 나라를 세워 국호를 대위(大爲), 연호를 천개(天開)라고 하면서 난을 일으키게 됩니다. 묘청의 난은 김부식의 지휘로 1년 만에 평정되는데, 그 후엔 분사제도(分司制度: 고려시대에는 개경을 중시하였는데, 고려 정종 이후에 개경의 관청을 모방한 6부를 서경에 두고 개경의 정치를 서경에서 축소 실시한 제도)를 폐지합니다.

고려 인종 때는 대외적으로 여진이 건국한 금나라의 압박이 커지는 시기였습니다. 이자겸의 난은 고려 귀족사회안에서 외척 및 족별 세력이 형성되고 문벌 귀족간 대립으로 인해 발생한 것입니다. 묘청의 난은 지역별 대립(묘청, 백수한, 정지상 등은 서경 출신이었음)을 반영한 사건이었으며 유교 정치사상에 반하여 풍수설과 결부된 민간 사상이 대립하면서 발생한 사건이며, 동시에 대외 의식의 차이에서 비롯된 것입니다. 묘청은 금에 대한 북벌(北伐)을 주장하여 금과의 충돌이 송나라에게 이용당하는 것이라 주장한 김부식과 대립합니다. 신채호 선생은 그의 논문집인 「조선사연구

신채호
(1880–1936)

초」에서 묘청의 천도 사건이 '낭가사상'(郎家思想: 화랑도 사상)이 재현된 자주성이 강한 사건으로 파악하며, "1천년래의 1대사건"으로 규정하고 있습니다. 신채호 선생은 "민족의 성쇠는 매양 그 사상의 추향(趨向) 여하에 달린 것"인데 낭가사상의 대표자인 묘청이 외래의 유교사상의 대표자인 김부식에게 패함으로써 고대 이래 전통적으로 내려오던 독립적이고 자주적인 우리 역사가 유교적 사대주의로 기울고 한민족이 쇠하는 계기가 되었다고 주장한 바 있습니다. 이처럼, 과거에도 수도이전 이슈는 형식적 의미와 실질적 의미를 모두 지닌 복합적 정치사건이었음을 알 수 있습니다.

2004년에 있었던 노무현대통령탄핵소추안에 대한 헌법재판소의 판결 여부에 대해서 논의해 보겠습니다. '탄핵'(彈劾, impeachment)이 다른 범법행위와 구분되는 가장 핵심적인 요소는 공직자의 '국가에 대한 위해'(injury to the state)입니다. 6공화국 헌법에 따르면, "대통령, 국무총리, 국무위원, 행정각부의 장, 헌법재판소재판관, 법관, 중앙선거관리위원회 위원, 감사원장, 감사위원 기타법률이 정한 공무원이 그 직무집행에 있어서 헌법이나 법률을 위배한 때에는 국회는 탄핵의 소추를 의결할 수 있다"(제65조 1항)고 규정하고 있습니다. 국회는 대통령탄핵소추안을 국회재적의원 1/3이상의 발의와 재적의원 2/3이상의 찬성으로 의결할 수 있습니다(제65조 2항). 2004년 3월 12일 국회는 노무현대통령에 대한 탄핵소추안을 의결하게 됩니다. 국회가 의결한 탄핵 사유를 증거에 의해서 확인하는 것은 헌법재판소의 몫입니다.[14] 국회에서 의결된 탄핵소추안은 최종적

14) 참고로 외국의 사례를 비교해 보겠습니다. 영국에서 탄핵은 평민원(하원)에 의하여 소추되고, 귀족원(상원)에 의하여 심리된다"는 전통이 이어져 왔습니다. 미국에서도 탄핵은 법원이 행하지 않습니다. 대통령을 탄핵하려면 하원에서 탄핵소추를 하며 해당 탄핵소추에 전속재판권은 상원에 속합니다. 반면에 프랑스의 경우에는 대통령 탄핵은 하원과 상원을 포함한 양원의 의결에 의해서 소추되며, 재판은 별도의 기관인

으로 헌법재판소로 회부되고, 헌법재판소의 9인 위원들 중에서 2/3이상의 찬성으로 확정판결됩니다. 국회는 헌법재판소에 '탄핵소추의결서'와 국회법제사법위원장의 이름으로 '소추위원의견서'를 제출합니다. 노무현 대통령의 권한은 헌법재판소가 탄핵소추안을 확정판결할 때까지 정지되었으며(헌법 제65조3항), 고건 국무총리가 대통령 권한을 대행하는(헌법 제71조) 헌정 초유의 사태가 발생합니다.

탄핵소추의결서의 내용에 나타난 탄핵의 사유를 요약하면, ㉠ 노무현 대통령이 국법질서를 문란케 하며, ㉡ 자신과 측근들의 권력형 부정부패로 국정을 수행할 수 있는 도덕적, 법적 정당성을 상실하였다는 것과, ㉢ 노무현 대통령이 국민경제와 국정을 파탄시켜 민생을 도탄에 빠뜨림으로써 극심한 고통과 불행을 안겨주고 있다는 것입니다. 그런데 이러한 사유를 놓고서 사회에는 논쟁이 발생합니다. 그 당시 발생했던 논쟁에 나타난 몇 가지 주요 논점을 정리하면, 탄핵소추의결서에 나타난 사유들이 과연 대통령 본인의 행위인지 아니면 측근들의 행위인지, 대통령의 직무집행과 관련된 것인지 아닌지, 아니면 무능력이나 부도덕과 관련된 것인지 아닌지, 대통령직 취임전의 행위인지 아닌지 등입니다.

임기만료를 앞둔 국회가 임기를 4년 남겨둔 대통령을 탄핵할 수 있는가하는 문제를 포함하여 단순한 법적 논쟁의 테두리를 벗어나는 정치적 논쟁이 첨예화됩니다. 가장 모호했던 부분으로 대통령이 어떤 연설에서 특정 정당을 지지하는 발언을 한 경우, 이것이 위법한 사유인지, 아니면 단

고등탄핵재판소가 담당합니다. 일본은 재판관만을 탄핵의 대상으로 하는데 파면의 소추를 받은 재판관을 재판하기 위하여 중의원과 참의원을 포함한 양원의원으로 조직하는 탄핵재판소를 설치합니다. 전체적으로 볼 때, 탄핵을 소추하는 집단과 이를 재판하는 집단을 구분하고 있음을 알 수 있습니다. 반면, 민주사회에서 선출직을 탄핵할 때 선출직이 담당하는가 임명직이 담당하는가의 여부는 국가마다 차이가 있음을 알 수 있습니다.

순히 불편부당한 사유인지에 대해서는 논란이 일면서, 노무현 대통령에 대한 탄핵은 탄핵이 발생하게 된 내부적 '원인'(말하자면, 정치적 이유)과 실제로 탄핵을 수행하면서 제출한 외부적 '사유'(말하자면, 법적 이유)간에는 차이가 있다는 논쟁이 있었습니다. 해당 탄핵의결이 있기 전에 기득권 타파라는 사회개혁을 외치는 노무현 대통령의 행보와 발언은 과거 대통령과는 다른 파격적인 것이었습니다. 대통령이 서민적이라는 시각과 함량미달이라는 시각이 맞섭니다. 정치과정에서 반대세력들의 입김이 거세자 국민들에게 재신임을 묻겠다던지, 자신을 대통령으로 당선시켜준 당을 분당시킨다던지 하는 행보와 그 과정에서 발생한 발언들은 말하자면 탄핵의 '원인'으로 정치적 이유가 됩니다. 분명히 사회적 분위기는 '정치적 이유'와 '법적 이유' 사이에 괴리가 있었다는 것을 인지하고 있었다고 보아야 합니다. 많은 시민들이 촛불시위를 통해서 대통령탄핵의 부조리함을 표현했습니다. "자신들(국회의원)들이나 정치를 잘해야지, 자신들은 맨날 싸우면서 엉터리로 정치하면서 기껏 한다는 짓이 우리가 선출한 대통령을 탄핵해?" 이것은 그 당시 신문에 보도된 시민의 반응입니다. 한 시민의 이런 일상적인 말은 대통령제 하에서 '탄핵제도'의 존재와 형식에 대해서 다시 한 번 생각해 보게 합니다. 대통령제는 다음과 같이 정의됩니다.

① 국민들은 입법부를 구성하는 의회선거(국회의원선거)와 행정부를 구성하기 위해 행정부 수반을 선출하는 선거(대통령선거)를 별도로 시행한다.
② 대통령과 의회의 임기는 별도로 고정되어 있으며, 그러한 임기는 상호간의 신임여부에 의하여 변동되는 것이 아니다.

이렇게 본다면, 행정부와 입법부 서로가 신임여부에서 독립되어 별도의 고정된 임기를 지닌 대통령제하에서 국회는 대통령을 탄핵할 수 없는 것일까요? 오히려 반대로 생각해 볼 수도 있습니다. 고정된 임기를 지니고 있는 최고위 공직자들이 국가운영에 위기나 위해를 초래하는 것을 막기 위한 것이 탄핵제도인 것입니다. 참고로 의원내각제하에서는 탄핵제도가 존재하되 현실적으로 입법부의 행정부에 대한 '불신임제도'가 있으니 구태여 탄핵을 사용하지 않고서도 불신임안 의결을 통해서 해당 행정부의 무능이나 부패를 제어할 수 있기에 상당 기간 동안 탄핵을 시행한 적이 없을 뿐입니다. 영국의 경우엔 관행상 하원이 탄핵소추안을 의결하면, 상원이 이를 판결하게 됩니다. 결론적으로 앞서 한 시민의 발언은 법적으로 타당성을 지닌 발언은 아닙니다. "한국에는 헌법 위에 국민정서법이 있다"는 감정적인 말들이 유행하기도 하였습니다. 국민정서의 보다 확실한 그 증거는 2004년 16대 총선에서 노무현 대통령이 만든 '열린우리당'의 과반수 획득입니다. 탄핵을 주도했던 그리고 연관되었던 국회의원들은 대부분 재선에 실패하였습니다. 헌법재판소의 재판결과는 16대 총선 이후에 나왔습니다. 헌법재판소가 노무현대통령 탄핵소추를 기각하는 판정을 내리면서 노무현 대통령은 대통령직에 복귀하게 됩니다.

대한민국 헌법재판소 (서울 안국동 소재)

2017년은 '대한민국 제6공화국 헌법체제 30주년'이 되는 해입니다. 많은 사람들은 '1987년 민주주의체제 30주년'이라는 표현을 사용하기도 합니다. '6 · 10 민주항쟁'(1987. 6. 10)을 계기로 당시 김영삼, 김대중, 김종필, 전두환, 노태우 등의 정치 주도세력은 국민들이 갈망하던 '대통령직선제'를 담아 제6공화국 헌법을 제정하게 됩니다(1987. 10. 29). 일상적인 정치일정이라면 2017년 12월에 임기 5년의 단임 대통령을 선출했겠지만, 2016년 12월 9일 박근혜 대통령이 국회에서 탄핵되어 정상적인 대선일정을 기대할 수 없게 됩니다. '조기 대통령선거'(早期 大統領選擧)가 예상되고 있으며, 동시에 '개헌'(改憲)도 정개 개편의 고리로 작동하게 됩니다.

기실, 개헌에 관한 논의는 1987년 체제가 출범한 초기부터 지속되어져 왔습니다. 그 내용의 핵심은 중임제 또는 내각제와 연관된 것들이었는데, 개헌은 정치인들의 관심과는 달리, 국민들의 관심사의 중심에 있지는 않았습니다. 그런데, 2016년말 '박근혜 대통령 탄핵'과 2017년초 '조기대선' 이후 정치권과 함께 국민들도 개헌이 현실화되는 것에 좀 더 가까이 다가서게 됩니다. 문제의 핵심은 현행 한국의 대통령제는 대통령 1인에게 권력이 집중되며, 대선과정에서 대통령 캠프에서 핵심적 역할을 한 사람들을 중심으로 임기 내내 '캠프정치'와 '비선정치'가 문제라는 것입니다. 결국 그 정점이 되는 사건이 발생했으니, 그것이 바로 2016년말의 '최순실 국정농단 사건'입니다.

6공화국 헌법은 행정부의 수반인 대통령이 국무총리의 보좌를 통해서 행정부를 관할하는 행정체계의 형식을 취하고 있습니다. 박근혜 대통령 국정운영의 비효율성은 취임과 동시에 매년 총리지명자의 자진사퇴 문제가 발생한 것과도 무관하지 않습니다.[15] 국무총리제의 원활하지 못한 운용은

15) 사퇴한 총리지명자는 2013년 2월 출범한 박근혜 정부 임기중 매년 발생하였다: 김용준(2013. 1. 29 자진사퇴; 투기의혹); 문창극(2014. 6. 24 자진사퇴; 종교발언); 이완

입법부와 행정부의 관계에 부담으로 작용하게 됩니다.

'세월호 침몰사태'(2014. 4. 16. 오전 8시 52분 최초 전남소방본부 조난신고접수; 오전 11시 50분 완전침몰)는 "대통령의 7시간"(대통령이 오후 3시 중앙재난안전대책본부 방문 준비 지시; 중대본에 등장한 시각 오후 5시 15분; 그러니까 논쟁이 되는 부분은 오전 9시-오후 3시까지 7시간 동안 대통령의 행적)에 대한 국민들의 궁금증을 가져왔습니다.

세계일보가 보도한 '정윤회 문건파동'(2014. 11. 28)은 박근혜 국회의원 시절 비서관이었던 정윤회(鄭潤會)가 정식 직위가 없는 비선 실세로서 청와대 비서관, 행정관들과 정기적으로 만나면서 국정에 개입한다는 의혹을 제기한 문건입니다. 정윤회 문건은 청와대 공직기강비서관실 행정관이었던 박관천에 의해 만들어졌고, 이후 유출되어 문건의 내용을 세계일보가 보도했습니다. 검찰은 조응천 공직기강비서관과 박관천 전 공직기강비서관실 행정관에 의해 유출되었다며 조 비서관은 불구속 기소하고, 박 행정관은 구속 기소했습니다(2016. 1. 5). 이것은 결국 많은 국민들이 박근혜 대통령의 비선실세 문제에 대해서 인식하는 계기가 됩니다. 그리고 일처리 과정의 중심에 청와대 '민정수석실'이 위치하고 있었습니다. 대통령의 국정 운영 능력은 비서실(청와대)의 총체적 업무수행 능력과 일치한다고 보는 이가 많습니다. 대통령비서실장과 민정수석은 공인(公人)인 대통령을 사적(私的) 차원에서 보좌하고 있었다는 보도가 봇물처럼 쏟아졌습니다.

이런 와중에 '최순실 국정농단 사태'가 발생했습니다. 해당 사태는 비선실세가 중심이 된 권력형 비리, 정경유착, 입시비리 등의 조합으로 커다란 국민적 반감을 일으키며 주말마다 정기화된 대규모 '촛불시위'(또는 촛불집회)를 촉발시키게 됩니다. '최순실 게이트'는 박대통령의 최측근인 자

구(2015. 4. 21 자진사퇴: 성완종 리스트 뇌물수수의혹); 김병준(2016. 12. 11 자진사퇴; 대통령탄핵정국).

연인 최순실이 대통령 연설문과 국가 주요 공문서에 접근하여 영향력을 행사했으며, 나아가 대통령을 배경으로 최순실과 그 지인들이 각종 특혜사업에 관여한 다양한 혐의가 포착되며 국민들의 공분을 샀습니다. 박근혜 대통령은 문화융성사업의 기치아래 재벌기업에 'K스포츠재단'(스포츠 꿈나무 후원)에 약 300억, '미르재단'(한국전통문화 발굴 재해석으로 한국문화의 결을 빚어낸다는 목적)에 약 500억, 총액 800억가량의 기금 모금을 강요했다는 의혹을 받아, 결국 헌법 및 법률 위반 사유로 국회에서 대통령 탄핵이 의결됩니다(2016. 10. 9).[16] 대통령의 혐의점에 대해서 제도적으로 가능한 모든 수사방식이 동원되고 있었습니다.[17] 그럼에도 불구하고, 국민들의 최대 관심사는 헌법재판소의 최종 판결여부와 언제 최종 판결이 이루어질 것인가에 집중되고 있었습니다.

2016년의 대통령탄핵소추안의 의결은 제6공화국에서 처음은 아닙니다. 과거와 현재를 비교해 보면 유용할 것입니다.

---

16) 국회에 제출된 헌법위반 및 법률위반과 관련된 박근혜 대통령 탄핵소추안의 구체적인 주요 내용은 다음과 같이 정리된다. (1) 헌법위반사례: 국민주권주의, 대의민주주의, 법치주의를 위반(최순실의 국정농단을 방조); 직업공무원제도 훼손(최순실에 반대하는 공무원을 경질하고 비호세력을 임명); 국민의 재산권과 자유시장 경제질서 무력화(K스포츠재단, 미르재단 출연강요 및 최순실에게 특혜); 국민의 생명권에 대한 보호의무 소홀(세월호사태에 대한 직무유기). (2) 법률위반사례: 뇌물수수, 제3자뇌물수수죄, 강요 및 직권남용(K스포츠재단, 미르재단에 774억 모금 강요); 공무상 비밀누설죄(공무상 비밀 47건을 최순실에게 전달).

17) 대통령의 혐의와 관련해선 3개의 트랙이 작동했다. (1) 2016. 11. 20에 발표된 검찰조사(행정부 내부의 조사 방식): 최순실(직권남용권리행사방해, 강요, 강요미수, 사기미수죄); 안종범(직권남용권리행사방해, 강요, 강요미수죄); 정호성(공무상 비밀누설죄); 박근혜 대통령(최순실, 안종범, 정호성의 범죄사실과 관련하여 상당부분이 공모관계에 있는 것으로 판단). (2) 국정조사(입법부의 행정부에 대한 조사방식)-'최순실게이트' 관련 모든 혐의 관련자들에 대한 청문회가 12월 6일 시작되었으며, 청와대 현장방문은 무산됨. (3) 특검(特檢; 입법부에서 지명한 검찰에 의한 수사방식으로 소위 입법부와 행정부의 통합형 조사방식: 11월 30일 박영수 특검임명; 20일 준비기간, 70일 본격수사기간; 30일 연장가능)

헌법재판소의 대통령탄핵 심리결과를 예측하기 위해선 2004년 대통령 탄핵심판의 판례를 참조하는 것이 유용할 것입니다. 대통령 탄핵에 관한 판례는 다음과 같습니다. "대통령을 파면할 정도로 중대한 법위반이 어떠한 것인지에 관하여 일반적으로 규정하는 것은 매우 어려운 일이나 대통령의 직을 유지하는 것이 더 이상 헌법수호의 관점에서 용납될 수 없거나, 대통령의 신임을 배신하여 국정을 담당할 자격을 상실한 경우에 한하여 대통령에 대한 파면 결정은 정당화 되는 것이다"(판례 2004헌나1, 2004년 5월 14일).

대통령	국회의 탄핵소추안 사유	국회 의결 (재적의원 2/3)	경과	헌법재판소결정 (재적의원 2/3)
노무현 (2004)	• 선거중립성위반여부에서 촉발 • 측근비리, 불성실한 직책수행 및 경솔한 국정운영으로 인한 정국혼란 및 경제파탄	(2004. 3. 12.) • 의결정족수 181명 • 야당의원 195명이 투표참가 (찬성 193명 반대 2명)	• 여론조사(국민의 65%가 탄핵반대) • 17대총선 (2004년 4월) 열린우리당 152석, 한나라당 121석, 민주노동당 10석	(2004. 5. 14.) 기각
박근혜 (2016)	• 최순실게이트로 촉발 • 9개 사유 (헌법 및 법률위반: 각주 16번 참조)	(2016. 12. 9.) • 의결정족수 200명 "'1234567'이다". 1명 불참 234명 찬성 56명 반대 7명 무효	• 여론조사(국민의 85%가 탄핵찬성) • 촛불시위(보수단체의 '맞불시위'도 시작됨) • 특검기간 • 중도하야	(2017. 3. 10.) 인용 또는 기각

2017년 3월 10일 헌법재판소는 '촛불집회'와 '맞불집회'가 대립하는 상황에서 재판관 8인 전원일치로 박근혜 대통령을 대통령직에서 파면시키

기로 결정하였습니다. 2016헌나1 선고요지에 따르면, 대통령은 헌법과 법률에 따라 권한을 행사하여야 함은 물론 공무수행은 투명하게 공개하여 국민의 평가를 받아야 함에도, 최순실(최서원)의 국정개입 사실을 철저히 숨겼고, 최순실의 사익추구에 관여하고 지원하였고, 국회와 언론의 지적에도 사실을 은폐하고 관련자들을 단속해 왔다고 보았습니다. 피청구인 박근혜의 위헌위법행위는 대의민주제와 법치주의정신을 훼손하였는데, 대국민담화에서 진상규명에 협조하겠다고 했지만, 검찰과 특별검사의 조사에 응하지 않고 청와대 압수수색을 거부하며, 피청구인의 일련의 언행이 법 위배행위가 반복되지 않도록 할 헌법수호의지가 없었다고 보았습니다.[18] 결국 피청구인의 위법위헌행위가 국민의 신임을 배반한 것으로 헌법수호의 관점에서 용납될 수 없는 중대한 법 위배행위라고 보아 대통령직에서 박근혜를 파면하게 됩니다.[19]

마지막으로 2014년 12월에 있었던 '통합진보당정당해산심판'에 관해서 살펴보겠습니다. 2013년 11월 5일 대한민국 정부는 헌정사상 최초로 헌법재판소에 통합진보당에 대한 정당해산심판을 청구합니다. 그리고 2014년 12월 19일에 헌법재판소는 통합진보당에 대한 해산을 결정하는 판결을 내립니다. 헌법재판소는 2014년 통합진보당의 정당해산심판에 대한 판결을 미루며, 2014년 10월 17일 국정감사장에 나온 헌법재판소장은 통합진보당의 정당해산판결이 미뤄지고 있어 국고보조금만 낭비한다는 추궁을 당합니다. 그러나 정당해산판결의 경우엔 서두를 수 없습니다. 정당은 정

18) 해당 판결이 국회에서 탄핵소추안의결시 제시된 헌법 및 법률 위반사유와 연결되어 판시되지 않았다는 이유로 법리적 흠결을 주장하는 사람들도 있습니다.

19) 참고로, 몇 가지 보충의견이 제시되었습니다. 세월호 참사와 관련해서는 피청구인 박근혜는 생명권 보호의 의무를 위반하진 않았으나, 헌법상 성실한 직책 수행의무 및 국가공무원법상 성실의 의무를 위반했다고 볼 수 있으며, 성실의무 자체를 탄핵사유로 보지는 않는다(재판관 김이수, 이진성); 정치적 폐습을 청산하기 위한 조치로서 파면을 해야 한다(재판관 안창호).

치과정의 꽃입니다. 정당이 없이 정치과정은 존재할 수 없습니다. 정당해산판결은 민주주의 과정에서 그 상징적 실질적 의미와 파장이 큽니다. 따라서 외국의 사례에서도 정당해산판결은 상당기간을 소요하게 됩니다. 일단 헌법재판소의 판결문의 내용을 파악해 보겠습니다.

헌법재판소의 판결 주문은 "1. 피청구인 통합진보당을 해산한다. 2. 피청구인 소속 국회의원 김미희, 김재연, 오병윤, 이상규, 이석기는 의원직을 상실한다"입니다. 헌법재판소는 347쪽(보도기사 작성용 초고) 분량의 결정문을 내놓았는데 특히 정당정치 및 이를 해산할 수 있는 상황과 관련하여 헌법재판소가 피력한 주요한 논점을 정리하면 다음과 같습니다. ㉠ "정당해산심판제도는 매우 엄격하고 제한적으로 운영되어야 한다. '의심스러울 때에는 자유를 우선시하는'(in dubio pro libertate) 근대 입헌주의의 원칙은 정당해산심판제도에서도 여전히 적용되어야 할 것이다"(10/347). ㉡ "정당의 위헌적 문제성을 해결할 수 있는 다른 대안적 수단이 없고, 정당해산결정을 통하여 얻을 수 있는 사회적 이익이 정당해산결정으로 인해 초래되는 정당의 정당활동 자유제한으로 인한 불이익과 민주주의 사회에 대한 중대한 제약이라는 사회적 불이익을 초과할 수 있을 정도로 큰 경우에 한하여 정당해산결정이 헌법적으로 정당화될 수 있다"(18/347). ㉢ "헌법 제8조4항은 정당의 목적이나 활동이 기본질서에 위배될 때에는 정부는 헌법재판소에 그 해산을 제소할 수 있고, 정당은 헌법재판소의 심판에 의해 해산된다"고 규정하고 있으며(12/347), "이 규정형식에 비추어 볼 때, 정당의 목적이나 활동 중 어느 하나라도 민주적 기본질서에 위배된다면 정당해산의 사유가 될 수 있다고 해석된다"(14/347).

이러한 취지 아래에서 헌법재판소가 파악한 통합진보당의 성격을 정리하면 다음과 같습니다. ㉠ 통합진보당의 주도세력은 '자주파'이며 이들이 우리사회의 변혁방안으로 제시하는 '엔엘피디알'(NLPDR: National

Liberation People's Democracy Revolution)로 약칭되는 '민족해방인민(민중)민주주의혁명론'은 혁명의 달성을 위해서 반미자주화와 반파쇼민주화, 제국주의에 결속된 한국자본주의 체제를 타도하는 의미에서 남북통일이 필요한 것으로 보고 있다고 판시합니다(21/347). ㉡'진보적'라는 용어가 다양하게 쓰인다는 것을 전제로 하여(26/347), 통합진보당의 당강령상 목표는 1차적으로 폭력에 의하여 '진보적 민주주의'(203/347-218/347)를 실현하고, 이를 기초로 통일을 통하여 최종적으로 사회주의를 실현하려는 것으로 파악합니다(90/347). 그리고 그러한 통합진보당의 활동이 남북한 대립이라는 한국사회의 특수성(18/347; 138/347)하에서 체제전복이나 위기와 연관되어 있음을 지적합니다. ㉢통합진보당 주도세력의 활동들(반제청년동맹 및 민혁당사건, 실천연대사건, 한청년단체협의회사건, 일심회사건: 42/347-61/347)은 단순히 일회성 행동이 아니며, 또한 역사인식(62/347-89/347)이 소위 북한의 대남혁명전략이나 민족해방민주주의변혁론의 그것과 단편적 부분적 범주를 넘어서 전체적으로 동질성과 유사성을 인정합니다 (91/347-101/347). ㉣'이석기등의내란관련사건'(2013, 5,10/5,12)등을 통해서 통합진보당의 주도세력이 북한식 사회주의를 추구하면서 적극적이고 계획적으로 우리 헌법상의 민주질서를 훼손하거나 폐지하려고 했다고 판시합니다(101/347-142/347). ㉤정당의 강제해산의 경우에 소속 국회의원의 의원직 상실문제에 대해선 위헌정당해산제도의 취지와 본질적 효력에 비추어 판단하여야 한다고 판시합니다(144/347). 해산된 정당의 의원직이 유지된다면 정당의 위헌적 정치이념을 대변하는 활동이 허용되기에 정당해산결정의 실효성을 제대로 확보할 수 없다고 보면서 통합진보당 소속 국회의원 5인의 의원직을 박탈합니다(145/347).

헌법재판소의 통합진보당해산결정판결문의 내용을 한 마디로 정리한다면 "민주사회에서 이념논쟁은 가능하지만, 체제를 흔드는 체제논쟁은 오히려 민주질서를 위해하므로 허용할 수 없다"는 것으로 정리될 것입니다. 여전히 문제는 남습니다. 해당 판결의 소수 의견자인 김이수 재판관의 시각에서도 제시되었듯이 통합진보당은 소수의 주도자들로 한정되는 것이 아닙니다. 정당에는 당지도자와 함께 당원이 있습니다. 통합진보당은 헌법재판소에서 재판이 진행되던 당시에 당비를 납부하는 진성당원의 수가 3만명에 이르는 것으로 인정되었습니다(149/347). 그리고 헌법재판소는 이석기내란사건의 '5·10모임'이나 '5·12모임'에 관해서 정당 내 지역조직(경기동부연합)이나 일부 당원의 활동과 정당의 책임성이 연계되어 있는지를 판단하면서 "정당전체의 책임으로 볼 수는 없다"고 판시합니다(301/347). 정당 주도세력이 체제전복을 위한 위해적 요소라고 해서 당원들 전체가 그런 것은 별개의 문제일 수 있습니다. 그래서 판결과정에서 시간적 차원의 형식적 문제는 법적판단을 넘어서 정치과정상의 논쟁거리로 남았습니다. 정당해산판결이란 사안의 중차대성을 고려할 때 더 시간적 숙고의 과정이 필요하다는 것입니다.[20]

마찬가지로 헌법재판소 판결문에는 없었지만, 선드퀴스트(J. Sundquist)의 이론에 따르면, 정당에서 정당지도자나 주도세력은 당원과 같은 1/n의 역할을 하는 것이 아닙니다. 웨어(A. Ware)도 실질적인 정치과정에서 정당의 정체성은 사실상 정당지도자나 주도세력들에 의해서 형성되

---

20) 대법원의 판결은 헌법재판소의 정당해산결정이후에 나왔습니다. 헌법재판소와 대법원의 심리내용은 차별성을 지닙니다. 헌법재판소는 통합진보당의 헌법에 대한 위헌여부(즉, 정당의 활동과 목적이 민주적 기본질서에 반하는 여부)를 심사했으며, 대법원은 형법상 통합진보당 내 이석기등의 내란선동·음모여부를 심사하였습니다. 대법원은 형법상 내란음모죄의 증거가 불충분하다는 판결을 내렸습니다. 두 가지 심사사안의 내용이 사실상 연계된다고 보는 시각도 있습니다. 헌법재판소의 판결이 발표되는 시기는 판결을 받아들이는 국민들의 태도에 영향을 미칠 수 있습니다. 2004년 대통령탄핵에 대한 헌법재판소의 최종 판결과정은 2004년 4월의 총선이후로 미루어졌습니다. 노무현 대통령이 창당한 열린우리당은 과반수 의석을 차지하였습니다. 헌법재판소는 총선이후에 판결을 발표하였는데, 대통령탄핵을 부결합니다.

고 절대적인 영향을 받고 있음을 지적합니다. 아무튼 통합진보당의 상당수 당원들은 애꿎은 피해자가 되었습니다. 조금 고리타분한 이야기이지만, 국민들은 위정자를 잘 만나야 편안하고, 당원들은 당지도부를 잘 만나야 좋은 것입니다. 예상컨대, 한국의 진보계열정당도 이번 일을 계기로 체제논쟁보다는 서민, 노동계층, 소외계층 등 팍팍한 삶을 살아가는 약자들의 복지를 위해서 진력하는 노선으로 흐르게 될 가능성이 높습니다.

1987년 제6공화국이 출범하면서 한국은 이제 민주주의 공고화 단계로 들어서서 앞으로 나아가고 있습니다. 이 과정에서 '헌법재판소'의 역할의 중요성이 커지고 있습니다. 헌법재판소의 판결은 이제 한국정치의 방향에 결정적 영향을 주고 있습니다. 이런 과정에서 보다 근본적인 논쟁으로 과연 민주주의 사회에서 '선출직'과 '임명직'의 차이를 무시할 수 있을 것인가하는 문제입니다. 민주주의 사회의 두드러진 특질의 하나는 주요 정책결정자들의 대부분을 국민들이 선출한다는 것입니다. 대통령, 국회의원, 자치단체장, 의회의원 등은 모두 선출직입니다. 국민의 선출직인 대통령에 대해서 국민들의 선출직인 국회의원들이 의결한 탄핵안을 과연 임명직인 헌법재판소 위원들이 최종 판정하는 것이 적합한 제도인가에 대한 논쟁입니다. 미국의 경우를 보면, 대통령탄핵이 하원과 상원을 모두 통과하면서 결정되는데, 하원과 상원 모두 선출직들입니다. 반대의견도 만만치 않습니다. 국가대계를 결정하는 사건들은 보다 법리적 정통성과 전문성을 지닌 의원들에게 맡기는 것이 바람직하며 대중인기영합주의(populism)에 휘둘리는 선출직에게 맡기는 경우 사회혼란이 가중된다는 것입니다. 또 다른 하나는 헌법재판소란 별도의 기관을 둘 것인지, 아니면 최고 법원인 대법원에서 위헌판결여부까지 담당할 것인지의 문제입니다. 이에 대해서 헌법재판소장과 대법원장의 서로 다른 시각이 피력되기도 했습니다. 한국정치과정에선 1공화국 이후 6공화국에 이르기까지 위헌판결을 위하여 대법원과는 별도의 기관으로 '헌법위원회'나 '헌법재판소'를 두어 왔으며, 1962년 헌법이후 3공화국에선 대법원이 위헌판결을 담당했습니다.

- 참 고 문 헌 -

뱅상 미슐로(저), 김희진(역). 「미국의 대통령들: 제왕의 권력」 (서울: 시공사, 2011) [Vincent Michelot. *Le Président des Étatis- Unis: Unpouvoir impérial?* (Paris: Gallimard, 2008)].

박종보. "국회의 대정부 통제권: 대통령 탄핵을 중심으로" 「공법연구」. 32집 5호(2004), pp. 79-111.

이광윤. "신행정수도건설을위한특별조치법위헌확인결정의 찬반논쟁" 「고시계」. 49권 12호(2004), pp. 77-102.

조정관. "대통령제 민주주의의 원형과 변형" 「한국권력구조의 이해」 3판. 진영재(편). (파주: 나남, 2014), pp. 71-122.

Hague, Rod. and Martin Harrop. *Comparative Government and Politics*. 6th ed. (Basingstoke: Palgrave Macmillan, 2004).

Schlesinger, Arthur M. *War and the American Presidency* (New York: W. W. Norton, 2004).

헌법재판소결정문. 「사건2013헌다1 통합진보당해산」 보도기사 작성용 초고 총347쪽 (선고일 2014. 12. 19).

10. 남북문제

현재 지구촌에는 통합과 분리운동이 동시에 발생하고 있습니다. 한반도에서 남한과 북한의 통일을 외치고 있지만, 유럽을 중심으로 여타 지역에선 인종, 언어 등의 차이에 기반한 분리운동도 동시에 일어나고 있습니다. 영국의 스코틀랜드, 프랑스의 코르시카, 스페인의 카탈루니아 및 바스크, 벨기에의 플랑드르, 이탈리아의 남티롤 등은 그 대표적인 예입니다. 특히 이탈리아의 경우는 경제적으로 풍요로운 북부지역이 그렇지 못한 남부지역과 분리하려는 움직임을 보여왔습니다. 미국의 경우엔 캘리포니아 주를 북캘리포니아와 남캘리포니아 2개 주로 분리해야 한다는 입장도 있어왔습니다. 최근에는 남예멘과 북예멘에서 하나로 합쳐졌던 예멘에서 다시 남예멘이 분리하려는 움직임이 있었습니다.

남한과 북한은 하나의 언어를 사용하는 하나의 민족입니다. 이를 부인하는 사람은 없습니다. 서로 다른 헌법체제에 있으면서도 서로가 '통일'에 대한 긴장의 끈을 놓아본 적이 없습니다. 그러나 서로의 통일에 대한 방식은 너무도 판이합니다. 1945년 해방과 함께 분단된 남한과 북한은 거의 50년만에 '남북기본합의서'(1991. 12. 13; 제5차 남북고위급회담)를 채택하면서 그 관계에 대해서 정의합니다. "쌍방 사이의 관계가 나라와 나라 사이의 관계가 아닌 통일을 지향하는 과정에서 잠정적으로 형성되는 특수관계"로 정의했습니다. 남한과 북한이 전쟁을 피하고 통일을 지향한다면 그 방식은 간단합니다. 신뢰구축과 화해협력입니다. 그런데 두 체제간 신뢰구축과 화해협력은 단순한 문제가 아닙니다. 남한과 북한의 체제가 국제적 기준에서 볼 때 너무도 양 극단에 있다는 것입니다. 2014년 영국 이코노미스트지의 세계국가 민주주의 수행평가에 의하면, 남한은 보편적 기준에서 민주주의를 수행하며 민주주의 평가에서 세계 20위권에 있습니다. 반면에, 북한은 보편적 기준과는 너무도 동떨어진 그래서 극단적 '내재주의'로 설명될 수밖에 없는 특수한 '세습체제'를 유지하며 민주주의 수행 최하위권에 있습니다. 통일이 민족의 사명이라면 남한이 그 책임을 어깨위에 짊어져야 할 것입니다. 시대별 주요 사건별로 하나씩 살펴보겠습니다.

우선, 북한이란 국가가 어떻게 성립했는가에 대해서 간단히 정리해 봅시다. 주둔군 소련을 배후로 하여 북한의 김일성 체제는 1945년 10월부터 12월 사이에 불과 100여일 만에 만들어졌습니다. 소련군은 일본 패망 불과 1주일 전인 1945년 8월 8일에 대일선전포고를 통해 만주지역에서 군사행동을 시작합니다. 그리고 8월 21일 함흥, 원산을 거쳐 8월 24일 평양에 입성합니다. 즉시 친소 정권을 만드는 작업에 돌입하여 10월 8일엔 '북조선5도임시인민위원회'를 구성하고 10월 13일 '조선공산당북조선분국'을 만듭니다. 이미 9월 19일에 귀국해 있었던 소련 극동군 산하 88특별여단 소속 김일성은 10월 14일 평양군중대회를 거쳐서 12월 17일 조선공산당 북조선분국의 책임비서가 되면서 김일성 체제가 성립됩니다.[21] 그러니까, 어떤 선거도 없이 불과 100일 만에 북한체제의 모습이 거의 완성되었다고 볼 수 있습니다. 1946년 2월 8일 '북조선임시인민위원회'를 만들어서 김일성을 위원장에 앉히게 되어 소련에 의한 단독 공산정권의 수립이 완성됩니다. 김일성 체제는 1946년에는 3월에 토지개혁을 단행하며, 8월에는 '북조선노동당'을 발족하고 주요산업을 국유화합니다. 1947년에는 2월 17일 최고입법기관인 '북조선인민위원회'를 구성하고 자신이 위원장이 됩니다. 1948년에는 2월 8일 인민군을 창설하고, 4월에 헌법초안을 공포하며, 8월 25일 최고인민회의대의원선거를 거쳐서, 9월 9일 단일후보였던 김일성을 수상으로 하는 정권이 출범합니다. 김구와 김규식은 1948년 4월 21일 평양을 방문하여 '남북인사15인회담'(1948. 4. 26-4. 30)을 하였지만 회담이 결렬되었음은 주지하는 바와 같습니다.

공산주의라는 이념만으로 보더라도, 사실상 북한정권에서의 김일성은 공산주의 운동의 정통성을 지닌 인물과는 거리가 있습니다. 공산주의 세력

---

21) 참고로 이승만은 10월 16일, 김구는 11월 23일에 귀국합니다.

의 갈래를 박헌영(국내파), 최창익(중국파), 김두봉(연안파), 김일성(소련파)로 삼분하기도 하지만, 소련을 배후 세력으로 하여 불분명하며 논란을 지닌 경력을 지닌 김일성과는 대조적으로, 한반도와 러시아, 중국을 넘나들면서 조선반도에서 최초로 청년 공산당을 조직하면서 공산주의 운동을 정착시킨 인물이 바로 박헌영입니다. 한반도에서 공산주의 리더십의 정통성은 박헌영에게 있었던 것이지만, 북한정권하에서 1955년 12월에 박헌영은 김일성 정권에 의해서 처형됩니다. 이때 김일성은 6·25의 실패는 박헌영의 '남노당'의 조직 탓이며, 어이없게도 그를 '친일분자', '친미간첩'으로 몰았습니다.

박헌영은 한국에서 공산주의 운동의 맹아(萌芽)라고 할 수 있는 이르쿠츠크공산당 상해지부에 21세인 1921년에 입당하게 됩니다. 이 때가 동아일보, 조선일보 기자생활을 일시 한 직후였습니다. 1924년에는 그 전까지 활동하던 대다수의 사회주의 단체를 통합한 '조선청년총동맹'이 탄생합니다. 연이어 1925년에는 김재봉, 김약수와 함께 '조선공산당'을 출범시킵니다. 이후 '고려공산청년동맹' 조직에서 책임비서직을 맡아 실권자가 됩니다. '고려공산청년동맹'은 일본경찰의 습격으로 동맹 간부 100여명이 체포되지만, 박헌영은 도망에 성공합니다. 1926년 6월에 '순종장례식'을 계기로 민중봉기를 꾀하려다가 체포됩니다(2차공산당사건). 체포된 동료들이 처형되었지만, 1927년에 인분(人糞)을 집어먹으면서까지 미친사람 행세를 하면서 병(病)보석으로 석방됩니다. 1928년 11월에는 배우자 주세죽과 블라디보스톡으로 탈출하고 모스크바로 이동하며 공산주의를 수학합니다. 그리고 같은 해 12월에 코민테른(세계공산당대회)에서 '조선문제'를 '12월테제'로 올리게 됩니다. '12월테제'는 조선에서 공산당운동이 미약하거나 확산하는데 한계에 대해서 집중적으로 논하면서 그 이유를 파고듭니다. 그 결과, 공업발전낙후로 노동자계층과 조직이 취약, 당원들끼리의 고질적인 주도권을 위한 파벌, 파당 경쟁이 있다고 진단을 합니다. 결국, 해결책으로 농업사회이니 빈농과 소수이지만 노동자 계층으로 더욱 스며들어서 동화되면서 공산주의운동을 해 나가야 한다는 해결책에 이릅니다.

하지만, 12월 테제 해결책을 안고서 국내잠입을 시도하다가, 상해에서 체포되어 장기간 감옥생활을 하게 됩니다(1933-1939). 석방되자마자, 다시 한반도로 내려와서, 김삼룡, 권오직, 이현상 등과 함께 '경성코뮤니스트그룹'(경성콤그룹)을 조직하지만, 1940년에는 일본유학생 김덕연의 체포를 계기로 1942년 12월경에는 공산당 조직이 일망타진 됩니다. 1945년은 한반도는 격랑의 시기입니다. '제2차 세계대전'에서 일본이 연합국에 패망하면서 8월15월 조선의 해방과 함께 박헌영의 정치활동은 지속됩니다.

해방과 함께 다양한 공산세력들(감옥에서 석방된 자들, 지하조직세력들, 해외조직세력들)이 발호합니다. 재건파(경성콤의 재건이란 의미; 박헌영, 김삼룡, 이현상, ...), 장안파(정백, 이영, 최익한, ...) 등이 그것입니다. 미군의 주둔으로 남한에서 공산주의 운동의 조급성을 느끼게 되자, 박헌영은 1945년 9월 6일에 남한에서 '조선인민공화국'(줄여서 '인공')을 조각(組閣: 주석 이승만, 부주석 여운형, 내무부장 김국, 외교부장 김규식, 재무부장 조만식)하며, 남한에서의 임시정부조직의 주도권을 쥐려고 합니다. '인공'의 인선은 당시 해방정국에서 주요한 정치적 인물들과 상의나 허락도 없이 박헌영이 자의적으로 올려놓은 명단이었습니다. 즉, 형식만 주요인물들을 내세운 것이지, 그 실제 내용은 남한내 공산주의 정부를 세우기 위한 전략의 일환이었습니다. 10월10일에 승전국 미국은 남한에 미군정 포고령을 내립니다. 참고로, 북한에선 1945년 9월 28일에 국내파 현준혁이 암살되고, 1945년 10월13일에 소련파 김일성의 '조선공산당북조선분국'이 만들어지고, 그 해 12월에 북조선분국의 책임비서로 김일성이 지명됩니다. 남한에선 1945년 10월 16일에는 이승만이 귀국하여 '독립촉성중앙회'(줄여서 '독촉'; 공산당까지도 포함)를 결성합니다. 그러나, 바로 그 다음 달인 11월에 박헌영의 공산당은 독립촉성중앙회를 탈당하게 됩니다.

원래 박헌영은 김일성의 '찬탁'(신탁통치 찬성)과 달리 '반탁'(신탁통치 반대)이었는데, 스탈린의 신탁통치훈령(1946년 1월; 평양 로마넨코 사령부)으로 인해서 찬탁으로 돌아서며, 이를 위해서 '민족주의민족전선'을 결성하여 주도하게 됩니다. 남한에서 공산주의조직들은 불법단체가 되었기에, 1946년 11월에는 남한내에서 '남조선노동당'(약칭 '남노당')을 결성하고, 이른바 듀베르제(M. Duverger)의 용어를 빌리자면, '세포조직'(이른바 '점조직')의 형태로 지하조직화합니다. 남한에서 공산당 지하활동 와중에 남노당 내부에선 박헌영 반대파들이 '사회노동당'(김일성의 사주를 받은 친김일성 계열)을 결성하자, 이에 한계를 느낀 박헌영은 상여(喪輿)행렬에 숨어서 북한으로 넘어가고, '남노당'은 박헌영의 서신으로 원격 지휘됩니다. 당시 한국의 습속상 망자(亡者)에 대한 예의로서 그 누구도 상여행렬을 수색할 수는 없었습니다. 1949년 7월 북한에서 공산당이 '조선노동당'(남조선노동당 + 북조선노동당)의 이름으로 합당되면서 김일성이 위원장에 취임하게 됩니다. 박헌영은 김일성 내각에 참여하지만, 1953년 6·25전쟁 휴전이후에 김일성은 북한의 남한 침공이 실패로 돌아간 것은 박헌영의 남노당이 전쟁이전에 남한의 노동자세력을 제대로 조직화하지 못했다는 구실을 들어서 1953년에 박헌영에게 사형을 선고하였고, 1955년 12월에 집행됩니다.

조선공산당 역사의 창시자이자 온갖 역정의 산 증인이었던 박헌영은 자신의 신앙이었던 공산당에 의해서 사형선고를 받은 것입니다. 과거에 소련파는 북조선만에서의 통일된 새로운 공산조직을 위해서 국내파에게 합작을 제안한 바 있었고, 박헌영이란 인물은 "그렇다면 남조선은 어떻게 할 것인가?"를 이유로 거부한 바 있습니다. 소련파의 국내파에 대한 북조선내에서 권력투쟁은 박헌영의 국내파 세력과 조만식의 민족주의세력 등을 타파하게 된 것입니다. 이념적 순수운동세력이 권력추구세력에게 결국 목숨을 내주게 된 것입니다. 단순한 비교는 곤란하겠지만, 김일성과 박헌영의 관계를 보면, 직관적으로 스탈린과 트로츠키의 관계가 연상됩니다. 결론적으로, 한반도 공산주의 운동 그 자체에서 정통성도 없는 권력추구형 공산주의 세습정권이 북한에 존재하고 있는 것입니다.

남한은 1948년 5월 10일의 선거를 통해서 제헌국회를 설치하면서 장차 북한지역에서 인구비례에 의해서 선출될 의원들을 위해 100석을 공석으로 남겨둡니다. 이 당시 상황을 보면 처음으로 통일에 대한 남북한의 차이가 인지됩니다. 남한의 통일방식은 북한에서 인구비례에 의한 선거를 통해서 100인을 제헌국회에 참석시키는 것입니다. 반면, 북한은 통일을 위해서 1949년 이후 '조선노동당'과 '조국통일민주주의전선'을 발족시키고 소련의 비호아래 병력과 장비를 대대적으로 강화합니다. 1949년 6월에 미군철수가 완료되고, 1950년 1월 12일에 미국무장관 애치슨이 한국과 대만을 미국의 극동방위선에서 제외시킨다는 연설을 합니다. 곧바로 1950년 6월 25일에 북한이 남한을 침략하면서 발발한 '6・25전쟁'은 북한의 통일방식인 것입니다. 그러나 북한은 무력적화통일에 실패합니다.

남한과 북한의 통일인식의 차이는 이후에도 지속됩니다. 1953년 7월 27일 '휴전협정'에서 한반도 문제를 평화적으로 해결하기 위해 3개월내에 정치회담(다시 말해서, '종전협정'으로 전환하는 회담)을 개최하기로 합니다. 1954년 4월 6일에 '제네바회담'이 열립니다. 여기서 남한은 UN감시하에 남북한 자유총선거 실시를 주장합니다. 북한은 외국 군대를 6개월 이내에 철수시키고 남북의회대표로 '전조선위원회'를 조직하여 선거법을 만들자고 주장하지만, 조선 혁명역량강화라는 틀에서 '남조선 적화통일'을 기획하는 북한은 외국군대의 철수에 모든 초점을 맞추어 회담을 진행하였습니다. 제네바회담은 결렬될 수밖에 없었습니다.

i) 1950년대

1950년대에 남한과 북한의 통일논의는 체제경쟁의 성격 아래에서 북한이 주도하였습니다. 북한은 남한과의 체제경쟁에서 우위를 확보하고 있다는 인식아래 적극적이었으나 남한은 경제력은 차치하고라도 국내정치과정마저 빈약한 상황에서 소극적일 수밖에 없었습니다. 김일성은 1956년 4월 노동당 제3차대회에서 조선인민 전체에 의한 총선거를 통해 통일정부 수립을 주장했습니다. 1959년 10월 남일 부수상도 7개항의 통일방안을 통해서 남북의 제 사회단체 대표들로 구성된 상설위원회 구성, 외국군대 철수후 조선 전체에 자유선거실시, 경제·문화·체육분야에서 남북상호교류를 주장하였습니다. 남한의 이승만 정권은 철저한 반공정책에 근거한 '북진(北進)통일'을 주장하지만 남한의 경제력과 군사력은 북한과 비교하여 오히려 열세였기에 북진이란 구호는 공허하였습니다.

ii) 1960년대

1960년대 남한은 국력을 재정비하며 '선건설 후통일'의 통일정책을 추진하게 됩니다. 1960년 4·19혁명으로 이승만정부가 무너집니다. 1960년 7월 29일에 제2공화국 장면 정부가 출범합니다. 장면 정부는 북진통일론을 버리고 'UN감시하의 남북한 자유선거에 의한 통일'을 제시합니다. 1960년 8월 14일 김일성은 '남북연방제'를 제의합니다. 그 내용은 ㉠ 외국의 간섭 없는 남북선거, ㉡ 이를 수용하지 못한다면 과도적 조치로 남북연방제(남북의 현 정치체제를 그대로 두고 동시에 두 정부대표로 구성하는 '최고민족위원회'를 설치하여 남북의 경제와 문화를 통일적으로 조절하자는 것으로 사실상 국가 연합체를 의미함), ㉢ 남북연방제를 실시하지 않겠

가자 북으로 오라 남으로 (1960)

다면 순수 경제위원회라도 설치, ㉣ 미군철수 및 남북 당국 및 제 단체간 대화추진 등입니다. 휴전상황에서 북한은 자주통일의 명분하에 남한의 사회혼란상을 지켜보면서 대남전략기구를 강화하고 있었습니다. 1961년 5월 15일 '민족통일전국학생연맹(민통학련)결성준비대회'를 개최하고 '통일우선론'을 주장하며 "가자 북으로, 오라 남으로, 만나자 판문점에서"라는 구호를 채택하였습니다. 바로 그 다음 날인 1961년 '5·16군사쿠데타'로 정권을 잡은 박정희는 경제개발로 국력배양을 국시로 삼게 되어 '선건설, 후통일'의 입장을 취합니다. 국력이 뒷받침되지 않는 통일논의는 무의미하다는 것입니다. 1961년 7월에 국가보안법과 반공법을 제정하여 반공태세를 정비하고 한미군사동맹관계를 공고히 합니다.

iii) 1970년대

1970년대에는 국제정치환경의 변화로 냉전(cold war)이 화해무드(détente)로 변화하고 있었습니다. 남한은 경제개발계획을 통한 경제수준

닉슨의 중국방문 (1972) 사진왼쪽부터 주은래, 한 칸 건너 모택동, 닉슨, 키신저.

의 기적적 향상이 일어나며 이때부터 남한과 북한의 국력이 역전되는 시발점이 됩니다. 남한 입장에서 북한이라는 체제를 공식적으로 처음 인정한 것은 박정희 대통령이 광복절 경축사에서 선언한 '평화통일구상'(1970. 8. 15)입니다. 평화통일구상 이전에 남한은 한반도에서 '2개의 코리아'를 인정하지 않았습니다. 박정희 정권의 평화통일구상에 따르면 두 체제 중에서 누가 더 국민들을 잘 살게 할 수 있는지 선의의 경쟁을 촉구하면서 북한이 UN의 권위를 인정할 경우 UN에서 한국문제 토의에 북한이 참여하는 것도 무방하다고 선언합니다. 이것은 체제경쟁에서 남한이 북한에 대해서 자신감을 갖기 시작한 것을 의미합니다. 평화통일구상 이전에는 북한이 오히려 '2개의 코리아'를 주창하는 경향이 있었는데, 이 시기를 기점으로 남한이 '2개의 코리아'를 주창하면서 오히려 북한은 '2개의 코리아'를 거부하는 방향으로 흐르게 됩니다. 연이어서 대한적십자사 최두선 총재는 북한에 이산가족의 인간적 고통을 덜어주기 위해 이산가족찾기, 나아가 자유왕래, 상호방문, 서신거래 등으로 확대하기 위한 '남북적십자회담'(1971. 8. 12)의 개최를 제안합니다. 평양에서의 1차회담(1972. 8. 29)이후 1985년까지 7차에 걸쳐서 회담이 진행되었습니다. 남북적십자회담은 인도적 차원의 회담이었지만, 그 내막에는 여전히 체제경쟁의 그늘이 강했습니다. 그래서 평화정착과 상호공존을 위한 실무자들간(남한 정홍진, 북한 김덕현)의 막후교섭이 여러 차례에 걸쳐서 있었는데(1971. 11. 19-1972. 3. 22) 이들은 이후락 중앙정보부장과 김영주 노동당 지도부장간의 회담에 합의합니다. 이로 인해서 탄생한 것이 국제정치과정과 국내정치과정의 의미를 복합적으로 담고 있는 '7·4 남북공동성명'(1972. 7. 4)입니다.

평양에서 김일성 주석을 만나는 이후락 중앙정보부장 (1972)

7·4남북공동성명은 모두 7개항인데 그 내용은 ㉠ 자주, 평화, 민족대단결의 통일원칙(1항), ㉡ 상호비방중지, 무력도발금지, 교류확산, 적십자회담성사, 상설직통전화설치, 남북조절운영위원회운영(2항-6항), ㉢ 합의사항의 성실한 이행(7항)으로 정리됩니다. 공동성명인데도 통일3원칙에 대한 해석은 전혀 달랐습니다. '자주'라는 의미가 북한에겐 주한미군철수 및 유엔사의 해체를 의미했습니다. 남한은 남북당사자해결의 원칙으로 해석합니다. '평화'라는 의미도 북한은 한미군사동맹의 해체를 의미합니다. 남한은 상호불가침의 원칙으로 해석합니다. '민족대단결'이란 의미도 북한은 국가보안법의 폐지로 남한에서 공산주의자의 자유로운 활동을 의미하지만, 남한은 자유와 민주의 바탕위에서 민족이질성을 극복하는 것을 의미합니다. 박정희 대통령은 1973년 6월 23일 '평화통일외교정책'('6·23선언': ㉠ 상호 내정불간섭, ㉡ 북한의 국제기구 참여 불반대, ㉢ 통일에 장애가 되지 않는 조건하에 남북한 동시 UN가입, ㉣ 대한민국은 이념과 체제가 다른 국가들에게 문호를 개방하며, 대한민국에게도 이념과 체제가 다른 모든 국가들이 문호를 개방해 줄 것)을 선언하는데 북한은 남한이 2개의 조선을 획책하고 있다고 비난하며 남북대화를 중단합니다.

iv) 1980년대

1980년대는 남한에서 산업화가 일정 수준 완성되면서 경제적 선진화뿐만이 아니라 민주화 요구를 통한 정치적 선진화로 가는 길목에 있었습니다. 제3공화국과 제4공화국에 이어서 1981년에 들어선 제5공화국마저도 군사정부라는 부담이 그늘져 있었습니다. 결국 남한은 1987년에 대통령직선제 개헌으로 인한 제6공화국이 들어서면서 경제발전뿐만이 아니라 정치발전을 동시에 이루어가는 국가로 전환됩니다.

1982년 1월 22일에 제5공화국 전두환 정부는 지금까지 정부가 취해온 관련입장들을 집대성하여 북한에 '민족화합민주통일방안'(민족자결, 민주적 절차, 평화적 방법)을 제의하고, 2월 1일에는 손재식 국토통일원장관이 이를 위한 시범실천사업들을 제시합니다. 1988년 2월에 제6공화국이 들어서면서 과거 제2공화국 때와 마찬가지로 사회에서 통일논의가 봇물을 이룹니다. 노태우 정부는 러시아, 중국 등과의 수교를 강화하는 '북방정책'을 표방하였는데, 1988년 7월 7일에 민족자존과 통일번영을 위한 '7 · 7선언'을 발표합니다. '7 · 7선언'의 의미는 이를 계기로 대북인식의 전환을 공식화하였다는 것입니다. 다시 말해서, 북한이 적대국이 아니라 공동번영과 상호협력을 통해 공동번영을 추구하는 선의의 동반자 관계라는 것입니다. 남북한의 대결외교를 지양하고 국제무대에서 남북한의 협력외교를 위한 발판을 마련한 것입니다.

1989년 9월 11일에 노태우 대통령은 국회 특별연설을 통해서 '한민족공동체통일방안'을 발표합니다. 해당 방안의 특징은 국가중심의 통일 개념에서 민족공동체란 사회중심의 통일개념으로 전환한 것인데, 민족통일을 통해서 국가통일로 나아가자는 것입니다. 7 · 4남북공동성명에서의 통일3

원칙의 내용을 계승하되, 그 내용과 해석을 구체적으로 분명히 하였습니다. 통일의 과정은 과도적 통일체제로 남북연합(최고의사결정기구인 '남북정상회의', 정부대표들로 조직된 '남북각료회의', 남북 동수의 국회의원으로 조직된 '남북평의회'로 구성됨)을 만듭니다. 남북간의 개방과 교류를 실현하면서 민족의 동질성회복으로 통합의 기반을 다지고, 이후 민주적 절차와 방법으로 통일헌법을 마련하여 헌법이 정한 바에 따라서 통일정부와 통일국회를 구성하여 통일민족국가를 만들자는 것입니다.

한민족공동체통일방안 1989년 9월11일 국회에서 '한민족공동체 통일방안'을 발표하는 노태우 대통령.

1980년대말 즈음하여 북한에는 소련 및 동구 공산권이 무너지면서 위기의식이 팽배했으며, '범민족대회' 등에 집착하고 있었지만 남한에 의한 흡수통일 가능성에 대한 불안감이 팽배했습니다. 이러한 북한의 인식은 정치체제와 경제체제에서 남한에 대한 열세가 확실한 상황에서 당분간 남북관계를 유보상태에 두겠다는 정책으로 나타나는데 그것이 바로 1990년 5월 25일 김일성이 최고인민회의 제9기 1차회의에서 제시한 '조국통일5대방침'입니다. 그 내용을 보면 ㉠ 북미평화협정체결, 주한미군철수, 남북군축, ㉡ 남북자유왕래 및 악법폐지, ㉢ 국제무대에서 대결지양과 남북 단일의석 UN가입, ㉣ 남북 각계각층이 참여하는 전민족적 대화, ㉤ 전민족적 통일전선형성으로 되어 있습니다. 특히 마지막 항의 경우, 1949년 북한이 공세적 대남적화통일의 일환으로 '조국통일민주주의전선'을 기획하고 1950

년 '6・25전쟁'을 일으켰지만, 이제 국력의 차이로 북한의 의도와 상관없이 그 현실성은 약화될 수밖에 없습니다.

v) 1990년대

1990년대에 남한은 경제선진화와 함께 정치선진화를 정착시키고 있었습니다. 1993년에 김영삼 정부가 출범하면서 진정한 문민정부가 들어섰고, 1998년에는 김대중 정부가 출범하면서 1960년 제2공화국이후 처음으로 선거에 의한 여야교체가 이루어집니다.

1991년 12월 13일 남한과 북한의 총리가 서명한 '남북기본합의서'('남북 사이의 화해와 불가침 및 교류협력에 관한 합의서')는 남북한 관계를 획기적으로 전환시키는 역사적 전환점입니다. 해당 합의서에서 남한과 북한은 "쌍방 사이의 관계가 나라와 나라 사이의 관계가 아닌 통일을 지향하는 과정에서 잠정적으로 형성되는 특수관계라는 것을 인정"했기 때문입니다.

1993년 2월 25일에 김영삼 대통령은 취임연설에서 "어느 동맹국도 민족보다 더 나을 수 없다"고 천명하지만, 북한은 남북기본합의서의 대승적 정신을 내버리고 1993년 3월 12일 핵확산금지조약(NPT)에서 탈퇴를 선언합니다. 이후 북한 핵문제는 남북한 관계 및 국제정세에 가장 큰 변수로 작용합니다. 1994년 2월 15일에 북한은 IAEA의 핵사찰을 수락하지만 곧바로 6월 13일에 IAEA의 탈퇴를 선언합니다. 1994년 7월 8일에 김일성이 사망하면서 북한의 입장은 더욱 경직됩니다. 1994년 8・15광복절 경축사에서 김영삼 대통령은 '한민족공동체건설을위한3단계통일방안'(노태우 정부의 '한민족공동체통일방안'과 구분하기 위해서 '민족공동체통일방안'이라고도 함)을 발표합니다. 그 내용은 민족공동체를 실천해가는 과정을 '화해・협력단계 → 남북연합단계 → 통일국가완성단계'로 더 명확히 하였다는데 의의가 있습니다.

1998년 2월에 김대중 정부가 들어서면서 남한의 대북한 정책은 더욱 활기를 띠게 됩니다. 이 당시 국제사회는 민주주의와 시장경제가 확산되고 사실상 팍스아메리카나(Pax-Americana) 국제질서로 기능하고 있었습니다. 김대중 대통령은 한반도 평화위협요소들을 제거하면서 평화를 적극적으로 창출해 간다는 소위 '적극적 평화'라는 입장을 견지하면서 '대북포용정책'(engagement policy: 한편에서는 '햇볕정책'이라고도 함)을 추진합니다. 대통령 취임사에서 김대중 대통령은 남북문제에서 무력도발 금지, 북한을 해치거나 흡수할 생각이 없음, 남북간 화해와 협력이 가능한 분야를 찾아서 적극적으로 추진한다는 남북문제 3원칙을 발표합니다. 이에 대응이라도 하듯이, 1998년 4월 18일 북한 김정일 위원장은 서한 형식으로 남북문제에 대한 '민족대단결5대방침'을 발표합니다. 그 내용은 ㉠ 민족자주에 입각한 대단결, ㉡ 애국애족의 기치로 단결, ㉢ 남북 사이의 관계개선, ㉣ 외세지배반대, 반통일세력반대, ㉤ 온민족의 접촉, 대화 및 연대와 연합 강화입니다.

대북포용정책의 기조는 구체적으로 ㉠ 남북기본합의서의 이행, ㉡ 정경분리에 입각한 남북경제협력 활성화, ㉢ 남북이산가족문제의 우선 해결, ㉣ 북한식량문제해결을 위한 탄력적 대북지원, ㉤ 대북경수로지원사업 추진, ㉥ 한반도 평화환경조성으로 정리됩니다. 특히 ㉡과 관련하여 '3대경협사업'으로 철도·도로연결사업, 금강산관광사업, 개성공단개발사업이 추진됩니다. 대북포용정책은 정치적인 분리에도 불구하고 경협을 통해 실질적으로 통일된 상태를 구현하는 것이 중요하다는 입장으로 해석됩니다. 1998년 6월 16일에 정주영 현대그룹 명예회장은 트럭 50대에 500마리의 소를 싣고 판문점을 통해 북한으로 넘어가서 '조선아시아태평양평화위원회'(아태)와 금강산개발과 관광사업을 추진하는데 합의합니다. 그리고 11월 18일에 800명의 금강산 관광객이 동해항을 출항하여 북한으로 갑니다. 그러나 분위기는 남한의 주도대로 형성되지 않았습니다. 1998년 8월에는 금창리 지하핵시설 의혹이 불거지고, 8월 31일 함북 무수단리에서 다단계 로켓 대포동미사일(광명성1호)이 발사됩니다. 정치와 경제를 분리한다고 하지만, 이미 50년간 서로 다른 헌법체계 속에서 서로 다른 정치체제를 형성하였던 두 나라가 군사안보를 통해서 서로의 장벽을 명확하게 보여주는 사례라고 할 것입니다.

vi) 21세기의 시작

대북포용정책의 정치적 결실은 김대중 대통령과 김정일 국방위원장 사이에 2000년 6월 13일부터 15일까지 있었던 남북정상회담으로 나타나고, 여기서 '6 · 15공동성명'이 채택됩니다. 그 내용은 다음과 같습니다. ㉠ 통일문제를 자주적으로 해결해 나간다. ㉡ 남측의 '연합제'(현존하는 2체제 2정부를 유지하면서 점진적으로 통일하자는 것)안과 북측의 '낮은 단계의 연방제'(하나의 민족, 하나의 국가, 두 개 제도, 두 개 정부)안이 서로 공통성이 있다고 인정하고 이 방향에서 통일을 지향시켜 나간다. ㉢ 흩어진 가족, 친척방문단을 교환하고 비전향 장기수 문제를 해결하는 등 인도적 문제를 조속히 풀어 나간다. ㉣ 남과 북은 경제협력을 통하여 민족경제를 균형적으로 발전시키고, 사회, 문화, 체육, 보건, 환경 등 제반분야의 협력과 교류를 통해 신뢰를 다져 나간다. ㉤ 남과 북은 이상의 합의사항을 조속히 실천하기 위해 빠른 시일에 당국 대화를

남북정상회담(2000)에서 김대중 대통령과 김정일 국방위원장

개최한다. 결국 남과 북의 '6 · 15공동성명'은 남북장관급회담, 남북군사회담, 남북경제회담, 남북적십자회담, 남북특사회담 등으로 다양화된 시도가 이뤄집니다.

남한에서 21세기 들어 처음 탄생한 정부는 노무현 정부입니다. 2002년 대통령 선거에서 노무현 후보는 개혁 이미지와 서민 이미지를 바탕으로 하여 선거에서 승리할 수 있었습니다. 그런데 노무현 후보의 당선이후 남한의 정치과정은 보수-진보 세력간에 '남남갈등'이 첨예화되고 있었습니다. 2003년 2월 25일 노무현 대통령은 취임사를 통해서 북한에게 '선핵포기 후대북지원'이란 입장을 천명하면서 이전의 김대중 정부의 '포용정책'에 대한 '북한에 끌려다니면서 일방적으로 퍼주고 있다'라는 입장과 차별화하면서 '평화번영정책'을 통해서 2가지 목표와 4가지 원칙을 제시했습니다. 그 내용을 보면 목표의 하나는 한반도 평화증진이며, 또 다른 하나는 남북 공동번영과 나아가 동북아 공동번영의 추구입니다. 4가지 원칙은 ㉠ 모든 문제의 평화적 해결 원칙, ㉡ 상호신뢰와 호혜주의의 원칙, ㉢ 남북 당사자에 의한 국제협력 원칙, ㉣ 국민과 함께 하는 정책추진 원칙입니다.

2007년 10월 2일에 노무현 대통령은 김정일 위원장과 만나 제2차정상회담을 개최하고 '남북관계발전과 평화번영을 위한 선언(10 · 4선언)'을 발표합니다. 그 내용을 보면, ㉠ 상호존중과 신뢰관계 구축(내정문제 불간섭; 법률과 제도를 통일지향적으로 정비), ㉡ 군사적 긴장완화와 평화보장을 위한 협력(전쟁불가; 서해 공동어로수역지정 및 군사적신뢰구축조치의 협의를 위한 국방장관회담

제2차 남북정상회담(2007)에서 노무현 대통령과 김정일 국방위원장

개최), ㉢ 항구적 평화체제 및 관련국 정상들의 종전선언을 추진('9·19공동성명' 및 '2·13합의' 이행을 위한 노력), ㉣ 경협사업의 확대와 발전(서해평화협력지대설치; 개성공단 2단계개발 착수; 개성-신의주철도 개보수협의; 안변-남포에 조선협력단지 조성; 부총리급 남북경제협력공동위원회 운영), ㉤ 사회문화 교류협력 발전(서울-백두산 직항로 개설 및 백두산 관광 실시), ㉥ 인도주의 사업 적극 추진(이산가족 상봉 확대; 영상편지 교환사업; 자연재해 등 재난발생시 적극 협력), ㉦ 국제무대에서의 협력 강화로 요약됩니다.

노무현 정부이후 국내정치과정에서 진보-보수 논쟁이 심화됩니다. 특히 '포용정책'과 이를 계승한 노무현 정부의 이념과 관련하여 '남남갈등'이 첨예화됩니다. 대다수의 경험적 분석에 의하면, 대한민국에서 보수와 진보를 결정하는 가장 중요한 변수는 '남한이 북한과의 관계설정을 어떻게 할 것인지'[다시 말해서, 대북관(對北觀)]로 나타나고 있습니다. 소위 진보정권인 노무현 정부이후 보수정권인 이명박 정부(2008-2013), 박근혜 정부(2013-2018)로 이어지고 있습니다. 이명박 정부는 '상생공영정책'을 추진하였습니다. 상생공영정책이란 실용과 생산성에 기초한 상생과 공영의 남북관계를 구축하면서 평화통일의 실질적 토대로 나아간다는 것입니다. 이를 위해서 4가지 원칙을 제시하였는데, ㉠ 실용과 생산성에 기초한다. ㉡ 원칙에는 철저하되, 접근방식은 유연하게 대처한다. ㉢ 국민적 합의를 우선으로 한다. ㉣ 남북협력과 국제협력의 조화를 이루어나간다는 것입니다.

박근혜 정부가 안고 있는 부담은 1990년대 이후 북한핵무기 문제가 더 가시적이고 위협적으로 다가오고 있기 때문입니다. 2015년 현재 많은 정보 소식통들은 북한이 재처리를 통한 플루토늄탄은 물론 농축을 통한 우라늄탄도 보유한 것으로 기정사실화하고 있습니다. 핵탄두의 소형화도 거의 현실화된 것으로 보고 있습니다. 핵무기 숫자에서도 최소 10개 이상의 핵탄두를 가지고 있으며 머지않은 장래에 100개의 핵탄두를 보유할 것으로 예측하고 있습니다. 이런 상황에서 박근혜 정부는 '남북한 신뢰프로세스'를 강조하면서 두 체제가 원칙에 입각하여 신뢰를 구축해 나가는 것이 필요하다고 강조합니다. 핵무기 제어와 관리에 실험정신이란 있을 수 없습니다.

남북문제에 관한한 통일을 향한 다양한 안들을 적기적소(適期適所)에 어떻게 실천할 것인가의 문제가 남아있습니다. 남북문제는 두 마리의 토끼인지도 모릅니다. 안보를 확고히 하여 대한민국의 평화체제를 구축하면서도 극단의 예외적 정치체제를 유지하는 북한을 평화통일의 장으로 이끌어야 하기 때문입니다. 대외정책에 관한한 특히 통일정책에 관한한 보수정권이나 진보정권의 색채를 떠나서 한민족의 번영을 위한 평화적이고 실효성 있는 통일정책을 수립하고 일관성 있게 실천해 나가야 할 것입니다. 탁월한 지도자에 의한 국가통합이 절실합니다. DMZ를 평화공원으로 조성하여 남북이 교류하고 평화를 실질적으로 정착시켜나가는 것은 좋은 예가 될 것으로 생각합니다. 물론 통일이 순차적으로 진행되지 않고 어떤 특정시점에 특정사건에 의해서 갑자기 진행될 가능성도 배제할 수 없을 것입니다.

- 참 고 문 헌 -

김근식. "한반도 통일과정의 정치동학: 독일, 예맨 사례의 시사점" OUGHTOPIA vol.25, no.3 (2010), pp. 243-271.

김재한. 「DMZ」(전5권). (서울: 소화. 2004).

김형기. 「남북관계변천사」(서울: 연세대학교출판부, 2010).

서대숙. 「한국공산주의 운동사 연구」(서울: 화다, 1985).

이상근. "2000년 이후 한국사회의 통일론" 「통일의 신지정학: 서울대-연세대 공동프로젝트」 발표논문(2014. 11. 15).

이완범. 「한반도 분할의 역사: 임진왜란에서 6.25전쟁까지」(성남: 한국학중앙연구원출판부, 2013).

참 / 고 / 문 / 헌

강명세. 2001. 『한국정당체제의 구조와 변화: 지역정당체제의 대두』. 성남: 세종연구소.

강문구. 2005. 『한국민주화의 비판적 탐색』. 서울: 당대.

강용진. 2008. 『숙의민주주의와 한국정치』. 서울: 창문.

강원택. 2011. 『통일이후의 한국민주주의』. 서울: 미래한국재단.

강정인(편). 2013. 『정치학의 정체성: 한국정치학의 주체성을 위하여』. 서울: 책세상.

강준만. 2009. 『현대정치의 겉과 속: 한국정치는 왜 늘 복마전인가?』. 서울: 인물과사상사.

고태우. 1996. 『북한사 100장면: 김일성의 입북에서 김정일까지』. 서울: 가람기획.

국민대학교정치대학원(편). 2006. 『한국정치의 현실과 과제』. 서울: 국민대학교출판부.

국사편찬위원회. 1990. 『한민족독립운동사7: 대한민국임시정부』. 서울: 대한민국교육부.

______ . 1992. 『한민족독립운동사11: 한민족독립운동의 기본흐름』. 서울: 대한민국교육부.

길승흠(외). 1995. 『한국현대정치론』. 서울: 법문사.

김구(저) · 배경식(역). 2008. 『(올바르게 풀어쓴)백범일지』. 서울: 너머북스.

김기삼. 1995. 『한국현대정치사론』. 서울: 동풍.

김도종. 2005. 『남북관계와 한국정치: 판도라의 상자는 열리고』. 서울: 명지대학교출판부.

김동성. 1995. 『한국민족주의연구』. 서울: 오름.

김동하. 2014. “한국 헌법의 비서구적 발전과 자기정체성 형성의 동학: 서구와 한국헌법담론의 비교분석을 중심으로”. 『21세기정치학회보』 제24집 1호. pp.219-243.
김만규. 1999. 『한국의 정치사상』. 서울: 현문사.
김만흠. 1997. 『한국정치의 재인식: 민주주의 지역주의 지방자치』. 서울: 풀빛.
______. 2000. 『전환시대의 국가체제와 정치개혁: 김만흠 박사의 한국정치개혁론』. 서울: 한울.
김명섭. 2001. 『대서양문명사』. 서울: 한길사.
김민하. 1978. 『한국정당정치론』. 서울: 교문사.
김범수. 2015. “한국 정당의 공천 역사와 인터넷의 역할”. 『한국정당의 미래를 말한다』. pp.169-217.
김삼웅. 1995. 『해방후 정치사 100장면: 해방에서 김일성 죽음까지』. 서울: 가람기획.
김세균(편). 2005. 『한국정치의 보수와 진보』. 서울: 서울대학교 한국정치연구소.
김수진. 2008. 『한국민주주의와 정당정치』. 서울: 백산서당.
김영국(외). 1991. 『한국정치사상』. 서울: 박영사.
김영래(외). 2004. 『한국의회정치와 제도개혁』. 서울: 한울.
김영명. 1992. 『한국현대정치사: 정치변동의 역학』. 서울: 을유문화사.
______. 1999. 『고쳐쓴 한국현대정치사』. 서울: 을유문화사.
______. 2010. 『담론에서 실천으로: 한국적정치학의 모색』. 파주: 한국학술정보.
김영수. 2009. 『한국헌법론 (수정증보판)』. 서울: 학문사.
김용욱. 2004. 『한국정치론: 조선왕조에서 대한민국까지 체제변동과정』. 서울: 오름.
김용직(편). 2005. 『사료로 본 한국의 정치와 외교: 1945~1979』. 서울: 성신여자대학교출판부.
______. 2014. 『대한민국 정부수립과 국가체제구축』. 서울: 대한민국역사박물관.
김용철 · 윤성이. 2005. 『전자민주주의: 새로운 패러다임의 모색』. 서울:

오름.
김용호. 2001. 『한국정당정치의 이해』. 서울: 나남.
김우상. 2007. 『신한국책략II』. 서울: 나남.
김 욱. 2002. "대통령-의회관계와 정당의 역할". 『의정연구』 제8권 2호. pp.6-31.
김운태(외). 1994. 『한국정치론』. 서울: 박영사.
김웅진. 1994. 『방법, 방법론과 한국정치학: 경험과학 연구를 중심으로』. 서울: 한울.
김의영. 2014. 『거버넌스의 정치학: 한국정치의 새로운 패러다임 모색』. 서울: 명인문화사.
김일영(외)·한국정치외교사학회 엮음. 2001. 『한국정치와 헌정사』. 서울: 한울.
김일영(저)·김도종(편). 2011. 『한국현대정치사론』. 서울: 논형.
김재한(편). 1994. 『정당구도론』. 서울: 나남.
김재한. 1998. 『합리와 비합리의 한국정치사회: 맑은 물에도 정치가 산다』. 서울: 소화.
김정한(편). 2013. 『최장집의 한국민주주의론』. 서울: 소명출판.
김종범·김동운. 1945. 『해방전후의 조선진상: 제2집 독립운동과 정당 급(及) 인물』. 서울: 조선정경연구소. (서울: 돌베개. 1984 재인쇄).
김주미. 2010. 『한민족과 '해속의 삼족오': 한국의 일상문 연구』. 서울: 학연문화사.
김학노. 2010. "정치, 아(我)와 비아(非我)의 헤게모니 투쟁". 『한국정치학회보』 제44집 제1호. pp.31-57.
김학준. 1983. 『한국정치론: 연구의 현황과 방향』. 서울: 한길사.
_____. 1990. 『한국정치론사전』. 서울: 한길사.
_____. 1999. 『한국문제와 국제정치』. 서울: 박영사.
김한식. 2006. 『한국정치의 변혁사상』. 서울: 백산서당.
김현우. 2000. 『한국정당통합운동사』. 서울: 을유문화사.
_____. 2001. 『한국국회론』. 서울: 을유문화사.
김형기. 2010. 『남북관계변천사』. 서울: 연세대학교출판부.
김형준. 2011. "한국정치 어디로 가야하나-자유화와 민주화를 넘어 정치

선진화로". 『4·19정신과 한국정치 선진화』. pp.69-85.
김호진. 1993. 『한국정치체제론』. 서울: 박영사.
노찬백(외). 2002. 『한국정치의 이해』. 서울: 형설출판사.
노태구. 2006. 『한국정치학의 패러다임: 통논리로』. 서울: 경기대학교출판부.
동아일보사(편). 1992. 『브리태니커』. 서울: 동아일보사.
라우터벡·리처드 E.(저)·국제신문사출판부(역). 1948. 『한국미군정사』. 서울: 국제신문사출판부. (서울: 돌베개. 1984 재인쇄).
마인섭(외). 2012. 『북한문제와 남남갈등』. 서울: 성균관대학교출판부.
모리야스로 지음·박성수 옮김. 2012. 『한국정치와 지역주의』. 서울: 모시는 사람들.
문창주. 1972. 『국제정치 속의 한국정치발전론』. 서울: 국민출판사.
민준기·신명순·이정복·윤성이. 2008. 『한국의 정치: 제도·과정·발전』. 파주: 나남.
민준기. 2003. 『한국의 정치발전, 무엇이 문제인가?』. 서울: 을유문화사.
박광주. 2006. 『한국정치: 전개와 전망』. 서울: 한울.
박명림. 2011. 『역사와 지식과 사회-한국전쟁 이해와 한국사회』. 서울: 나남.
박명호. 2012. "'안철수현상', 2012년 총선 그리고 한국정치". 『선거연구』 제2권 1호. pp.7-29.
박세일·장훈(공편). 2003. 『정치개혁의 성공조건: 권력투쟁에서 정책경쟁으로』. 서울: 동아시아연구원.
박은봉. 1994. 『한국사100장면』. 서울: 가람.
박익규. 2000. 『한국정치문화와 권력구조』. 서울: 하우.
박재형. 2010. 『한국정치와 헌법재판소』. 서울: 집문당.
박찬욱. 1997. 『미래한국의 정치적 리더십』. 서울: 미래인력연구센터.
박찬표. 2002. 『한국의회정치와 민주주의: 비교의회론의 시각』. 서울: 오름.
박충석·유근호. 1980. 『조선조의 정치사상』. 서울: 평화출판사.
박충석. 2010. 『한국정치사상사』. 서울: 삼영사.
배종윤. 2006. 『한국외교정책의 새로운 이해: 외교정책 결정과정과 관료』. 파주: 한국학술정보.
서대숙. 1985. 「한국공산주의 운동사 연구」. 서울: 화다.
서상목. 2004. 『정치시대를 넘어 경제시대로: 한국정치, 이제 새로운 틀을

짜야 한다』. 서울: 북코리아.
서희경. 2012. 『대한민국 헌법의 탄생: 한국헌정사, 만민공동회에서 제헌까지』. 파주: 창비.
소병희. 2006. 『한국경제와 한국정치: 공공선택론적 분석』. 서울: 국민대학교출판부.
손세일(편). 1976. 『한국논쟁사』 3권(정치, 법률, 경제편). 서울: 청람문화사.
손학규 지음 · 손학규후원회준비모임 엮음. 1993. 『한국정치와 개혁』. 서울: 한울.
손호철. 1991. 『전환기의 한국정치』. 서울: 창작과 비평사.
______. 2011. 『현대한국정치: 이론, 역사, 현실, 1945~2011』. 서울: 이매진.
송 복. 1997. 『한국사회의 갈등구조』. 서울: 경문사.
송남헌. 1975. 『한국현대정치사I』. 서울: 성문각.
신명순. 1993. 『한국정치론』. 서울: 법문사.
신복룡. 2003. 『한국정치사』. 서울: 박영사.
심백강(편저). 2014. 『잃어버린 상고사 되찾은 고조선』. 서울: 바른역사.
심익섭(외). 2004. 『한국민주시민교육론』. 서울: 엠-에드.
심지연. 2004. 『한국정당정치사: 위기와 통합의 정치』. 서울: 백산서당.
______. 2013. 『해방정국의 정치이념과 노선』. 서울: 백산서당.
안병준. 1986. 『한국의 정치와 정책: 이론과 실제』. 서울: 전예원.
안순철. 2000. 『선거체제비교: 제도적 효과와 정치적 영향』. 서울: 법문사.
양동안. 2013, "대한민국의기원". 『현대사광장』 제2호. pp.22-33.
양보희. 2001. 『시지프스의 돌: 한국정치 반세기의 회고』. 서울: 정문사.
양승태. 2013. "국사와 문명사, 역사의식과 국가이성". 『현대사광장』 제2호. pp.52-73.
어수영. 1991. 『민주주의와 한국정치』. 서울: 법문사.
엄태석. 2005. 『기초지방의회의 미래』. 파주: 한국학술정보.
연명모. 2007. 『현대한국정치론: 이론과 실제』. 대전: 대경.
오세응. 2014. 『잘못된 정치, 49%는 국민의 책임』. 서울: 기파랑.
오승용. 2005. 『분점정부와 한국정치』. 파주: 한국학술정보.
유명철. 2014. 『한국정치교육론』. 서울: 교육과학사.

유진오. 1980.『헌법기초회고록』. 서울: 일신사.
_____. 1980.『헌법기초회고록』. 서울: 일조각.
윤민봉. 1995.『한국정치의 문제』. 서울: 학문사.
윤천주. 1987.『한국정치체계: 정치상황과 정치참여』. 서울: 서울대학교출판부.
_____. 1996.『한국정치체계: 단극적 통치형』. 서울: 일조각.
윤형섭 · 김영래 · 이완범. 2003.『한국정치 어떻게 볼 것인가』. 서울: 박영사.
윤형섭 · 신명순(외). 1988.『한국정치과정론』. 서울: 법문사.
윤형섭. 1988.『한국정치론』. 서울: 박영사.
윤희중. 1987.『한국정치 커뮤니케이션 연구』. 서울: 나남.
이갑윤 · 이현우(편). 2014.『한국의 정치균열 구조: 지역, 계층, 세대 및 이념』. 서울: 오름.
이갑윤 · 이혜영. 2014.『국민이 바뀌어야 정치가 산다』. 서울: 오름.
이갑윤. 1998.『한국의 선거와 지역주의』. 서울: 오름.
이극찬. 1985.『민주주의와 한국정치』. 서울: 법문사.
이남영(편). 1993.『한국의 선거I』. 서울: 나남.
_____. 1998.『한국의 선거II』. 서울: 푸른길.
이동윤. 2003. "대통령제에서 헌정제도의 변화와 권력구조의 재편".『21세기정치학회보』 제23집 1호. pp.93-113.
이만섭. 2004.『나의 정치인생 반세기: 이승만에서 노무현까지』. 서울: 문학사상.
이민원. 2013. "대한제국과 대한민국의 관계".『현대사광장』 제2호. pp.6-21.
이병화. 1995.『정치이론과 한국정치』. 부산: 세종출판사.
이소영. 2015. "정당, 미디어 선택, 그 정치적 결과".『한국정당의 미래를 말하다』. pp.110-166.
이수인. 1997.『개혁과 통합시대의 한국정치』. 서울: 실천문학.
이신행. 1997.『한국의 사회운동과 정치변동』. 서울: 민음사.
이연호. 2013.『불평등발전과 민주주의: 한국정치경제론』. 서울: 박영사.
이완범. 2007.『한국해방 3년사, 1945~1948』. 서울: 태학사.

_____. 2013.『한반도분할의 역사: 임진왜란에서 6.25전쟁까지』. 성남: 한국학중앙연구원.
이우진 · 김성주. 1996.『현대한국정치론』. 서울: 사회비평사.
이장희(편저). 1996.『한국정치가 나아갈 길』. 서울: 아시아사회과학연구원.
이정복. 1995.『한국정치의 이해』. 서울: 서울대학교출판부.
_____. 2008.『한국정치의 분석과 이해』. 서울: 서울대학교출판부.
이정식. 1983.『한국정치 상황의 제단면』. 서울: 고려원.
이정희. 2013.『사랑의 정치』. 고양: 인간사랑.
이준한. 2007.『개헌과 민주주의: 한국적 정치제도의 비교연구』. 서울: 한울.
이지문. 2012.『추첨민주주의 이론과 실제』. 서울: 이담.
이현출. 2006.『매니페스토와 한국정치개혁』. 서울: 건국대학교출판부.
임혁백(외). 2005.『21세기 한국정치의 비전과 과제』. 서울: 민음사.
임혁백. 2011.『1987년 이후의 한국민주주의 3김 정치시대와 그 이후』. 서울: 고려대학교출판부.
임현진 · 송호근. 1995.『전환의 정치, 전환의 한국사회: 한국의 정치변동과 민주주의』. 서울: 사회비평사.
장 훈(편). 2008.『한국의 디지털정당』. 서울: 금붕어: 새사회전략정책연구원.
장 훈. 2010.『20년의 실험: 한국정치개혁의 이론과 역사』. 서울: 나남.
장동진. 2012.『심의민주주의: 공적이성과 공동선』. 서울: 박영사.
장을병. 1990.『한국정치의 이해』. 서울: 범우사.
정대덕 · 박홍식 · 나형욱. 2000.『민주주의와 한국정치』. 서울: 창문각.
정상구. 1968.『한국정치권력형태론』. 서울: 한국정경사.
정영국. 2003.『한국의 정치과정: 정당 · 선거 · 개혁』. 서울: 백산서당.
정영태. 2005.『전한국사회의 변화와 진보정당』. 인천: 인하대학교출판부.
정윤재. 2003.『정치리더십과 한국민주주의』. 서울: 나남.
정종섭. 2002.『한국헌법사문류』. 서울: 박영사.
정진민. 1998.『후기 산업사회 정당정치와 한국의 정당발전』. 서울: 한울.
_____. 2008.『한국의 정당정치와 대통령제 민주주의』. 고양: 인간사랑.
정해구(외). 1995.『대안은없는가?: 21세기 한국정치의 진로』. 서울: 두리.
조병세. 2012.『한국정치의 이해』. 서울: 매원.

조순승. 1989. 『전환기의 한국정치』. 서울: 박영사.
조의설(편). 1984. 『세계사대사전(3판)』. 서울: 민중서림.
조정관. 2013. 『From Authoritarianism to Democracy in Korea (1979~97)』. 광주: 전남대학교출판부.
조정현. 2000. 『한국정치와 정당체계 변동: 정당의 생성・소멸・통합・분열과정 분석』. 서울: 오름.
조진만・최준영. 2006. 『선거제도의 변화와 17대 총선』. 파주: 한국학술정보.
중앙선거관리위원회. 1973. 『대한민국 선거사』. 제1, 2, 3권. 서울: 중앙선거관리위원회.
_____. 2009. 『대한민국 선거사』. 제4, 5, 6권. 과천: 중앙선거관리위원회.
_____. 1973. 『대한민국 정당사』. 제1권. 서울: 중앙선거관리위원회.
_____. 1981. 『대한민국 정당사』. 제2권. 서울: 중앙선거관리위원회.
_____. 1992. 『대한민국 정당사』. 제3권. 서울: 중앙선거관리위원회.
_____. 2009. 『대한민국 정당사』. 제4, 5권. 과천: 중앙선거관리위원회.
지병근. 2014. "한국진보정당의 조직, 이념, 그리고 지지기반". 『현대정치연구』 제7권1호. pp.7-53.
지병문(외). 2014. 『현대 한국의 정치: 전개과정과 동인』. 고양: 피앤씨미디어.
진덕규. 2000. 『한국현대정치사서설』. 서울: 지식산업사.
_____. 2002. 『한국정치의 역사적 기원』. 서울: 지식산업사.
진영재(편). 2014. 『한국권력구조의 이해(개정판)』. 파주: 나남.
진영재. 2020. 『정당정치의 진화』. 서울: 연세대학교 출판문화원.
_____. 2023. 『선거정치: 정당, 후보자, 유권자』. 서울: 연세대학교 출판문화원.
최성종. 2008. 『한국정치 발전의 기본』. 광주: 조선대학교출판부.
최연식. 2015. 『조선의 지식계보학』. 서울: 옥당.
최영진. 1999. 『지역주의 이론과 한국정치』. 서울: 가산출판사.
최장집. 1989. 『한국현대정치의 구조와 변화』. 서울: 까치.
최한수. 1995. 『한국정치의 새도전』. 서울: 대정진.
한국・동양정치사상사학회 지음. 2005. 『한국정치사상사: 단군에서 해방까지』. 서울: 백산서당.
한국사사전편찬회(편). 1995. 『한국근현대사 사전(개정판)』. 서울: 가람.
한국정신문화연구원(편). 1991. 『한국민족문화 대백과사전』. 서울: 웅진출판사.
_____. 2002. 『유교리더십과 한국정치』. 서울: 백산서당.
한국정신문화연구원연구부(편). 1997. 『한국정치연구의 이론과 방법시론』. 서울: 한국정신문화연구원.
한국정치연구회 지음. 1990. 『한국정치론』. 서울: 백산서당.
_____. 1990. 『한국정치사』. 서울: 백산서당.
한국정치연구회(편). 1996. 『현대한국정치와 민주주의』. 서울: 한국정치연구회.
한국정치학회(편). 1987. 『현대한국정치론』. 서울: 법문사.
_____. 1987. 『현대한국정치와 국가』. 서울: 법문사.
_____. 1993. 『한국의정치: 쟁점과 과제』. 서울: 법문사.
_____. 1995. 『한국정치와 민족주의』. 서울: 한국정치학회.
_____. 2008. 『정치학이해의 길잡이, 한국정치(정치학핸드북 vol.7)』. 서울: 법문사.
한배호. 1994. 『한국정치변동론』. 서울: 법문사.
_____. 2003. 『한국정치문화와 민주주의』. 서울: 법문사.
한승조. 1988. 『리더쉽이론과 한국정치』. 서울: 민족지성사.
한시준. 2013. “대한민국의 역사, 언제부터 보아야 하나”. 『현대사광장』. 제2호. pp.34-51.
한정일. 1990. 『한국정치의 이념과 실제』. 서울: 일월서각.
_____. 2004. 『한국정치사회 변동론: 4차원 시・공간론 입장』. 서울: 아침.
한흥수(편). 1996. 『한국정치동태론』. 서울: 오름.
한흥수. 1977. 『근대 한국민족주의 연구』. 서울: 연세대학교출판부.
함성득(편). 2000. 『한국의 대통령과 권력』. 서울: 나남.
함성득. 2003. 『대통령학』. 서울: 나남.
호춘혜(저), 신승하(역). 1978. 『중국안의 한국독립운동』. 서울: 단국대학교출판부.
홍기형(외). 2013. 『우리시대知性과의 대화: 중원원로담론』. 괴산군: 중원대학교출판부.
_____. 2013. 『우리시대知性과의 대화: 중원원로담론2』. 괴산군: 중원대학교출판부.
홍성민. 2009. 『문화정치학서설: 한국진보정치의 새로운 구상』. 서울: 나남.
홍익표. 2012. 『한국정치를 읽는 20개의 키워드: 신자유주의부터 포퓰리즘까지』. 서울: 오름.

Bellamy, Richard (ed.). 2006. Constitutionalism and Democracy. Burlington, VT: Ashgate.
Dahl, Robert. 1998. On Democracy. New Haven: Yale University Press.
Lijphart, Arendt. 1999. The Patterns of Democracy: Government Forms and Performance in Thirty-Six Countries. New Haven: Yale University Press.
Moon, M.Jae et als. 2015. Korea and the World: Contemporary History and its Implications. Seoul: National Museum of Korean Contemporary History Sadurski, Wojciech (ed.). 2005. Constitutional Theory. Burlington, VT: Ashgate.
Shugart, Matthew Soberg. and John. M. Carey. 1992. Presidents and Assemblies: Constitutional Design and Electoral Dynamics. Cambridge: Cambridge University Press.
Wiarda, Howard J (ed.). 2005. Comparative Politics: Critical concepts in Political Science, Volume Ⅰ, Ⅱ, Ⅲ, Ⅳ, Ⅴ. London: Routledge.

찾 / 아 / 보 / 기

ㅅ

ㅇ

ㅈ

ㅊ

ㅋ

韓國政治 – 통치구조 · 정당 · 선거 [제3판]

2015년 8월 25일 초 판 발행
2018년 2월 10일 제2판 발행
2024년 9월 5일 제3판 1쇄 발행

저 자 진 영 재

발행인 배 효 선

발행처 도서출판 法 文 社

주 소 10881 경기도 파주시 회동길 37-29
등 록 1957년 12월 12일 / 제2-76호 (윤)
전 화 (031)955-6500~6 FAX (031)955-6525
E-mail (영업) bms@bobmunsa.co.kr
(편집) edit66@bobmunsa.co.kr
홈페이지 http://www.bobmunsa.co.kr

조 판 법 문 사 전 산 실

정가 30,000원 ISBN 978-89-18-91530-2